Fille de l'Orient

Benazir Bhutto

Fille de l'Orient

1953-2007
Une vie pour la démocratie

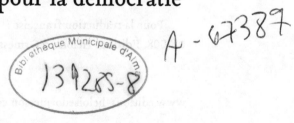
Autobiographie *traduite de l'anglais*
par Simone Lamblin et Isabelle Taudière

Éditions Héloïse d'Ormesson

Titre original :
Daughter of the East

Éditeur en 1988 :
Hamish Hamilton Ltd Londres

Éditeur pour l'édition 2007, revue et augmentée :
Simon & Schuster Ltd Londres

© Benazir Bhutto, 1988, 2007

La version de 1988 est parue
en traduction française aux Éditions Stock en 1989

Pour la traduction française :
© 2008, Éditions Héloïse d'Ormesson

www.editions-heloisedormesson.com

ISBN 978-2-35087-077-9

À Bilawal, Bakhtwar et Aseefa,
et à tous les enfants du Pakistan

PROLOGUE

J E N'AI PAS CHOISI CETTE VIE ; c'est elle qui m'a choisie.
Je suis née au Pakistan et ma vie est le reflet des turbulences, des tragédies et des triomphes de mon pays.

Une fois de plus, le Pakistan se retrouve sous les feux de l'actualité internationale. Des terroristes se réclamant de l'islam mettent en péril sa stabilité. Les forces démocratiques sont persuadées que l'on peut éradiquer le terrorisme en défendant les principes de liberté. Une dictature militaire joue un jeu dangereux, où la duperie le dispute aux intrigues. Craignant de perdre le pouvoir, elle esquive, laissant à l'écart les forces favorables à la modernisation tandis que la flambée de terrorisme s'intensifie.

Le Pakistan n'est pas un pays comme les autres, et ma vie n'a pas été une vie ordinaire : mon père et mes deux frères ont été assassinés. Ma mère, mon mari et moi-même avons tous été emprisonnés. J'ai passé de longues années en exil. Malgré tant de revers et de souffrances, je suis pourtant une femme heureuse. Heureuse, parce que j'ai réussi à ouvrir une brèche dans le bastion de la tradition en devenant la première femme du monde musulman nommée au poste de Premier ministre. Cet événement a marqué un tournant décisif dans le débat houleux sur le rôle des femmes dans une société islamique. Il a démontré qu'une femme pouvait non seulement accéder aux plus hautes fonctions de l'État, mais aussi gouverner fermement un pays et être acceptée comme dirigeante aussi bien par les hommes que par les femmes. Le peuple du Pakistan m'a fait cet immense honneur, et je lui en suis reconnaissante.

Si le débat entre partisans de la modernité et extrémistes est loin d'être clos, la condition des femmes du monde musulman a beaucoup évolué depuis ce jour du 2 décembre 1988 où j'ai prêté serment.

Très peu de gens sur cette terre ont le privilège de changer la société, de propulser dans l'ère moderne un pays qui n'avait que des infrastructures des plus rudimentaires, de casser les stéréotypes sur le rôle des femmes et surtout de donner un espoir de changement aux millions de gens qui, jusqu'alors, n'avaient jamais connu l'espoir.

Ce n'est pas nécessairement la vie que j'aurais choisie, mais les opportunités, les responsabilités et les réalisations qu'il m'a été donné d'accomplir en ont fait une vie riche. Et j'ai l'intime conviction que l'avenir me réserve encore plus de défis à relever – pour moi-même comme pour mon pays.

Il y a vingt ans, entre l'assassinat de mon père, mon séjour en prison et la responsabilité de reprendre le flambeau derrière lui, mon existence avait pris un tour qui ne me laissait pas beaucoup d'espoir de connaître un jour le bonheur dans ma vie privée – de trouver l'amour, de me marier, d'avoir des enfants. Comme la reine d'Angleterre Élisabeth Ire, qui avait aussi tâté de la prison et était restée célibataire, j'étais convaincue que je ne me marierais jamais. Contrairement à mes attentes et malgré les circonstances difficiles, le bonheur frappa à ma porte : j'ai trouvé la joie et une vie conjugale heureuse, auprès d'un époux dont le courage et la loyauté m'emplissent d'orgueil et qui, tout au long de nos dix-neuf années de mariage, m'a apporté un soutien sans faille. Il a passé toutes ces années entre la Résidence du Premier ministre et les geôles du régime, comme prisonnier politique pris en otage de ma carrière. Et je me suis rendu compte que, malgré la séparation physique et les multiples tentatives de nous dresser l'un contre l'autre, notre relation n'a fait que se renforcer.

Non, ma vie n'a pas pris le cours que j'aurais prédit, mais je n'échangerais ma place contre celle d'aucune autre femme au monde.

Je suis une femme fière de mon héritage culturel et religieux. J'estime qu'il est de mon devoir de faire valoir l'islam véritable – une religion tolérante et pluraliste – contre la caricature qu'en ont fait les terroristes et qu'ils ont détournée. Je sais que j'incarne ce que les soi-disant « djihadistes » du mouvement taliban et d'Al-Qaïda redoutent le plus. Je suis une femme politique qui se bat pour apporter au Pakistan le modernisme, les communications, l'éducation et la technologie. Je suis persuadée qu'un Pakistan démocratique peut devenir un symbole d'espoir pour plus d'un milliard de musulmans dans le monde qui doivent choisir entre les forces du passé et celles de l'avenir.

Les combats politiques que j'ai menés ont toujours eu une finalité. Il s'agissait en premier lieu de promouvoir la liberté et la justice sociale. Et ces valeurs méritent incontestablement que l'on se batte pour elles. Mais je sais aussi que ma carrière a été d'autant plus difficile que je suis une femme. Bien sûr, rien n'est facile pour nous, les femmes, dans la société moderne, où que nous vivions. Nous devons toujours redoubler d'effort pour prouver que nous valons autant que les hommes. Nous devons travailler davantage et faire plus de sacrifices. Et nous devons aussi nous immuniser, émotionnellement, contre les attaques injustes et souvent pernicieuses qui visent les hommes de notre famille pour mieux nous toucher. Car, hélas, beaucoup pensent encore que la vie d'une femme est nécessairement contrôlée par l'homme et qu'en faisant pression sur celui-ci ils le pousseront à faire pression sur son épouse.

Nous devons néanmoins être préparées à ne pas nous plaindre de ces discriminations, mais à les surmonter. Et nous devons être prêtes à le faire même si cela nous oblige à travailler deux fois plus dur et deux fois plus longtemps qu'un homme. Je suis reconnaissante à ma mère de m'avoir fait prendre conscience que la grossesse est un état biologique naturel qui ne doit en rien bouleverser le cours normal de la vie. Forte de cette leçon, je n'ai pratiquement jamais éprouvé la moindre limitation physique ou émotionnelle pendant mes grossesses. J'étais cependant bien consciente que ce qui aurait dû rester une affaire strictement familiale et intime a rapidement enflammé le débat politique, des états-majors de l'armée jusqu'aux salles de rédaction du pays… et du reste du monde. Sachant que beaucoup m'attendaient au tournant, je veillais à n'ébruiter aucun détail de mes grossesses. J'ai à cet égard eu la chance d'être suivie par un excellent médecin, le Dr. Freddy Setna, qui a toujours fait en sorte que mes visites restent absolument confidentielles.

J'ai trois merveilleux enfants, Bilawal, Bakhtwar et Aseefa. Ils me donnent beaucoup de joie et font toute ma fierté. En 1988, alors que j'attendais mon premier enfant, le dictateur militaire a dissous le Parlement et convoqué des élections générales. Ses conseillers militaires et lui-même s'accordaient à penser qu'une femme enceinte ne pourrait jamais faire campagne. Ils se trompaient. J'en étais parfaitement capable, et je l'ai fait. Mon fils Bilawal est né le 21 septembre 1988. Ce fut l'un des plus beaux jours de ma vie. Quelques semaines plus tard, je remportais les élections. Ce fut un autre des plus beaux jours de ma vie. Je venais de donner tort à tous ceux qui prédisaient que jamais une femme musulmane ne pourrait gagner le cœur et l'esprit de son peuple.

Peu après ma nomination au poste de Premier ministre, ma mère m'a conseillée de me «dépêcher de faire un autre enfant». Elle estimait qu'une femme devait avoir des enfants rapidement avant qu'il ne devienne trop difficile de s'occuper d'une famille tout en assumant d'autres responsabilités. J'ai suivi son conseil.

Près d'un an plus tard, alors que personne n'était encore au courant de ma deuxième grossesse, les chefs de l'armée décidèrent de m'emmener pour un briefing militaire au glacier du Siachen, le point culminant du Pakistan. Cette région était au cœur d'un conflit territorial entre le Pakistan et l'Inde qui avait bien failli basculer vers la guerre en 1987 (et devait à nouveau amener les deux pays à deux doigts d'un conflit armé en 1999). Je craignais qu'à cette altitude la raréfaction de l'oxygène ne présente des risques pour l'enfant que je portais. Mon médecin me rassura : je pouvais y aller sans crainte. Si je sentais les effets du mal des montagnes, il me suffirait de porter un masque à oxygène. Dans ce type de situation, les symptômes n'affectent que la mère. L'enfant, lui, ne courait aucun danger. Ces explications ne m'avaient à vrai dire qu'à demi réconfortée, et ce fut donc avec beaucoup d'appréhension que je suivis mes généraux.

Ma venue au Siachen contribua grandement à remonter le moral des troupes stationnées sur ces hauteurs. Et le site était splendide. Le paysage d'une blancheur immaculée s'étirait à perte de vue et les glaciers gelés se fondaient imperceptiblement au bleu du ciel. Il régnait un silence absolu qui donnait à ces sommets enneigés une dimension céleste. Par-delà la frontière, j'apercevais les postes militaires indiens qui rappelaient combien l'apparence de paix pouvait être trompeuse.

Dès que l'opposition apprit que j'étais enceinte, elle déclencha un véritable branle-bas de combat. Elle exhorta le président et l'armée à me démettre de mes fonctions, sous prétexte que rien dans les institutions pakistanaises ne prévoyait un congé de maternité pour le Premier ministre. Puisque je ne serais plus en mesure de gouverner au moment de l'accouchement, tout l'appareil d'État s'effondrerait nécessairement, disaient-ils. Une telle vacance du pouvoir était selon eux inconstitutionnelle et il était donc impératif que le président, avec la bénédiction de l'armée, destitue le Premier ministre et nomme un gouvernement de transition pour préparer de nouvelles élections.

Je balayai ces demandes extravagantes d'un revers de main, soulignant que la législation de notre pays garantissait un congé de maternité à toutes les femmes actives (une mesure que mon père avait fait adopter), et que cette disposition s'appliquait tout aussi bien au Premier ministre, même si le cas n'était pas explicitement prévu dans les règles régissant les affaires de l'État. Les membres de mon gouvernement appuyèrent mon point de vue, faisant remarquer qu'un congé maladie d'un dirigeant masculin n'avait jamais débouché sur une crise constitutionnelle. Et il n'y avait aucune raison pour qu'il en aille autrement lorsqu'une femme politique se trouvait momentanément souffrante.

L'opposition ne se laissa pas démonter par ces arguments et lança un ordre de grève pour contraindre le président à révoquer le gouvernement. Je devais préparer ma propre contre-offensive. Mon père m'avait appris que, en politique, il est essentiel de savoir choisir le bon moment pour agir. Je consultai mon médecin qui m'assura que mon enfant était arrivé à terme et, avec son approbation, je décidai d'accoucher par césarienne la veille de la grève générale.

Je ne voulais pas donner du grain à moudre à ceux pour qui une femme enceinte ne peut pas être performante. Malgré mon état, j'ai donc travaillé tout aussi assidûment, et sans doute plus encore, que l'aurait fait un homme Premier ministre. La veille de l'accouchement, je présidai le Conseil des ministres dans la capitale, puis je partis pour Karachi. Le lendemain matin, je me réveillai aux aurores et une amie me conduisit à l'hôpital.

Par rapport à la Mercedes noire que j'utilisais pour mes déplacements officiels, sa petite voiture passait tellement inaperçue que les vigiles en faction devant chez moi ne nous ont même pas vues sortir.

Il est vrai qu'ils se concentraient davantage sur les véhicules qui entraient que sur ceux qui repartaient.

Je sentais mon cœur battre dans ma poitrine tandis que nous filions à vive allure vers l'hôpital où nous attendait le Dr. Setna. Le personnel hospitalier ne put cacher sa surprise en me voyant descendre de voiture. Je savais que, dès lors, la nouvelle se propagerait comme une traînée de poudre et ce d'autant plus vite que, grâce à une initiative de mon gouvernement, les téléphones portables et appareils de radiomessagerie étaient désormais monnaie courante au Pakistan (nous étions le premier pays d'Asie du Sud et du Moyen-Orient à s'être doté de réseaux cellulaires). Je hâtai le pas pour traverser le couloir qui menait au bloc opératoire. Mon mari et ma mère avaient bien entendu été mis dans la confidence et arriveraient bientôt. Quelques heures plus tard, tandis que l'on me ramenait à ma chambre, j'émergeai brièvement des brumes de l'anesthésie. «C'est une fille», entendis-je mon mari m'annoncer. Je vis l'expression radieuse de ma mère. Je prénommai ma fille Bakhtwar, ce qui signifie «celle qui apporte la chance». Et elle m'a effectivement porté chance : les grèves firent long feu et la campagne de l'opposition tomba à plat.

Je reçus des milliers de messages de félicitations du monde entier. Des chefs d'État et de gouvernement et des gens ordinaires m'écrivirent pour partager ma joie. Ce fut un instant décisif, surtout pour les jeunes femmes, car l'événement avait démontré qu'une femme pouvait avoir un enfant tout en assumant les fonctions les plus difficiles qui soient, jusque dans les plus hautes sphères du pouvoir. Dès le lendemain, j'étais de retour dans mon bureau, où j'examinais et signais les dossiers en cours. Ce n'est que plus tard que j'appris que j'étais le premier chef de gouvernement de l'histoire à avoir eu un enfant dans l'exercice de ses fonctions. Je venais de briser un nouveau plafond de verre pour les femmes Premier ministre.

Bakhtwar est née en janvier 1990. Sept mois plus tard, le 6 août, tandis que la communauté internationale avait les yeux tournés sur l'Irak qui venait d'envahir le Koweït, le président limogea mon gouvernement au mépris de toutes les règles démocratiques. Mon mari fut arrêté et ma mère me suggéra d'envoyer mes enfants à l'étranger. Bilawal devait fêter ses deux ans en septembre et Bakhtwar n'avait pas encore un an. L'idée de les éloigner de moi me déchirait le cœur. Ma sœur, qui vivait à Londres, les accueillit chez elle et les entoura d'affection. Ma belle-famille tint également très bien son rôle en se relayant à Londres auprès des enfants. Quant à moi, je faisais des cauchemars où j'entendais mes enfants me réclamer à cor et à cri. À chacune de nos nombreuses conversations téléphoniques, ma sœur m'assurait que je n'avais aucune raison de me faire de souci. Pourtant, ces rêves ne cessèrent jamais de me hanter.

Dès que mon gouvernement a été limogé, l'anarchie et le chaos se sont emparés de la ville portuaire de Karachi. Le terrorisme faisait des ravages. Des civils innocents étaient massacrés dans les transports en commun, devant chez eux ou sur leur lieu de travail. Je savais que mes enfants étaient plus en sécurité à Londres. J'avais pourtant du mal à trouver le sommeil et, chaque nuit, dès que je m'endormais, ce n'était que pour être réveillée par des cauchemars.

Ma mère et moi vivions alors surtout à Islamabad, la capitale. Mon mari, qui avait décroché un siège de député aux législatives de 1990, était également placé en résidence surveillée chez nous pendant les séances parlementaires. Je confiai à mère et à mon époux combien je souffrais de vivre aussi loin de mes enfants. J'avais l'impression de les abandonner et je craignais que cette situation ne porte préjudice à leur bien-être affectif et à leur épanouissement.

En 1991, Bilawal était entré en maternelle dans le quartier de Queen's Gate à Londres. Bakhtwar n'avait encore qu'un an. Je me dis que je pourrais la ramener au Pakistan et la cacher dans notre maison. Je pris un avion pour Londres et, bouillant d'impatience, je me rendis chez ma sœur Sanam. Dès que je frappai à la porte de son appartement, j'entendis ma fille hurler. C'était exactement le cri que j'avais entendu dans mes rêves. Je me précipitai, la pris aussitôt dans mes bras et je serrai mon fils contre moi. «J'ai décidé de ramener Bakhtwar avec moi», annonçai-je à ma sœur. La nouvelle la soulagea : «Je ne voulais pas t'inquiéter, avoua-t-elle, mais cette enfant n'arrête pas de pleurer depuis des mois.»

Il n'y avait pas eu besoin de mots pour que les deux enfants comprennent ce qui allait arriver. Tant que Dieu me prêtera vie, je n'oublierai jamais l'image de Bilawal assis par terre dans le couloir, le dos contre le mur, dans sa chemise blanche, son pantalon bleu rayé, ses socquettes blanches et ses chaussures noires. Il me fixait silencieusement et stoïquement avec les yeux marron les plus tristes du monde tandis que j'emmenais Bakhtwar et que je le laissais. Aucune mère ne devrait jamais avoir à prendre un enfant avec elle et à en laisser un autre.

Tenant Bakhtwar dans mes bras, je repartis pour l'aéroport d'Heathrow. Elle resta tranquillement blottie contre moi. J'embarquai sur un vol de la Pakistan International Airlines et m'installai dans mon siège. Pendant les neuf heures de vol, Bakhtwar ne pleura pas une seule fois. Le visage enfoui dans le creux de mon épaule, elle dormait. Dans l'avion, j'étais assise à côté de Madam Noorjehan, la légendaire chanteuse pakistanaise. Elle ne tarit pas d'éloges sur cette adorable fillette qui se tenait si bien avec sa maman. «Jamais de ma vie je n'ai vu un bébé aussi sage dans l'avion», me dit-elle.

Mon beau-père et son épouse décidèrent de rester à Londres pour aider ma sœur à s'occuper de Bilawal. Je me console en me disant que Bilawal a eu auprès de lui une famille pour le distraire de ses chagrins par des promenades à Hyde Park, où il jouait à nourrir les canards et les écureuils.

En 1990, entre la chute de mon gouvernement PPP, la campagne électorale, la séparation d'avec mes enfants et la chasse aux sorcières engagée contre mon parti et ma famille, j'avais perdu beaucoup de poids. Au printemps 1992, j'appris que j'attendais un troisième bébé. Venant moi-même d'une famille de quatre enfants, j'étais ravie à l'idée que notre famille allait s'agrandir. Mais le pays traversait une période d'incertitude. L'armée lança une vaste opération de maintien de l'ordre à Karachi. Le Mouvement national muhajir (MQM), un parti ethnique [réunissant des musulmans de langue ourdoue venus de l'Inde après la partition de 1947], avait déclenché des conflits communautaires qui se sont soldés par un bain de sang. Le gouvernement de Nawaz Sharif l'accusait de conspirer contre l'intégrité territoriale du pays pour former un État séparé sous le nom de Jinnahpur. Pour étayer ces accusations, l'armée publia des cartes montrant les frontières envisagées pour cette région autonome, tandis que la répression militaire s'abattait. Mais la plupart des citoyens, jugeant que les troubles civils avaient assez duré et que le sang avait déjà trop coulé, accueillirent avec soulagement le démantèlement de cet État dans l'État du MQM.

Tandis que les blindés entraient dans la ville et défonçaient les nombreuses barricades que le MQM avait dressées à l'entrée des rues pour empêcher les habitants de sortir, le Pakistan plongea dans une crise plus grave. Le Premier ministre, admirateur inconditionnel du système de gouvernance saoudien, voulait faire du Pakistan un État théocratique. Il fit passer en force au Parlement une loi visant à renforcer la législation islamique dans le pays. Mon parti fit barrage à ce projet de loi lors de son examen au Sénat. Mais la dynamique était engagée. En 1994, le Premier ministre disposerait d'une majorité au Sénat et, dès lors, il entreprendrait d'«islamiser» le Pakistan.

Les Pakistanais, dans leur grande majorité, étaient contre l'idée de faire de leur pays une théocratie. Ils étaient farouchement attachés à la conception laïque établie par le fondateur du Pakistan, Mohammed Ali Jinnah, dit *Qaid e Azam*, «Lumière de la nation». Cependant, de puissants éléments de l'armée ont soutenu le Premier ministre, lui donnant une majorité des deux tiers à la Chambre basse.

L'impéritie budgétaire avait par ailleurs lourdement pesé sur la vie des citoyens ordinaires. Les coupures de courant, dont était venu à bout mon gouvernement PPP, reprirent. Des scandales de corruption faisaient les manchettes de la presse. De l'autre côté de la frontière, en Inde, les attentats de Bombay avaient envenimé les relations entre les deux pays. New Delhi tenait Islamabad pour responsable de ces attaques. C'était après le premier attentat de 1993 sur le World Trade Center de New York. Le Pakistan était en passe d'être inscrit sur la liste noire des «États terroristes».

Le 18 novembre 1992, les partis d'opposition regroupés en coalition au sein de l'Alliance démocratique du Pakistan (PDA) appelèrent à une longue marche de protestation de Rawalpindi jusqu'au Parlement d'Islamabad pour faire chuter le gouvernement.

J'étais tellement maigre que personne ne se doutait que j'étais enceinte. Malgré cette perte de poids, ou peut-être grâce à elle, je me sentais en pleine forme et je redoublais d'énergie. Notre appel à la contestation m'avait galvanisée. Dans tout le pays, les citoyens y ont répondu. Des quatre coins du Pakistan, des caravanes s'apprêtaient à converger vers Rawalpindi pour affirmer le pouvoir du peuple. Il s'agissait de rétablir la démocratie, de mettre un coup d'arrêt à la théocratie et de résoudre les difficultés quotidiennes de la population.

À la veille de cette grande manifestation, nous avons appris que le régime avait décidé d'utiliser la force brutale pour empêcher notre rassemblement. «Cela signifie que les forces de sécurité risquent d'utiliser des gaz lacrymogènes», dis-je à ma secrétaire politique Naheed Khan. J'étais inquiète pour mon bébé. Naheed s'arrangea pour nous faire livrer des lunettes de protection. On nous promit des masques semblables à ceux qu'utilisaient les militaires, mais, le lendemain matin, ils n'étaient pas arrivés. À défaut, nous avons donc emporté des serviettes. Pendant la nuit, une foule s'était massée devant chez moi. Le lendemain matin au réveil, nous avons découvert une clôture de fil de fer barbelé tout autour de la maison. Dès que nous sommes sortis par le grand portail, avec plusieurs dirigeants du parti, nous avons été chargés à la matraque. Des membres du parti ont été tabassés alors qu'ils tentaient de me protéger en essayant d'escalader la clôture de barbelés.

Avec un petit groupe, nous avons réussi à franchir les barbelés, à trouver un véhicule et à quitter Islamabad pour rejoindre Rawalpindi. Nous croisions régulièrement des voitures de police qui nous cherchaient et nous conduisions très lentement en baissant la tête pour ne pas être identifiés. Notre camionnette s'empêtra dans un barrage de barbelés. Il ne passait que très peu de véhicules sur les routes bloquées. Nous réussîmes à arrêter une Jeep. Elle appartenait à un de nos sympathisants qui nous invita à monter. Avec Malik Qasim, dirigeant de la Ligue musulmane, faction Qasim (PML–Q), le général de corps aérien Asghar Khan, l'actuel ministre des Affaires étrangères Khursheed Kasuri, ma secrétaire politique Naheed Khan, son mari le sénateur Safdar Abbassi et mon responsable de la sécurité Munnawar Shrawardi (qui serait assassiné en 2004), nous nous sommes tous entassés dans la Jeep.

Seules les routes des environs d'Islamabad étaient bloquées. Dès que nous sommes entrés dans Rawalpindi et ses petites rues, une clameur de joie s'est élevée de la foule. Les gens ont commencé à se masser autour de notre véhicule, en scandant des slogans. Nous avons tout de même fini par arriver à notre point de ralliement, le parc Liaqat Bagh.

Des policiers me racontèrent par la suite qu'ils avaient reçu un message leur signalant ma présence à Rawalpindi mais qu'ils n'y avaient pas cru. Quelques minutes plus tard, ils avaient pourtant été assaillis de tant d'appels qu'ils décidèrent de vérifier par eux-mêmes. L'information était confirmée. Une folle course-poursuite qui semblait sortie tout droit d'un film de James Bond – ou plutôt d'une production de Bollywood – s'engagea alors dans les rues de Rawalpindi. Les grenades lacrymogènes pleuvaient sur notre Jeep. Les sirènes de voitures de police hurlaient dans toute la ville. Il régnait à Rawalpindi une indescriptible confusion.

Des flots de manifestants continuaient à s'interposer entre les voitures de police et notre véhicule. Les forces de sécurité lançaient des grenades lacrymogènes, descendaient de leurs fourgons moulées dans leur tenue de ninja et jouaient de la matraque pour disperser la foule. Lorsque les gaz lacrymogènes explosaient et que la fumée s'épaississait, nous faisions demi-tour ou empruntions le trottoir pour prendre une autre rue. La foule nous acclamait, les slogans résonnaient. Les renforts de police arrivaient par vagues et barraient les rues avec leurs voitures et leurs fourgons. La police jetait maintenant directement ses grenades lacrymogènes sur le pare-brise de notre véhicule et nous visait. Le pare-brise vola en éclats. Notre chauffeur finit par en avoir assez. Il freina, descendit d'un bond et s'enfuit. La police cerna la Jeep et nous arrêta tous. Nous fûmes par la suite relâchés, mais les événements de la journée avaient porté un coup au régime.

Cela n'avait peut-être rien à voir mais, après avoir respiré tant de gaz lacrymogènes, je commençai à souffrir de la vésicule biliaire. Je pris un traitement homéopathique mais la douleur persistait. Elle était souvent insoutenable. Si je me faisais opérer, je pouvais perdre mon enfant. Je ne voulais pas courir ce risque. Quand la douleur devint trop forte, je pris un avion pour Londres. Les médecins me conseillèrent d'accoucher au plus vite par césarienne afin de pouvoir subir une intervention pour me faire retirer la vésicule sous endoscopie. Le 3 février 1993, ma fille Aseefa vit ainsi le jour à l'hôpital Portland. Je serrai mon adorable bébé contre moi.

Je l'ignorais encore à l'époque mais, avec la naissance d'Aseefa, ma famille était au complet. Peu après, le 24 octobre 1993, le PPP fut réélu. Dans la grande tradition des cycles récurrents de la politique pakistanaise, ce deuxième gouvernement fut destitué en 1996 de façon aussi peu démocratique que le premier, et mon mari Asif fut arrêté. Malheureusement, le temps qu'il sorte de prison en novembre 2004, j'étais trop âgée pour avoir un autre enfant.

Tandis que nous célébrions l'arrivée d'Aseefa, j'étais loin de me douter que le lent et imperceptible déclin de ma mère s'accélérait, sous l'effet d'une forme de démence proche de la maladie d'Alzheimer. Les premiers symptômes remontaient en fait aux terribles blessures qui lui avaient été infligées le 16 décembre 1977 par les séides du général Zia à Lahore, quand nous avions été tabassées alors que nous assistions à un match de cricket. Ma mère avait été sauvagement frappée et s'en était tirée avec plusieurs plaies à la tête. Après cela, elle n'a jamais été tout à fait la même. Mais il était navrant de voir son état se détériorer aussi manifestement.

J'ai vu ma mère, cette femme si belle et si élégante, si charmante et si gracieuse, s'affaiblir doucement et se fragiliser. Cette femme forte, qui avait affronté des dictatures miliaires et était à l'avant-garde de la lutte pour les droits des femmes, ne reconnaît désormais presque plus personne et a perdu l'usage de la parole. Elle ne peut pas me dire si elle a faim ou si elle a mal aux dents. C'est absolument déchirant pour moi de constater à quel point ma mère, jadis si déterminée, est devenue vulnérable. Mais j'ai la chance de l'avoir à mes côtés. Sa simple présence me donne de la force. Elle est le lien vivant avec la famille qui m'a vue naître, avec nos épreuves et nos difficultés, et avec les relations d'amour qui nous ont soudés, les hauts et les bas, les peines et les joies que nous avons partagées.

La longue incarcération d'Asif fut très pénible pour notre famille. Il m'était difficile de voir mes enfants privés de leur père durant ces années si cruciales pour leur épanouissement. Rien ne peut compenser une telle absence, mais je pense que c'est là l'effet d'une autre forme du sexisme qui gangrène encore notre société : emprisonnerait-on pendant huit ans une femme sans preuve ni inculpation, pour lui faire payer la carrière politique de son mari ? Bien sûr que non. C'est pourtant une injustice que nous avons dû subir. Pour ne rien arranger, peu après sa libération, Asif a été victime d'une crise cardiaque dont il a bien failli ne pas réchapper.

En observant de l'extérieur l'état dans lequel se trouve mon pays, je me rends compte que les enjeux au Pakistan sont aujourd'hui plus importants que jamais. Je suis convaincue que, si l'Occident s'obstine à caresser dans le sens du poil les juntes militaires qui étouffent la liberté au Pakistan, une nouvelle génération de terroristes surgira dans le sillage des talibans et d'Al-Qaïda, pour engager l'Occident, au nom d'un islam dévoyé, dans une violente confrontation. Le rétablissement d'un régime démocratique et libéral à Islamabad ne devrait pas concerner que les Pakistanais. Ce devrait être l'objectif de tous les citoyens du monde qui cherchent à éviter un «choc des civilisations».

À l'heure où j'écris ces lignes à Londres, je dois avouer que ma vie est aussi difficile que passionnante. Je vis avec mes valises toujours faites, toujours entre deux avions, sillonnant le monde pour donner des conférences sur l'islam, la démocratie et les droits des femmes, dans des universités, des associations professionnelles, des associations de femmes et des think tanks de politique étrangère. Je continue d'arpenter les couloirs de la Chambre des communes britannique et du Congrès américain. Je reste présidente du Parti du peuple pakistanais. Je vais voir mon mari de temps en temps à New

York, où il suit un traitement médical. Je prépare mes enfants à leurs examens à Dubaï. Et je dirige la coalition d'opposition réunissant les partis politiques laïques et démocratiques du Pakistan pour exiger que se tiennent en 2007 des élections libres et régulières conformes à la Constitution du Pakistan. Voilà qui peut sembler beaucoup. Mais telle est ma vie et je l'accepte. Ce qui suit est un récit de mon parcours, et le dernier chapitre, « Premier ministre et au-delà », couvre les événements qui se sont déroulés depuis la première édition de cette autobiographie.

Je suis honorée et heureuse du destin qui est le mien. Si Dieu le veut, je reviendrai dans mon pays pour mener les forces démocratiques pakistanaises dans une bataille électorale contre le pouvoir absolu des dictateurs, des généraux et des fondamentalistes. Telle est ma destinée. Et, comme l'avait un jour dit John F. Kennedy, « je ne me dérobe pas à cette responsabilité, je l'accueille à bras ouverts ».

Benazir Bhutto
Londres, avril 2007

1

L'ASSASSINAT DE MON PÈRE

ON A TUÉ MON PÈRE aux premières heures de la matinée le 4 avril 1979, dans la prison centrale de Rawalpindi. Enfermée avec ma mère à quelques kilomètres de là, dans un camp d'entraînement de la police abandonné à l'époque, à Sihala, je ressentis l'instant de la mort de mon père. Malgré les calmants que m'avait donnés ma mère pour essayer de passer cette nuit d'agonie, je m'assis brusquement, toute droite dans mon lit, à 2 heures du matin. «Non!» Mon cri força l'obstacle de ma gorge serrée. «Non!» Je ne pouvais pas respirer, je ne voulais pas respirer. Papa! Papa! J'avais froid, si froid, en dépit de la chaleur, et j'étais incapable de maîtriser mes tremblements. Nous ne trouvions rien à dire, ma mère et moi, pour nous consoler. Nous étions blotties l'une contre l'autre, dans ces cantonnements vides, et les heures passèrent, je ne sais comment. À l'aube, nous étions prêtes pour accompagner le corps de mon père jusqu'au cimetière ancestral de notre famille.

«Je suis en *iddat* (en deuil) et je ne peux recevoir des étrangers. Parle-lui», dit ma mère avec lassitude, quand le geôlier arriva. Elle commençait les quatre mois et dix jours pendant lesquels une veuve s'isole des gens de l'extérieur.

Je passai dans la pièce au sol de ciment fissuré qui était censée nous servir de salon. Elle empestait le moisi et la pourriture.

«Nous sommes prêtes à partir avec le Premier ministre», dis-je au gardien subalterne qui se tenait devant moi, l'air mal à l'aise.

«On l'a déjà emmené pour l'enterrer», dit-il.

C'était comme s'il m'avait frappée. «Sans sa famille? demandai-je, blessée. Même les criminels du régime militaire savent que dans notre famille c'est une obligation religieuse d'accompagner le corps, de dire les prières pour le mort, de voir son visage avant l'inhumation. Nous l'avons demandé au directeur de la prison...»

Il m'interrompit : «On l'a emmené.

– Où l'a-t-on emmené?»

L'homme se taisait.

«Ç'a été très paisible, dit-il enfin. J'ai apporté ce qui restait.»

Il me tendit un par un les pauvres objets de sa cellule de condamné : le *shalwar khameez*, la longue chemise et les pantalons bouffants qu'il portait à la fin, refusant, en tant que prisonnier politique, l'uniforme du criminel de droit commun, la boîte-repas qu'il avait toujours repoussée pendant les dix derniers jours, le matelas pliant qu'on avait fini par lui accorder quand les ressorts cassés de son sommier lui eurent lacéré le dos, la tasse où il buvait...

«Où est son alliance? réussis-je à demander.

– Il avait une alliance?»

Je le regardai se livrer à tout un numéro, fouillant son sac, ses poches. Il me tendit enfin la bague de mon père, qui, les derniers temps, glissait sans cesse de ses doigts amaigris.

«Paisible. C'était très paisible», marmonnait-il.

Comment une pendaison pourrait-elle être paisible?

Basheer et Ibrahim, les serviteurs de notre famille, qui nous avaient suivis à la prison parce que les autorités ne nous fournissaient pas de nourriture, entrèrent dans la pièce. Basheer pâlit en reconnaissant les vêtements de mon père.

« *Ya Allah! Ya Allah!* Ils ont tué Sahib! Ils l'ont tué!» cria-t-il. Avant que j'aie pu l'en empêcher, il empoigna un bidon d'essence et s'en aspergea, prêt à s'immoler par le feu. Ma mère dut se précipiter pour arrêter le sacrifice.

Je restais là, hébétée, ne pouvant et ne voulant croire ce qui était arrivé à mon père. Était-il possible que Zulfikar Ali Bhutto, le premier des Premiers ministres du Pakistan à avoir été élu directement par le peuple, fût mort? Alors que le pays ne connaissait que la répression, sous les généraux qui gouvernaient le Pakistan depuis sa naissance, en 1947, mon père avait été le premier à lui apporter la démocratie. Là où le peuple avait vécu pendant des siècles à la merci de ses chefs de tribus et de ses propriétaires fonciers, il avait établi la première Constitution du Pakistan qui garantissait la protection légale et les droits civils. Là où le peuple avait dû recourir à la violence et à l'effusion de sang pour renverser les généraux, il avait établi un système parlementaire de gouvernement civil et des élections tous les cinq ans.

Non. Ce n'était pas possible. «*Jiye* Bhutto! Vive Bhutto!» avaient-ils crié par millions quand il devint le premier homme politique à avoir jamais visité les villages les plus malheureux et les plus éloignés du Pakistan. Quand son Parti du peuple pakistanais fut porté au pouvoir, mon père avait entrepris ses plans de modernisation : redistribution, parmi les plus pauvres, des terres détenues depuis des générations par quelques féodaux, éducation de millions de gens, jusqu'alors maintenus dans l'ignorance, nationalisation des grandes industries du pays, salaire minimum garanti, sécurité de l'emploi, et interdiction des mesures discriminatoires contre les femmes et les minorités. À un pays qui croupissait dans les ténèbres, les six années de son gouvernement avaient apporté la lumière, jusqu'à l'aube du 5 juillet 1977.

Zia ul-Haq. Le chef d'état-major des armées, qu'on croyait loyal. Le général qui envoya ses soldats, en pleine nuit, renverser mon père

27

et soumettre le pays par la force. Zia ul-Haq, le dictateur militaire qui n'avait pas réussi à écraser les partisans de mon père, malgré ses armes, ses gaz lacrymogènes et ses ordonnances de loi martiale, qui ne parvint à briser l'esprit de mon père malgré son isolement dans une cellule de condamné. Zia ul-Haq, le général qui, dans son acharnement, ne sut qu'envoyer mon père à la mort. Zia ul-Haq, le général qui allait gouverner impitoyablement le Pakistan pendant les neuf années suivantes.

Je restais paralysée d'horreur devant le geôlier en second, tenant le petit ballot qui contenait tout ce qui me restait de mon père. L'odeur de son eau de toilette imprégnait encore ses vêtements, le parfum Shalimar. Je serrai contre moi son *shalwar*, me rappelant soudain Kathleen Kennedy, qui porta encore à Radcliffe la parka de son père longtemps après que le sénateur eut été tué. On avait souvent comparé nos deux familles à propos de politique. Nous avions maintenant un nouveau et terrible lien. Cette nuit-là, et pendant beaucoup d'autres nuits, j'essayai moi aussi de garder mon père près de moi en dormant avec sa chemise sous mon oreiller.

Je me sentais complètement vide, ma vie brisée. Pendant près de deux ans, je n'avais fait que combattre les accusations contre mon père, inventées de toutes pièces par le régime militaire de Zia. J'avais travaillé avec le Parti du peuple pakistanais en vue des élections que Zia avait promises au moment du coup d'État, puis annulées devant la menace de notre victoire. J'avais été arrêtée six fois par le régime militaire et à maintes reprises les autorités de la loi martiale m'avaient interdit de mettre le pied à Karachi et à Lahore. Ma mère également. Comme présidente par intérim du PPP pendant l'emprisonnement de mon père, elle avait été arrêtée huit fois. Nous avions passé les six dernières semaines en détention à Sihala, et les six mois précédents à Rawalpindi. Pourtant, jusqu'à hier je ne voulais pas croire que le général Zia déciderait réellement d'assassiner mon père.

Comment annoncer la nouvelle à mes jeunes frères, qui, de leur exil politique à Londres, luttaient encore contre la sentence de mort? Et à ma sœur Sanam, qui finissait juste sa dernière année à Harvard? J'étais particulièrement soucieuse au sujet de Sanam. Elle ne s'était jamais intéressée à la politique. Elle n'en avait pas moins été entraînée dans la tragédie avec nous tous. Était-elle seule à présent? Je priais pour qu'elle ne fasse pas quelque sottise.

Il me semblait sentir mon corps se déchirer. Comment pourrais-je continuer? Malgré nos efforts, nous n'avions pas réussi à garder mon père vivant. Je me sentais si seule. C'est cela: tellement seule. «Que ferais-je sans toi pour m'aider?» lui avais-je demandé dans sa cellule de condamné. J'avais besoin de ses conseils politiques. Malgré tous les diplômes que j'avais obtenus à Harvard et à Oxford, je n'étais pas une politicienne. Mais que pouvait-il dire? Il avait haussé les épaules, impuissant.

J'avais vu mon père la veille pour la dernière fois. La tristesse de cette rencontre était presque intolérable. Personne ne lui avait dit qu'il serait exécuté le matin suivant de bonne heure. Personne n'avait informé les chefs d'État étrangers qui avaient officiellement réclamé la clémence du gouvernement militaire, comme Jimmy Carter, Margaret Thatcher, Leonid Brejnev, le pape Jean-Paul II, Indira Gandhi, et beaucoup d'autres de tout le monde musulman, l'Arabie Saoudite, les émirats, la Syrie. Sans doute, aucun des lâches du régime de Zia n'avait voulu annoncer au pays la date de l'exécution tant ils craignaient la réaction populaire devant le meurtre de leur Premier ministre. Seules nous savions, ma mère et moi. Et cela, par hasard et par déduction.

J'étais couchée sur mon lit de camp, aux premières heures de la matinée le 2 avril, quand ma mère, tout à coup, arriva dans la chambre. «Pinkie», dit-elle, m'appelant par le surnom qu'on me donnait dans ma famille, mais sur un ton qui me fit immédiatement me raidir, «il y a dehors des officiers de l'armée qui disent que nous devons toutes deux aller voir ton père aujourd'hui. Qu'est-ce que cela signifie?»

Je savais exactement ce que cela signifiait. Et elle aussi. Mais ni l'une ni l'autre, nous ne pouvions l'admettre. C'était le jour de visite de ma mère, auquel elle avait droit une fois par semaine. Le mien venait quelques jours après. Qu'ils nous y envoient ensemble ne pouvait signifier qu'une chose : c'était la dernière visite. Zia allait tuer mon père.

Mon esprit s'affolait. Il fallait faire passer le message, envoyer un dernier appel à la communauté internationale et au peuple. Nous étions pris par le temps. «Raconte-leur que je suis souffrante, dis-je à ma mère. Si c'est la dernière visite, j'irai, naturellement, mais sinon, j'irai demain.» Tandis que ma mère allait parler aux gardes, je décachetai aussitôt un message que j'avais déjà fermé et j'en écrivis un autre. «Je pense qu'on nous convoque pour la dernière visite», griffonnai-je en hâte à une amie de l'extérieur, espérant qu'elle alerterait les dirigeants du parti, qui à leur tour informeraient le corps diplomatique et mobiliseraient le peuple. Le peuple était notre dernier espoir.

«Porte cela immédiatement à Yasmin», dis-je à Ibrahim, notre serviteur fidèle, sachant que nous prenions un grand risque. Il n'avait pas le temps d'attendre qu'un garde sympathique ou négligent fût de service. Il pouvait être fouillé et suivi. Il ne pourrait pas prendre les précautions normales. Le danger était énorme, mais les enjeux l'étaient aussi. «Va, Ibrahim, va! le pressai-je. Dis aux gardes que tu vas chercher un médicament pour moi!» Et il partit en courant.

Regardant par la fenêtre, je vis les soldats du contingent se consulter, puis transmettre par radio la nouvelle de ma maladie et attendre la réponse. À la faveur de l'incident, Ibrahim atteignit la grille. «Je dois aller chercher tout de suite un remède pour Benazir

Sahiba. Tout de suite!» dit-il aux gardes, qui avaient entendu les autres parler de mon malaise. Par miracle, ils laissèrent passer Ibrahim, à peine cinq minutes après que ma mère fut entrée dans ma chambre. Mes mains tremblaient sans que j'y puisse rien. Impossible de savoir si mon message serait bien remis à sa destinataire.

Dehors près de la fenêtre, la radio crépita. «Puisque votre fille est souffrante, vous pouvez remettre la visite à demain», annoncèrent enfin les autorités à ma mère. Nous avions gagné vingt-quatre heures de vie pour mon père. Mais quand les grilles de l'enceinte furent bouclées, aussitôt après la fuite d'Ibrahim, nous comprîmes qu'un événement terrible s'annonçait.

Lutter. Il fallait lutter. Mais comment? Je me sentais tellement désarmée, enfermée derrière des palissades alors que s'égrenaient les minutes qui nous rapprochaient de la mort. Le message passerait-il? Le peuple se lèverait-il en dépit des fusils et des baïonnettes qu'il avait devant lui depuis le coup d'État? Et qui le guiderait? Beaucoup des dirigeants du Parti du peuple pakistanais étaient en prison. Et aussi des milliers de nos partisans, y compris des femmes, pour la première fois dans l'histoire de notre pays. D'autres, innombrables, avaient été attaqués au gaz lacrymogène et battus, pour avoir seulement prononcé le nom de mon père, le nombre de coups auquel ils étaient condamnés peint à chaque fois sur leur corps à demi nu. Le peuple écouterait-il ce dernier appel désespéré? Lui parviendrait-il seulement?

Le soir, à 20 h 15, ma mère et moi nous écoutâmes à la radio les nouvelles d'Asie de la BBC. Tous mes muscles se raidissaient. J'attendais la suite quand la BBC annonça que j'avais envoyé de ma prison un message: demain 3 avril, ce serait la dernière rencontre avec mon père. Le message était passé! J'attendais que la BBC annonce notre appel au peuple pour qu'il manifeste sa désapprobation. Rien ne vint. Au lieu de cela, la BBC ajoutait que le directeur de la prison n'avait pas confirmé ces nouvelles. «Elle a paniqué...» C'est ce qu'avait dit, paraît-il, un des anciens ministres de mon père. Ma mère et moi, nous n'osions même pas nous regarder. Notre dernier espoir était mort.

Une Jeep à toute allure. Des foules figées de peur derrière les forces de sécurité, et ignorant le sort de leur Premier ministre. Les portes de la prison hâtivement ouvertes et refermées. Ma mère et moi fouillées une fois de plus par les gardiennes, d'abord en quittant notre propre prison à Sihala, puis en arrivant à celle de Rawalpindi.

«Pourquoi venez-vous toutes les deux?» dit mon père, de l'intérieur de sa cellule.

Ma mère garde le silence.

«Est-ce la dernière visite?» demande-t-il.

Ma mère n'a pas le courage de répondre.

«Je crois», dis-je.

Il appelle le directeur de la prison, qui est là. On ne nous laisse jamais seules avec papa.

«Est-ce la dernière visite? lui demande mon père.

– Oui.» Le directeur semble avoir honte de servir les plans du régime.

«La date est-elle fixée?

– Demain matin, dit le directeur.

– À quelle heure?

– À 5 heures, conformément au règlement de la prison.

– Quand avez-vous été informé?

– Hier soir», dit-il comme à regret.

Mon père le regarde.

«J'ai combien de temps à passer avec ma famille?

– Une demi-heure.

– Selon les règles de la prison, nous avons droit à une heure.

– Une demi-heure. Ce sont mes ordres.

– Arrangez-vous pour que je puisse me baigner et me raser, lui dit mon père. Le monde est beau, et je veux le quitter propre.»

Une demi-heure. Une demi-heure pour dire adieu à l'être que j'ai plus aimé qu'aucun autre dans ma vie. La souffrance étreint ma poitrine comme dans un étau. Je ne dois pas pleurer. Je ne dois pas m'effondrer, pour ne pas rendre plus dure encore l'épreuve de mon père.

Il est assis par terre sur un matelas, le seul meuble qui reste dans la cellule. Ils ont enlevé sa table et sa chaise. Ils ont enlevé son lit.

«Prends cela», dit-il en me tendant les revues et les livres que je lui avais apportés lors des précédentes visites. «Je ne veux pas qu'ils touchent à mes affaires.»

Il me tend les quelques cigares que ses avocats lui avaient apportés. «J'en garde un pour ce soir», dit-il. Il garde aussi son flacon d'eau de toilette Shalimar.

Il va me tendre son alliance, mais ma mère le prie de la garder. «Je la garde pour l'instant, mais après, je veux qu'elle aille à Benazir, lui dit-il.

– J'ai réussi à faire passer un message», lui dis-je à voix basse, car les autorités de la prison tendent l'oreille. Je lui résume les détails et il a l'air satisfait. «Elle a presque saisi les ficelles de la politique», semble-t-il penser.

La lumière est mauvaise à l'intérieur de la cellule du condamné. Je le vois mal. À chacune des autres visites, on nous avait laissées nous asseoir ensemble dans sa cellule. Mais pas aujourd'hui. Ma mère et moi nous nous pressons contre les barreaux de la porte pour lui chuchoter nos paroles.

«Transmets mon amour aux autres enfants, dit-il à maman. Dis à Mir, à Sunny et à Shah que j'ai essayé d'être un bon père et que j'aurais voulu pouvoir leur dire adieu.» Elle fait un signe de la tête, sans pouvoir parler.

«Vous avez toutes deux beaucoup souffert, dit-il. Maintenant qu'ils vont me tuer cette nuit, je veux aussi vous rendre votre liberté. Si vous le désirez, vous pouvez quitter le Pakistan pendant que la Constitution est suspendue et la loi martiale imposée. Si vous souhaitez avoir l'esprit tranquille et refaire votre vie, vous pourriez songer à partir pour l'Europe. Je vous en donne la permission. Vous pouvez partir.»

Nos cœurs se brisent. «Non, non, dit maman. Nous ne pouvons pas partir. Nous ne partirons jamais. Il ne faut pas que les généraux croient avoir gagné. Zia a prévu de nouvelles élections, mais qui sait s'il osera les maintenir? Si nous partons, il n'y aura personne pour diriger le parti, ce parti que tu as construit.

– Et toi, Pinkie? demande mon père.

– Je ne pourrai jamais partir», dis-je.

Il sourit. «Je suis tellement heureux. Tu ne sais pas combien je t'aime, combien je t'ai toujours aimée. Tu es mon trésor. Tu l'as toujours été.

Le temps est passé, dit le directeur. Le temps est passé.»

Je m'agrippe aux barreaux.

«Ouvrez la cellule, s'il vous plaît. Je veux dire adieu à mon père.»

Le directeur refuse.

«Je vous en prie, dis-je. Mon père est le Premier ministre élu du Pakistan. Je suis sa fille. C'est notre dernière rencontre. Je veux l'embrasser.»

Le directeur refuse.

J'essaie d'atteindre mon père à travers les barreaux. Il est si maigre, presque épuisé de malaria, de dysenterie, d'inanition. Mais il se redresse et touche ma main.

«Cette nuit, je serai libre, dit-il, et une lumière intérieure baigne son visage. J'irai rejoindre ma mère, mon père. Je retournerai au pays de mes ancêtres, à Larkana, pour me fondre dans sa terre, ses senteurs, son air. Il naîtra des chansons sur moi. Je ferai partie de sa légende. » Il sourit. « Mais il fait très chaud à Larkana.

— Je construirai un abri », réussis-je à dire.

Les autorités de la prison arrivent.

« Au revoir, papa ! » Maman parvient à le toucher, entre les barreaux. Nous regagnons ensemble la cour poussiéreuse. Je voudrais me retourner, mais je ne peux pas. Je sais que je suis incapable de me dominer.

« Nous nous retrouverons ! » crie-t-il encore.

Mes jambes remuent je ne sais comment. Je ne les sens pas. Je suis pétrifiée, et je bouge, pourtant. Les autorités de la prison nous reconduisent à travers la cour remplie de tentes de l'armée. J'avance dans un état second, consciente seulement de ma tête. Haute. Je dois garder la tête haute. Tous, ils nous observent.

La voiture attend à l'intérieur des portes verrouillées, de sorte que la foule ne puisse nous voir. Mon corps est si pesant que j'ai du mal à y monter. Nous passons la porte à toute allure. La foule déferle devant nous, mais les forces de sécurité la repoussent brutalement. J'aperçois soudain mon amie Yasmin au premier rang, qui attend pour porter son repas à mon père. « Yasmin ! On va le tuer cette nuit ! » J'ai voulu crier par la fenêtre. M'a-t-elle entendue ? Ai-je seulement émis le moindre son ?

Bientôt 17 heures. 17 heures passées. 18 heures. Chaque fois que je respirais, je pensais aux derniers souffles de mon père. « Mon Dieu, faites qu'il y ait un miracle. » Nous prions ensemble, ma mère et moi. « Que quelque chose arrive. » Même ma petite chatte Chun-Chun, que j'avais fait passer en fraude avec moi dans ma prison, ressentait notre angoisse. Elle avait abandonné ses chatons. Nous ne les retrouvions nulle part.

Nous nous accrochions encore à un espoir. La Cour suprême avait à l'unanimité recommandé que la sentence de mort fût commuée en emprisonnement à vie. En outre, selon la loi pakistanaise, la date de toute exécution doit être annoncée une semaine au moins à l'avance. Ce qui n'avait pas été fait.

Les dirigeants du PPP à l'extérieur avaient aussi répandu la nouvelle que Zia avait promis à l'Arabie Saoudite, aux émirats et à d'autres, confidentiellement, de commuer la sentence de mort. Mais la conduite de Zia était pleine de promesses non tenues et de mépris de la loi. Devant nos craintes persistantes, le ministre des Affaires étrangères d'Arabie Saoudite et le Premier ministre de Libye avaient promis d'accourir dès qu'une date serait annoncée pour l'exécution. Avaient-ils entendu mon message à la BBC? Était-ce maintenant pour eux le moment d'accourir?

Une délégation chinoise était à Islamabad. Mon père s'était fait le pionnier de l'amitié entre le Pakistan et la Chine. Influenceraient-ils Zia en sa faveur?

Nous restions immobiles, ma mère et moi, dans la chaleur torride de Sihala, incapables de dire un mot. Zia avait aussi laissé entendre qu'il accueillerait favorablement un appel à la clémence, seulement s'il venait de mon père ou de nous, sa famille directe. Mon père s'y était formellement opposé.

Comment vivre de tels instants dans le compte à rebours vers la mort? Nous restions assises, ma mère et moi, pleurant parfois. Quand nous n'avions même plus la force de nous tenir droites, nous nous laissions aller sur le lit contre les oreillers. Et, tout ce temps, je me disais : ils vont le tuer. Comme on étouffe une flamme, ils vont éteindre sa vie. Il doit se sentir si seul dans cette cellule, sans personne auprès de lui. Il n'avait gardé aucun livre. Rien. Il n'avait qu'un cigare. Ma gorge se serrait au point que j'aurais voulu l'ouvrir de force. Mais je ne voulais pas que les gardes, dont j'avais sans cesse aux oreilles les rires et les conversations juste devant notre fenêtre, aient le plaisir de m'entendre crier. «Je ne peux pas supporter ça, maman, je ne peux pas.» Je m'effondrai enfin à 1 h 30. Elle m'apporta du Valium. «Essaie de dormir», dit-elle.

Une demi-heure plus tard, je sursautai, sentant la corde de mon père se nouer autour de mon cou.

Les cieux pleuraient des larmes de glace, cette nuit-là, criblant d'une averse de grêle les terres de notre famille, à Larkana. Dans notre cimetière familial, près du village ancestral des Bhutto, Garhi Khuda Bakhsh, les gens furent réveillés par le vacarme d'un convoi militaire. Tandis que ma mère et moi nous passions en prison la nuit d'agonie, le corps de mon père était en secret transporté par avion jusqu'à Garhi pour y être enterré. L'avant-garde des administrateurs de la loi martiale avait conclu ses sinistres arrangements avec Nazar Mohammed, un villageois qui surveillait nos terres et dont la famille travaillait pour les nôtres depuis des générations.

Nazar Mohammed :

«Je dormais dans ma maison vers 3 heures du matin le 4 avril, quand je fus réveillé par les phares puissants de cinquante ou soixante véhicules militaires aux abords du village. Je crus d'abord qu'ils répétaient ce qu'ils auraient à faire après la pendaison de M. Bhutto, comme ils l'avaient fait deux jours plus tôt, prétendant qu'il s'agissait d'exercices militaires normaux. Les gens furent terrorisés, surtout quand la police pénétra dans le cimetière Bhutto pour tout examiner à fond. En me voyant convoqué hors de chez moi à une heure aussi matinale, tout le village – vieux, jeunes, hommes et femmes – sortit des maisons. On craignait que M. Bhutto ne soit déjà pendu ou sur le point de l'être. Ce n'étaient que gémissements et pleurs ; le désespoir se lisait sur les visages.

« "Nous devons préparer l'inhumation de M. Bhutto", me dit le nombreux personnel militaire et policier réuni à son quartier général temporaire. "Montrez-nous où doit être la tombe." J'étais en larmes. "Pourquoi devrions-nous vous désigner le lieu de la sépulture ? leur demandai-je. – Nous accomplirons nous-mêmes les derniers rites. M. Bhutto nous appartient."

« Je demandai si j'étais autorisé à amener nos gens pour creuser la tombe, apporter les briques crues pour la tapisser, couper les planches pour la recouvrir, et réciter les prières. Ils ne m'accordèrent que huit hommes pour m'aider.

« Tandis que nous nous affairions à notre triste tâche, les véhicules de l'armée et de la police ne s'étaient pas contentés d'encercler tout le village mais bloquaient chaque petite rue. Nul ne pouvait quitter le village et personne ne pouvait y entrer. Nous étions complètement isolés.

« À 8 heures du matin, deux hélicoptères atterrirent près du village, sur la route où une ambulance attendait. Je vis le cercueil transféré dans l'ambulance et je le suivis au cimetière. "Évacuez cette maison", me dit le colonel, le doigt tendu vers une petite habitation à l'angle sud du cimetière, où le chef qui gardait les sépultures vivait avec sa femme et ses jeunes enfants. Je protestai contre la cruauté et la gêne que cela représentait pour l'imam Pesh et sa famille, mais le colonel insista. Vingt hommes armés en uniforme prirent alors position sur le toit, leurs fusils braqués sur l'intérieur du cimetière.

« Les parents proches doivent voir une dernière fois le visage du défunt. Des cousins Bhutto demeuraient à Garhi, tout près du cimetière. La première femme de M. Bhutto habitait aussi dans le village voisin, Naudero, et après une longue discussion les autorités me permirent d'aller la chercher. Quand elle arriva, nous ouvrîmes le cercueil pour déposer le corps sur un lit de corde que j'avais apporté de chez moi, avant de le transporter dans l'enceinte de la petite demeure. La famille y vivait en *purdah*, gardant les femmes à l'abri des regards étrangers. Aucun homme, en dehors de la famille, n'était autorisé à entrer. Mais l'armée pénétra de force dans la maison, contre toutes les règles de la décence.

« Quand on sortit le corps, une demi-heure plus tard, je demandai au colonel, sous la foi du serment, si le bain avait été donné selon les règles religieuses et les rites des funérailles traditionnelles. Il me jura que oui. Je vérifiai si le *kaffan*, le linceul de coton sans couture, enveloppait le corps. Il y était.

« Nous étions trop bouleversés et accablés de douleur pour examiner le reste du corps. Je ne suis pas sûr qu'ils l'auraient permis, car on aurait pu constater ce qu'il avait subi. Mais son visage était pareil à une perle. Il brillait comme une perle. Il ressemblait à ce qu'il avait été à seize ans. Sa peau n'était pas de diverses couleurs, ni ses yeux ni sa langue ne saillaient comme sur les photos que j'avais vues de condamnés que Zia avait fait pendre en public. Ainsi que l'exige le rituel, je tournai le visage de Bhutto Sahib vers l'ouest, dans la direction de La Mecque. Sa tête ne retomba pas sur le côté. Son cou n'était pas brisé. Sa gorge, cependant, portait de bizarres points rouges et noirs, comme un tampon officiel.

« Le colonel se mit en colère. Quatorze à quinze cents personnes du village forçaient les barrages pour approcher le cercueil et voir le visage rayonnant du martyr. Leurs lamentations vous déchiraient le cœur. Le colonel menaça de faire charger les gens à la matraque s'ils ne se dispersaient pas.

« "L'inhumation doit avoir lieu immédiatement, dit-il. S'il le faut, nous le ferons à coups de canne.

«– Ils pleurent le défunt et leur cœur est brisé", lui dis-je.

«Sous la menace du revolver, les dernières prières pour le mort furent dites en hâte, puis, avec le cérémonial convenable pour l'âme du disparu, on descendit le corps dans la tombe. La récitation du Livre Saint se mêlait aux lamentations des femmes qui s'élevaient des maisons.»

Pendant de longs jours, à Sihala, après la mort de mon père, je ne pus ni manger ni boire. Je prenais des gorgées d'eau, mais c'était pour les recracher ensuite. Impossible d'avaler. Je ne dormais pas non plus. Chaque fois que je fermais les yeux, je faisais le même rêve. J'étais devant la prison du district. Les portes étaient ouvertes. Je voyais quelqu'un venir à moi. Papa! Je me précipitais vers lui. «Tu es sorti! Tu es sorti! Je croyais qu'ils t'avaient tué. Mais tu es vivant!» Et, au moment où j'allais l'atteindre, je me réveillais pour constater une fois encore qu'il n'était plus là.

«Il faut manger, Pinkie, il le faut, disait ma mère, en m'apportant un peu de potage. Tu auras besoin de toutes tes forces quand nous sortirons d'ici pour nous préparer aux élections. Si tu veux continuer le combat pour les principes de ton père, te battre comme il s'est battu, alors mange. Tu le dois.» Et je mangeais un peu.

Je m'obligeais à lire les messages de condoléances qu'on nous faisait parvenir discrètement. «Chères Tantine et Benazir, écrivait de Lahore, le 5 avril, un ami de la famille, je ne trouve pas de mots pour exprimer ma douleur et ma tristesse. La nation tout entière est responsable envers vous de ce qui est arrivé. Nous sommes tous coupables… Tous les Pakistanais sont tristes, découragés et inquiets. Nous sommes tous fautifs et accablés de honte.»

Le même jour, dix mille personnes se réunirent à Rawalpindi sur le terrain communal où, un an et demi plus tôt, ma mère avait attiré des foules considérables, manifestant pour mon père emprisonné, lors de la première campagne électorale. Devant la popularité grandissante du PPP, Zia avait annulé les élections et condamné mon père à mort. Maintenant, pendant les prières funèbres et les panégyriques, nos partisans furent une fois encore chargés par la police avec ses gaz lacrymogènes. Les gens couraient, jetant des briques et des pierres à la police, qui marchait sur eux armée de matraques et procédait à des arrestations. Yasmin, ses deux sœurs et sa mère assistaient à la réunion de prière. Y étaient aussi Amina Piracha, une amie qui avait aidé les avocats pendant le procès devant la Cour suprême, les deux sœurs d'Amina, ses nièces et leur vieille *ayah* de soixante-dix ans. Ces dix femmes furent arrêtées, avec des centaines d'autres, et emprisonnées pendant deux semaines.

Des rumeurs commencèrent vite à se répandre à propos de la mort de mon père. Le bourreau était devenu fou. Le pilote qui avait transporté le corps jusqu'à Garhi s'était senti si nerveux en apprenant l'identité de son «chargement» qu'il avait dû poser son appareil et faire venir un autre pilote. Les journaux étaient pleins d'autres détails horribles sur la fin de mon père. Il avait été torturé presque à mort et, avec à peine un soupçon de pouls, transporté sur un brancard pour être pendu. Selon un autre bruit persistant, il serait mort au cours d'une lutte dans sa cellule. Des officiers de l'armée avaient voulu l'obliger à signer une «confession» reconnaissant qu'il avait lui-même organisé le coup d'État et invité Zia à prendre le pays en main. Mon père avait refusé de signer ces mensonges, dont le régime avait besoin pour légitimer son pouvoir.

Selon cette version, un des officiers aurait porté un coup violent à mon père, qui serait tombé, sa tête heurtant brutalement le mur de la cellule, et aurait perdu connaissance. Un médecin, appelé pour le ranimer, lui aurait fait un massage du cœur et une trachéotomie, ce qui expliquerait les marques que Nazar Mohammed avait vues sur son cou. Mais tout avait été inutile.

J'avais tendance à croire cette histoire. Sinon, pourquoi le corps n'aurait-il porté aucun des signes caractéristiques de la pendaison? Pourquoi m'étais-je réveillée en sursaut à 2 heures du matin, trois heures avant l'exécution prévue? Un autre prisonnier politique, le général Babar, me dit que lui aussi s'était réveillé à 2 heures, avec un brusque frisson. Et de même d'autres amis et alliés politiques un peu partout dans le monde. C'était comme si l'âme de mon père était passée parmi ceux qui l'avaient aimé.

Les rumeurs étaient tenaces.

«Faites exhumer le corps et demandez une autopsie», me dirent avec insistance le cousin de mon père, puis le chef du Parti du peuple, Mumtaz Bhutto, lors d'une visite de condoléances à Sihala. «Cela peut avoir un intérêt politique.» Un intérêt politique? Mon père était mort. Exhumer son corps ne le ramènerait pas à la vie.

«Même avant de le tuer, ils ne le laissaient pas vivre, dans sa cellule de condamné, dis-je à mon oncle Mumtaz. Il est libre à présent. Qu'il repose en paix!

— Tu ne comprends pas l'importance historique que cela peut avoir», insistait-il.

Je secouai la tête. «L'histoire le jugera sur sa vie. Les détails de sa mort importent peu, répondis-je. Je ne veux pas qu'on l'exhume. Il faut respecter son repos.»

La nièce de ma mère, Fakhri, fut autorisée à venir pleurer avec nous, ainsi que mon amie d'enfance Samiya Waheed. Elles furent soulagées de constater que, dans notre grande douleur, nous ne nous laissions pas aller. «On nous avait dit que vous étiez déprimées au point de songer au suicide», dit Samiya, rapportant une autre rumeur répandue par le régime.

Fakhri, qui est très émotive, se jeta dans les bras de ma mère, essayant de la consoler en persan. «*Nusrat joon*, je voudrais être morte. Je voudrais n'avoir jamais vécu ce jour, criait-elle. Les gens disent que la pendaison, pour Zia, serait une fin trop douce. »

Elle me serra aussi dans ses bras. C'est elle qui, un an plus tôt, m'avait annoncé la condamnation de mon père, en se glissant à l'insu des gardes dans notre maison de Karachi où j'étais détenue. J'étais assise dans le living quand je l'avais vue surgir de la porte d'entrée et s'abattre dans le hall, hurlant de douleur et se frappant le front sur le sol. Dans la demi-heure, les autorités militaires apportaient un ordre de détention pour elle : une femme qui n'avait pourtant pas la politique dans le sang et qui passait ses journées à jouer au mahjong et au bridge. Elle resta prisonnière avec moi toute la semaine, sans pouvoir rentrer près de son mari et de ses jeunes enfants.

Nous avons pleuré ensemble. Des centaines de gens, disait-elle, ouvriers d'usine, chauffeurs de taxi, marchands ambulants, se réunissaient dans notre jardin de Karachi pour préparer le *soyem*, notre cérémonie religieuse du troisième jour après la mort. Depuis des semaines, chaque soir, des femmes étaient venues chez nous par autocars entiers, prier pour mon père toute la nuit, en tenant sur leur tête le Saint Coran.

Les uniformes de l'armée, qui avaient toujours été un motif de fierté nationale, étaient devenus objets de dérision, nous disait aussi Fakhri. Dans l'avion qui les amenait de Karachi, elle et Samiya avaient refusé de s'asseoir près d'un homme en uniforme. « Assassins ! » avaient-elles crié. Les autres voyageurs avaient baissé la tête en signe de respect pour les affligées. Personne ne parlait. Il y avait des larmes dans tous les yeux.

Nous avions demandé aux autorités de pouvoir rendre visite au tombeau de mon père pour le *soyem*, et le 7 avril, à 7 heures du matin, on nous fit savoir que nous avions cinq minutes pour nous préparer. Nous n'avions pas de vêtements noirs, et il fallut mettre ceux que nous avions apportés en prison. «Vite! Vite!» Un officier de la loi martiale nous pressait de nous entasser dans la voiture qui nous conduirait à l'aéroport. Ils nous bousculaient toujours, dans la crainte que le peuple ne nous aperçoive, nous salue, nous acclame, ou témoigne de quelque manière sa sympathie pour nous et, par conséquent, sa répugnance pour la loi martiale.

Mais tous les militaires n'étaient pas changés en machines inhumaines. Quand nous arrivâmes à l'aéroport, les membres de l'équipage de l'avion militaire attendaient debout, la tête baissée, comme une garde d'honneur. Ma mère descendit de voiture et ils la saluèrent. C'était l'attitude qui convenait pour la veuve de l'homme qui avait ramené sains et saufs des camps de prisonniers indiens plus de quatre-vingt-dix mille de leurs camarades. Tous n'avaient pas oublié. Pendant ce vol de courte durée, ils nous offrirent du thé, du café et des sandwiches. Leur visage exprimait l'émotion et le chagrin. Le crime de quelques-uns était devenu la honte de beaucoup d'autres.

L'avion n'atterrit pas à Moenjodaro, l'aéroport le plus proche de Garhi Khuba Bakhsh, mais à Jacobabad, à une heure de là. Et les autorités militaires locales ne choisirent pas non plus un itinéraire direct de l'aéroport au village, par les routes modernes que mon père avait fait construire. La voiture, au contraire, suivit, de cahots en embardées, des petites routes non pavées, le chauffeur s'écartant de son chemin pour éviter qu'on ne nous aperçoive à travers les vitres aux rideaux fermés. Nous étions couvertes de sueur et de poussière quand nous arrivâmes enfin à l'entrée de notre cimetière familial.

Comme je m'approchais de l'étroit portail, un officier m'emboîta le pas. Je m'arrêtai.

«Non. Vous ne pouvez pas entrer. Aucun de vous n'entrera. C'est notre cimetière. Vous n'êtes pas à votre place ici.

– Nous avons l'ordre de ne pas vous quitter des yeux, dit-il.

– Je ne vous permets pas de venir violer ce lieu sacré. Vous avez tué mon père. Vous l'avez envoyé ici. Si nous le pleurons maintenant, nous le pleurerons seules.

– On nous a donné l'ordre de ne pas vous quitter, insistait-il.

– Alors, nous n'irons pas saluer la tombe. Remmenez-nous», dit ma mère, repartant vers la voiture. Il recula d'un pas, et nous pénétrâmes dans le cimetière clos, ôtant nos chaussures à l'entrée en signe de respect.

Comme tout semblait calme! Et combien familier! Des générations de Bhutto dont la vie avait été plus douce reposaient ici : mon grand-père, Sir Shah Nawaz Khan Bhutto, ancien Premier ministre de l'État de Junagadh, fait chevalier par les Britanniques pour ses services à la présidence de Bombay avant la partition de l'Inde, sa femme, Lady Khurshid, mon oncle, Sikander Bhutto, et son célèbre frère Imdad Ali, si beau, dit-on, que lorsqu'il conduisait son attelage dans Elphinstone Street, le grand quartier commerçant de Karachi, les dames anglaises sortaient en hâte des magasins pour le voir passer. Beaucoup d'autres parents reposent là aussi, dans la terre qui leur avait donné naissance et à laquelle nous retournons tous en mourant.

Mon père m'avait amenée ici juste avant mon départ du Pakistan pour l'université de Harvard en 1969. «Tu t'en vas loin d'ici, en Amérique, m'avait-il dit devant les sépultures de nos ancêtres. Tu verras beaucoup de choses qui te surprendront et tu visiteras des lieux dont tu n'avais jamais entendu parler. Mais souviens-toi, quoi qu'il arrive, que tu finiras par revenir ici. Ta place est ici. Tes racines. La poussière, la boue, la chaleur de Larkana sont dans tes os. Et c'est ici que tu auras ta sépulture.»

Maintenant, à travers mes larmes, je cherchais sa tombe. Je ne savais même pas où ils l'avaient enterré. Et j'eus du mal à la reconnaître. Ce n'était qu'un monticule de boue. De la boue toute brute semée de pétales de fleurs. Maman et moi, nous nous assîmes au pied de la tombe. Je ne pouvais pas croire que mon père fût là-dessous. Me laissant tomber à terre, je baisai l'endroit où je pensais qu'étaient ses pieds.

«Père, murmurai-je, pardonne-moi si je t'ai jamais causé quelque chagrin.»

Seule. Je me sentais si seule. Comme tous les enfants, je trouvais tout naturel d'avoir mon père. Maintenant que je l'avais perdu, j'éprouvais un vide qui ne serait jamais comblé. Mais je ne pleurais pas, croyant en bonne musulmane que les larmes retiennent une âme à la terre et font obstacle à sa liberté.

Mon père avait gagné sa liberté, et son repos, il l'avait payé cher. Ses épreuves étaient finies. «Gloire à Celui qui a la maîtrise de toutes choses», lisais-je dans la sourate Ya Sin du Saint Coran. «Tous, vous retournerez à lui.» L'âme de mon père était auprès de Dieu, au Paradis.

On nous ramena précipitamment à l'aéroport, par un chemin différent, et plus tortueux encore. Mais le même équipage se remit au garde-à-vous. Aucune différence quant à la fouille aux portes de Sihala, les pièces crasseuses où nous étions détenues n'avaient pas changé non plus. Mais une impression de paix et une conviction nouvelle s'étaient établies en moi.

Debout pour relever le défi. Lutter contre des forces écrasantes. Vaincre l'ennemi. Dans les histoires que mon père nous racontait encore et encore quand nous étions enfants, le bien l'emportait toujours sur le mal.

«Que vous saisissiez une chance ou que vous la laissiez échapper, que vous soyez fougueux ou réfléchis, que vous ayez des nerfs à toute épreuve ou que vous soyez timorés, tout cela dépend de vos choix.» C'est ce qu'il avait toujours voulu graver en nous. «Ce que vous faites de votre vie dépend de vous.»

À présent, dans le cauchemar où avait sombré le Pakistan, sa cause était devenue la mienne. J'avais éprouvé cela près du tombeau de mon père. Je m'étais sentie investie de la force et de la conviction de son âme. Et, en cet instant, je m'étais engagée à ne prendre aucun repos tant que la démocratie ne serait pas rendue au Pakistan. Je promis que la flamme d'espoir qu'il avait allumée ne s'éteindrait pas. Il avait été le premier dirigeant pakistanais à parler au nom du peuple tout entier, et non pour les seuls militaires et pour l'élite. C'était à nous de continuer.

Tandis qu'on nous ramenait, ma mère et moi, à Sihala après le *soyem* de mon père, les soldats lançaient des grenades lacrymogènes parmi les centaines de personnes qui se pressaient dans notre jardin du 70, Clifton, lisant et relisant les prières pour le repos de son âme. Le tir de projectiles fut si violent que l'auvent au-dessus du patio prit feu. Serrant contre eux leur Saint Coran, les pauvres gens se dispersèrent, en suffoquant.

LES ANNÉES DE DÉTENTION

2

PRISONNIÈRE
DANS MA PROPRE MAISON

ON NOUS LIBÉRA, MA MÈRE ET MOI, de Sihala, à la fin de mai 1979, sept semaines après la mort de mon père, et nous retournâmes au 70, Clifton, notre maison familiale à Karachi.

Rien n'avait changé, mais tout était différent. « Zulfikar Ali Bhutto, avocat au barreau », disait la plaque de cuivre près de la grille. Au-dessus, une autre plaque, ternie par le temps, portait le nom de mon grand-père, Sir Shah Nawaz Bhutto. Ma grand-mère avait fait construire ce large bungalow à un étage peu après ma naissance, en 1953, et mes frères, ma sœur et moi nous y avions grandi dans les brises fraîches de la mer d'Arabie, quatre cents mètres plus loin. Qui aurait pu prévoir le drame et la violence qui allaient s'abattre sur cette paisible demeure familiale ?

Chaque jour, des centaines de fidèles en larmes se pressent dans le jardin de cocotiers, de manguiers, et d'arbres à fleurs rouge et jaune rapportés du désert de Karachi et acclimatés à force de soins. Des centaines encore attendent patiemment derrière les grilles pour présenter leurs condoléances à la famille de leur chef. Ma mère, toujours en deuil, ne pouvant voir les étrangers, m'envoie les recevoir à sa place.

Le foyer retrouvé rend notre cauchemar plus irréel encore. Deux nuits avant l'exécution de mon père, racontent nos serviteurs, l'armée fit une descente, pour la seconde fois, fouillant le toit et le jardin, forçant le coffre-fort de ma mère, faisant les poches des vêtements dans les placards de mon père. «Avez-vous un mandat de perquisition?» avait demandé l'un de nos employés, toujours attaché à la notion de droit civil. «Je fais partie de l'équipe de recherche, alors il n'y a pas besoin de mandat», déclara l'officier de l'armée qui accompagnait la police. Pendant dix heures, ils avaient mis la maison sens dessus dessous, prenant dans ma chambre beaucoup de mes lettres personnelles et deux serviettes noires contenant des papiers de banque, autant de documents que j'avais réunis pour réfuter les accusations mensongères de corruption que le régime avait portées contre mon père.

«Il y a ici des placards et des couloirs secrets. Montrez-les-nous!» ordonnèrent les officiers, et nos serviteurs furent battus pour avoir dit qu'il n'y en avait pas. Pendant que les fouilles continuaient, ils furent conduits dans le salon et enfermés à clé. Quand le laitier arriva, le matin de bonne heure, on l'enferma avec eux. Et de même l'homme qui apportait les journaux. L'armée s'acharnait. «Signez ce papier», dit un officier à l'un de nos employés et, comme il refusait, on le menaça : «Tu as vu ce qui est arrivé à ton Sahib. Si tu ne signes pas, imagine ce qui risque de t'arriver.» L'homme eut une telle peur qu'il signa.

La perquisition n'ayant donné aucun résultat, un camion franchit les grilles. Les soldats déchargèrent un tapis rouge, le couvrirent de documents qui venaient aussi du camion, puis firent entrer la presse pour photographier les nouvelles «preuves» contre mon père. Beaucoup de gens étaient d'avis que le régime tentait de monter un nouveau procès dans la perspective d'une recommandation unanime de la Cour suprême pour commuer la sentence de mort en emprisonnement à vie. Quand l'équipe d'intervention s'en alla en fin d'après-midi, ils remportèrent leurs «preuves» en même temps que beaucoup de nos affaires personnelles, notamment la collection de cartes anciennes de mon père.

Maintenant, je me préparais à quitter Karachi pour Larkana afin d'aller me recueillir sur la tombe de mon père. Le régime ayant appris mon projet et annulé les vols prévus, je pris le train. Des foules immenses vinrent m'accueillir à chaque station. Entre les arrêts, les gens se couchaient sur la voie pour obliger le train à s'arrêter. « Vengeance ! Vengeance ! criaient-ils.

— Il faut changer notre chagrin en énergie pour battre Zia aux élections », leur dis-je, encouragée par l'énorme assistance. Les foules sont la meilleure réponse à nos adversaires politiques, qui ont déclaré publiquement : « La puissance de Bhutto a été ensevelie dans sa tombe et avec elle celle du PPP. »

De retour à Karachi, je rencontrai les dirigeants et les partisans du PPP, à dix minutes d'intervalle, de 9 heures du matin à 9 heures du soir. Je m'interrompais quelquefois pour aller saluer dans le jardin les fidèles de mon père. Leurs yeux brillaient en me voyant, ainsi qu'en voyant ma mère quand son isolement eut pris fin. Le peuple ne s'était pas attendu à nous voir survivre à nos années de détention ou à la mort de mon père. Nous avions eu une vie plus facile, plus privilégiée que les leurs, si dures. Mais nous voir de leurs propres yeux semblait les combler d'un nouvel espoir. Aussitôt qu'un groupe quittait le jardin, un autre y entrait.

Le soir, je me plongeais dans les problèmes d'organisation, les questions politiques, les plaintes et les arrestations, et je préparais des résumés pour les faire lire à ma mère. J'avais l'impression que je ne serais jamais à jour et sans doute n'y aurais-je pas réussi sans l'aide de Samiya, ma camarade de classe, et aussi d'Amina et Yasmin, deux jeunes femmes qui étaient devenues mes amies et mes aides pendant la lutte contre la condamnation de mon père. La presse occidentale avait surnommé Samiya, Amina et Yasmin les *drôles de dames*; je suis sûre pourtant que les vraies «drôles de dames» auraient abandonné devant tant de travail. Une nuit je m'endormis, un rapport sur les genoux, et le lendemain soir j'emportai dans mon bureau ma brosse à dents et le dentifrice.

Pour apaiser le peuple avant de décider l'exécution de mon père, le général Zia avait encore promis des élections qui ramèneraient le pays de sa dictature militaire à l'autorité civile. Mais laisserait-il triompher le PPP? Il avait déclaré publiquement qu'il «ne remettrait pas le pouvoir à ceux à qui il l'avait enlevé», et que seules des élections aux «résultats positifs» auraient son approbation.

Zia s'était trouvé déjà dans cette situation difficile, quand il avait prévu des élections peu après avoir renversé mon père en 1977. Devant la victoire certaine du PPP après le scrutin, sa réponse avait été d'annuler les élections et d'arrêter tous les dirigeants du parti. Que ferait-il cette fois?

Les élections locales viennent d'abord, en septembre. Le PPP l'emporte haut la main. Les élections nationales vont suivre et Zia doit à tout prix les gagner pour conquérir la légitimité. Sachant que les règles seront probablement truquées pour défavoriser le PPP, les responsables de notre parti se réunissent 70, Clifton pour discuter s'il faut ou non participer aux élections nationales ou au contraire les boycotter. «Les terrains électoraux ne doivent jamais rester vides», dis-je, me rappelant ce que mon père m'a appris. Peu importe ce que pèsent les chances, peu importe si le jeu est faussé, il faut toujours maintenir une opposition. Le jeu est faussé, sans aucun doute. Comme nous nous y attendions, Zia change les règles aussitôt que la participation du PPP est annoncée.

«Faites-vous inscrire en tant que parti politique, ou vous ne pourrez pas participer», nous fait savoir le régime.

Nous refusons. Nous inscrire serait reconnaître le régime militaire de Zia.

« Nous nous présenterons comme Indépendants », ripostons-nous, tout en ayant conscience que l'absence de notre emblème sur les bulletins de vote représente un grand risque, dans une société officiellement alphabétisée à 27 %, avec un pourcentage réel plus proche de 8 %.

Le régime remonte la barre. « Les candidats indépendants doivent obtenir 51 % des suffrages, décrète le nouveau règlement.

– Parfait, disons-nous. Nous les aurons. »

Mais le 15 octobre 1979, un mois avant la date prévue pour les élections, le PPP se réunit de nouveau à la demande de quelques responsables de haut rang. La question de combattre les élections est rouverte, et le parti se divise en deux. « Boycott ! Boycott ! » Plusieurs fonctionnaires du parti insistent auprès de ma mère, dans la salle à manger du 70, Clifton qui nous sert maintenant de salle de réunion. Certains, je le sais, m'ont en privé traitée de « petite sotte », mais je hausse de nouveau le ton. « En changeant sans cesse les règles, Zia a perdu la confiance de l'opinion. Nous ne devons pas faire de même. Nous avons remporté les élections locales et nous gagnerons aussi les élections nationales. » C'est seulement tard le soir que le PPP décide à une faible majorité de confirmer sa décision de disputer les élections.

Quand Zia apprend notre intention, le lendemain, ses nerfs le lâchent. L'administrateur en chef de la loi martiale répète le schéma de 1977, en annulant complètement les élections et en envoyant une fois de plus ses soldats au 70, Clifton. « La maison est cernée », m'annonce un de nos employés au milieu de la nuit. Je rassemble en hâte tous les documents politiques que j'avais laborieusement recueillis – journaux du parti, listes des membres, lettres, listes des emprisonnés –, je les jette dans la baignoire et je les brûle. Je ne veux pas donner d'armes aux persécutions du régime. Quelques minutes plus tard, les soldats envahissent la maison pour nous conduire, ma mère et moi, sous la menace des armes, à Al-Murtaza, notre maison de campagne de Larkana. Nous y serons détenues pendant six mois.

J'arpente sans fin les couloirs d'Al-Murtaza. Bien que ce soit la neuvième détention politique de ma mère et la septième pour moi depuis le coup d'État d'il y a deux ans, je ne supporte pas l'isolement forcé. Chaque incarcération ne fait qu'ajouter une autre strate d'irritation. Peut-être est-ce mon âge, vingt-six ans. Mais je ne pense pas qu'il en serait autrement à n'importe quel âge, surtout dans cette détention à Al-Murtaza.

Al-Murtaza, c'était le cœur de notre famille, la maison où nous revenions toujours des quatre coins du monde pour passer nos vacances d'hiver, pour célébrer *Aïd* à la fin du mois sacré du ramadan, aussi bien que l'anniversaire de mon père, pour assister aux mariages ou porter nos condoléances aux nombreux parents habitant sur ces terres qui nous appartenaient depuis des centaines d'années. À présent, le régime avait fait d'Al-Murtaza une prison pour ma mère et moi.

La presse occidentale a été informée par le régime que nous sommes «assignées à résidence». Mais c'est inexact. L'assignation à résidence, au Pakistan, est purement formelle, la personne détenue étant autorisée à recevoir des visites de ses amis et de sa famille, à donner des interviews à la presse, à téléphoner, à avoir des livres et parfois même à faire un court déplacement pour un rendez-vous à l'extérieur. Soumis au règlement de la «détention au domicile», Al-Murtaza a été considéré comme une prison, où règne le règlement du *Manuel des prisons*. Notre téléphone est coupé. Ma mère et moi sommes confinées dans la propriété sans autorisation de visites, sauf quelquefois pour Sanam.

La maison, à l'intérieur et à l'extérieur des murs, est entourée de soldats des forces de la frontière, un groupe paramilitaire d'hommes des tribus de Pathans, venant de la province de la Frontière du Nord-Ouest. Du temps de mon père, des commandos spéciaux étaient postés à Al-Murtaza pour empêcher l'entrée des indésirables. La police de la frontière n'est plus là que pour empêcher de sortir sa veuve et sa fille. Zia veut faire oublier à son pays, et même au monde, qu'il existe encore une famille Bhutto.

Au Pakistan, les journaux mentionnent rarement nos noms. Depuis le 16 octobre 1979, jour où Zia a annulé les élections et nous a fait arrêter ma mère et moi, il a ajouté à sa liste foisonnante de règlements de la loi martiale en imposant à la presse une totale censure.

En vertu de l'ordonnance n° 49 de la loi martiale, l'éditeur de toute publication estimée dangereuse pour «la souveraineté, l'intégrité et la sécurité du Pakistan, ou la moralité et le maintien de l'ordre public» est maintenant passible de dix coups de fouet et de vingt-cinq ans d'emprisonnement rigoureux.

Le journal de notre parti, *Musawaat*, qui tirait à plus de 100 000 exemplaires pour la seule ville de Lahore, a été fermé et ses presses saisies. D'autres journaux sont menacés de fermeture ou d'arrêt de fourniture de papier et de publicité sous contrôle du gouvernement s'ils ne se soumettent pas. Pendant les six années suivantes, les photos de mon père, de ma mère ou de moi-même paraîtront rarement dans la presse, pas plus que nos noms. Si les censeurs militaires découvrent un article favorable, si peu que ce soit, ils le suppriment sur les épreuves que chaque journal est tenu de soumettre à leur approbation. Il arrive que des colonnes entières restent vides ce qui est une manière pour les journalistes de faire savoir au public que des informations qui valaient d'être publiées ont été retirées par la censure.

La puissance du PPP a aussi obligé Zia à renforcer ses mesures restrictives déjà tyranniques. Depuis l'imposition de la loi martiale en 1977, quiconque prend part à une activité politique risque l'emprisonnement et le fouet. Mais, à partir du 16 octobre 1979, le

régime militaire a déclaré illégaux les partis politiques eux-mêmes :
attaque directe pour tuer une fois pour toutes le soutien populaire à
la politique de mon père. « Tous les partis politiques au Pakistan, avec
tous leurs groupes, ramifications et factions... cesseront d'exister »,
affirme carrément l'ordonnance n° 48 de la loi martiale du général
Zia. Tout membre d'un parti politique, ou quiconque même se
reconnaît tel dans une conversation privée, est maintenant passible
de quatorze ans de détention rigoureuse, perte de ses biens et vingt-
cinq coups de fouet. Dès lors, toute mention du PPP dans la presse
sera précédée du mot « défunt ». Ma mère et moi, nous en sommes
ainsi réduites à n'être que les défuntes dirigeantes d'un parti défunt
dans une défunte démocratie.

Des photographies de mon grand-père à Londres, à la Conférence
de la Table ronde indienne de 1931. Photographies des anniversaires
de mon père, célébrés chaque année. Notre histoire familiale a tant
de racines à Al-Murtaza. Mon père et ses trois sœurs sont nés ici, la
sage-femme du village voisin de Larkana venant aux appartements
des femmes construits par mon grand-père, pour les accoucher. Bien
que la vieille demeure ait été remplacée par une plus moderne, Al-
Murtaza garde son caractère de véritable foyer des Bhutto.

Les carreaux bleus et blancs qui encadrent la porte d'entrée
représentent des hommes et des femmes de Moenjodaro, la ville en
ruine toute proche, témoignage d'une civilisation avancée de l'Indus
remontant à 2500 avant Jésus-Christ. Quand j'étais enfant, je croyais
que la ville antique s'appelait « Munj Jo Dero », ce qui en sindi veut
dire « chez moi ». Mes frères, ma sœur et moi, nous étions très fiers
d'avoir grandi à l'ombre de Moenjodaro, de vivre sur la rive de
l'Indus, qui avait apporté la vie à ce pays depuis les temps les plus
reculés. Nulle part nous ne ressentions ainsi la continuité avec le
passé, car on retrouvait nos ancêtres depuis l'invasion arabe de l'Inde

en 712 après Jésus-Christ. Le journal d'un de nos ancêtres rapportait des détails sur la famille qui avait été emportée par la grande inondation au temps de mon arrière-grand-père. Mais, dans notre enfance, on nous avait raconté que nous descendions aussi bien des Rajputs, la classe des guerriers hindous en Inde qui s'étaient convertis à l'islam au temps de l'invasion arabe, que des conquérants arabes qui avaient envahi l'Inde par notre province du Sind, lui donnant le nom de « Porte de l'islam ».

Ils sont des centaines de milliers à travers l'Inde et le Pakistan à appartenir à cette tribu des Bhutto, une des plus importantes du Sind, dont les membres vont des fermiers aux propriétaires terriens. Notre branche familiale descend directement du fameux chef tribal des Bhutto, Sardar Dodo Khan. Plusieurs villages du haut Sind – Mirpur Bhutto, où vit la famille de mon oncle Mumtaz, Garhi Khuda Bakhsh Bhutto, où se trouve le cimetière de ma propre famille – portent le nom de nos ancêtres, qui possédaient beaucoup de terres de la province et avaient dominé sa politique pendant des centaines d'années. Ma famille directe conservait une maison à Naudero, près de Garhi Khuda Bakhsh Bhutto, où mon père et mes frères allaient toujours pour le *Aïd* offrir aux hôtes la traditionnelle nourriture de fête : le riz cuit à l'eau et au sucre de canne, parfumé de pétales de fleurs. Mais, depuis l'époque de mon grand-père, le vrai cœur de la famille était Al-Murtaza, à Larkana.

Avant les premières réformes agraires de 1958, les Bhutto étaient de ceux qui dans la province employaient le plus d'ouvriers agricoles. Nos terres, comme celles des autres propriétaires du Sind, se mesuraient en miles carrés et non en acres. Enfants, nous aimions entendre raconter l'ébahissement de Charles Napier, le conquérant anglais du Sind en 1843. «À qui appartiennent ces terres? demandait-il sans cesse à son cocher en parcourant la province.

– Terres Bhutto, lui répondait l'autre invariablement. – Réveillez-moi quand nous serons sortis des terres des Bhutto», ordonnat-il. Quand il s'éveilla de lui-même quelque temps après, il fut surpris. «À qui sont ces terres? demanda-t-il. – Bhutto», répéta le conducteur. Napier devint célèbre pour sa dépêche en latin au commandement militaire anglais après sa conquête de la province. «*Peccavi*, I have sinned [1].» Enfants, nous croyions qu'il s'agissait d'une confession, non d'un jeu de mots.

Mon père aimait raconter d'autres histoires familiales. «Votre arrière-grand-père, Mir Ghulam Murtaza Bhutto, était un homme beau et fringant d'environ vingt et un ans, disait-il au début d'un de nos récits préférés. Toutes les femmes du Sind en étaient amoureuses, y compris une jeune Anglaise. À l'époque, il était *haram*, interdit d'épouser une étrangère, mais il ne pouvait empêcher cette femme de l'aimer. Un officier anglais, le colonel Mayew, apprit leur liaison coupable et fit venir votre arrière-grand-père.

«Peu importait à l'officier anglais d'être en plein Larkana, la ville natale des Bhutto, peu lui importait que la terre des Bhutto s'étende à perte de vue. Les Anglais n'avaient guère de respect pour notre patrimoine familial. Tout ce qu'ils voyaient, c'était notre peau brune.

«"Comment osez-vous encourager les sentiments d'une Anglaise?" reprocha le colonel à Ghulam Murtaza quand votre arrière-grand-père se trouva devant lui. "Je vais être obligé de vous donner une leçon." Et le colonel saisit un fouet. Mais, comme il levait la main pour frapper Ghulam Murtaza, votre arrière-grand-père s'empara du fouet et corrigea l'officier. Criant au secours, le colonel chercha refuge sous une table jusqu'à ce que Ghulam Murtaza fût sorti du bureau. La famille et les amis de Ghulam Murtaza le pressèrent : "Il faut fuir. Les Anglais te tueront." Alors, votre

---

1. «J'ai péché», en latin et en anglais; mais aussi : «J'ai le Sind», de manière ironique. *(N.d.T.)*

arrière-grand-père quitta Larkana, avec quelques compagnons et la femme anglaise qui insistait pour partir avec lui.

« Les Anglais aussitôt se lancèrent à ses trousses. "Séparons-nous, dit Ghulam Murtaza à ses compagnons. Un groupe reste avec moi. Que les autres partent avec l'Anglaise. Mais ne la laissez sous aucun prétexte aux mains des Anglais. C'est une question d'honneur." Et les voilà partis au galop dans des directions différentes, passant et repassant l'Indus pour égarer les poursuivants. Les Anglais serraient de près ceux qui accompagnaient la femme, car elle ne pouvait pas se déplacer aussi vite que votre arrière-grand-père. Pour les tromper, ces hommes creusèrent un tunnel où ils se cachèrent après avoir couvert l'entrée de feuillage. Ils perdirent tout espoir quand les Anglais les découvrirent. Ils avaient promis à Ghulam Murtaza de ne pas laisser la jeune fille aux mains des Anglais. Ils ne pouvaient accepter le déshonneur de l'abandonner à l'ennemi, et, au moment où les Anglais allaient l'atteindre, la suite de votre arrière-grand-père la tua. »

Là, nous ouvrions de grands yeux, mais l'histoire commençait à peine. Notre arrière-grand-père avait fui dans l'État indépendant de Bahawalpur. Mais comme les Anglais menaçaient de s'emparer de l'État, mon arrière-grand-père remercia le Nawab de son hospitalité et repassa l'Indus pour chercher asile au royaume d'Afghanistan, où il fut l'hôte de la famille royale. Les Anglais, fous de rage, avaient saisi tous ses biens. Notre maison familiale fut mise aux enchères, nos tapis de soie, nos sofas de soies importées, de velours et de satin d'autrefois, notre vaisselle d'or et d'argent, les immenses marmites qui servaient à préparer la nourriture des milliers de gens fidèles à la famille pour les fêtes religieuses, les tentes brodées qu'on dressait pour les cérémonies, tout cela fut vendu. Il fallait punir Ghulam Murtaza et le punir sévèrement, car il était inimaginable que qui que ce soit pût défier les Anglais. C'étaient des dieux. Dans certaines régions de l'Inde, les indigènes n'avaient pas le droit d'emprunter les mêmes rues ; ils ne devaient pas répliquer à un Anglais – encore moins le frapper !

Finalement, on trouva un compromis avec les Anglais et Ghulam Murtaza revint à Larkana. Mais ses jours étaient comptés. Il tomba malade et commença à perdre du poids. Les *hakim*, ou médecins de village, flairaient le poison, sans que personne en pût trouver la source. Notre arrière-grand-père prit des goûteurs pour essayer sa nourriture et l'eau qu'il buvait, mais le poison continua son œuvre et le tua à l'âge de vingt-sept ans. Plus tard, on en découvrit l'origine : c'était le *hookah*, la pipe à eau qu'il fumait après le dîner.

J'aimais entendre ces histoires familiales, comme mes frères, Mir Murtaza et Shah Nawaz, qui s'identifiaient naturellement à leurs homonymes. Les épreuves affrontées par nos ancêtres fondaient notre propre code moral, ainsi que l'avait voulu notre père. Loyauté. Honneur. Principes.

Le fils de Ghulam Murtaza Bhutto, mon grand-père, fut le premier à détacher les Bhutto de l'esprit féodal qui étouffait toute une partie de la société. Jusque-là, les Bhutto s'étaient toujours mariés entre eux, entre cousins germains, ou à la rigueur issus de germains. L'islam autorisait les femmes à hériter des biens, et le mariage était le seul moyen de conserver la terre dans la famille. Un de ces mariages d'intérêt avait été arrangé entre mon père et sa cousine Amir quand il n'avait que douze ans et elle huit ou neuf. Il avait résisté jusqu'à ce que mon grand-père le tente en lui offrant un équipement de cricket venu d'Angleterre. Après leur mariage, Amir était retournée vivre dans sa famille et mon père avait repris l'école avec une impression durable de l'injustice, surtout en ce qui concernait les femmes, de ces mariages forcés.

Au moins Amir avait-elle été mariée. Quand il n'y avait pas dans la famille un cousin qui convienne, les filles Bhutto ne se mariaient pas du tout, et c'est pour cette raison que mes tantes, filles de mon grand-père par son premier mariage, étaient restées célibataires toute leur vie. Malgré la forte opposition de la famille, mon grand-père avait autorisé les filles de son second mariage à prendre époux en dehors du cercle Bhutto; encore n'étaient-ce pas des mariages d'amour, mais des affaires dûment préparées. Une génération plus tard, ma sœur Sanam deviendrait la première fille Bhutto à prendre une décision personnelle. Contrairement à ce que j'attendais, je suivrais la voie traditionnelle, en faisant un mariage arrangé.

Cependant, mon grand-père passait pour très progressiste. Il fit instruire ses enfants, envoyant même ses filles à l'école, au grand scandale des autres propriétaires terriens. Beaucoup d'entre eux ne se donnaient pas même la peine d'instruire leurs fils. «Ils ont la terre, un revenu garanti et ne deviendront jamais salariés ni ne travailleront pour les autres. Mes filles hériteront de la terre et auront pour s'occuper d'elles leurs maris ou leurs frères. Pourquoi se soucier d'instruction?» Tel était l'esprit féodal.

Mon grand-père avait constaté lui-même les progrès obtenus par les Hindous instruits et les musulmans des villes, à Bombay, où il servait au sein du gouvernement sous l'autorité de l'Empire britannique. En instruisant ses propres enfants, Sir Shah Nawaz avait voulu être un exemple pour les autres propriétaires terriens du Sind, afin que, après la division de l'Inde en 1947 et la création d'un Pakistan indépendant, notre société ne reste pas dans la stagnation. Négligeant les haussements de sourcils de ses pairs, il envoya son fils étudier à l'étranger. Mon père ne l'avait pas déçu : diplômé avec mention de l'université de Californie à Berkeley, il avait continué ses études de droit à Christ Church, à Oxford, et s'était inscrit au barreau de Lincoln's Inn (l'une des écoles de droit de Londres), avant de retourner au Pakistan exercer la profession d'avocat.

Ma mère, d'autre part, était issue de la nouvelle classe des industriels citadins dont les opinions étaient plus cosmopolites que celles des propriétaires fonciers. Tandis que les femmes Bhutto vivaient encore en *purdah*, rarement autorisées à quitter les quatre murs de leur demeure, et alors complètement enveloppées de *burqas* noires, ma mère et ses sœurs circulaient sans voile dans Karachi et conduisaient leurs voitures personnelles. Filles d'un homme d'affaires iranien, elles étaient allées au collège et, après la naissance du Pakistan, avaient même servi, comme officiers, dans la Garde nationale, une formation féminine paramilitaire. Une telle vie publique, au grand jour, aurait été impensable pour les femmes Bhutto.

Après son mariage, en 1951, ma mère entra en *purdah* avec les autres femmes Bhutto, et d'abord elle ne fut autorisée à quitter la propriété qu'une fois par semaine pour aller voir sa famille. Mais les vieilles traditions commençaient à lasser tout le monde. Quand ma grand-mère avait besoin de quitter la demeure familiale de Karachi et qu'aucun chauffeur n'était disponible, elle demandait souvent à ma mère de la conduire. Et lorsque la famille allait à Al-Murtaza, mon père insistait pour demeurer avec ma mère dans l'aile réservée aux femmes au lieu de retourner aux appartements des hommes. Au moment de la construction du 70, Clifton, il ne fut pas prévu de résidence particulière pour les femmes, mais mon grand-père acheta en face une maison pour y rencontrer ses visiteurs masculins. Une nouvelle génération plus éclairée s'enracinait au Pakistan.

Dans notre culture patriarcale, les garçons ont toujours été favorisés par rapport aux filles, non seulement en ce qui concerne l'instruction, et, dans les cas extrêmes, ils étaient nourris les premiers tandis que la mère et les filles attendaient. Eh bien, chez nous, il n'y avait aucune discrimination. Ou plutôt c'était de moi qu'on s'occupait davantage. Aînée de quatre enfants, je suis née à Karachi le 21 juin 1953, et j'avais le teint si rose qu'on me surnomma immédiatement Pinkie. Mon frère Mir Murtaza naquit un an plus tard, Sanam en 1957 et le petit dernier, Shah Nawaz, en 1958. En tant qu'aînée, je pris dès le début dans la famille une place spéciale et parfois solitaire.

Je n'avais que quatre ans et mon père en avait vingt-huit quand il fut envoyé pour la première fois aux Nations unies par le président Iskander Mirza. Par la suite, ses fonctions au gouvernement – comme ministre du Commerce sous la présidence d'Ayub Khan, puis ministre de l'Énergie, ministre des Affaires étrangères et chef de la délégation pakistanaise aux Nations unies par intermittence pendant sept ans – le retinrent, lui et ma mère, loin de la maison la plupart du temps.

Je le voyais autant à la une des journaux qu'en personne, discutant aux Nations unies en faveur du Pakistan et des autres pays du tiers monde, négociant des accords financiers et d'assistance technique avec l'Union soviétique en 1960, revenant de Pékin, la ville interdite, en 1963, avec un traité de réajustement de frontière cédant pacifiquement au Pakistan 750 miles carrés de territoire jusqu'alors en litige. Ma mère, en général, l'accompagnait dans ses voyages, laissant à la maison les enfants à la garde du personnel et à moi-même. « Occupe-toi des autres enfants, me recommandaient mes parents. Tu es l'aînée ! »

Je n'avais que huit ans ou à peu près quand je fus personnellement chargée de la maison en l'absence de mes parents. Ma mère me laissait l'argent pour la nourriture et les frais du ménage, et je le cachais sous mon oreiller. Je n'en étais à l'école qu'à apprendre le calcul, et chaque soir je grimpais sur le tabouret dans la cuisine sous prétexte de vérifier les comptes avec Babu, depuis toujours notre fidèle majordome. Les chiffres concordaient-ils ou non, je n'en ai aucun souvenir. Heureusement, nos dépenses n'allaient pas loin. À cette époque, dix roupies, c'est-à-dire deux dollars environ, suffisaient à nourrir toute la maisonnée.

Chez nous, l'instruction passait avant tout. Comme son père avant lui, mon père voulait faire de nous des modèles : la jeune génération de Pakistanais instruits et progressistes. À trois ans, j'étais au jardin d'enfants de Lady Jennings, puis à cinq ans dans l'une des meilleures écoles de Karachi, le «couvent de Jésus et Marie». L'enseignement y était dispensé en anglais, que nous parlions plus souvent chez nous que les langues maternelles de mes parents, le sindi, le persan ou l'ourdou, notre langue nationale. Et, bien que les religieuses irlandaises qui enseignaient répartissent les élèves plus âgées en groupes aux noms inspirés comme Discipline, Politesse, Application et Service, elles ne cherchaient pas à nous convertir au christianisme. L'école était une trop précieuse source de revenus pour que les missionnaires courent le risque de s'aliéner les quelques familles musulmanes assez riches et assez prévoyantes pour faire instruire leurs enfants.

«Je ne vous demande qu'une chose, c'est de réussir vos études», nous disait mon père encore et toujours. Plus tard, il nous fit donner des leçons particulières en maths et en anglais, l'après-midi après l'école, et il s'informait de nos bulletins scolaires par téléphone, où qu'il soit dans le monde. Heureusement, j'étais bonne élève, car il avait de grands projets pour moi : je serais la première femme de la famille Bhutto à faire des études à l'étranger.

«Vous ferez tous vos valises et je vous conduirai à l'aéroport pour vous voir partir», nous disait-il déjà à tous les quatre, aussi loin que je puisse me rappeler. «Pinkie nous quittera comme une petite souillon et, quand elle reviendra, ce sera une belle jeune femme en sari. Shah Nawaz entassera tellement de vêtements dans sa valise qu'il ne pourra pas la fermer. Il nous faudra appeler Babu pour lui demander de s'asseoir dessus.»

Il ne faisait aucun doute dans ma famille que ma sœur et moi nous aurions dans la vie les mêmes chances que mes frères. Il en était de même selon l'islam. Nous avions appris très jeunes que ce n'était pas notre religion qui limitait les chances des femmes, mais son interprétation par les hommes. L'islam, en réalité, dès ses débuts, avait été tout à fait progressiste vis-à-vis des femmes. Le Prophète Mahomet (la Paix soit sur Lui) avait interdit la mise à mort des enfants de sexe féminin, qui était un usage courant parmi les Arabes de l'époque, et avait exigé pour les femmes l'instruction et le droit à l'héritage, longtemps avant qu'on leur accorde ces privilèges en Occident.

Bibi Khadijah, la première convertie à l'islam, était une veuve qui dirigeait sa propre entreprise et qui prit à son service le Prophète quand il était jeune homme, et plus tard l'épousa. Umm e-Umara combattit à côté des hommes dans les premiers combats des musulmans contre leurs ennemis, et son bras puissant sauva la vie du Prophète. Chand Bibi, souveraine d'Ahmadnagar, État du sud de l'Inde, battit l'empereur moghol Akbar et l'obligea à signer avec elle un traité de paix. Noor-Jehan, l'épouse de l'empereur Jehangir et véritable impératrice de l'Inde, était célèbre pour son habileté dans le domaine de l'administration. L'histoire musulmane est pleine de femmes qui ont assumé des fonctions publiques et s'en sont acquittées pleinement et aussi bien que les hommes. Rien dans l'islam ne les a dissuadées, ni elles ni moi, de suivre cette voie. «J'ai trouvé une femme régnant sur les hommes; elle possède toutes sortes de biens et son trône est très puissant», dit la sourate de la Fourmi dans le Saint Coran. «Aux hommes ce qu'ils ont mérité, et aux femmes ce qu'elles ont gagné», dit la sourate des Femmes.

Tous les après-midi, nous lisions ces sourates et d'autres de notre Saint Livre avec le *maulvi* (professeur de théologie) qui venait à la maison après nos cours scolaires pour faire notre éducation religieuse.

Le plus important était la lecture du Coran en arabe et la compréhension de ses enseignements. Nous passions des heures à nous débattre avec les difficultés de l'arabe, dont l'alphabet est le même que dans notre ourdou, mais qui a une grammaire et des significations différentes, comme sont différents entre eux l'anglais et le français.

«Le Paradis est aux pieds de la mère», nous enseignait notre *maulvi* ces après-midi-là, citant le commandement coranique d'être toujours bon pour ses parents et de leur obéir. Il n'est pas étonnant que ma mère y ait souvent fait appel pour nous tenir dans le droit chemin. Le *maulvi* nous enseignait aussi que de nos actes sur terre dépendait notre sort dans l'au-delà. «Il vous faudra franchir une vallée de feu sur un pont qui sera un cheveu. Vous savez combien c'est fin, un cheveu? disait-il d'un ton dramatique. Les pécheurs tomberont et brûleront dans le feu de l'enfer, tandis que les justes réussiront à traverser, jusqu'au Paradis où le lait et le miel coulent comme l'eau.»

Mais c'était ma mère qui m'enseignait les rites de la prière. Sa foi était très profonde. Où qu'elle fût dans le monde et quoi qu'elle fît, elle se prosternait cinq fois par jour. Dès que j'eus neuf ans, elle commença à m'y associer, entrant doucement dans ma chambre pour guider ma prière du matin. Ensemble, nous accomplissions le *wuzoo*, les ablutions des mains, des pieds et du visage, afin d'être pures au regard de Dieu, puis nous nous prosternions face à l'ouest, dans la direction de La Mecque.

Ma mère était une musulmane chi'ite, comme la plupart des Iraniens, tandis que les autres membres de la famille étaient sunnites. Mais il n'y avait jamais de problèmes. Chi'ites et sunnites vivaient côte à côte et se mariaient entre eux depuis plus de mille ans, et nos différences étaient beaucoup moins importantes que ce qui nous rapprochait. L'essentiel était que tous les musulmans, indépendamment de leurs sectes, se soumettent à la volonté de Dieu et croient qu'il n'est d'autre Dieu qu'Allah et que Mahomet est son dernier prophète. Telle est la définition coranique du musulman et ce qui, chez nous, comptait plus que tout.

Pendant le *muharram*, le mois qui commémore le massacre du petit-fils du Prophète, Imam Hussein, à Karbala, en Irak, parfois je m'habillais de noir et j'allais avec ma mère rejoindre les autres femmes pour les cérémonies chi'ites. «Fais bien attention», disait maman, car les rites chi'ites étaient plus compliqués que ceux des sunnites. Je ne quittais pas des yeux le narrateur qui recréait dramatiquement la tragédie d'Imam Hussein et du petit groupe de ses fidèles à Karbala, où ils tombèrent dans une embuscade et furent sauvagement assassinés par les bandes de Yazid l'usurpateur. Aucun ne fut épargné, pas même les petits enfants, qui tombèrent sous le couteau de Yazid. Imam Hussein fut décapité et sa sœur Zeinab fut menée à pied, tête nue, jusqu'à la cour de Yazid, où elle vit le tyran jouer avec la tête de son frère. Mais, au lieu de se laisser aller au désespoir, Bibi Zeinab fut remplie d'une nouvelle détermination, de même que les autres fidèles d'Imam Hussein. Leurs descendants, les chi'ites d'aujourd'hui, n'oublient jamais le drame de Karbala.

«Écoutez le tout petit qui pleure de soif, nous disait le conteur avec émotion, songez au chagrin de la mère qui entend crier son enfant. Voyez le bel homme à cheval à la recherche de l'eau. Il s'approche de la rivière. Regardez-le se pencher. Attention! des hommes les attaquent à coups d'épée…» Tandis qu'il parlait, certaines femmes accomplissaient le *matam*, en se frappant la poitrine. Le récit frappant de l'histoire était si émouvant que je pleurais souvent.

Mon père était résolu à faire passer son pays – et ses enfants – dans le XXᵉ siècle. J'entendis un jour ma mère lui demander : «Les enfants se marieront-ils dans la famille?» Retenant mon souffle, j'attendais la réponse. «Je ne veux pas que les garçons épousent leurs cousines pour les laisser enfermées derrière les murs de la propriété, pas plus que je ne veux voir mes filles enterrées vivantes derrière les murs d'autres parents, dit-il, à mon grand soulagement. Laissons-les d'abord finir leurs études. Alors, ils décideront ce qu'ils veulent faire de leur vie. »

Sa réaction me fit autant plaisir le jour où ma mère me fit revêtir la *burqa* pour la première fois. Nous avions pris le train pour aller de Karachi à Larkana, quand ma mère sortit de son sac le voile de gaze noire pour m'en envelopper. « Tu n'es plus une enfant », me dit-elle avec une nuance de regret. En accomplissant ce rite séculaire des familles conservatrices, elle me faisait passer de l'enfance au monde adulte. Mais ce monde, comme il était décevant ! Les couleurs du ciel, de l'herbe, des fleurs avaient disparu, ternies, grisâtres. Tout s'estompait sous le voile qui le cachait à mes yeux. En descendant du train, le tissu qui me couvrait de la tête aux pieds me gêna pour marcher. Hors d'atteinte de la moindre brise, je sentis la sueur couler sur mon visage.

« Pinkie a porté sa *burqa* aujourd'hui pour la première fois », dit ma mère à mon père en arrivant à Al-Murtaza. Il y eut un long silence. « Elle n'a pas besoin de la porter, dit enfin mon père. Le Prophète lui-même a dit que le meilleur voile, c'est celui qu'on porte derrière les yeux. Qu'on la juge sur son caractère et son intelligence et non sur son vêtement. » Je devins donc la première femme Bhutto libérée d'une vie passée dans un perpétuel crépuscule.

Mon père m'encourageait toujours à me sentir solidaire du vaste monde, bien que ses leçons parfois me fussent passées au-dessus de la tête. Je voyageais avec lui dans le wagon réservé aux Affaires étrangères, pendant l'automne de 1963, quand il m'éveilla brusquement. « Ce n'est pas le moment de dormir, dit-il d'un ton pressant. Il est arrivé une terrible tragédie. Le jeune président des États-Unis a été assassiné. » À dix ans, je n'avais que vaguement entendu parler du président américain, mais mon père me garda près de lui tandis qu'il recevait les derniers communiqués sur l'état de John F. Kennedy, qu'il avait plusieurs fois rencontré à la Maison-Blanche et qu'il admirait pour ses idées libérales.

Parfois il nous emmenait, mes frères, ma sœur et moi, voir des délégations étrangères en visite au Pakistan. Quand il nous annonça un jour que nous allions rencontrer «des personnalités importantes de Chine», je fus très impressionnée. Il avait souvent parlé avec chaleur de la révolution chinoise et de son chef, Mao Tsé-toung, qui avait mené son armée à travers les montagnes et les déserts pour renverser l'ordre établi. J'étais sûre que l'un d'eux serait Mao, dont la casquette, don personnel du révolutionnaire chinois, était accrochée dans le vestiaire de mon père. Pour une fois, j'endossai sans déplaisir la tenue que mon père rapportait chaque année de chez Saks, à New York, sur la 5e Avenue, où la vendeuse conservait nos mesures. Je fus très désappointée de ne pas voir Mao parmi ces «personnalités chinoises», mais Chou En-lai, le Premier ministre, et deux de ses ministres, Chen-Yi et Lieou Shao-chi, qui par la suite devaient mourir tous deux en captivité pendant la Révolution culturelle.

Chou En-lai ne fut pas le seul «visiteur important» à Karachi qui déçut mon attente. Mais l'autre, nous ne le rencontrâmes pas réellement. Nous savions qu'un VIP venait dîner, car des guirlandes lumineuses ornaient l'entrée de la maison. Quand une limousine franchit les grilles, nous aperçûmes, des fenêtres du premier étage, le président Ayub Khan et un Américain qui entraient 70, Clifton. Je reconnus immédiatement l'Américain d'après les films que j'avais vus en ville. «Tu étais contente de voir Bob Hope? demandai-je à ma mère d'un air détaché, le lendemain matin. – Qui? demanda-t-elle. – Bob Hope, répétai-je. – Sotte, me dit-elle, c'était le vice-président des États-Unis, Hubert Humphrey.» Je compris plus tard que Hubert Humphrey avait essayé d'obtenir l'aide du Pakistan au

Viêt Nam, sous la forme anodine de raquettes de badminton aux troupes américaines. Mais mon père refusa même ce geste, étant moralement opposé à toute ingérence étrangère dans la guerre civile du Viêt Nam.

Quand j'eus dix ans et Sanam sept, on nous envoya en pension à Murree dans le Nord, ancienne station anglaise de montagne, couverte de bois de pins. Notre gouvernante avait prévenu à la dernière minute qu'elle retournait en Angleterre. La pension semblait la solution la plus rapide, et mon père y était favorable, pensant que l'expérience nous endurcirait. Pour la première fois, je devais faire mon lit, cirer mes chaussures, transporter de l'eau pour ma toilette et me brosser les dents en faisant la navette entre les robinets des couloirs. «Pas de régime de faveur pour mes enfants», avait dit mon père aux religieuses. Elles le prirent au pied de la lettre, nous corrigeant rudement, Sunny et moi, pour la moindre infraction à la stricte discipline.

À Murree, mon père poursuivait par correspondance notre éducation politique. Peu après son retour du sommet des pays non-alignés, à Djakarta, il nous écrivit une longue lettre expliquant en détail les intérêts personnels des superpuissances aux Nations unies et l'abandon, en conséquence, des pays du tiers monde. Une des religieuses nous installa, Sanam et moi, sur un banc du jardin de l'école et nous lut intégralement la lettre, bien que nous n'y comprenions pas grand-chose.

Pendant notre seconde et dernière année à Murree, nous reçûmes, Sanam et moi, des leçons politiques de première main. Le 6 septembre 1965, l'Inde et le Pakistan entraient en guerre à propos du Cachemire. Tandis que mon père prenait l'avion pour aller défendre aux Nations unies le droit du peuple du Cachemire à l'autodétermination contre l'agression de l'Inde, les religieuses du couvent de Jésus et Marie préparaient leurs élèves à l'éventualité d'une invasion indienne. La route vers le Cachemire passant par Murree, beaucoup de gens voyaient là une incitation évidente pour les troupes indiennes à l'emprunter pour investir le Pakistan.

Après dîner, au lieu de jouer au jonchet avec des os de chèvre ou de lire des livres d'Enid Blyton, nous suivîmes brusquement des exercices d'alerte aérienne et de défense passive. Les religieuses désignèrent parmi les aînées des responsables pour conduire aux abris leurs compagnes plus jeunes, et j'habituai Sunny à attacher ses pantoufles à ses pieds le soir pour ne pas perdre ensuite du temps à les chercher. Beaucoup de nos camarades étaient filles de hauts fonctionnaires du gouvernement ou d'officiers de l'armée, et, très excitées, nous nous donnions de faux noms pour le cas où nous tomberions aux mains de l'ennemi. Dans l'élan de l'adolescence, nous imaginions dramatiquement la possibilité d'être enlevées et emportées dans la montagne. Mais, pendant les soixante-dix jours de la guerre, la menace d'invasion fut réelle et terrible.

Les États-Unis compliquaient notre situation. Redoutant que les armes qu'ils avaient procurées au Pakistan contre une menace communiste puissent être utilisées contre l'Inde, l'administration Johnson imposa l'embargo dans tout le sous-continent indien. Mais l'Inde recevait aussi des armes de l'Union soviétique. Le Pakistan, non. Malgré ce handicap, nos soldats combattirent avec succès jusqu'au moment du cessez-le-feu demandé par les Nations unies le 23 septembre. Le pays goûta son triomphe. Nous avions non seulement repoussé l'attaque de l'Inde, mais repris une partie du territoire qui nous avait appartenu.

Notre allégresse fut de courte durée. Au cours des négociations de paix à Tachkent, dans la Russie du Sud, le président Ayub Khan perdit tout ce que nous avions gagné sur le champ de bataille. Selon les accords de Tachkent, les deux pays acceptaient de retirer leurs troupes sur leurs positions d'avant-guerre. Mon père en fut écœuré et donna sa démission de ministre des Affaires étrangères. Quand son homologue indien, Lal Bahadur Shastri, mourut d'une crise cardiaque le lendemain de la signature des accords, mon père remarqua d'un ton mordant qu'il avait dû mourir de joie.

Dès que le peuple apprit les conditions du traité, d'importantes manifestations éclatèrent dans les provinces du Penjab et du Sind, en même temps que les rumeurs de brutalités policières. Les manifestations n'en continuèrent pas moins. Et la vie des Bhutto fut à jamais changée.

En juin 1966, Ayub accepta enfin la démission de mon père. Les différences entre les deux hommes étaient désormais manifestes, et le soutien populaire qui faisait de mon père un leader politique monta comme une lame de fond. Lors de notre dernier voyage de la maison à Larkana dans le wagon personnel du ministre des Affaires étrangères, des foules en délire couraient le long du train, se jetant sur les marchepieds pour essayer de nous suivre. «*Fakhr-e-Asia-Zindabad!* Vive l'honneur de l'Asie!» hurlait la foule, grimpant sur le toit du train et courant le long des toits des immeubles sur son passage. «*Bhutto Zindabad!* Vive Bhutto!»

À Lahore, j'eus peur quand mon père quitta le train pour un déjeuner avec le gouverneur du Penjab. «Il y a du sang sur la chemise de M. Bhutto», cria quelqu'un. J'eus le cœur serré jusqu'à son retour, à travers la foule, souriant et saluant de la main. Sa chemise était déchirée et il avait une légère égratignure, rien de plus. Il avait aussi perdu sa cravate. J'appris depuis qu'elle avait été vendue aux enchères pour des milliers de roupies. Quand il remonta dans le wagon du ministère, la foule se mit à pousser le train et le mouvement prit une telle amplitude que je craignis de le voir quitter les rails.

De retour à la maison sans dommage, la conversation devint de plus en plus politique. Les termes tels que «guerre froide», «embargo sur les armes» faisaient déjà partie de ce vocabulaire que nous ne comprenions qu'à moitié étant enfants. Les résultats des tables rondes et des conférences au sommet nous étaient aussi familiers qu'à d'autres enfants les scores de la Coupe du monde de cricket. Mais après la rupture de mon père avec Ayub Khan en 1966, les mots de «libertés civiles» et «démocratie» furent ceux qui revenaient le plus souvent; notions mythiques pour la plupart des Pakistanais, qui n'avaient connu sous Ayub qu'une participation restreinte à la vie politique. Jusqu'à ce que mon père crée son propre parti politique, en 1967, le Parti du peuple pakistanais.

Roti. Kapra. Makan. Du pain. Des vêtements. Un toit. Ces simples espoirs devinrent le cri de ralliement du Parti du peuple pakistanais, l'essentiel, que des millions de pauvres au Pakistan ne possèdent même pas. Tandis que tous les musulmans se prosternent devant Allah, les pauvres chez nous se prosternent devant les riches. «Debout! Ne rampez pas devant les autres! Vous êtes des êtres humains et vous avez des droits!» Mon père exhortait ainsi les foules dans les villages les plus lointains et les plus misérables du Pakistan où aucun homme politique n'avait jamais mis les pieds. «Exigez la démocratie, où le vote du plus pauvre pèse autant que celui du plus riche.»

Qui est Bhutto? Qu'est-ce que Bhutto? Pourquoi les gens disent-ils que tout le monde vient l'entendre, alors qu'on ne voit à ses meetings que des conducteurs de *tonga*, de pousse-pousse et de *rehri*, demandait le gouverneur d'Ayub Khan dans la presse sous contrôle gouvernemental. Cela scandalisait mon idéalisme. Bien que nous ayons toujours vécu à l'abri des soucis et fréquenté des écoles privilégiées, j'avais vu des gens sans souliers, sans chemise, des jeunes filles aux cheveux emmêlés et des bébés maigres. Les pauvres ne comptent-ils même pas comme des personnes? Nos études cora-niques nous avaient appris que, dans l'islam, tous sont égaux au regard de Dieu. Nous avions aussi appris de nos parents à traiter chacun avec respect et à ne laisser personne se prosterner devant nous pour toucher nos pieds ou sortir à reculons en notre présence.

«Il n'y a pas de loi divine qui nous condamne, nous seuls Pakistanais, à la pauvreté», disait encore mon père aux multitudes de malheureux et, de plus en plus, aux groupes de femmes qui restaient timidement au bord des foules. «Notre pays est riche. Il ne manque pas de ressources. Pourquoi alors la misère, la faim, la maladie?» C'était une question que le peuple n'avait pas de mal à comprendre. Les promesses d'Ayub de restructurer l'économie pakistanaise avaient échoué, tandis que sa famille et une poignée d'autres s'enrichissaient. Pendant les onze années du gouvernement d'Ayub, un groupe qu'on appelait familièrement «les vingt-deux familles» du Pakistan avait pratiquement fondé toutes les banques, les compagnies d'assurances et les grandes industries du pays. Le scandale attirait des centaines, puis des milliers de personnes à l'appel de mon père pour des réformes sociales et économiques.

Le rez-de-chaussée de notre maison, 70, Clifton, à Karachi, commença à servir de succursale du PPP. À onze et quatorze ans, ma sœur et moi nous versâmes avec enthousiasme les quatre annas de cotisation pour entrer au parti et pouvoir, nous aussi, aider notre majordome Babu à inscrire le nombre croissant de gens qui chaque jour faisaient la queue devant les grilles. Mais au milieu des petits faits courants de notre vie – qui avait gagné au cricket? – nous commencions aussi à écouter ce que mon père rapportait des pots-de-vin que lui offrait le régime d'Ayub. «Vous êtes jeune, vous avez toute la vie devant vous. Laissez ses chances à Ayub, et plus tard ce sera votre tour. Travaillez avec nous plutôt que contre nous, et nous vous faciliterons les choses», lui disaient Ayub et ses confrères, exactement les mêmes propos que j'entendrais plus tard des envoyés d'un autre dictateur. Quand les offres d'Ayub pour réduire mon père au silence eurent échoué, alors commencèrent les menaces de mort.

J'ignorais tout du monde de la violence. Il y avait le monde de la politique, où vivait mon père, et le monde des enfants : l'école et les jeux, les rires sur la plage. Mais les deux mondes entrèrent en conflit quand nous parvinrent les nouvelles d'attaques armées contre mon père. Les partisans d'Ayub tirèrent sur lui à Rahimyarkhan, à Sanghar et à d'autres étapes de sa tournée de propagande pour le PPP. Heureusement, les tueurs l'avaient manqué. À Sanghar, c'étaient ses partisans qui lui avaient sauvé la vie en se jetant devant lui pour recevoir les balles à sa place.

À la maison, l'atmosphère devenait tendue, mais j'essayais de ne pas montrer ma peur. À quoi cela aurait-il servi ? Telle était la vie politique au Pakistan, par conséquent, c'était la nôtre. Menaces de mort, corruption, violence. C'était ainsi. Je m'interdisais même d'avoir peur. J'essayais, en fait, de ne rien ressentir du tout, même quand, onze mois après la création du Parti du peuple pakistanais, Ayub fit arrêter mon père et les autres dirigeants du parti pour les jeter en prison. Comportement de dictateur. Celui qui proteste, on l'écrase, et les dissidents, on les boucle. En vertu de quelle loi ? La loi, c'est nous.

Les événements violents de 1968 ne se limitaient pas au Pakistan. Une fièvre révolutionnaire balayait le monde, les étudiants manifestaient sur les campus, à Paris, à Tokyo, à Mexico, à Berkeley aussi bien qu'à Rawalpindi. Au Pakistan, les émeutes contre Ayub se propagèrent quand on apprit que mon père avait été arrêté et conduit à Mianwali, l'une des pires prisons du pays. Elles continuèrent quand il fut transféré à Sahiwal, où sa cellule était infestée de rats. Dans le souci d'étouffer l'agitation, le régime ferma les écoles et les universités.

Cependant, j'affrontais le moment le plus critique de ma vie d'étudiante, en préparant les examens de mes trois dernières années d'études, aussi bien que mon examen d'entrée pour une éventuelle admission à Radcliffe. J'avais demandé à mon père de me laisser me présenter à Berkeley, où il était allé lui-même, mais il refusa. « Il fait trop beau en Californie, m'expliqua-t-il. La neige et la glace du Massachusetts t'obligeront à étudier. »

Il n'était pas question que je manque mes examens, car on envoyait les sujets d'Angleterre une fois par an seulement, au mois de décembre. « Tu restes à Karachi et tu travailles », dit ma mère ; elle emmenait avec elle les autres enfants à Lahore pour déposer une demande d'*habeas corpus* devant la Haute Cour contre la détention de mon père. Je restai seule 70, Clifton, confinée dans le voisinage immédiat, loin du centre commercial où avaient lieu les émeutes.

Pour me distraire du souci de mon père en prison, je m'absorbai dans le travail, révisant sans cesse les différentes matières avec les répétiteurs qui venaient chaque jour à la maison. Le soir, je rejoignais quelquefois mes amies Fifi, Thamineh, Fatima et Samiya au Club Sind tout proche, autrefois enclave britannique interdite « aux indigènes et aux chiens », et devenu maintenant club sportif pour Pakistanais aisés. Nous jouions au squash et nous nagions dans la piscine, en sachant bien que les choses n'étaient pas aussi rassurantes qu'il y paraissait. Déjà, depuis que mon père avait commencé à affronter Ayub, certains parents de mes amis et « sympathisants » avaient été prévenus que l'amitié avec les Bhutto était dangereuse et pourrait attirer des représailles de la part du régime d'Ayub. Le père de Samiya avait été averti par l'inspecteur général lui-même que les rapports de sa fille avec moi risquaient de causer des ennuis à sa famille. Samiya et mes autres amies me restaient courageusement fidèles, mais j'avais remarqué que d'autres camarades de classe prenaient leurs distances.

« Je prie pour ton succès à tes examens, écrivait mon père de la prison de Sahiwal le 28 novembre. Je suis vraiment fier d'avoir une fille si brillante qu'elle passe ses *O-levels* (équivalent du brevet) dès quinze ans, trois ans plus tôt que je ne l'ai fait moi-même. À ce train-là, tu peux devenir présidente. »

Bien qu'astreint au régime cellulaire, mon père tenait à me rappeler que son principal souci était toujours mon éducation. « Je sais que tu lis beaucoup, mais tu devrais t'intéresser un peu plus à la littérature et à l'histoire, continuait-il dans sa lettre. Tu as tous les livres qu'il te faut. Fais des lectures sur Napoléon Bonaparte, l'homme le plus complet de l'histoire moderne. Sur la révolution américaine et Abraham Lincoln. Lis *Dix jours qui ébranlèrent le monde*, de John Reed. Étudie Bismarck et Lénine, Ataturk et Mao Tsé-toung. Lis l'histoire de l'Inde depuis l'Antiquité, et par-dessus tout l'histoire de l'islam. » Le formulaire de la prison était signé « Zulfikar Ali Bhutto ».

Je désirais plus que tout être à Lahore avec les miens, mais c'était impossible. Sanam téléphona pour me dire que ma mère dirigeait tous les deux ou trois jours des marches de protestation de femmes contre la détention de mon père, et elle s'assurait que chaque manifestante emportait une serviette humide dans un sac en plastique pour le cas où la police d'Ayub lancerait des gaz lacrymogènes. La police rompit plusieurs fois les cortèges à coups de *lathis* de bambou, mais les manifestations se multipliaient. Ayub avait donné l'ordre aux militaires d'arrêter les participants, mais les soldats refusèrent d'emmener les femmes et les saluèrent de la main. Même sous Ayub, les femmes restaient sacrées.

Quand arriva enfin le moment des examens, en décembre, le couvent de Jésus et Marie fit en sorte que nous passions les épreuves à l'ambassade du Vatican, qui se trouvait aussi à Clifton. Son caractère sacré et sa distance du centre commercial de Karachi en faisaient le choix le plus sûr. Tandis que les élèves anglais passaient leurs quelques jours d'examen dans des classes bien en ordre, nous faisions de discrètes allées et venues au siège pakistanais de l'Église de Rome.

Entre-temps, les émeutes continuaient et la colère contre Ayub grandit lorsque la police tira sur les manifestants, faisant plusieurs morts. À présent, dans tout le pays, les émeutiers réclamaient la démission d'Ayub ainsi que la libération de mon père et des autres prisonniers politiques.

Trois mois après leur arrestation, le désordre au Pakistan obligea Ayub Khan à relâcher les dirigeants du PPP. Selon des rumeurs qui circulaient, l'avion qui ramenait mon père de Lahore à Larkana aurait été saboté et il aurait été tué dans un prétendu accident; ma mère tint une conférence de presse pour dénoncer le complot avant qu'il soit mis à exécution. Et papa rentra par le train. Jamais de ma vie je n'ai été si heureuse de revoir quelqu'un. Mais la lutte contre Ayub était loin d'être terminée.

« Baissez-vous! » cria mon père à Sanam et à moi pendant une marche triomphale à Larkana peu après sa libération. Notre voiture découverte avançait lentement à travers la foule qui hurlait : « *Jiye* Bhutto! » et : « *Girti Houi Deewar Ko Aakhri Dhaka Dow*, Donnez le coup final au mur qui croule. » Un agent d'Ayub avait tiré sur lui à bout portant. Par miracle, l'arme s'enraya, mais la foule fut impitoyable.

Jetant un coup d'œil sous la main de mon père, je vis un jeune homme littéralement écartelé : son cou, sa tête, ses bras et ses jambes étaient tiraillés dans toutes les directions, et sa bouche saignait abondamment. « Ne regarde pas! » dit papa vivement en me repoussant plus énergiquement. Je me blottis, la tête sur les genoux, tandis qu'il criait à la foule de laisser la vie à son assassin manqué. Elle le fit à regret, mais l'image ne me quitta pas pendant des mois.

Autre image obsédante, celle de mon père amaigri pendant une grève de la faim pour protester contre la dictature d'Ayub et ses arrestations arbitraires. Pendant des jours après sa sortie de prison, il demeura en pleine rue, assis sous un *shamiana* [1] avec les autres dirigeants du PPP. Tout Larkana venait le voir, s'effrayant de le trouver de plus en plus émacié. «Je vous en prie, demandai-je silencieusement à Ayub Khan, cédez à papa», tout en m'étonnant que ses compagnons de jeûne aient l'air de si bien se porter. «Ils se font donner à manger dans leurs chambres le soir, me confia l'un des domestiques. N'en dites rien à votre père.»

Tels des champignons, des groupes de grévistes de la faim surgirent devant les associations d'avocats et dans les rues animées des villes à travers tout le Pakistan. Des foules importantes se réunissaient chaque jour pour apporter aux grévistes leur soutien moral et réclamer la démission d'Ayub. Se rendant compte que la police même ne parvenait plus à contrôler la situation, Ayub se retira enfin le 25 mars 1969. Mais c'était une victoire trompeuse. Au lieu de remettre le pouvoir au président de l'Assemblée nationale, comme le prévoyait sa propre Constitution, il désigna son chef d'état-major, Yahya Khan, pour diriger le nouveau gouvernement. Le Pakistan se retrouvait sous la griffe d'un dictateur militaire qui, sans tarder, suspendit toute loi civile et imposa la loi martiale.

«Tu as une lettre de Radcliffe», me dit ma mère en avril. Je pris l'enveloppe avec appréhension. Avais-je vraiment envie de partir? Le collège avait averti mon père qu'à seize ans je serais trop jeune pour y entrer et suggéré que j'attende une année. Mais, ne voyant pas de raison de me retarder, mon père avait demandé le soutien de son ami John Kenneth Galbraith, professeur d'économie politique à Harvard et ancien ambassadeur des États-Unis en Inde. J'ouvris l'enveloppe : j'étais admise pour l'automne de 1969.

Mon père me donna un beau Coran relié de nacre, comme cadeau pour mon départ. «Beaucoup de choses te surprendront en

1. Sorte de tente de coton de couleur pour s'abriter du soleil.

Amérique et certaines pourront te choquer, dit-il, mais je te sais capable de t'adapter. Tu dois avant tout étudier avec acharnement. Rares sont au Pakistan ceux qui ont cette chance, et tu dois en profiter. N'oublie jamais que l'argent dépensé pour ce départ vient de la terre, et du peuple qui transpire et peine sur cette terre. Tu auras une dette envers lui, que tu peux payer avec la bénédiction de Dieu en te servant de ton instruction pour améliorer sa vie.»

À la fin d'août, j'étais debout dans l'entrée de bois sculpté du 70, Clifton, tandis que ma mère passait au-dessus de ma tête mon Coran neuf. Je le baisai. Et nous partîmes ensemble pour l'aéroport d'où j'allais m'envoler vers les États-Unis.

3

RÉFLEXIONS À AL-MURTAZA :
MA PREMIÈRE APPROCHE
DE LA DÉMOCRATIE

TANDIS QUE MA MÈRE ET MOI nous entrons dans notre deuxième mois de captivité à Al-Murtaza, les jardins se meurent. Avant l'emprisonnement et la mort de mon père, il nous fallait une équipe de dix personnes pour les entretenir et soigner la terre. Mais depuis qu'Al-Murtaza est devenu un lieu de détention pour ma mère et moi, le régime militaire de Zia ne laisse plus entrer que trois jardiniers. Je participe à la lutte pour la survie des jardins.

Je ne peux pas supporter de voir se flétrir les fleurs, surtout les roses de mon père. De chacun de ses voyages à l'étranger, il rapportait de nouvelles variétés exotiques pour les planter chez nous : roses violettes, roses mandarine, roses qui ne semblaient même plus vraies mais si parfaitement sculptées qu'on les eût dites de porcelaine. Sa préférée était bleue : on l'appelait «rose de la paix». À présent, les rosiers commencent à se dessécher et à brunir, faute de soins.

Chaque matin, dans la chaleur de l'été qui s'attarde, je suis au jardin à 7 heures pour aider les jardiniers à traîner les lourds tuyaux de toile d'un parterre à l'autre. Des coins de la maison, les «Forces de la Frontière» m'observent. Il fallait trois jours au personnel pour arroser le jardin; il nous en faut huit maintenant. Quand j'arrive aux derniers rosiers, les premiers se fanent déjà. Je veux les sauver, voyant dans leur lutte pour vivre malgré le manque d'eau et de soins mon propre combat pour survivre, privée de liberté.

Les moments les plus heureux de ma vie, je les ai passés parmi les roses et à l'ombre fraîche des arbres fruitiers d'Al-Murtaza. Dans la journée, l'air était parfumé de *Din ka Raja*, le Roi du Jour, les suaves fleurs blanches que ma mère, comme beaucoup de Pakistanaises, mêlait à ses cheveux. Au coucher du soleil, c'était la *Raat ki Raani*, la Reine de la Nuit, qui embaumait nos soirées familiales sur la terrasse.

Encore les tuyaux d'arrosage, encore de l'eau. Je balaie les feuilles du patio, je ratisse la pelouse jusqu'à en avoir mal aux bras. Mes paumes se couvrent d'écorchures et d'ampoules. « Pourquoi te mets-tu dans cet état ? » demande ma mère inquiète, quand je m'effondre, épuisée, à midi. « Il faut que ce soit fait », lui dis-je. Mais il y a autre chose. À travailler si dur que mon corps n'en peut plus, je n'ai pas non plus la force de penser. Et je ne veux pas penser à nos vies gâchées sous la loi martiale.

Je bêche un nouveau massif de fleurs et j'y plante des boutures de rosiers, mais elles ne prennent pas. Ma mère a plus de succès avec ses plantations de gombos, de piments rouges et de menthe. Le soir, je siffle un couple de grues apprivoisées, et cela me fait plaisir de les voir se précipiter vers moi en battant des ailes pour avoir une bouchée de pain. Qu'un animal réponde à mon appel, que quelque chose pousse parce que je l'ai planté, cela devient essentiel. C'est la preuve que j'existe.

Quand je ne travaille pas au jardin, il s'agit simplement de passer le temps. Je lis et relis dans la bibliothèque de mon grand-père les livres d'Erle Stanley Gardner, bien que l'électricité soit souvent coupée, nous condamnant, ma mère et moi, jour et nuit à l'obscurité. Nous avons un poste de télévision, mais, même quand l'électricité marche, il n'y a rien à regarder. Du temps de mon père, on donnait des pièces, des films et des feuilletons, aussi bien que des causeries et des programmes littéraires pour inciter les gens à la lecture. Quand j'ouvre la télévision maintenant, il n'est presque toujours question que de Zia : discours de Zia, commentaires de ses discours précédents, informations censurées sur les rencontres de Zia avec tel ou tel.

À 8 h 15 chaque soir, nous prenons sans faute à la radio les nouvelles de la BBC en ourdou. Seule la BBC nous a appris, en novembre, l'incendie de l'ambassade américaine à Islamabad, par une foule déchaînée qui croyait les États-Unis responsables de l'occupation de la Grande Mosquée à La Mecque. En écoutant le récit, nous avons découvert avec stupéfaction que, dans cette ville très surveillée et sous contrôle de la loi martiale, on ait pu autoriser les autobus à réunir, à prendre en chemin les étudiants fondamentalistes pour les conduire jusqu'à l'ambassade, où ils allaient mettre le feu. Elle brûla pendant des heures avant que les autorités s'en inquiètent, elles qui débarquaient en un clin d'œil au moindre mouvement du PPP. L'ambassade américaine était détruite et une personne tuée. Un Zia tout contrit vint à la télévision faire des excuses publiques aux Américains en proposant de payer les dégâts. Mais quel jeu jouait-il ? Cela reste toujours un mystère.

Un mois plus tard, les nouvelles de la BBC étaient encore plus inquiétantes.

Le 27 décembre 1979, les troupes russes entraient en Afghanistan. Nous nous regardions, ma mère et moi, en écoutant cette information, sachant combien les conséquences politiques étaient graves. Les superpuissances se battent à présent aux portes du Pakistan. Si les États-Unis souhaitent un pays fort intérieurement pour affronter la présence soviétique, ils interviendront rapidement pour rétablir la démocratie dans notre pays. Mais s'ils décident d'attendre la suite des événements d'Afghanistan, la dictature de Zia en sera renforcée.

L'Amérique. C'était en Amérique que j'avais vécu ma première expérience de la démocratie, et que j'avais passé quatre années parmi les plus heureuses de ma vie. En fermant les yeux, alors, je revoyais le campus de Harvard-Radcliffe, les arbres rouges et jaunes en automne, l'épais tapis de neige en hiver, l'exaltation que nous ressentions aux premières pousses vertes du printemps. Pendant mes études à Radcliffe pourtant, j'avais aussi vu de près l'impuissance des pays du tiers monde face aux intérêts des supergrands.

« Pak-i-stan ? Où est-ce, le Pak-i-stan ? » me demandaient mes nouveaux camarades quand j'arrivai à Radcliffe. La réponse était plus simple à l'époque.

« Le Pakistan est le plus grand pays musulman du monde, disais-je dans le style d'un dépliant d'ambassade. Il y a deux ailes du Pakistan séparées par l'Inde.

– Ah ! l'Inde, s'écriaient-ils avec soulagement. Vous êtes près de l'Inde. »

Je réagissais vivement chaque fois qu'on faisait devant moi allusion à l'Inde, avec qui nous avions eu deux guerres cruelles. Le Pakistan passait pour l'un des plus solides alliés de l'Amérique, tampon naturel contre l'influence soviétique en Inde et nos autres voisins directs, Chine communiste, Afghanistan et Iran. Les États-Unis partaient de nos bases aériennes du Nord pour les vols de reconnaissance de leurs U-2, y compris la mission malheureuse de Gary Powers en 1960. Le voyage secret de Kissinger d'Islamabad en Chine, en 1971, avait mieux réussi, ouvrant la voie à la visite historique du président Nixon l'année suivante. Et pourtant les Américains semblaient ignorer jusqu'à l'existence de mon pays.

Ils n'en savaient pas davantage, ce qui était moins étonnant, sur la famille Bhutto, et j'appréciais un anonymat que je n'avais jamais connu de ma vie. Au Pakistan, le seul nom de Bhutto suffisait à vous identifier, ce qui n'allait pas, de ma part, sans une certaine timidité. Je ne savais jamais si les gens me jugeaient sur mon propre mérite ou sur le nom de ma famille. À Harvard, j'étais moi-même pour la première fois.

Ma mère était restée avec moi pendant les premières semaines pour m'installer dans ma chambre d'Eliot Hall, et elle avait calculé la position de La Mecque afin que je sache vers quelle direction adresser ma prière. Quand elle partit, elle me laissa un chaud *shalwar khameez* de laine qu'elle avait pris beaucoup de peine à faire pour moi, et doublé de soie pour m'éviter le contact irritant de la laine.

Je respectai ses conseils pour la prière mais non sa garde-robe, impraticable sous la pluie et la neige, et qui me différenciait des autres étudiants. Je me débarrassai vite du *shalwar khameez* pour me retrouver en jeans et en sweat-shirt de la coopérative de Harvard. Je laissai pousser mes cheveux, les portant longs et naturels, très flattée quand mes amis d'Eliot Hall me disaient que je ressemblais à Joan Baez. Je buvais des litres de cidre et je mangeais des quantités folles de glaces à la menthe de chez Brigham, et je ne manquais ni les concerts de rock de Boston ni les garden-parties de mes correspondants, le professeur et Mme Galbraith. J'aimais la nouveauté de l'Amérique.

Le mouvement pacifiste était à son apogée et je défilai, avec des milliers d'autres étudiants de Harvard, pour un rassemblement de *Moratorium Day* sur le terrain communal de Boston, et à un autre énorme meeting à Washington où, ironie, je reçus ma première bouffée de gaz lacrymogène. J'étais un peu nerveuse, car je portais pour la première fois mon badge *Bring the Boys Home now*, et en tant qu'étrangère je risquais d'être expulsée pour avoir participé à une manifestation politique. Mais, chez moi, j'étais déjà contre la guerre au Viêt Nam, et la fièvre pacifiste en Amérique ne me rendait que plus radicale. Les raisons de mes camarades et les miennes étaient curieusement les mêmes : pas d'intervention américaine dans une guerre civile en Asie.

Après avoir étudié six matières différentes dans quatre écoles au Pakistan, j'appréciais la continuité de ces quatre années de Harvard. Et il y avait tant à faire. Le Mouvement de libération de la femme gagnait du terrain, la librairie de Harvard était pleine de livres et de revues féministes, y compris la bible du campus, *Politique sexuelle*, de Kate Millet, et les premiers numéros de la revue *Ms*. Nuit après nuit, mes amies et moi nous réunissions pour parler de nos perspectives d'avenir et des nouveaux principes qui devraient régir nos relations avec nos conjoints, si toutefois nous choisissions de nous marier. Au Pakistan, j'avais été de cette minorité pour qui le mariage et la famille n'étaient pas le premier objectif. À Harvard, je me retrouvai dans une multitude de femmes qui, comme moi, se sentaient libres de leur condition de femmes. Mon assurance toute neuve monta en flèche, et je surmontai la timidité qui avait tourmenté mes premières années.

Au Pakistan, ma sœur, mes frères et moi nous évoluions dans un cercle restreint de parents et d'amis, ce qui fait que j'étais mal à l'aise devant les gens que je ne connaissais pas. À Harvard, je ne connaissais personne, sauf Peter Galbraith, à qui j'avais été présentée chez ses parents, avant la rentrée au collège. À mes yeux d'enfant protégée et conservatrice, Peter Galbraith avait quelque chose de scandaleux : les cheveux longs, de vieux vêtements négligés, et il fumait devant ses parents. Il ressemblait davantage à un gamin des rues que l'ancien ambassadeur en Inde avait amené un jour chez nous qu'au fils d'un diplomate de haut rang et d'un professeur respecté. J'étais loin de me douter du rôle que Peter, qui deviendrait un de mes bons amis, jouerait quinze ans plus tard au Pakistan pour ma libération.

Mais il n'était à Harvard qu'un étudiant parmi des milliers. Il me fallait aborder des inconnus pour demander des renseignements à la bibliothèque, dans les amphithéâtres, au dortoir. Je ne pouvais pas me permettre de rester bouche cousue. J'avais été jetée au plus profond d'un bassin étrange et inconnu. Si je devais remonter à la surface, il fallait le faire moi-même.

Je m'adaptai vite. Travaillant la première année au service d'accueil d'Eliot Hall, je continuai plus tard à collaborer au journal de Harvard, *The Crimson*, et à faire des visites guidées du campus pour la Crimson Key Society. «Le nom officiel de ce bâtiment est Center of International Affairs, mais nous savons tous ce que signifie vraiment CIA», disais-je d'un air complice aux nouveaux étudiants, dans l'esprit irrévérencieux du campus, qui m'avait tant amusée lors de ma propre visite après mon arrivée. Le bâtiment des arts plastiques, si controversé à Harvard, dessiné par l'architecte français Le Corbusier, n'était pas mieux traité. «L'opinion courante est que l'entrepreneur a lu les plans en les tenant la tête en bas», était la plaisanterie classique.

Il y avait pourtant des incompatibilités culturelles que j'avais du mal à surmonter. Je n'ai jamais pu m'habituer à vivre dans des locaux si proches de ceux des garçons, surtout quand Eliot Hall devint mixte au cours de ma troisième année. Tomber sur un étudiant à la blanchisserie suffisait à me faire remettre à plus tard ma propre lessive. Je résolus le problème en quittant Eliot Hall pour le campus de Harvard, où ma camarade Yolanda Kodrzycki et moi avions notre suite, chambres et salle de bains, et où la blanchisserie commune était beaucoup plus vaste.

J'avais pensé étudier la psychologie. Mais quand je m'aperçus qu'il s'agissait en grande partie de sciences médicales et de dissection d'animaux, je m'en dégoûtai et je choisis à la place la politique comparée. Mon père était ravi ; il avait écrit en secret à Mary Bunting, la présidente de Radcliffe, pour lui demander de m'orienter vers les cours de politique. Mme Bunting m'avait seulement demandé avec bienveillance ce que je voulais faire dans la vie, sans me dire qu'elle avait reçu une lettre de mon père. Il s'avéra par la suite que la politique comparée avait été vraiment un choix judicieux.

En étudiant la politique à Harvard, je commençai à mieux comprendre le Pakistan que je ne l'avais fait en y vivant. « Dès qu'un policeman lève la main dans la rue et dit "Stop !" tout le monde s'arrête. Mais si vous ou moi levons la main en disant "Stop !" personne ne s'arrêtera. Pourquoi ? » Le professeur John Womack posa cette question à notre petit groupe dans son séminaire de première année sur la « révolution ». « Parce que le policeman est habilité par la Constitution, par le gouvernement, à faire appliquer les lois. Il dispose d'un mandat, d'une autorité légitime pour dire "Stop !" et pas nous. »

Je me souviens d'être restée fascinée dans la classe du professeur Womack, où j'étais sans doute la seule étudiante à vivre réellement sous une dictature. D'un seul exemple, il avait caractérisé l'état d'illégalité et le mépris où était tenu le Pakistan par Ayub et Yahya Khan, plus tard par Zia ul-Haq. Le pouvoir de gouverner était imposé par ces dictateurs eux-mêmes et non délégué par le peuple. Je comprenais clairement pour la première fois pourquoi le peuple pakistanais ne voyait pas de raison d'obéir à cette sorte de régime, pas de raison de s'arrêter à son « Stop ! » En l'absence de gouvernement légitime, c'était l'anarchie.

J'étais parvenue à la moitié de ma seconde année quand un gouvernement légitime fut près de devenir une réalité au Pakistan. Le 7 décembre 1970, Yahya Khan organisa des élections, les premières depuis treize ans. À l'autre bout du monde, à Cambridge, je travaillai toute la nuit avec le téléphone près de moi. J'exultai quand ma mère m'appela pour m'annoncer que mon père et le PPP avaient remporté dans l'Ouest une victoire inespérée, en obtenant 82 des 138 sièges à l'Assemblée nationale. Dans l'Est, où le cheikh Mujib ur-Rahman, chef de la ligue Awami, se présentait seul, Mujib avait gagné à une forte majorité. «Félicitations», me dirent le lendemain des gens que je n'avais jamais vus, mais qui avaient appris la victoire de mon père dans le *New York Times*.

Ma joie ne dura guère. Au lieu de travailler avec mon père et les députés de l'Ouest à une nouvelle Constitution qui convienne aux deux «ailes» du Pakistan, Mujib suscita un mouvement d'indépendance pour séparer radicalement le Pakistan oriental, ou Bengale oriental, de la fédération de l'Ouest. Mon père intervint à maintes reprises auprès du cheikh Mujib pour que le pays reste intact, lui demandant de travailler avec lui, son concitoyen, à évincer le pouvoir militaire de Yahya. Mais, au lieu de se montrer souple et de reconnaître ce qui était une nécessité politique, Mujib s'entêta dans une logique qu'aujourd'hui encore je ne parviens pas à saisir. Les rebelles bengalis de l'Est répondirent à son appel à l'indépendance en occupant les aéroports. Les citoyens bengalis refusèrent de payer leurs impôts, et les employés bengalis de l'administration centrale se mirent en grève. En mars, la guerre civile était imminente.

Mon père continuait à négocier avec Mujib dans l'espoir de conserver intact le Pakistan et d'éviter à l'Est une répression militaire qui mène si facilement à un régime militaire. Le 27 mars 1971, il était à Dacca, la capitale du Pakistan oriental, pour une autre série d'entretiens avec Mujib, quand ses pires craintes se réalisèrent. Yahya Khan donna l'ordre à l'armée d'écraser l'insurrection. Seul dans sa chambre d'hôtel, mon père vit s'embraser la ville, la mort dans l'âme devant le fatal recours à la force des généraux. Et moi, à Cambridge, à dix mille kilomètres de lui, je recevais une cruelle leçon.

Pillages, viols, enlèvements, meurtres. Si personne ne se souciait du Pakistan quand j'étais arrivée à Harvard, c'était le contraire à présent. Et la condamnation de mon pays était unanime. Je refusai d'abord de croire les comptes rendus de la presse occidentale sur les atrocités commises par notre armée dans ce que les rebelles du Bengale oriental appelaient désormais le Bangladesh. D'après les journaux pakistanais sous contrôle gouvernemental que mes parents m'envoyaient chaque semaine, la brève rébellion avait été étouffée. Qu'étaient donc ces accusations selon lesquelles Dacca aurait été entièrement détruite par le feu et des pelotons d'exécution envoyés à l'université pour abattre étudiants, professeurs, poètes, romanciers, hommes de science et juristes? Incrédule, je secouais la tête. On disait que les réfugiés fuyaient par milliers, mitraillés et tués en si grand nombre par les avions pakistanais qu'on se servait de leurs corps pour dresser des barrages sur les routes.

Je ne savais que penser de ces récits exagérés. La conférence qu'on nous avait faite à Radcliffe, pendant la semaine d'accueil des étudiants, sur les risques de viol m'avait d'abord paru tout aussi incroyable. Je n'avais même jamais entendu parler de viol avant de venir en Amérique, et cette simple éventualité me dissuada pendant les quatre années suivantes de sortir seule le soir. Après la conférence, la possibilité d'un viol à Harvard m'apparut réelle. Mais pas au Bengale oriental. Je me rassurais avec le chauvinisme officiel de notre partie du monde, pour qui les informations de la presse occidentale ne sont qu'exagérations et «complot sioniste» contre un État islamique.

Mes camarades de Harvard étaient plus difficiles à convaincre. «Votre armée est barbare, disait-on. Vous massacrez les Bengalis. – Nous ne tuons pas les Bengalis, répliquai-je, rouge d'indignation. Pourquoi croyez-vous tout ce que vous lisez dans les journaux?» Tout le monde prenait parti contre le Pakistan occidental, même ceux avec qui, au début de l'année, j'avais été de porte en porte collecter des fonds pour les victimes d'un cyclone dans l'Est. Les accusations s'accumulaient. «Vous êtes des dictateurs fascistes.» Je n'essayais même pas de me mordre la langue, surtout quand je lisais que l'Inde entraînait à la guérilla des milliers de réfugiés bengalis pour ensuite les renvoyer discrètement de l'autre côté de la frontière. «Nous combattons une insurrection soutenue par l'Inde, avais-je répondu d'un ton cinglant. Nous luttons pour l'unité de notre pays, comme vous pendant votre guerre civile.»

Impossible d'éviter la condamnation, même quand elle était injustifiée. «Le Pakistan a refusé au peuple du Bangladesh le droit à l'autodétermination», tonnait le professeur Walser à une conférence publique sur le thème «Guerre et moralité» pendant l'automne de ma troisième année. Je bondis sur mes pieds devant les deux cents autres étudiants de l'amphithéâtre pour ma première intervention politique. «C'est complètement faux, professeur, rectifiai-je d'une voix tremblante. Le peuple du Bengale a exercé son droit d'autodétermination en 1947, quand il a opté pour le Pakistan.» Il y eut un silence stupéfait; mais ma mise au point était juste, historiquement. La vérité plus déprimante que je refusais de regarder en face, c'était la désillusion qui avait suivi la création du Pakistan oriental.

Combien de fois depuis n'ai-je pas prié Dieu de me pardonner mon ignorance? Je ne voyais pas alors que le mandat démocratique pour le Pakistan avait été scandaleusement trahi. La province majoritaire de l'Est avait été traitée pratiquement comme une colonie par la minorité de l'Ouest. Avec plus de trente et un milliards de roupies que rapportaient les exportations du Pakistan oriental, la minorité du Pakistan occidental avait construit à son propre usage des routes, des écoles, des universités et des hôpitaux, mais avait peu investi dans l'Est. L'armée, principal employeur dans notre pays misérable, tirait de l'Ouest 90 % de ses effectifs; 80 % des emplois de l'administration étaient remplis par des gens de l'Ouest. Le gouvernement central avait déclaré langue nationale l'ourdou, que comprenaient peu de Pakistanais de l'Est, ce qui fut ensuite un handicap pour les Bengalis à la recherche d'emplois dans l'administration ou l'éducation. Rien d'étonnant à ce qu'ils se sentent exclus et exploités.

J'étais aussi trop jeune et naïve à Harvard pour comprendre que l'armée pakistanaise était capable des mêmes atrocités que n'importe quelle armée lâchée sur une population civile. Les effets psychologiques sont parfois terribles, comme ce fut le cas quand les troupes américaines massacrèrent des civils innocents à Mylai, au Viêt Nam, en 1968. Des années plus tard, la répression de Zia dans ma province natale du Sind ne serait pas autre chose. Les membres des forces armées peuvent perdre leur sang-froid et faire des ravages parmi les civils. Ils les regardent comme « l'ennemi », bon à tuer, piller ou violer. Pourtant, pendant ce terrible printemps de 1971, je m'accrochais encore à mon image enfantine des héroïques soldats pakistanais, qui s'étaient battus si vaillamment contre l'Inde en 1965. Une image qui ne mourrait que lentement et douloureusement.

« Le Pakistan traverse une terrible épreuve, m'écrivait mon père dans une longue lettre qui fut publiée plus tard dans un livre, *La Grande Tragédie*. Le cauchemar des Pakistanais qui se tuent entre eux n'est pas achevé. Le sang coule toujours. La situation s'est considérablement embrouillée avec la participation offensive de l'Inde. Le Pakistan vivra toujours, suivant des objectifs précis, si nous survivons au bouleversement actuel ; autrement, des crises catastrophiques nous mèneront à une ruine totale. »

Les crises catastrophiques se produisirent au matin du 3 décembre 1971. « Non ! » criai-je à Eliot Hall, en jetant le journal. Sous prétexte d'assurer l'ordre, de manière que le flot régulier des réfugiés qui se déversait en Inde puisse repartir dans l'autre sens, l'armée indienne envahit le Pakistan oriental, non sans attaquer aussi le Pakistan occidental. Des missiles sophistiqués de fabrication soviétique coulèrent nos bateaux de guerre à l'ancre dans le port de Karachi. Les avions indiens bombardèrent les installations vitales de la ville. Nos armes étaient tellement périmées que nous ne pouvions même pas riposter. C'était maintenant l'existence même de mon pays qui était menacée.

« Tu as de la chance de ne pas être ici, m'écrivait Samiya de Karachi. Il y a chaque nuit des raids aériens et l'on est obligé de mettre du papier noir sur les fenêtres pour camoufler toutes les lumières. Les écoles et les universités sont fermées, si bien qu'il n'y a rien à faire de toute la journée, sauf se tourmenter. Comme toujours, les journaux ne disent rien. Nous ne savions même pas que l'Inde avait envahi le Pakistan oriental jusqu'à ce que quelqu'un frappe à notre grille en criant : "C'est la guerre ! C'est la guerre !" À présent, les nouvelles de 7 heures disent que nous gagnons, mais Radio-Asie de la BBC annonce que nous sommes écrasés. La BBC raconte aussi les terribles crimes commis par l'armée au Pakistan oriental. En as-tu entendu parler ?

« Ton frère Shah Nawaz est le plus excité de tous les garçons de treize ans à Karachi. Il s'est engagé dans la Défense civile et fait sa ronde tous les soirs dans le quartier sur son vélomoteur pour dire aux gens d'éteindre la lumière. Nous sommes terrifiés. J'étais chez toi avec Sanam pendant une attaque aérienne, et ta mère nous a menées dans la salle à manger du rez-de-chaussée, où il n'y a pas de fenêtres. À la maison, je dors avec ma mère, tellement nous sommes nerveuses toutes deux. Il est tombé trois bombes juste de l'autre côté de la rue, mais heureusement elles n'ont pas éclaté. Notre jardin est plein de verre brisé.

« Les avions indiens volent si près des fenêtres qu'on voit parfaitement les pilotes ! Mais il ne semble y avoir aucune riposte de notre armée de l'air. Il y a trois nuits, les explosions étaient si fortes que j'ai cru qu'on avait bombardé nos voisins. Je suis montée sur le toit, tout le ciel était rose. J'ai appris le lendemain matin que le terminal pétrolier du port de Karachi avait été touché par les missiles. Les incendies brûlent toujours. Nous attendons de l'aide des Américains.»

L'aide militaire de l'Amérique n'arriva jamais. Bien que le Pakistan eût signé un accord défensif avec les États-Unis, il était inefficace, car il y avait erreur d'identité : les Américains étaient prêts à nous défendre contre leur ennemie, l'Union soviétique, mais, en réalité, c'était toujours l'Inde qui menaçait le Pakistan. Même maintenant, une grande partie de l'aide militaire destinée aux rebelles afghans contre les Soviets va à l'arsenal de l'armée pakistanaise pour servir éventuellement contre l'Inde.

Pendant la crise de 1971, le président Nixon évita l'intervention militaire au profit de manœuvres diplomatiques, en ordonnant ce qu'on a appelé le «tilt» américain au Pakistan. Le 4 décembre, deuxième jour d'une guerre qui allait en durer treize, le département d'État rejeta carrément sur l'Inde la responsabilité du conflit. Le 5, les États-Unis présentaient au Conseil de sécurité des Nations unies une résolution de cessez-le-feu. Le 6, l'administration Nixon suspendait l'attribution à l'Inde d'un prêt de développement de plus de quatre-vingt-cinq millions de dollars.

Mais ces manœuvres se révélèrent insuffisantes. Une semaine après l'invasion indienne, Dacca, notre dernière forteresse, était sur le point de tomber. Les troupes indiennes avaient traversé la frontière du Pakistan occidental. Devant nos échecs sur le champ de bataille et l'occupation de notre pays, Yahya Khan se tourna vers le seul dirigeant élu, disposant comme tel d'autorité et de crédibilité pour sauver le Pakistan : mon père.

«Je vais aux Nations unies. Retrouve-moi à New York à l'hôtel Pierre le 9 décembre», tel fut le message que m'adressa papa.

« Crois-tu que le Pakistan trouvera un accueil favorable aux Nations unies ? me demanda-t-il quand je le rejoignis à New York.

– Bien sûr, dis-je avec l'assurance de mes dix-huit ans. Personne ne peut nier que l'Inde, en violation du droit international, a envahi et occupé un autre pays.

– Et penses-tu que le Conseil de sécurité condamnera l'Inde et exigera le retrait de ses forces ?

– Comment pourrait-il l'éviter ? répondis-je, incrédule. Ce serait une dérision de son mandat d'organisation internationale pour la paix s'il laissait massacrer des milliers de gens et démembrer un pays.

– Tu es sans doute une bonne élève en droit international, Pinkie, et j'hésite à contredire une étudiante de Harvard, dit-il doucement, mais tu ne connais rien à la politique de la force armée. »

J'ai encore clairement à l'esprit les images de ces quatre jours pendant lesquels mon père chercha vainement à sauver l'unité du Pakistan.

Au Conseil de sécurité, je suis assise deux rangs derrière lui. Cent quatre pays, aussi bien les États-Unis que la Chine, ont voté en assemblée générale la condamnation de l'Inde, mais, devant la menace d'un veto soviétique, les cinq membres permanents du Conseil ne peuvent même pas se mettre d'accord pour un cessez-le-feu. Après sept séances sur le conflit indo-pakistanais et une douzaine de projets de résolutions, le Conseil de sécurité n'en a adopté aucun. Tout ce que mon père m'a appris sur la manipulation des pays du tiers monde par les superpuissances est dépassé dans cette salle : le Pakistan est sans défense face aux intérêts des grands.

« 11 décembre, 5 h 40. Notre armée se bat héroïquement, mais sans forces aériennes ni navales, et à six contre un, ça ne peut durer plus de trente-six heures à partir d'hier. » Ce sont les notes que j'ai griffonnées sur le papier à lettres de l'hôtel Pierre. Celles du lendemain sont tout aussi accablantes. « 6 h 30 du matin. L'ambassadeur

Shah Nawaz téléphone pour dire que la situation est terrible. Seule réponse, l'intervention chinoise, avec les Américains qui forcent la main aux Russes pour les empêcher d'intervenir. Papa télégraphie à Islamabad qu'il faut tenir soixante-douze heures et non trente-six. Le général Niazi (qui commande notre armée au Pakistan oriental) dit qu'ils iront jusqu'au dernier homme. »

Le 12 décembre, mon père demande au Conseil de sécurité un cessez-le-feu, le retrait des forces indiennes du territoire pakistanais, l'envoi de forces des Nations unies et de moyens pour garantir qu'il n'y aura pas de représailles au Pakistan oriental. Mais ses appels tombent dans des oreilles sourdes. J'assiste en revanche, stupéfaite, à une heure de discussion pour savoir si le Conseil de sécurité doit se réunir le lendemain matin à 9 h 30 ou se reposer jusqu'à 11 heures. Pendant ce temps, nous le savons, le Pakistan se meurt.

« Il faut obtenir de Yahya qu'il ouvre le front de l'Ouest, demande instamment mon père, à la délégation pakistanaise. Une offensive à l'ouest en attirant les troupes indiennes diminuerait la pression dans l'Est. Sinon nous sommes en grand danger de perdre tout le Pakistan. » Nous sommes à l'hôtel ; je fais appeler Yahya Khan au Pakistan pour mon père, mais son aide de camp me répond qu'il dort et qu'on ne peut pas le déranger. Mon père empoigne le téléphone : « On est en guerre ! Réveillez le président ! crie-t-il. Il faut ouvrir le front de l'Ouest, pour soulager la pression dans l'Est immédiatement. »

Un journaliste occidental raconte que le général Niazi s'est rendu aux Indiens au Pakistan oriental. Mon père se met en colère. « Faites cesser les rumeurs ! crie-t-il au téléphone à l'aide de camp, car Yahya n'est toujours pas disponible. Comment pourrai-je négocier un accord positif si je n'ai rien à proposer ? »

Le téléphone de l'hôtel Pierre sonne sans arrêt. Un après-midi, je prends sur une ligne un appel du secrétaire d'État Henry

Kissinger, et sur une autre Huang Hua, le président de la délégation de la République populaire de Chine. Henry Kissinger s'inquiète beaucoup que la Chine veuille intervenir militairement au côté du Pakistan, et mon père, lui, s'inquiète que la Chine ne le fasse pas. Tandis que papa veut demander à Yahya de prendre l'avion pour Pékin en dernier ressort, Kissinger, je l'apprendrai plus tard, rencontre les Chinois dans des «lieux sûrs» de la CIA un peu partout à New York.

Beaucoup d'allées et venues dans l'appartement de mon père à l'hôtel : la délégation soviétique, la délégation chinoise, celle des États-Unis, dirigée par George Bush. «Mon fils est à Harvard, lui aussi. Appelez-moi si vous avez besoin de quelque chose», me dit-il en me tendant sa carte. Au milieu de tout cela, je suis assise dans la chambre, près du téléphone, pour transmettre les messages et noter les plus importants.

«Interromps les entretiens, me dit mon père. Si les Soviets sont là, dis-moi que les Chinois téléphonent. Si je suis avec les Américains, dis que les Russes sont au bout du fil, ou les Indiens. Et ne dis à personne qui est là réellement. Un des principes fondamentaux de la diplomatie, c'est de créer le doute : ne montre jamais toutes tes cartes.» Je suis ses instructions mais non son principe : je joue toujours cartes sur table.

Quoi qu'il en soit, le jeu diplomatique à New York va s'achever brusquement. Yahya n'ouvre pas le front de l'Ouest; psychologiquement, le régime militaire a déjà accepté la perte du Pakistan oriental et se décourage. Les Chinois n'interviennent pas, en dépit de leurs déclarations de soutien militaire. Et la rumeur de notre capitulation prématurée a eu des effets nuisibles, même après que l'erreur eut été corrigée. Les Indiens savent désormais que nos chefs militaires de l'Est veulent abandonner le combat. Les membres permanents du Conseil de sécurité le savent aussi. Dacca n'en a plus pour longtemps.

Le 15 décembre, j'occupe ma place habituelle derrière mon père au Conseil de sécurité quand il perd patience devant la stratégie d'inertie de ses membres. «Il n'y a pas d'animal neutre. Vous prenez position, accuse-t-il, en montrant du doigt en particulier la Grande-Bretagne et la France qui, à cause de leurs intérêts dans le sous-continent indien, se sont abstenues de voter. Vous êtes forcément soit du côté de la justice, soit du côté de l'injustice, vous êtes avec l'agresseur ou avec l'agressé. La neutralité n'existe pas.»

Avec ses paroles passionnées qui remplissent la salle, j'apprends ce qu'est le consentement par opposition au défi. Avec les super-puissances acharnées contre le Pakistan, la prudence conseillerait l'acquiescement. Mais leur céder serait s'en faire les complices. «N'imposer aucune décision, aboutir à un traité pire que le traité de Versailles, légaliser l'agression, l'occupation, tout ce qui était illégal jusqu'au 15 décembre 1971. Je ne serai pas le complice de cela, dit mon père, fulminant. Vous pouvez garder votre Conseil de sécurité. Je m'en vais.» Là-dessus, il se lève et sort à grands pas de la salle. Je ramasse en hâte mes papiers et, dans un silence stupéfait, je le suis avec le reste de la délégation pakistanaise.

Le *Washington Post* qualifia la performance de mon père devant le Conseil de sécurité de «*living theater*». Mais, pour nous, c'était un réel dilemme qui concernait l'avenir de notre pays : y aurait-il encore, ou non, un pays nommé Pakistan? «Même si, militairement, nous capitulons à Dacca, nous ne devons pas participer à une capitulation politique, me dit-il plus tard tandis que nous marchions dans les rues de New York. En quittant la salle, j'ai voulu faire comprendre que, si nous étions physiquement écrasés, notre volonté et notre fierté nationales ne le sont pas.»

Nous marchions, nous marchions toujours, et mon père était bouleversé à l'idée des répercussions funestes qui s'annonçaient pour le Pakistan. « S'il y avait eu un accord politique négocié, peut-être un référendum sous les auspices des Nations unies, le peuple du Pakistan oriental aurait pu voter soit pour demeurer pakistanais, soit pour devenir le Bangladesh indépendant. À présent, le Pakistan doit subir la honte de capituler devant l'Inde. Cela va nous coûter très cher. »

Le lendemain matin, mon père entreprit son long voyage de retour au Pakistan. Je rentrai à Cambridge. Et Dacca tomba.

La perte du Bangladesh fut un coup terrible pour le Pakistan, à plusieurs niveaux. L'islam, notre religion commune, dont nous avions toujours cru qu'elle transcenderait les mille six cents kilomètres d'Inde entre les deux Pakistan, Est et Ouest, n'avait pas réussi à nous garder unis. Notre foi dans la survie même du pays était ébranlée, les liens des quatre provinces de l'Ouest s'étaient tendus presque jusqu'à la rupture. Le moral, aggravé par le capitulation devant l'Inde, n'avait jamais été aussi bas.

Cadré par les caméras de la télévision, le général Niazi rencontrait son homologue indien, le général Aurora, à l'hippodrome de Dacca. Je n'en crus pas mes yeux en voyant le général Niazi faire avec le vainqueur de Dacca l'échange traditionnel des sabres (ils avaient été ensemble à Sandhurst) et lui donner l'accolade. L'accolade ! Les nazis eux-mêmes n'ont pas connu capitulation aussi humiliante. Chef d'une armée vaincue, Niazi se fût conduit plus noblement en se suicidant.

Quand mon père atterrit à Islamabad, la ville était en flammes. Des bandes excitées mettaient même le feu aux boutiques qui auraient, croyait-on, approvisionné en alcool Yahya Khan et les membres de son régime. Voyant à la télévision la capitulation du Pakistan devant l'Inde après avoir entendu pendant des semaines le régime annoncer sa victoire, une foule énorme se mobilisa pour prendre d'assaut la station de Karachi et tenter de la brûler. Et, dans la presse indienne, des éditoriaux belliqueux menaçaient notre pays de nouvelles destructions et le qualifiaient de «nation factice qui n'aurait jamais dû voir le jour».

Le 20 décembre 1971, quatre jours après la chute de Dacca, la colère du peuple contraignit Yahya Khan à se retirer. Et mon père, chef élu du groupe parlementaire le plus important du Pakistan, devint le nouveau président. Par une ironie du sort, en l'absence de Constitution, il dut prêter serment comme premier civil de l'histoire à avoir jamais pris la tête d'une administration de loi martiale.

À Harvard, je n'étais plus Pinkie du Pakistan, mais Pinkie Bhutto, la fille du président du Pakistan. Mais ma fierté du succès de papa était compromise par la honte de la défaite et le prix qu'elle coûtait à mon pays. En deux semaines de guerre, nous avions perdu un quart de notre aviation militaire et la moitié de notre marine. Le Trésor était vide. Non seulement le Pakistan oriental était perdu, mais l'armée indienne s'était emparée de huit mille kilomètres carrés de notre territoire dans l'Ouest et avait fait prisonniers 93 000 de nos soldats. Beaucoup de gens estimaient que le pays n'y survivrait pas longtemps. Le Pakistan uni fondé par Mohammed Ali Jinnah après la partition de l'Inde en 1947 mourait avec la naissance du Bangladesh.

Simla, 28 juin 1972. Conférence au sommet entre mon père, président du Pakistan, et Indira Gandhi, Premier ministre de l'Inde. L'avenir de tout le sous-continent indien dépendait du résultat. Et, là encore, mon père souhaita que j'y assiste. «Quelle que soit l'issue, cette rencontre sera un tournant dans l'histoire du Pakistan, me dit-il une semaine après mon retour, pour les vacances d'été, de ma troisième année à Harvard. Je tiens à ce que tu en sois le témoin direct.»

Si l'atmosphère était tendue six mois plus tôt devant les Nations unies, elle semblait à Simla près du point de rupture. Mon père arrivait les mains vides à la table de négociation. Dans celles d'Indira Gandhi, tous les atouts de l'Inde : nos prisonniers de guerre, les menaces de tribunaux militaires, et huit mille kilomètres carrés de notre territoire. Dans l'avion présidentiel pour Chandigarh, dans l'État indien du Penjab, mon père et les personnalités de la délégation pakistanaise avaient l'air sombre. Les rapports entre les deux pays se détendraient-ils à Simla ? Pourrions-nous faire la paix avec l'Inde ? Ou notre pays était-il condamné ?

« Tout le monde va guetter les signes révélateurs du progrès des pourparlers ; aussi, fais très attention. Il ne faut pas sourire en donnant l'impression que tu te réjouis tandis que nos soldats sont encore dans les camps de prisonniers indiens. Ne sois pas lugubre non plus, ce qui passerait pour un signe de pessimisme. Qu'on ne dise pas : "Regardez-la. Les pourparlers sont manifestement un échec. Les Pakistanais ont perdu leur sang-froid ; ils n'ont aucune chance de succès et sont prêts à faire des concessions."

— Mais quel air dois-je prendre, alors ?

— Je te l'ai déjà dit. Ne prends ni l'air triste ni l'air heureux.

— C'est très difficile.

— Ce n'est pas difficile du tout. »

Pour une fois, il avait tort. Il me fut très malaisé de garder une expression neutre en prenant, à Chandigarh, l'hélicoptère qui nous mènerait à la station de montagne de Simla, ancienne capitale d'été de l'Empire britannique, dans les contreforts de l'Himalaya. Je fus bien plus embarrassée en atterrissant sur un terrain de football où, filmés par la télévision, nous fûmes accueillis par Mme Gandhi elle-même. Comme elle était petite, plus encore qu'elle ne m'avait semblé sur les innombrables photos que j'avais vues d'elle ! Et quelle élégance, même dans l'imperméable qu'elle portait par-dessus son sari sous le ciel menaçant. « *As-Salaam O alaikum*, lui dis-je, utilisant notre souhait de paix musulman. — *Namaste*, Bonjour », répondit-elle avec un sourire. Je lui adressai en retour un demi-sourire qui, je l'espérais, ne me compromettait pas.

Pendant les cinq jours suivants, mon père et les autres membres de la délégation vivaient des émotions dignes des «montagnes russes». «Les discussions marchent bien», me dit à mi-voix un délégué pendant la première séance. «Ça n'a pas l'air d'aller», me dit un autre le même soir. Le lendemain, ce fut pire : optimisme suivi de pessimisme. Mme Gandhi, en position de force, tenait à un accord global, comprenant la revendication indienne de l'État contesté du Cachemire. La délégation pakistanaise souhaitait procéder pas à pas, en réglant séparément les problèmes du territoire, des prisonniers et de notre litige à propos du Cachemire. Toute spoliation du Pakistan sous la contrainte serait refusée par notre peuple et aggraverait le risque d'une nouvelle guerre.

Mais, tandis que les équipes de négociateurs étaient dans l'impasse, il se produisait dans les rues un phénomène étrange. Chaque fois que je quittais Himachal Bhavan, l'ancienne résidence des gouverneurs britanniques du Penjab, où nous étions logés, les gens faisaient la haie pour me regarder. Des foules commençaient à me suivre partout en m'acclamant : devant les vieux cottages et les jardins campagnards plantés des années plus tôt par quelques Anglais nostalgiques ; pendant mes visites organisées à un musée de poupées, à un centre d'artisanat, à une usine de conserves de fruits, et à un programme de danse dans un couvent, où je tombai sur plusieurs de mes vieux professeurs de Murree. Quand je descendais le Mall, où les fonctionnaires du gouvernement impérial se promenaient autrefois avec leurs femmes, la foule devenait si dense qu'il fallait arrêter la circulation. Je me sentais tout à fait mal à l'aise. Qu'avais-je donc fait pour attirer ainsi l'attention ?

Lettres et télégrammes s'empilaient, me souhaitant la bienvenue. Quelqu'un suggérait même que mon père me nomme ambassadeur en Inde! Les chroniqueurs et les journalistes se bousculaient pour m'interviewer, et j'étais invitée à parler à la radio. Mes vêtements devenaient un événement de mode national, ce qui me contrariait et m'embarrassait fort, non seulement parce que je les avais tous empruntés à la sœur de Samiya, les miens n'étant guère que *khameezes* ordinaires, jeans et sweat-shirts, mais aussi parce que cette histoire de vêtements me paraissait hors de propos. Je m'imaginais davantage comme une intellectuelle de Harvard, préoccupée de graves problèmes de guerre et de paix, et la presse s'entêtait à me poser question sur question à propos de mes toilettes. Exaspérée, je finis par répondre à l'un de ces reporters : « La mode est un amusement bourgeois. » Mais, le lendemain, l'histoire avait fait de moi l'initiatrice d'un nouveau style.

Mon père et les autres délégués pakistanais ne comprenaient pas non plus pourquoi les gens s'intéressaient ainsi à moi. « Tu sers sans doute de diversion à la gravité des problèmes qui sont en jeu ici », conclut un matin mon père en regardant dans le journal une photo de moi à la première page, saluant la foule de la main. « Tu ferais bien de faire attention, ajouta-t-il pour me taquiner, tu ressembles à Mussolini. »

Sa théorie de la diversion était sans doute juste. Les entretiens se déroulant dans le plus grand secret, les innombrables représentants de la presse internationale n'avaient pas grand-chose, à part moi, à se mettre sous la dent. Mais je sentais que cet accueil délirant représentait autre chose.

J'étais le symbole d'une nouvelle génération. N'ayant jamais été indienne, j'étais née pakistanaise indépendante, libre des complexes et des préjugés qui avaient violemment séparé Indiens et Pakistanais dans le traumatisme sanglant de la partition. Peut-être le peuple espérait-il échapper à l'hostilité qui avait déjà causé trois guerres, et enterrer le passé douloureux de nos parents et grands-parents pour vivre ensemble en amis ? Assurément, cela me semblait possible en parcourant les rues chaudes et accueillantes de Simla. Nous fallait-il vivre séparés par des murs de haine, ou pourrions-nous, comme les pays d'Europe autrefois en guerre, parvenir à un accord ?

La réponse gisait au plus profond des salles lambrissées, dans les bâtiments de l'Empire britannique, où les longues heures épuisantes de négociations n'aboutissaient à rien. Mon père prolongeait son séjour, dans l'espoir d'une percée, mais il n'était pas optimiste. Les Indiens refusaient toujours de tenir compte de la position du Pakistan à propos du Cachemire : un plébiscite permettrait aux Cachemirs eux-mêmes de décider à quel pays ils souhaitaient être rattachés. Et il avait des problèmes avec Mme Gandhi. Grand admirateur de son père, le Premier ministre Jawaharlal Nehru, il avait l'impression qu'elle ne partageait pas les vues et les idéaux qui avaient permis à Nehru de faire de l'Inde un pays au prestige international.

Je ne savais moi-même que penser de Mme Gandhi. Au petit dîner de travail qu'elle avait donné pour notre délégation le 30 juin, elle ne me quittait pas des yeux, ce qui m'avait intimidée. J'avais suivi de près sa carrière politique et admiré sa ténacité. Après sa nomination comme Premier ministre en 1966, les membres en conflit du Congrès indien, croyant avoir choisi un leader symbolique et maniable, l'appelaient entre eux *goongi goriya*, la poupée muette. Mais cette femme de soie et d'acier les avait tous mis dans sa poche. Pour me calmer, pendant le dîner, j'essayai de parler avec elle, mais elle était réservée. Une froideur distante et une certaine tension régnaient autour d'elle, qui ne se relâchaient que lorsqu'elle souriait. Autre sujet de nervosité : le sari de soie que m'avait prêté ma mère. Malgré la leçon qu'elle m'avait donnée pour draper solidement autour de moi ces mètres de tissu, je tremblais qu'ils ne se déroulent tout à coup. Je me rappelais la mésaventure de ma tante Mumtaz dans un supermarché en Allemagne; l'ourlet de son sari s'était pris dans l'escalator et tout s'était défait jusqu'à ce que quelqu'un, enfin, arrête la machine. Un souvenir qui n'arrangeait rien. Et Mme Gandhi me regardait toujours.

Peut-être se rappelait-elle les missions diplomatiques où elle avait accompagné son propre père. Se revoyait-elle en moi, fille d'un autre homme d'État? Repensait-elle à l'amour d'une fille pour son père, à celui du père pour sa fille? Elle était si petite et frêle. D'où venait sa légendaire dureté? Elle avait bravé son père en épousant un homme politique parsi malgré sa désapprobation. Leur mariage ayant été un échec, ils avaient fini par se séparer. Maintenant, son père et son mari étaient morts tous deux; se sentait-elle seule?

Je me demandais aussi si la présence de la délégation pakistanaise à Simla n'éveillait pas d'autres souvenirs historiques. C'était dans la même ville que son père avait rencontré Mohammed Ali Jinnah et Liaquat Ali Khan pour tracer les frontières entre le nouvel État musulman pakistanais et l'Inde hindoue. Premier ministre elle-même aujourd'hui, elle pouvait assurer la survie de cet État indépendant, ou au contraire le détruire. Quel serait son choix? La réponse vint quatre jours plus tard.

«Prépare les bagages, me dit mon père le 2 juillet. Nous partons demain.

– Sans conclure d'accord?

– Sans accord. Je préfère rentrer sans avoir rien conclu plutôt que d'accepter des conditions imposées par les Indiens. Ils pensent que je ne peux pas me permettre de rentrer sans traité et que par conséquent je céderai à leurs exigences. Mais je les mets au pied du mur : je préfère décevoir le Pakistan plutôt que d'accepter par traité la spoliation de notre pays.»

La tristesse s'abattit sur la délégation à bout de force d'Himachal Bhavan. Le bruit des papiers qu'on rangeait rompait seul le silence. Il ne restait plus que la visite de politesse de mon père à

Mme Gandhi cet après-midi-là à 16 h 30 et le dîner que nous offrions le soir aux Indiens. Puis nous partirions pour Islamabad.

J'étais assise par terre dans ma chambre, quand mon père parut soudain à la porte. «Ne dis rien à personne, me confia-t-il avec un nouvel éclat dans le regard, mais je vais profiter de cette visite protocolaire pour faire une dernière tentative auprès de Mme Gandhi. J'ai une idée. Mais ne sois pas déçue si cela n'aboutit pas. » Et il sortit.

Je restai à la fenêtre pour guetter son retour, regardant la brume qui voilait les pins sur les collines, les routes en lacet dans la montagne et les maisons de bois. Simla ressemblait tant à Murree, et pourtant les gens qui vivaient d'un côté de la frontière ne pouvaient même pas aller de l'autre côté. Et tout à coup, mon père revint.

«L'espoir est revenu, dit-il avec un large sourire. Nous aurons notre accord, *Insha'allah*.

– Comment as-tu fait, papa?» demandai-je. Le lourd silence de la maison s'allégeait déjà d'un murmure : les délégués se transmettaient les nouvelles.

«Je la voyais très tendue pendant notre visite, me dit mon père. Cet échec, après tout, n'était pas que le nôtre, c'était aussi le sien. Nos adversaires politiques à tous deux allaient s'en servir contre nous. Elle tripotait sans cesse son sac à main et ne semblait pas apprécier le goût de sa tasse de thé. Alors, j'ai respiré à fond et j'ai parlé sans arrêt pendant une demi-heure. »

Nous sommes tous deux des chefs démocrates mandatés par nos peuples, lui avait-il dit. Nous pouvons ramener la paix dans un territoire qui ne l'a pas connue depuis la partition, ou, si nous échouons, aggraver ses blessures. Les conquêtes militaires font en partie l'histoire, mais c'est la diplomatie qui en assure la durée. La diplomatie demande qu'on s'inquiète de l'avenir et qu'on accepte des concessions, dans l'instant, pour le bénéfice qui doit en revenir plus tard.

Étant le vainqueur, c'est l'Inde et non le Pakistan qui doit faire ces concessions en faveur de la paix.

« Et elle a accepté ? demandai-je, de plus en plus émue.

– Elle n'a pas refusé, dit-il en allumant un cigare. Elle a dit qu'elle allait consulter ses conseillers personnels et que nous connaîtrions sa réponse au dîner. »

Comment se sont passés les toasts du banquet, les discours, les politesses, je ne le saurai jamais. C'était mon tour de regarder sans cesse Mme Gandhi, mais impossible de rien lire sur son visage. Après dîner, elle et mon père allèrent dans un petit salon tandis que leurs équipes de négociateurs s'installaient au billard, la plus grande salle disponible. Ils se servirent du tapis vert comme d'un énorme bureau. Chaque fois qu'ils avaient réglé une question ou qu'ils rencontraient un désaccord, un des délégués portait les documents au salon pour arracher un oui ou un non aux deux leaders.

Projets et contre-projets, amendements et modifications prirent des heures. La maison se remplissait de journalistes, de cameramen de la télévision et de personnalités des deux pays. Je ne faisais qu'aller et venir entre la foule du rez-de-chaussée et ma chambre au premier étage. De l'escalier, je demandais régulièrement : « Rien de neuf ? » Comme aucune déclaration ne pouvait être faite à moins d'être officielle, la délégation pakistanaise avait inventé un code intérieur pour suivre l'évolution des événements. « S'il y a accord, nous dirons qu'un garçon est né, sinon ce sera une fille. – Quels phallocrates ! » dis-je, mais personne n'écoutait.

Avant d'entrer dans le salon, mon père m'avait dit : « Ne manque pas d'être là au bon moment si un accord est signé. Ce sera une minute historique. » Mais j'étais dans ma chambre quand retentit, à 0 h 40 cette nuit-là, dans toute la maison : « *Larka hai !* C'est un garçon ! » Je me précipitai en bas, et, dans la bousculade des journalistes et des cameramen, il me fut impossible d'entrer à temps pour voir mon père et Mme Gandhi signer ce qu'on appellerait le traité de Simla. Mais quelle importance ? Ce qui comptait, c'était que commençait alors la paix la plus durable dans le sous-continent.

Le traité de Simla nous rendait les huit mille kilomètres carrés que nous avait pris l'Inde. Il posait les bases de la reprise des communications et du commerce entre nos deux pays, sans engager la position du Pakistan ni de l'Inde sur les litiges de l'État du Jammu-et-Cachemire. Le traité préparait aussi le retour de nos prisonniers de guerre en évitant l'humiliation des tribunaux militaires dont Mujib les menaçait au Bangladesh. Mais il n'était pas prévu de retour immédiat.

« Mme Gandhi acceptait de rendre soit les prisonniers de guerre soit le territoire, me dit mon père quand il me rejoignit plus tard. Sais-tu pourquoi j'ai choisi le territoire ?

— Je ne sais vraiment pas, papa, dis-je troublée. Les Pakistanais auraient été beaucoup plus heureux de voir libérer les prisonniers.

— Ils le seront, assura-t-il. Les prisonniers posent un problème humain, surtout quand il y en a 93 000. Il serait inhumain pour l'Inde de les garder indéfiniment ; ce serait aussi un problème de continuer à les nourrir et les héberger. Le territoire, d'autre part, n'est pas un problème humain, il peut être assimilé, ce qui n'est pas le cas des prisonniers. Les Arabes n'ont toujours pas réussi à récupérer le territoire perdu avec la guerre de 1967. Mais l'annexion d'une terre n'alerte pas l'opinion internationale comme le font les prisonniers. »

Rentrer sans assurances sur la libération des prisonniers avait été une décision très difficile à prendre, et l'on pouvait s'attendre à beaucoup de protestations de l'opposition pakistanaise et des familles des prisonniers. Peut-être les Indiens avaient-ils compté sur cette inévitable agitation pour contraindre mon père à capituler, mais il n'avait pas cédé. Les 93 000 prisonniers furent relâchés après la reconnaissance du Bangladesh par le Pakistan, en 1974.

Dans l'avion pour Rawalpindi, le 3 juillet, l'humeur était radieuse, tout l'opposé du pessimisme qui nous avait accompagnés à l'aller. Des milliers de personnes étaient à l'aéroport pour accueillir mon père quand nous descendîmes sur le tapis rouge. «Aujourd'hui est un grand jour, dit mon père à la foule. C'est une grande victoire. Ni la mienne ni celle de Mme Gandhi, mais la victoire des peuples du Pakistan et de l'Inde, qui après trois guerres ont enfin conquis la paix.»

Le 4 juillet 1972, le traité de Simla était approuvé à l'unanimité par l'Assemblée nationale; même l'opposition joignit ses voix aux acclamations. Et le traité tient encore aujourd'hui.

Malheureusement, la Constitution de 1973, première Constitution démocratique du Pakistan, construite par les représentants du peuple régulièrement élus, ne dura pas. Un an plus tard, le 14 août 1973, en présence de toute la famille réunie dans la tribune du Premier ministre, l'Assemblée nationale adopta à l'unanimité la Charte islamique qui, contre toute attente, avait été soutenue par le consensus national, les chefs régionaux et religieux et par l'opposition. Comme chef de la majorité à l'Assemblée nationale, mon père devint Premier ministre du Pakistan.

Jusqu'au coup d'État de Zia, qui la suspendit quatre ans plus tard, le peuple pakistanais jouit de la première Constitution de son histoire qui fit adopter les droits fondamentaux de la personne humaine et assura leur protection. La Constitution de 1973 interdisait toute discrimination de race, de sexe ou de religion. Elle garantissait l'indépendance du pouvoir judiciaire en le séparant du pouvoir exécutif. Le premier gouvernement représentatif du Pakistan avait enfin la structure légale qui lui permettait de gouverner : l'autorité légitime que le professeur Womack m'avait fait si clairement comprendre lors de son séminaire.

Je me préparais à quitter Harvard au printemps de 1973, quand la Constitution des États-Unis démontra de façon concrète sa puissance. Malgré le temps doux et les parties de «*frisbee*» dans la cour, nous étions nombreux à suivre à la télévision les audiences de l'affaire du Watergate. Seigneur! pensais-je, le peuple américain destitue son président par des mesures démocratiques, constitutionnelles. Même un président puissant comme Richard Nixon, qui a mis fin à la guerre du Viêt Nam et ouvert la voie vers la Chine, ne peut se soustraire aux lois de son pays. J'avais lu Locke, Rousseau, John Stuart Mill à propos de la nature de la société et de l'État, de la garantie nécessaire des droits du peuple. Mais la théorie est une chose et c'en est une autre de la voir manifestée dans la pratique.

Le procès du Watergate me laissa l'impression profonde de l'importance des lois ratifiées par la nation par opposition aux lois capricieuses et arbitraires imposées par les individus. Quand le président Nixon abandonna ses fonctions un an plus tard, en août 1974, sa succession au pouvoir fut assurée paisiblement et sans heurts. Dans une démocratie comme l'Amérique, les leaders pouvaient changer, la Constitution demeurait. Nous n'avions pas cette chance au Pakistan.

Peu avant la remise des diplômes à Harvard, je devins de plus en plus triste à l'idée de quitter Cambridge et l'Amérique. J'étais inscrite à Oxford, comme plusieurs de mes amis, dont Peter Galbraith, mais je n'avais pas envie d'y aller. Je me sentais chez moi à Cambridge et à Boston; j'avais fini par connaître à fond les lignes de métro sur le MTA. Je connaissais et je comprenais ces gens. J'insistai auprès de mon père pour qu'il me laisse aller à l'école Fletcher de droit et de diplomatie, à Tufts, avant de rentrer au Pakistan. Mais il fut inflexible : j'irais à Oxford. «Quatre ans au même endroit, c'est plus que suffisant, m'écrivit-il. Si tu restes plus longtemps en Amérique, tu vas commencer à y prendre racine. Il est temps de partir.»

Je sentais pour la première fois que mon père faisait pression sur moi. Mais qu'y pouvais-je? C'était lui, après tout, qui payait mes dépenses et mes frais de scolarité. Je n'avais pas le choix, et j'étais une fille pratique.

Ma mère vint assister à la remise des diplômes, puis, avec mon frère Mir qui terminait sa première année à Harvard, elle m'aida à faire mes bagages. Ma camarade de chambre, Yolanda Kodrzycki, et moi nous distribuâmes notre mobilier et nous décrochâmes les posters. Nos chambres paraissaient vides, comme la cour de Harvard et les rayons de la librairie à la coopérative. Peut-être était-il temps de partir en effet.

Quand l'avion décolla de l'aéroport de Logan, je m'efforçai d'entrevoir encore Boston à l'horizon. Les courses au sous-sol chez Filene. Les repas aux tables communes de Durging Park. La soirée au Casablanca pour oublier le match de hockey perdu à l'université de Boston. L'homme avait débarqué sur la Lune, et j'avais vu la poussière lunaire au MIT [1]. Tandis que je volais vers le Pakistan, les paroles de la chanson de Peter, Paul et Mary couraient dans ma tête : « Je m'en vais sur un jet, sans savoir quand je reviendrai... »

1. MIT : Massachusetts Institute of Technology.

4

RÉFLEXIONS À AL-MURTAZA :
LES CLOCHERS DE RÊVE D'OXFORD [1]

Janvier 1980. Pendant notre troisième mois de détention à Al-Murtaza, mon oreille recommença à me tourmenter. Clic. Clic. J'avais entendu ce bruit pour la première fois lors d'un précédent emprisonnement, en 1978. Le médecin envoyé par les autorités à Karachi avait diagnostiqué un mauvais état des sinus, aggravé par les voyages en avion que j'avais faits toutes les deux semaines pour aller voir mon père en prison, et il avait cautérisé l'intérieur de mon nez pour dégager la trompe d'Eustache. À présent, je retrouve le tintement familier dans mon oreille et la pression anormale. Le médecin local vient me voir, mais les bruits continuent. Je demande aux gens de la prison de faire venir le médecin qui m'avait opéré à Karachi, et je vois avec surprise qu'ils m'amènent un inconnu. Il est aimable et a la voix douce. «Détendez-vous. Vous avez été très perturbée, me dit-il d'un ton consolant en examinant mon oreille.

– Aïe! Vous me faites mal.

– C'est une idée, répond-il, je ne fais que jeter un coup d'œil à l'intérieur.»

En m'éveillant le lendemain matin, je trouve trois gouttes de sang sur mon oreiller.

---

1. «Cette charmante cité aux clochers de rêve…» Matthew Arnold, *Poésies*, 1867. *(N.d.T.)*

«Vous vous êtes percé le tympan. Vous avez dû faire cela avec une épingle à cheveux», dit le docteur quand il revient. Une épingle à cheveux? Pourquoi me serais-je mis une épingle dans l'oreille? Il me fait une ordonnance pour deux médicaments à prendre trois fois par jour. Mais toutes ces pilules ne servent qu'à m'endormir et je m'éveille déprimée. Ma mère s'inquiète quand le troisième jour je ne me lève plus à l'aube pour aller au jardin et que je ne prends plus la peine de manger ni même de me brosser les dents. Elle en est si bouleversée qu'elle jette les médicaments.

Pendant des jours et des jours, la douleur va et vient tandis que le bruit augmente. Clic. Clic. Clic. Clic. Ne pouvant dormir, je ne prends aucun repos. Le médecin envoyé par les autorités m'a-t-il délibérément percé le tympan ou a-t-il été maladroit? Clic. Clic. Clic. Mon oreille me semble bouchée et j'entends mal.

Dans la journée, je tâche de me distraire en travaillant davantage au jardin. La sueur s'infiltre à travers mon tympan, l'eau de la douche aussi, sans que je m'en aperçoive, et le médecin ne m'a pas dit que je devais garder mon oreille sèche, car l'eau, pénétrant par la perforation, pourrait l'infecter. Clic. Clic.

Le soir, ne trouvant pas le sommeil, je me promène dans la propriété. Comme Clifton, Al-Murtaza a été si souvent fouillée que tout a été déménagé ou a disparu. La collection d'armes anciennes de mon père, qui venait de mon arrière-grand-père, a été saisie par le régime et mise sous scellés dans une réserve au jardin; les autorités de la loi martiale viennent vérifier chaque semaine si les scellés sont intacts, comme si ma mère et moi risquions de nous évader armées de vieux mousquets.

Je traverse la salle d'armes vide qui nous servait de salle à manger familiale, puis la salle de billard lambrissée où mes frères jouaient avec les amis qui venaient me voir d'Oxford. Une petite céramique représentant un gros Chinois entouré d'enfants est là, posée sur une table bien qu'elle appartienne au salon ; je la prends pour l'y reporter. Mon père aimait cette statuette ; il disait souvent en plaisantant qu'il aurait aimé avoir assez d'enfants pour en faire une équipe de cricket, mais en élever onze dans le monde actuel coûtait si cher qu'il s'était contenté de nous quatre.

Oxford, Oxford, il nous avait mis cela dans la tête. Oxford était l'une des meilleures et des plus prestigieuses universités du monde. Imprégnée d'histoire, liée à la littérature, à l'Église, à la monarchie, au Parlement anglais. L'éducation américaine était très bonne, il en convenait, mais dirigée avec moins de rigueur. Nous trouverions à Oxford de nouveaux horizons et le sens de la discipline. Il nous y avait inscrits tous les quatre dès notre naissance. Étant l'aînée, j'eus seule le privilège d'y terminer mes études avant le coup d'État qui bouleversa nos vies. Mir quitta Oxford peu après le début de sa seconde année pour défendre mon père en Angleterre, tandis que Sanam n'y alla pas du tout. Mes années dans sa chère université comptèrent beaucoup pour papa.

« J'éprouve une étrange impression en t'imaginant à Oxford, mettant tes pas dans les miens vingt-deux ans plus tard », m'écrivait-il de la résidence du Premier ministre à Rawalpindi, peu après mon arrivée à Oxford pendant l'automne de 1973. « J'étais heureux de te savoir à Radcliffe mais, n'ayant pas été moi-même à Harvard, je ne pouvais pas aussi nettement me représenter ton image. Là je te vois comme moi en chair et en os, sur chaque pavé des rues d'Oxford, à chacun de tes pas sur les degrés de pierre glacés, pour passer toutes les portes du savoir. Ta présence à Oxford est la réalisation d'un rêve. Nous prions dans l'espoir qu'il en naîtra une magnifique carrière au service de notre peuple. »

Il avait été beaucoup plus heureux à Oxford que je ne le fus d'abord. Alors qu'à Harvard nous avions, ma camarade et moi, un appartement personnel, je ne disposais à Lady Margaret Hall que d'une chambre minuscule avec salle de bains commune au bout du couloir. Sans téléphone particulier, j'étais obligée de passer par le vieux réseau de communication d'Oxford qui demandait généralement deux jours. Et comparés à mes amis de Harvard, tout de suite chaleureux, je trouvais les Anglais distants. Pendant des semaines, je recherchai la compagnie des camarades américains qui m'avaient suivie à Oxford. Mais toujours attentif, mon père m'envoya une vue de la Rome antique qu'il avait dans sa chambre à Christ Church en 1950. «Cette estampe n'aurait pas eu de sens pour toi, avant, m'écrivait-il d'Al-Murtaza. Je te l'envoie maintenant, au cas où tu aimerais la garder dans ta chambre.» Je la mis au mur, réconfortée par ce sentiment de continuité qui s'étendait de la poussière pakistanaise aux rues bien entretenues d'Oxford.

Il m'avait prévenue que, à la différence de Harvard, Oxford m'apprendrait à discipliner mon travail ; je dus faire effort pour écrire les deux dissertations exigées chaque semaine pour les travaux pratiques en politique, philosophie et économie. Je compris alors qu'il avait raison. Il eut raison aussi de me persuader d'adhérer à l'Union d'Oxford.

De toutes les associations d'Oxford – et elles étaient nombreuses, des clubs politiques, socialistes, conservateurs et libéraux, à ceux d'aviron et de chasse au chien courant –, la plus célèbre était la Société de débats de l'Union d'Oxford. Fondée en 1823, sur le modèle de la Chambre des communes, l'Union passait pour le terrain d'entraînement des futurs hommes politiques. Je n'avais pas l'intention de faire carrière dans la politique, en ayant vu de près les contraintes et les soucis ; je songeais plutôt au Service diplomatique du Pakistan. J'adhérai néanmoins à l'Union d'Oxford pour faire plaisir à mon père.

J'étais attirée par l'art du débat, qui répondait aussi à son désir. L'éloquence avait toujours eu un grand pouvoir dans le sous-continent asiatique, où les analphabètes étaient si nombreux. Par millions, le peuple avait écouté la parole du Mahatma Gandhi, de Jawaharlal Nehru, de Mohammed Ali Jinnah, et de mon père aussi. L'art du conteur, la poésie, le discours font partie de notre tradition. Je ne me rendais pas compte, alors, que l'expérience acquise dans l'ambiance policée et les murs à boiseries de l'Union se traduirait en interventions devant les foules dans les campagnes du Pakistan.

Pendant mes trois ans de PPE (philosophie, politique, économie) et la quatrième année où je revins suivre des cours de troisième cycle en diplomatie et droit international, l'Union d'Oxford fut l'un des centres d'intérêt les plus importants et les plus agréables de ma vie. Ses jardins et ses bâtiments en plein Oxford, avec un restaurant en sous-sol, deux bibliothèques et une salle de billard, me devinrent aussi familiers que les pièces d'Al-Murtaza. Dans la salle de conférences, nous écoutions aussi bien Germaine Greer, écrivain féministe, que le syndicaliste Arthur Scargill. Deux anciens Premiers ministres anglais vinrent pendant que j'étais là : Lord Stockton et Edward Heath. Des étudiants orateurs en tenue de soirée, l'œillet à la boutonnière, m'obligèrent à troquer mes jeans pour les robes de soie d'Anna Belinda. Après les dîners aux chandelles, nous organisions des combats d'éloquence.

La vie nous joue de ces tours. Le premier discours qu'on me demanda de prononcer dans la grande salle de conférences, sous les bustes d'hommes d'État comme Gladstone et Macmillan, concernait la destitution constitutionnelle, sans violence, d'un chef d'État élu. « Ce dont cette Chambre accuserait Nixon », telle était la motion que le président de l'Union me demandait de proposer.

« C'est un paradoxe qu'un homme qui fonda sur la loi et l'ordre sa candidature à la présidence fasse tout ensuite pour violer la loi et mettre le désordre dans le pays, commençai-je. Mais l'histoire américaine est pleine de paradoxes. Permettez-moi de vous raconter une anecdote à propos de George Washington et son père. S'apercevant qu'on avait coupé son cerisier, le père du jeune George, furieux, voulut connaître le coupable. Le fils, courageusement, s'avança et dit : "Père, je ne sais pas mentir : c'est moi." Eh bien, les Américains ont commencé avec un président qui ne savait pas mentir, et ils en ont un maintenant qui ne sait pas dire la vérité. »

Avec toute la conviction de mes vingt ans, j'exposai à grands traits les accusations de la procédure de destitution contre le président américain : mépris de l'autorité du Congrès dans la conduite de la guerre au Viêt Nam, bombardements secrets au Cambodge, remise antidatée de ses dossiers vice-présidentiels pour obtenir des avantages fiscaux, implication présumée dans les tentatives d'étouffement du Watergate et mystérieux effacement des bandes magnétiques de son secrétariat.

« Ne vous y trompez pas, mes amis, conclus-je, ces accusations sont graves. Nixon s'est toujours considéré comme au-dessus des lois, s'arrogeant le droit d'agir à sa guise. Le dernier souverain anglais qui en fit autant y perdit sa tête. Nous proposons une opération moins radicale mais tout aussi efficace. On raconte qu'un jour Nixon ayant consulté un psychiatre, celui-ci lui dit : "Vous n'êtes pas paranoïaque, monsieur le président. On vous hait réellement." Aujourd'hui, non seulement on le hait, mais il n'a plus aucune crédibilité. En perdant la confiance de son peuple, l'autorité morale lui manque pour conduire la nation américaine. C'est le drame de Nixon et de l'Amérique. »

Règles juridiques, crédibilité, autorité morale. Tous les principes démocratiques que je tenais pour acquis pendant mes années en Occident allaient se perdre dans mon pays. La motion pour la destitution du président Nixon fut votée par 345 voix contre 2 à l'Union d'Oxford. Ce seraient les armes et non les suffrages qui renverseraient mon père au Pakistan.

Le Pakistan était loin lorsque j'étais à Oxford. Comme mon père l'avait prévu, ces années furent parmi les plus heureuses de ma vie. Des amis m'emmenaient faire du bateau sur la Cherwell et pique-niquer sur les pelouses ombragées du palais de Blenheim, près de Woodstock. Pendant d'autres week-ends, la MG jaune décapotable que mon père m'avait offerte pour mon diplôme à Radcliffe nous emmenait voir Shakespeare à Stratford upon Avon, ou à Londres où je pouvais me bourrer de glaces à la menthe à la nouvelle succursale de Baskin-Robbins. Pendant la «semaine des Huit», quand les équipes d'aviron de chaque collège s'affrontaient sur la rivière, nous nous retrouvions tous aux garden-parties des collèges, les garçons en canotiers et blazers, les filles en chapeaux et longues robes à fleurs. Nous passions les «exams» en tenue sombre traditionnelle : chemisier blanc, jupe noire et toge noire sans manches ; si bien que, en nous voyant passer, les gens à Oxford, même non étudiants, nous criaient : «Bonne chance !»

À la différence de Harvard où il y avait peu d'étudiants étrangers – quatre seulement dans ma classe à Radcliffe, y compris une Anglaise, considérée comme «étrangère», ce qui m'avait semblé plutôt bizarre –, ils étaient beaucoup plus nombreux à Oxford : Imran Khan, le joueur de cricket pakistanais, aussi bien que Bahram Dehqani-Tafti, dont le père était iranien. Bahram, qui fut tué en mai 1980 peu après la révolution en Iran, nous jouait du piano pendant des heures, de Gilbert et Sullivan ou Scott Joplin jusqu'au *Requiem* de Fauré. Mais, bien que les Asiatiques soient admis à Oxford comme des individus quelque peu exotiques, qui n'entraient dans aucune classification ou catégorie particulière, tous les Anglais ne jugeaient pas de même.

En février 1974, je rentrai au Pakistan pour retrouver ma famille à la Conférence islamique que mon père réunissait à Lahore. Tous les monarques, présidents, Premiers ministres et ministres des Affaires étrangères musulmans étaient là, ou presque, représentant trente-huit nations, États, émirats et royaumes. Après l'appel de mon père aux membres de la Conférence pour étendre au Bangladesh la reconnaissance diplomatique, Mujib ur-Rahman vint aussi, dans l'avion personnel du président Houari Boumediene. Cette Conférence fut un grand succès pour mon père et pour le Pakistan. En tendant le rameau d'olivier à Mujib, il ouvrait la voie à un retour pacifique de nos prisonniers de guerre, que le leader bengali menaçait des tribunaux militaires.

Je retournai en Angleterre avec le sentiment exaltant de mon identité asiatique – et ce fut pour rencontrer aussitôt mon premier cas de racisme.

« Où avez-vous l'intention de loger en Angleterre ? me demanda le préposé au service de l'immigration, en examinant mon passeport.

– À Oxford, répondis-je poliment. J'y fais mes études.

– Oxford ? » dit-il d'un ton ironique, avec un haussement de sourcils. Je réprimai mon irritation et lui présentai ma carte d'étudiante.

« Bhutto. Mademoiselle Benazir Bhutto, Karachi, Pakistan, lut-il, méprisant. Où est votre carte de séjour ?

– La voici. » Je lui remis ce document que tous les étrangers sont tenus de porter sur eux en Angleterre.

« Et comment comptez-vous payer vos frais de pension à Oxford ? » dit-il, condescendant. Je faillis répliquer sur le mode narquois que j'avais apporté des crayons et un quart en fer-blanc pour faire la manche. « Mes parents ont versé des fonds sur mon compte en banque. »

Je lui montrai mon carnet de banque, et le sale petit fonctionnaire me tint encore debout, tournant et retournant mes papiers, cherchant dans un gros registre mon nom que, manifestement, il ne connaissait pas.

«Comment une Paki peut-elle se payer des études à Oxford?» dit-il enfin en repoussant vers moi mes documents.

Furieuse, je tournai les talons et sortis à grands pas de l'aéroport. Si les services d'immigration traitaient ainsi la fille du Premier ministre, qu'était-ce avec d'autres Pakistanais qui ne parlaient pas aussi couramment l'anglais ou montraient moins d'assurance?

Longtemps avant mon départ pour Oxford, mon père m'avait mise en garde contre les préjugés que je pourrais rencontrer en Occident. Il en avait fait l'expérience lui-même comme étudiant, quand on lui avait refusé une chambre dans un hôtel de San Diego, en Californie, non parce qu'il était pakistanais, mais sous prétexte que sa peau sombre lui donnait l'air d'un Mexicain.

Il m'avait avertie encore du danger de racisme quand mes lettres d'Oxford et mes allusions à notre pays prenaient un tour plus occidental qu'oriental. Il craignait, je pense, que cédant au chant des sirènes de l'Ouest je n'abandonne le Pakistan. «Ils savent (les Occidentaux), dans leur for intérieur, qu'une étudiante comme toi ne restera pas chez eux, m'écrivait-il. Ils t'acceptent parce qu'ils ne te considèrent pas comme une immigrante, comme une étrangère à leur charge. Leur attitude change complètement le jour où ils s'aperçoivent que tu n'es qu'une Pakistanaise ou une Asiatique de plus à chercher refuge dans leur prestigieux pays. On commence à te regarder de haut, estimant injuste que tu entres en compétition avec eux dans quelque domaine que ce soit.»

Ses conseils à cet égard n'étaient pas vraiment nécessaires, car je n'ai jamais envisagé de ne pas rentrer au Pakistan. Là étaient mon cœur, mon héritage et ma culture. Mon avenir aussi, je l'espérais, dans le corps diplomatique. J'avais déjà acquis une certaine expérience, rien qu'en étant la fille de mon père.

Au cours d'une visite officielle aux États-Unis, où mon père travaillait à faire lever l'embargo sur les armes imposé au Pakistan, je dînai un soir à la Maison-Blanche à côté d'Henry Kissinger. Pendant le potage, je n'avais en tête qu'une irrévérencieuse double page du *Harvard Lampoon* : la photo du secrétaire d'État fumant un cigare, allongé sur une peau de panda ; numéro précieux que j'avais immédiatement envoyé à ma sœur et à Samiya. Quand on servit le poisson, je me changeai les idées en le gratifiant de bavardages sur l'élitisme à Harvard et autres sujets qui prêtent peu à discussion. Aussi, le lendemain soir, quelle ne fut pas ma confusion lorsqu'il accrocha mon père à un autre dîner pour lui dire : «Monsieur le Premier ministre, votre fille est encore plus intimidante que vous!» Mon père éclata de rire, prenant la plaisanterie pour un compliment. Je n'en suis toujours pas sûre…

En France, où mon père assista aux funérailles de Georges Pompidou, il fut question d'énergie nucléaire. Il avait obtenu de Pompidou l'année précédente un accord d'assistance officieux, pour fournir au Pakistan une usine de retraitement de déchets nucléaires ; et il ignorait si son successeur voudrait reprendre les négociations. «À ton avis, qui sera le prochain président? me demanda-t-il chez Maxim's, où nous dînions avec des amis. – Giscard d'Estaing», répondis-je, fondant mes prévisions sur l'excellent cours de politique française que m'avait donné à Christ Church mon professeur Peter Pulsar. J'avais raison, heureusement, car le nouveau président consentit en effet à respecter cet engagement, malgré une forte opposition d'Henry Kissinger et des États-Unis.

Mes pronostics présidentiels avaient été moins judicieux trois ans plus tôt en Chine, où mon père nous avait envoyés, mes frères, ma sœur et moi, observer un État communiste. Lors d'une rencontre de politesse avec Chou En-lai, le Premier ministre chinois me demanda qui je prévoyais comme prochain président des États-Unis.

«George McGovern», répondis-je avec décision, et je maintins mon choix même après qu'il m'eut fait part d'informations américaines qui désignaient Richard Nixon. Loyale militante pacifiste à Harvard et résidente du Nord-Est libéral, je ne pouvais concevoir d'autre choix. «Écrivez-moi vos impressions quand vous rentrerez en Amérique», me demanda Chou En-lai. Je le fis, insistant sur McGovern. Autant pour moi et ma pseudo-clairvoyance politique d'étudiante!

Mes propres élections présidentielles plus réussies m'occupèrent en automne de 1976 à mon retour à Oxford, où j'allais suivre une année de troisième cycle. Malgré mon appréhension de quitter le monde universitaire pour celui de la diplomatie, mon père tenait à donner à ses enfants – justement parce qu'ils étaient ceux du Premier ministre – une solide formation en vue d'un emploi afin d'éviter, à lui comme à nous, l'accusation de favoritisme. Mon frère Mir commençait sa première année à Oxford, et je me réjouissais de passer plus de temps avec lui. Mais l'intérêt supplémentaire de cette nouvelle année, c'était l'occasion de poser ma candidature à la présidence de l'Union d'Oxford. Les années précédentes, j'avais travaillé au comité permanent de l'Union et j'avais été trésorière, mais j'avais échoué à ma première tentative aux élections. Je les gagnai cette fois. Ma victoire, en décembre 1976, bouleversa ce vrai «club de vieux garçons» où, dix ans plus tôt, les femmes n'avaient droit qu'au dernier étage des gradins, et où la proportion parmi les adhérents était encore de sept hommes pour une femme. Elle surprit tout le monde, cette victoire, même mon père.

«Dans une élection, il faut un gagnant et un perdant», m'avait-il écrit peu avant les élections présidentielles en Amérique, me soutenant au cas où je perdrais, comme allait le faire Gerald Ford au profit de Jimmy Carter. «Tu dois faire tout ton possible, mais accepter le résultat de bonne grâce.» Un mois plus tard, le ton changeait. «Comblé par ton élection à la présidence de l'Union

d'Oxford, disait son câble. Tu as magnifiquement réussi. Nos félicitations chaleureuses pour ton grand succès. Papa. »

Mes trois premiers mois de présidence allaient commencer en
janvier 1977. Quand nous prîmes l'avion qui nous ramenait au
Pakistan, Mir et moi, pour les congés de la Saint-Michel, il n'y avait
pas un nuage à mon horizon.

« Venez faire la connaissance de Zia ul-Haq », me dit un assistant de mon père dans le patio d'Al-Murtaza quelques jours après,
pendant la fête donnée pour l'anniversaire de papa. Je vis là, face à
face, pour la première et dernière fois, cet homme qui, six mois plus
tard, allait le renverser et par la suite l'envoyer à la mort.

J'avais entendu dire combien ses fonctions étaient difficiles à
remplir et je n'en étais que plus curieuse de rencontrer le chef d'état-
major désigné par mon père. Six autres généraux avaient été écartés
pour cette haute charge, les services de renseignements de l'armée
leur ayant trouvé à tous quelque défaut de caractère : alcoolisme,
adultère, loyauté douteuse. Le général Zia n'était pas non plus sans
défauts. On lui prêtait des liens avec le *Jamaat-e-Islami*, organisation
religieuse fondamentaliste hostile au PPP, et réclamant pour le pays
des chefs religieux plutôt que laïcs. Un de nos ambassadeurs l'avait
aussi accusé d'être un chapardeur.

Mais de sérieux atouts parlaient en sa faveur. Contrairement à
beaucoup d'officiers, il n'avait pas été compromis dans les massacres
au Pakistan oriental, car il était absent pendant la guerre civile. Et
on le disait respecté de l'armée. Aucun critère ne compta davantage
aux yeux de mon père dans ces interminables opérations de sélec-
tion qu'il jugeait de plus en plus exaspérantes. S'il choisit Zia, c'est
que les différents bureaux de l'armée avaient tous envoyé sur lui des
rapports favorables. « Le gouvernement civil ne doit pas avoir l'air
d'imposer sa volonté à l'armée. Zia, sans doute, n'est pas le plus haut

placé parmi les officiers supérieurs, mais il semble aimé de nos soldats », dit-il avec soulagement. C'est ainsi qu'à Al-Murtaza, le 5 janvier 1977, je me trouvai en face de l'homme qui allait changer si radicalement notre vie à tous.

Je me rappelle avoir été très surprise en le voyant. Grand et rude, avec des nerfs d'acier à la James Bond, telle était l'image puérile que je gardais du soldat ; au contraire, le général que j'avais devant moi était petit, nerveux, apparemment quelconque, avec une raie au milieu de cheveux pommadés qui lui collaient au crâne. Un traître de dessin animé bien plus qu'un brillant chef militaire. Et tellement obséquieux qu'il ne cessait de me répéter combien il était flatté de connaître la fille d'un si grand homme que Zulfikar Ali Bhutto. On aurait pu trouver un chef d'état-major plus imposant, me semblait-il, mais je n'en dis rien à mon père.

En se promenant avec moi dans le jardin, l'après-midi de son anniversaire, il me confia : « Je vais demander de nouvelles réformes agraires. Et aussi des élections en mars. La Constitution n'en exige pas avant le mois d'août, mais je ne vois pas de raison d'attendre. Les institutions démocratiques que nous avons établies conformément à la Constitution sont en place ; le Parlement et les administrations provinciales fonctionnent. Maintenant, avec le mandat du peuple, nous passerons plus facilement à la seconde phase des réalisations : développement de l'équipement industriel du pays, modernisation de l'agriculture par le forage de nouveaux puits, une distribution accrue des semences et une importante production d'engrais… » Les idées lui venaient à chaque pas, et sa vision d'un Pakistan d'aujourd'hui, compétitif, se précisait de plus en plus.

Beaucoup de ses réformes étaient déjà commencées. Le PPP avait tenu les promesses de sa campagne en entreprenant de redistribuer aux pauvres les terres détenues par quelques féodaux. Mon père avait aussi amorcé sa politique économique socialiste, en nationalisant beaucoup des industries jusqu'alors aux mains des «vingt-deux familles», pour en canaliser les bénéfices au profit du pays. Son gouvernement avait fixé un salaire minimum pour ceux que les chefs tribaux et les industriels faisaient souvent travailler gratuitement ou presque; il incitait les travailleurs à former des syndicats, leur donnant, pour la première fois dans l'histoire du Pakistan, une chance d'influer sur la gestion et un enjeu pour leur avenir.

Dans les zones rurales, de nombreux villages avaient l'électricité. Hommes et femmes bénéficiaient de programmes d'alphabétisation, et l'on construisait de nouvelles écoles pour les pauvres. Des parcs et des jardins naissaient dans la poussière des villes, et des routes neuves reliaient les provinces, à la place des pistes d'autrefois. Un accord avec la Chine prévoyait l'ouverture dans l'Hindou Kouch d'une grand-route qui mènerait jusqu'à la frontière chinoise. Mon père avait résolu d'assurer au peuple pakistanais une prospérité d'État moderne.

À un fermier du Baloutchistan qui se plaignait à lui : «Mon âne glisse sur la route neuve», il répondit : «Je vous apprendrai un moyen plus pratique que l'âne, et trois fois plus rapide, de porter vos légumes au marché.» Et, la semaine suivante, il lui envoya une Jeep.

Il avait contre lui une opposition, naturellement. Les industriels dont il avait nationalisé les usines ne le soutenaient pas davantage que les propriétaires dont il avait réparti les terres entre les paysans, qui les cultivaient depuis au moins onze générations sans avoir droit à autre chose qu'à la moitié de la récolte née de leur travail. Les membres du *Jamaat-e-Islami*, en grande partie de petits commerçants, protestaient contre ses réformes sociales, surtout l'encouragement déclaré du gouvernement aux femmes qui travaillaient hors du foyer, et les lois interdisant la discrimination sexuelle. Sa politique d'union lui aliénait ceux qui trouvaient leur intérêt dans le séparatisme : les indépendantistes du Baloutchistan et de la province de la Frontière du Nord-Ouest; les chefs tribaux qui continuaient à opposer leur propre loi à celle du gouvernement central, et leurs centaines de milliers de partisans.

En réalité, les factions qui existaient à la naissance du Pakistan, en 1947, étaient les mêmes en 1977 : régionalistes contre le gouvernement central, capitalistes contre socialistes, féodaux et *sardars* (chefs traditionnels) contre les esprits instruits et éclairés, habitants des provinces les plus pauvres contre l'élite fortunée du Penjab, intégristes ou fondamentalistes contre les champions de la modernisation. Et par-dessus tout cela, l'ombre puissante de l'armée, seule institution fortement organisée et fonctionnant sans heurts dans ce pays turbulent.

Selon certaines analyses politiques de l'Occident et de militaires pakistanais, la démocratie était impossible pour une population divisée et instable où le taux d'alphabétisation et le revenu annuel étaient si bas. Beaucoup ne pouvaient pas même communiquer entre eux, chaque région ayant sa langue et ses coutumes. On en concluait que seule l'autorité militaire pouvait venir à bout de ces gens-là. Mon père avait réfuté cette théorie en réussissant à établir un gouvernement démocratique où des élections, et non la puissance des armes, décidaient qui dirigeait le pays. Au début de 1977, il ne faisait de doute pour personne que son gouvernement serait réélu en mars.

Pendant que mon père préparait les élections au Pakistan, je retournai à Oxford organiser les débats de l'Union. « Que le capitalisme triomphera » fut le sujet du premier débat de ma présidence ; j'y invitai Tariq Ali, ancien président de l'Union, et, pour lui donner la réplique, un Pakistanais de gauche, habile et très estimé. « Que l'Occident ne peut vivre plus longtemps aux dépens du tiers monde » fut un autre sujet destiné à faire réfléchir sur le partage Nord-Sud.

Alors que l'opposition politique au Pakistan se regroupait contre le PPP en une coalition de neuf membres, régionalistes, fondamentalistes religieux et industriels, sous le nom d'Alliance nationale

pakistanaise (PNA), j'organisais le cinquième débat, traditionnellement humoristique à l'Union d'Oxford, sur le thème : « Que cette
salle est plutôt *rock* que *roll*. » La musique retentit pour la première
fois dans ce lieu vénérable, deux amis de Magdalen Collège chantè-
rent à tue-tête un duo en hommage à l'Union sur l'air de *Jésus-Christ
Superstar*, puis je quittai la salle portée sur leurs épaules.

Enfin, tandis que je peignais en bleu pastel le bureau de la présidente à Oxford, et que je faisais imprimer le programme des débats
en vert et blanc (aux couleurs de mon pays), au Pakistan, Asghar
Khan, chef de la PNA et ancien commandant en chef de l'armée de
l'air, annonçait que la coalition refuserait les résultats des élections
de mars, car elles seraient truquées. J'accordai peu d'attention à cette
accusation, sachant que mon père suivait les procédures électorales
instaurées dans les pays démocratiques et qu'il avait établi une commission indépendante, des lois et des tribunaux électoraux pour
garantir l'honnêteté et l'impartialité du scrutin. Étrange tactique que
celle d'Asghar Khan, qui préparait le pays à l'inévitable victoire
du PPP !

La campagne électorale devint plus confuse encore quand, le
18 janvier, dernier délai d'inscription des candidats, la PNA n'en
avait présenté aucun dans aucune des circonscriptions où mon père
et ses principaux ministres lui disputaient un siège. Je m'étonnais en
lisant ces nouvelles en Angleterre. Pourquoi laisser sans adversaires
le Premier ministre et les chefs de gouvernement régional *(chief
ministers)* des quatre provinces ? Peut-être les candidats de la PNA se
sachant battus d'avance préféraient-ils sauver la face. C'était une idée
trop rationnelle. Leur explication était ridicule et elle faisait les manchettes des journaux.

« Nous avons été enlevés et l'on nous a empêchés de nous inscrire », clamait l'opposition. Leurs candidats et suppléants auraient
été pris par la police jusqu'après la date limite. Tout cela me semblait

absurde. D'ailleurs, le commissaire principal du scrutin rendit un non-lieu pour manque de preuves. S'il y avait eu enlèvement, peut-être l'avaient-ils organisé eux-mêmes. Les enlèvements pour toutes sortes de mobiles étaient chose courante au Pakistan, et beaucoup de gens ont dû croire la plainte de la PNA motivée par un acte criminel.

Je commençai à suivre de plus près la campagne dans les journaux anglais comme dans ceux que mes parents m'envoyaient du Pakistan chaque semaine, avec d'autres publications asiatiques. De jour en jour, la PNA devenait de plus en plus inconséquente et injurieuse. On ne peut pas se fier à Bhutto, claironnait l'opposition ; il veut nationaliser toutes les maisons particulières et confisquer les bijoux en or de toutes les femmes. C'est un riche de l'élite, pas un homme du peuple, raillaient-ils : il porte des costumes de Savile Row, des chaussures italiennes et boit du whisky.

Les ministres d'Ayub Khan disaient la même chose, et la riposte de mon père m'avait enchantée, car il était direct et ne cachait pas en public ce qu'il faisait en privé : « Je ne nie pas que, après dix-huit heures de travail, il m'arrive de prendre un verre, avait-il répondu dans un meeting à Lahore. Mais je ne bois pas le sang du peuple. »

Je n'ai jamais douté du résultat de l'élection. Les dirigeants de la PNA n'étaient pas des grands hommes, ni même des gens bien ; plus âgés que mon père pour la plupart, ils avaient fait leur temps. Ils n'avaient pas bénéficié d'une éducation comme la sienne ni de sa vaste expérience du gouvernement et de la diplomatie internationale. Mon père, en fait, était unique au Pakistan. Sous l'autorité des généraux, la politique n'avait pas, dans l'ensemble, attiré le dessus du panier ; le pouvoir réel se trouvait dans la fonction publique, l'armée ou l'industrie. Beaucoup des adversaires de mon père étaient de petits provinciaux dont les vues étroites avaient desservi le Pakistan dans le passé et le feraient encore à l'avenir.

Leurs mensonges devenaient grotesques. Bhutto est si mauvais musulman, prétendait Asghar Khan, qu'il en est encore à apprendre comment faire les cinq prières quotidiennes. Je n'en croyais pas mes yeux en lisant cela en février dans la *Revue économique d'Extrême-Orient*. J'avais souvent prié à la maison avec mes parents. Mais là encore j'ai aimé la réplique de mon père. Comme un journaliste lui demandait pourquoi Yasser Arafat, le leader de l'OLP, était venu le voir, il répondit plaisamment : « Il vient m'enseigner les prières. »

Sous le slogan de propagande *Nizame-e-Mustafa*, le « Régime du Prophète », d'autres chefs de coalition utilisèrent honteusement la religion à des fins politiques. Dans une réunion en zone rurale, le leader du parti du *Jamaat-e-Islami* déclara qu'un vote contre le parti était un vote contre Dieu. Un vote pour la PNA valait 100 000 années de prières.

Les dirigeants plus sensés de l'opposition savaient que la question religieuse était explosive et évitaient d'y insister. Malgré tous ces remous de scandales religieux, ils savaient aussi que l'adhésion du PPP à l'islam était indiscutable. C'était mon père qui avait donné au pays sa première constitution islamique en 1973, et créé le premier ministère des Affaires religieuses. C'était son administration qui avait fait imprimer le premier Coran sans erreurs au Pakistan, supprimé les quotas établis par les gouvernements précédents pour limiter le nombre des pèlerins pakistanais à La Mecque, et rendu obligatoire l'éducation religieuse, *Islamiyat*, dans les écoles primaires et secondaires. Des programmes d'arabe avaient été organisés à la télévision pour enseigner aux Pakistanais la langue du Saint Coran, et une *Ruet-e-Hillal*, commission d'observation lunaire, pour mettre fin aux confusions sur le début et la fin du ramadan. Son gouvernement avait même insisté pour que le Pakistan remplace le nom et le symbole de la Croix-Rouge par le Croissant-Rouge afin de rappeler son lien avec l'islam au lieu du christianisme.

Ce que je lisais à propos des éléments fondamentalistes de l'opposition ne me troublait pas trop cependant; le peuple dans sa grande majorité savait que l'interprétation fondamentaliste de la charia ferait perdre aux Pakistanais ce qu'ils avaient gagné en matière de droits de l'homme et de croissance économique, en les ramenant mille ans en arrière. Les opérations bancaires, par exemple, devraient être complètement supprimées, la stricte interprétation de l'islam assimilant à l'usure le compte des intérêts. Et les femmes perdraient tous les progrès que mon père les avait encouragées à faire.

Il leur avait ouvert les services diplomatiques, l'administration, la police. Pour promouvoir l'instruction féminine, il avait désigné une femme comme vice-présidente de l'université d'Islamabad; deux autres étaient nommées gouverneur du Sind et vice-présidente de l'Assemblée nationale. Les médias aussi leur étaient ouverts, avec l'apparition des premières présentatrices à la télévision.

Il avait d'ailleurs encouragé ma mère à un rôle plus actif. En 1975, elle dirigeait la délégation pakistanaise aux Nations unies pour la Conférence internationale sur les femmes qui se tint à Mexico. J'avais été très fière quand on l'avait élue vice-présidente de la conférence. Maintenant elle se présentait pour l'élection à l'Assemblée nationale, symbole de l'attitude positive de mon père à l'égard des femmes en politique.

Mais plus l'élection approchait, plus les attaques s'exaspéraient contre le PPP. Asghar Khan promettait d'envoyer en camp de concentration les dirigeants du parti qu'il aimait le moins quand il renverserait le gouvernement le 8 mars. Et il prétendait tuer mon père.

«Pendrai-je Bhutto au pont d'Attock? Ou à un lampadaire à Lahore?» disait le chef de l'opposition. Cela me faisait bondir. Il passait pour avoir des parents parmi les officiers subalternes qui avaient organisé un coup d'État manqué en 1974. Préparait-il encore des factions dans l'armée?

Je me sentais si loin à Oxford. Mon père avait travaillé à apporter au Pakistan la démocratie; mais tout le peuple, semblait-il, n'avait pas appris ce qu'elle exige d'autodiscipline. Dans un quartier de Karachi, un candidat de la PNA arrosa à la mitrailleuse une affiche de mon père, tuant un jeune enfant qui était à côté.

«L'opposition s'est vraiment mal conduite, au point que même moi, qui suis en politique aussi indifférente qu'un légume, j'en ai été choquée, m'écrivait en février une amie de Karachi. Maintenant plus que jamais, tous ici comprennent à quel point ton père nous est indispensable. Dieu nous garde qu'un autre menace seulement de prendre les rênes, je crois que ce serait notre ruine en tant que nation.»

La nuit de l'élection, je rejoignis Mir dans son appartement en face de Christ College pour attendre près du téléphone. L'ambassadeur du Pakistan à Londres et l'un des ministres de mon père avaient promis tous deux de nous appeler aussitôt qu'ils auraient des nouvelles. Mir avait prédit que le PPP gagnerait entre 150 et 156 sièges à l'Assemblée nationale. Quand le téléphone sonna, c'était mon père, la voix enrouée par sa campagne, annonçant que le PPP avait gagné 154 sièges sur 200. «Félicitations, papa. Je suis si heureuse pour toi», criai-je. J'étais aussi excitée par la victoire que soulagée de voir finie cette période de tension. Mais elle ne l'était pas.

Fidèle à la menace de la coalition, la PNA déclara que les résultats de l'élection nationale étaient truqués, et qu'elle boycotterait le vote pour l'Assemblée provinciale, prévu trois jours plus tard. Et l'agitation grandit.

On vit des nuées de jeunes gens à scooter parcourir Karachi, laissant en flammes derrière eux des cinémas, des banques, des boutiques qui vendaient de l'alcool et toutes les maisons où flottait le

drapeau du PPP. Treize personnes d'une même famille furent brûlées vives chez elles et quand, agonisante, une des victimes demanda
de l'eau, les voyous répondirent en lui urinant dans la bouche. Un
membre du PPP fut lynché et son corps pendu à un lampadaire jusqu'à ce que la police le décroche. D'innombrables autres ministres
et parlementaires du PPP reçurent des menaces de mort, ou purent
craindre de voir leurs enfants enlevés à l'école. Karachi vivait un cauchemar. Chaque matin, je me précipitais à la salle commune du collège Sainte-Catherine pour ramasser les journaux anglais avant de
prendre les pakistanais dans ma boîte aux lettres. Je m'y plongeais,
avec Mir, sans pouvoir y croire. Nous avions vu la démocratie en
Amérique et en Angleterre, où les adversaires politiques ont rarement
recours à de telles attaques de terroristes ou de tueurs, et nous trouvions consternante la tactique de la PNA. Nous trouvions aussi de
plus en plus louche ce que tout cela sous-entendait. Il était évident
que la PNA n'était en rien intéressée aux élections. Les troubles
qu'elle entretenait préparaient-ils la voie à quelque intervention dans
le gouvernement, comme une prise du pouvoir par l'armée?

L'armée était la clé de tout. Mais pourquoi aurait-on douté de
sa loyauté? Mon père y était très populaire, et le choix de Zia comme
chef d'état-major, préféré à six officiers de grade supérieur, devait
garantir son soutien. Dans notre culture, on ne trahit pas son bienfai-
teur. Pourtant, Asghar Khan essayait de gagner à sa cause les militaires : une lettre circulait, qu'il aurait écrite aux forces armées, les
appelant implicitement à renverser le gouvernement. Mais elle n'eut
aucun écho. Au contraire, les chefs d'état-major – marine, air et terre
– publièrent un communiqué de soutien au gouvernement civil élu
de mon père. La PNA perdait son temps.

Après presque trois semaines d'agitation à Karachi et à Hyderabad, elle tenta de porter à Lahore l'émeute et le pillage. De nouveau, des bandes de vingt ou trente hommes à scooter furent

expédiées, cette fois contre les bazars où les clients furent criblés de pierres, et les marchands terrifiés contraints de fermer boutique. Quelquefois, les vandales arrosaient d'essence des banques et des autobus et y mettaient le feu avant de prendre le large.

En lisant les journaux à Oxford, nous étions Mir et moi de plus en plus écœurés des manœuvres de la PNA. Au lieu de reconnaître un échec démocratique, ces politiciens de la vieille école recouraient à la violence et aux rumeurs. « La bégum Bhutto a pris la fuite avec ses valises. Bhutto ne tardera pas à la suivre. » C'était un des bruits qu'ils faisaient courir.

Mon père était si sûr de la force du PPP qu'il proposa d'organiser de nouvelles élections provinciales et, si la PNA avait la majorité, de recommencer les élections générales ; mais les leaders de la PNA ne voulurent même pas s'asseoir pour en discuter avec lui. Rien ne les satisferait que sa démission. Confirmé massivement dans ses fonctions par un scrutin loyal et démocratique, mon père refusa, bien entendu.

Leur tactique terroriste m'atteignit jusqu'à Oxford. Un après-midi de fin mars, en revenant de la bibliothèque bodléienne, je fus très surprise de trouver chez moi un fonctionnaire de Scotland Yard qui m'attendait. « Je ne voudrais pas vous inquiéter, mademoiselle Bhutto, me dit-il, mais le bruit a couru que vous pourriez être en danger. »

Scotland Yard ne s'était sans doute pas donné la peine d'envoyer quelqu'un jusque-là pour me parler s'il n'y allait de mon intérêt le plus immédiat. Aussi, à dater de ce jour-là jusqu'à mon départ d'Oxford en juin, je suivis à la lettre les consignes de Scotland Yard : regarder sous ma voiture avant d'ouvrir la portière, pour repérer d'éventuels explosifs, examiner la serrure qu'on aurait pu malmener ; je changeai quelque peu mes horaires : pour un cours à 10 heures, je partais soit trop tôt, à 9 h 30, soit au dernier moment, à 9 h 55. J'observe encore aujourd'hui certaines de ces mesures de sécurité.

Au Pakistan, l'agitation retomba début avril, et le calme semblait revenu quand les nouvelles reçues des miens prirent un tour nouveau et inquiétant.

Les gens, m'écrivait mon amie Samiya, avaient des poignées de dollars américains et quittaient leur travail, y compris les domestiques de ma cousine Fakhri et ceux de ses amies. « Nous gagnons davantage à manifester pour la PNA », disaient-ils. Depuis mars, l'afflux de devises américaines avait fait baisser de 30 % le dollar au marché noir. Sans déficit apparent, les camionneurs et les chauffeurs de bus s'étaient mis en grève à Karachi, contraignant une usine à ralentir sa production parce que les employés ne pouvaient pas aller à leur travail. Camions et bus, par ailleurs, servaient au transport des manifestants de la PNA.

Les Asiatiques ont toujours été enclins à supposer des complots mais, cette fois, mon père et les autres membres du PPP étaient convaincus que l'Amérique n'était pas étrangère à cette effervescence. J'observai moi-même, lors de la grève des camionneurs, que cette forme de désorganisation économique rappelait ce qui s'était passé au Chili, pendant le coup d'État militaire soutenu par la CIA contre le président Allende et son gouvernement démocratiquement élu. Nos informateurs avaient aussi remarqué de fréquentes rencontres entre diplomates américains et membres de la PNA.

L'efficacité des grèves encouragées par la PNA était aussi suspecte. Quand mon père arriva au pouvoir, il apprit qu'en 1958 les États-Unis avaient mené avec l'armée pakistanaise des manœuvres ultra-secrètes pour lui enseigner l'art de paralyser un gouvernement en organisant des grèves. C'est ce qu'on avait appelé l'« opération Wheel Jam » (roue bloquée). Or la PNA lançait une grève générale, et précisément sous le même nom.

Je ne voulais pas croire que les États-Unis s'employaient à déstabiliser le gouvernement démocratiquement élu du Pakistan. Mais je me rappelais toujours les propos d'Henry Kissinger lors d'une visite dans notre pays pendant l'été de 1976. Mon père était alors décidé à relancer les négociations avec la France pour une usine de retraitement des déchets nucléaires ; un équipement qui fournirait de l'énergie au Pakistan au moment où le prix du pétrole montant en flèche menaçait l'économie de l'Occident riche lui-même. Kissinger avait résolu, lui, de le faire renoncer à ce projet. Le gouvernement américain n'y voyait évidemment qu'une menace d'engin nucléaire, et la «bombe islamique» n'entrait pas dans les intérêts immédiats du Monde libre.

L'entrevue avait mal tourné, et mon père était rouge de colère quand il rentra à la maison. Henry Kissinger, me dit-il, lui avait parlé avec dureté et arrogance. Il lui avait fait clairement comprendre que son projet d'usine de retraitement était inadmissible pour les États-Unis. L'accord devait être annulé ou retardé de plusieurs années, en attendant qu'une nouvelle technologie élimine le risque d'une utilisation des équipements pour la production d'un engin nucléaire. Il considérait mon père comme un remarquable chef d'État et c'était pour son bien qu'il le mettait en garde : Remettez en question l'accord avec la France ou vous risquez une terrible leçon.

Je ne pouvais chasser cette conversation de mon esprit. Jimmy Carter était devenu président des États-Unis trois mois plus tôt, Cyrus Vance était secrétaire d'État au lieu de Kissinger ; mais ces changements dans l'administration n'impliquaient pas forcément une évolution de tous les organes du pouvoir. Pendant mes sept années d'études, j'avais appris que la CIA jouissait d'une certaine autonomie et qu'elle ne changeait pas de politique du jour au lendemain. Avait-on choisi d'éliminer mon père faute de pouvoir le décider à abandonner son projet ? Avait-il sans le savoir fait leur jeu en avançant les élections d'une année ?

J'imaginais le dossier de mon père à la CIA : un homme qui avait condamné la politique américaine au Viêt Nam, permis la normalisation des relations avec la Chine communiste, soutenu les Arabes pendant la guerre de 1973, et préconisé l'indépendance à l'égard des superpuissances aux congrès du tiers monde. Pour qui se prenait-il ?

Il arriva une autre information, l'enregistrement des propos de deux diplomates à Islamabad. «C'est fini! Il est fichu!» disait l'un en parlant de notre gouvernement. «Messieurs, ce n'est pas fini, avait répondu mon père dans un discours à l'Assemblée nationale, et ce ne sera pas fini jusqu'à ce que j'aie rempli ma mission vis-à-vis de cette grande nation.» Entre-temps, les fondamentalistes subventionnés s'abaissaient à de nouvelles infamies. «Bhutto est un hindou. Bhutto est un juif», scandaient-ils dans les rues, comme si ces deux religions, toutes deux étrangères à ce vrai musulman, avaient été compatibles.

«Je ne sais que dire de la situation, écrivait ma mère. Je connais les nouvelles en lisant les journaux et tu les as aussi là-bas. Le *Morning News* est le plus honnête et ne donne pas dans le sensationnel, si bien qu'en fait tu en sais autant que moi. J'ai écrit à Sanam (ma sœur était entrée à Radcliffe en 1975) et à Mir de ne pas inviter d'amis cet été. J'ignore s'ils ont reçu mes lettres, car plusieurs se sont égarées. Si tu reçois celle-ci, avertis les autres à tout hasard.»

La PNA refusait toujours l'offre de négociation de mon père et, devant les pillages, les incendies et les crimes dont les partisans du PPP étaient les victimes, il fut obligé d'arrêter plusieurs de ses dirigeants. Peut-être en faisant taire, temporairement, leurs appels à la violence, aurait-on réussi à calmer le pays. Mais, le 20 avril, l'«opération Wheel Jam», préparée de longue date, bloquait les rues de Karachi. Les camionneurs étaient en grève, et boutiques, banques, marchés et filatures étaient fermés. Le 21 avril, conformément à la Constitution, mon père fit appel à l'armée pour aider les autorités civiles à rétablir l'ordre dans les grandes villes, à Karachi, à Lahore et à Hyderabad. L'agitation tomba. La manifestation monstre et la grève générale annoncées pour le 22 n'eurent pas lieu, ni, une semaine plus tard, la «Longue Marche» : deux millions de personnes qui, à l'appel de la PNA, devaient défiler à Rawalpindi et cerner la résidence du Premier ministre. L'échec de la Longue Marche dégonfla une fois pour toutes comme une baudruche l'effervescence de la PNA. Mon père parcourut en voiture les rues de Rawalpindi sous les acclamations de la foule.

Mais tout ce désordre avait coûté très cher : des milliers de voitures neuves et d'autobus brûlés, des usines à Karachi fermées ou retardées dans leur production, des biens détruits pour des millions de roupies, des vies perdues. Je respirai en apprenant par les journaux le 3 juin que la PNA acceptait enfin de discuter avec mon père, qui semblait envisager de dissoudre son gouvernement pour préparer de nouvelles élections.

La raison semblait enfin revenir à Karachi. Après quatre jours de pourparlers, mon père rappela l'armée, et, une semaine plus tard, les dirigeants de la PNA et les autres personnes arrêtées pendant les troubles furent libérés. De nouvelles élections ayant été annoncées pour octobre, les chefs les plus obstinés de la PNA parurent envisager l'avenir avec plus de confiance. «Je commence à voir le bout du tunnel. Espérons que ce n'est pas un mirage», avait déclaré un membre de l'opposition, selon *Newsweek* du 13 juin, après une rencontre avec mon père.

Les relations avec les États-Unis s'amélioraient un peu. Le ministre des Affaires étrangères pakistanais, M. Aziz Ahmed, avait rencontré Cyrus Vance à Paris, avec un rapport de cinquante pages sur nos soupçons d'une implication américaine dans la déstabilisation du gouvernement. Le secrétaire d'État mit le document de côté, disant : «Non, nous voulons prendre un nouveau départ avec le

Pakistan; nous attachons un grand prix à notre longue et étroite amitié avec votre pays. »

Nous ne pourrons jamais rien prouver. J'ai tenté en vain par des amis en Amérique d'obtenir plus d'éclaircissements, à la faveur de la loi sur la liberté d'information. La CIA envoya six documents, notamment sur l'aide chinoise au Pakistan pendant la guerre avec l'Inde au moment où mon père était aux Affaires étrangères, et un câble de la même époque à propos des convois civils qui traversaient Rawalpindi. Un seul texte concernait mon père et le PPP, évoquant la résistance à la Constitution qu'il proposait en 1973.

« Nous ne pouvons ni confirmer ni nier l'existence ou l'absence de rapports de la CIA… relatifs à Zulfikar Ali Bhutto, disait la lettre d'accompagnement. De tels documents, à moins d'avoir été officiellement reconnus, seraient classés secrets par mesure de sécurité. Nous ne pouvons donc ni confirmer ni infirmer, etc. En conséquence, cette partie de votre demande… ne peut être retenue. »

Quoi qu'il en soit, ce qui s'est produit en 1977, quelqu'un l'a voulu. Si les chefs de la PNA d'une part, et de l'autre le chef d'état-major de mon père avaient agi dans l'intérêt national et non pour leur propre intérêt, le gouvernement n'aurait pas été renversé. Ce fut – et c'est – une grande leçon pour nous tous. Les États-Unis étaient guidés par leur intérêt national. Ce n'était pas le cas chez nous. Certains ont trouvé commode de rejeter toute la responsabilité des événements sur les États-Unis. Mais s'il n'y avait eu parmi nous personne pour y participer, pour chercher le pouvoir personnel au lieu de servir le pays, le gouvernement élu du Pakistan n'aurait pas subi de dommage. Étudiante à Oxford, je n'avais pas encore compris cela.

Le soleil était éclatant le matin de mon vingt-quatrième anniversaire. Ce 21 juin promettait d'être un beau jour d'été, et j'attendais avec impatience la grande réunion que j'organisais, dans les jardins du palais de la reine Élisabeth, avant de rentrer au Pakistan. J'avais dû inviter tous ceux qui figuraient dans mon carnet d'adresses et, à en juger par la foule, tout le monde était venu. Par-dessus des jattes de fraises à la crème, on échangea adresses et souvenirs. J'étais triste de quitter Oxford, tous mes amis et aussi ma petite voiture jaune, que Mir se chargerait de vendre à l'automne. Elle avait servi, pendant quatre ans, de tableau d'affichage pour les messages amicaux comme pour les papillons des contractuels. J'étais surtout très excitée par les perspectives d'avenir qui m'attendaient dans mon pays. Mon père m'avait expliqué quelques-uns de ses projets pour moi, notamment travailler pendant l'été au bureau du Premier ministre et au Conseil interprovincial d'intérêt public, pour me familiariser avec les problèmes des provinces. En septembre, il m'enverrait aux Nations unies avec la délégation pakistanaise, ce qui serait une bonne introduction. Je rentrerais au Pakistan en novembre préparer mes examens de décembre pour les Affaires étrangères. Tel était l'avenir net et bien préparé qui m'attendait.

Mon père avait autant hâte de me revoir que moi de rentrer. « Je te promets de tout faire pour ta réadaptation rapide et agréable, m'avait-il écrit. Après cela, tu prendras ton rythme. Bien sûr, il faudra supporter mon détestable humour. Malheureusement, je ne peux pas changer de caractère à mon âge, bien que je m'y efforcerai dans mes rapports avec mon aînée. L'ennui, c'est que toi aussi tu as ton humeur et que les larmes coulent aussi facilement de tes yeux que des miens. C'est que nous sommes du même sang toi et moi.

« Mettons-nous d'accord pour nous entendre. Tu es une personne sensée, qui ne demande pas le désert sans chaleur et les montagnes sans neige. Tu trouverais ton soleil et ton arc-en-ciel dans tes mérites et dans tes convictions. Ils deviendront exemplaires. Nous travaillerons ensemble à une grande œuvre, et tu peux être sûre que nous y arriverons. »

Le 25 juin 1977, nous partions Mir et moi pour Rawalpindi rejoindre nos parents et le reste de la famille. Shah Nawaz rentrait de son école en Suisse et Sanam de Harvard. C'était la dernière fois que nous nous retrouverions tous réunis.

5

RÉFLEXIONS À AL-MURTAZA :
LA HAUTE TRAHISON DE ZIA UL-HAQ

PAR LES FENÊTRES D'AL-MURTAZA, je vois le soleil de février luire sur les armes de nos gardes. Nous entrons dans notre quatrième mois de détention, et il me semble que la maison elle-même est prisonnière. Les chefs d'État et les personnalités de la politique internationale venaient ici voir mon père : le chah d'Iran, de la Perse voisine, le souverain d'Abu Dhabi, président des Émirats arabes unis, le cheikh Zayyed, le prince Karim Aga Khan, le sénateur George McGovern des États-Unis, le ministre anglais Duncan Sandys. Mon père organisait souvent des parties de chasse pour ses invités bien qu'il ne fût pas chasseur lui-même. Mes frères, eux, excellents tireurs, sauvaient à l'occasion l'amour-propre des hôtes en abattant discrètement pour eux des oiseaux ou un cerf.

Même les jours ordinaires, Al-Murtaza était plein de gaieté et d'animation. Parfois, mon père se mettait à chanter, interprétant – faux mais de tout son cœur – des airs populaires du Sind ou ses mélodies occidentales favorites : *Some Enchanted Evening*, de la comédie musicale *South Pacific* qu'il avait vue à New York, *Strangers in the Night*, le succès de Frank Sinatra qui faisait fureur à Karachi quand il courtisait ma mère, et sa spécialité, *Que sera, sera*. Je l'entends encore : « Quoi qu'il puisse arriver demain, l'avenir ne nous appartient pas... »

Qui aurait pu prévoir le sombre avenir qui allait s'abattre sur lui si soudainement, à l'aube du 5 juillet 1977, le coup d'État militaire qui entraîna notre drame personnel et l'agonie du Pakistan?

5 juillet 1977. 1 h 45 du matin. Résidence du Premier ministre à Rawalpindi.

«Réveille-toi! Habille-toi vite!» crie ma mère, en traversant la chambre pour aller prévenir ma sœur. «L'armée a pris le pouvoir!»

Quelques minutes plus tard, inquiète, je rejoins mes parents dans leur chambre, ne sachant ce qui arrive. Un coup d'État? Comment est-ce possible? Le Parti du peuple pakistanais et les chefs de l'opposition sont parvenus à un accord, la veille même, sur les élections contestées. Et si l'armée a pris le pouvoir, quelles factions l'y ont poussée? Le général Zia et les commandants de corps sont venus personnellement voir mon père deux jours plus tôt pour l'assurer de la fidélité de l'armée.

Mon père est au téléphone, cherchant à joindre son chef d'état-major, le général Zia, et les ministres. La première réponse vient du domicile du ministre de l'Éducation. L'armée y est déjà passée. «Les soldats ont frappé mon père et l'ont emmené», sanglote la fille de Hafiz Pirzada; il avait quitté mon père quelques heures plus tôt, après avoir fêté leur accord. J'avais vu la lueur de leurs cigares et entendu leurs rires sur la pelouse tandis que je bavardais avec ma sœur dans la maison. «Restez calme, dit mon père d'un ton ferme à la fille de Pirzada. Gardez la dignité de votre famille.» Au milieu de son appel suivant au gouverneur de la province de la Frontière, la communication est coupée.

Ma mère est d'une pâleur mortelle. Elle me chuchote que papa a été prévenu par un policier qui a vu les soldats prendre position autour de la résidence du Premier ministre. Au péril de sa vie, il s'est faufilé entre les rangs et a rampé jusqu'à la porte d'entrée. D'un ton pressant, il a dit à Urs, le valet de chambre : «Avertissez M. Bhutto que l'armée vient pour le tuer! Qu'il se cache vite! Qu'il se cache!» Mon père a pris les choses calmement. «Ma vie est entre les mains de Dieu, a-t-il dit à Urs. Si l'armée vient me tuer, elle le fera. Inutile de se cacher, ni, pour aucun de vous, de résister. Qu'ils viennent!» Quoi qu'il en soit, la mise en garde du policier nous sauva probablement la vie.

«Le Premier ministre souhaite parler au chef d'état-major», dit mon père sur la ligne privée dont se servait Sanam pour parler interminablement avec ses amis. Par miracle, elle n'était pas coupée. Zia prit immédiatement l'appareil, stupéfait que mon père soit déjà au courant.

«Je suis désolé, monsieur, j'étais obligé de le faire, lâcha-t-il, sans un mot sur l'accord qui venait d'être conclu. Nous devons vous mettre en détention préventive pendant un certain temps. Mais, dans quatre-vingt-dix jours, j'organise de nouvelles élections. Vous serez réélu Premier ministre, naturellement, monsieur, et je vous saluerai comme tel.»

Mon père connaît maintenant le responsable du coup d'État. Il fronce les paupières en entendant Zia lui offrir le choix : on peut le mener à la villégiature du Premier ministre près de Murree, à notre propriété de Larkana, ou ailleurs. Il aimerait que la famille reste un mois à Rawalpindi. L'armée viendra le prendre à 2 h 30.

«J'irai à Larkana, et ma famille rentrera à Karachi. C'est ici la résidence du Premier ministre, et comme il semble que je ne le sois plus, ma famille partira ce soir», dit mon père, en raccrochant d'un air sévère. Quand il veut téléphoner de nouveau, la ligne de Sanam est coupée à son tour.

Mes frères se précipitent dans la chambre, manifestement habillés à la hâte. «Il faut résister, dit Mir.

– Ne jamais résister à un coup d'État militaire, répond doucement mon père. Les généraux veulent notre mort. Ne leur donnons aucun prétexte de nous abattre. »

Je frémis en me rappelant la chute et l'assassinat, deux ans plus tôt, du président Mujib et de presque toute sa famille réunie chez lui au Bangladesh. Les troupes du Bangladesh étaient une dissidence de l'armée pakistanaise d'hier ; pourquoi ces soldats se seraient-ils conduits autrement que les nôtres ?

« Zia est l'auteur du coup d'État, dit ma mère, complétant pour mes frères le peu que nous savons. Asghar Khan et les autres chefs de la PNA ont été arrêtés, ainsi que les ministres Pirzada, Mumtaz, Niazi et Khar. Zia a déclaré qu'il poursuivrait Asghar Khan pour trahison, sans épargner Niazi et Khar ; et qu'il organiserait les élections dans quatre-vingt-dix jours.

– Il va faire tout ça et les élections en quatre-vingt-dix jours ? » dit Shah qui, en tant que cadet, a passé plus de temps à la maison que nous ces dernières années et qui est plus habile en politique. On se pose bien d'autres questions insolubles. Pourquoi Zia a-t-il choisi d'arrêter ces leaders politiques ? Est-ce pour se couvrir ? Seraient-ils de mèche avec lui ? À partir de bribes d'informations, nous essayons de comprendre un monde qui semble soudain n'avoir plus aucun sens.

Pourquoi Zia a-t-il attendu si longtemps ? L'agitation est retombée en avril. Les pourparlers avec la PNA viennent d'aboutir il y a quelques heures seulement.

« Zia a fait un mauvais calcul, dit mon père. Il pensait que les pourparlers échoueraient et qu'il aurait un prétexte pour prendre le pouvoir. Il a frappé avant que l'accord puisse être officiellement signé.

– Dieu sait, dit ma mère doucement, ce qui va nous arriver. » Elle passe dans son cabinet de toilette, ouvre son coffre-fort, puis revient en tendant de l'argent à mes frères. « Votre départ pour Karachi est déjà prévu ce matin de bonne heure. Benazir, Sanam et moi, nous vous rejoindrons. Si nous n'arrivons pas le soir, quittez le pays. »

Il est presque 2 heures du matin. Nous attendons que l'armée vienne chercher papa. Aucun d'entre nous n'a envie de sortir de la pièce pour aller préparer son propre départ. Ce qui reste à venir est toujours incertain. Zia aurait-il attendu que nous soyons tous rentrés au Pakistan pour supprimer la famille d'un seul coup ? Quelles idées sinistres. J'essaie de les chasser, mais en vain. Deux des filles du président Mujib ont survécu au massacre parce qu'elles n'étaient pas dans le pays à l'époque. L'une a pris la tête de l'opposition. L'armée voulait-elle éviter de commettre la même erreur avec nous ?

Nous étions revenus chacun de notre côté : Shah de son école en Suisse, Sanam de Harvard, Mir et moi d'Oxford. Craignant un accident, nos parents ne nous avaient pas permis de voyager ensemble. « Dieu merci, te voilà chez nous, ayant fini tes études, m'avait dit mon père en m'accueillant dix jours plus tôt. Maintenant, tu vas pouvoir m'aider. »

Je m'étais installée dans un bureau près du sien au secrétariat du Premier ministre, j'avais prêté serment selon la loi sur les secrets d'État, et entrepris de résumer le contenu de certains de ses dossiers, en y ajoutant mes observations personnelles. Comme tout peut changer en une semaine, en quelques heures !

Ma mère écoute la radio, à la recherche de nouvelles, bien qu'il y ait rarement des émissions à pareille heure. Il n'y a rien, en effet. Nous attendons toujours l'armée, et mon père semble presque soulagé. « Le poids des responsabilités n'est plus sur mes épaules, dit-il. Le gouvernement est une charge et je l'ai assumée loyalement. J'en suis dispensé maintenant. »

Nous restons assis, figés sur le canapé, dans la chambre de nos parents, tandis qu'il poursuit sa tâche quotidienne en lisant les dossiers empilés sur la table derrière son fauteuil. Mais il signe sans rien lire tous les papiers d'un dossier noir. «La première chose que j'ai faite en prenant mes fonctions, ç'a été de commuer les peines de mort des condamnés. Mon dernier acte sera le même. J'ai toujours détesté lire les demandes de grâce.» Je vais pour l'embrasser, mais il me repousse doucement. «Ce n'est pas l'heure des sentiments. C'est le moment de s'endurcir.»

2 h 30 arrive et passe. 3 h 30. Personne ne vient. Je me sens de plus en plus mal à l'aise. Que prépare l'armée? Vers 4 heures du matin, le secrétaire militaire arrive, les yeux rouges et l'air bouleversé. Il vient du quartier général où Zia l'avait convoqué, explique-t-il. Le général regrette, mais il est impossible que mon père aille à Larkana. Si cela ne le dérange pas trop, on le conduira à Murree où il sera traité conformément à la dignité de ses fonctions. Tout est prêt pour le départ à 6 heures du matin.

«Je me demande pourquoi ils changent tout le temps de programme! dit Sanam. – Mon coup de téléphone a dû déconcerter Zia, répond mon père. Il craint probablement que je n'aie eu le temps, avant de lui parler, de monter une contre-attaque avec des officiers loyalistes.»

Et la pénible attente recommence. Une heure plus tard, un de nos serviteurs nous dit qu'on a réveillé l'intendant pour lui dire d'aller à Murree préparer la villégiature du Premier ministre.

«Le général Zia a dit qu'ils viendraient me chercher à 2 h 30. Il est 6 heures, et ils n'ont pas préparé la maison. Ils avaient projeté d'arrêter les autres, mais pas moi», dit mon père d'un ton calme.

Ses paroles prennent tout leur sens dans le silence de la pièce. «Le salaud pensait nous tuer tous dans nos lits», me chuchote Shah.

«Allez vous préparer, dit ma mère à mes frères. Votre avion décolle à 7 heures.» Nous prenons à la BBC le premier bulletin du matin en ourdou pour apprendre cette nouvelle sans commentaire : l'armée a pris le pouvoir au Pakistan.

« Toi qui étudies la politique mondiale, me dit mon père, penses-tu que Zia maintiendra les élections ?

– Je le crois, dis-je, toute pénétrée d'idéalisme et de logique universitaire. En organisant lui-même les élections, Zia empêche l'opposition d'en contester la régularité et d'y trouver prétexte à une nouvelle agitation.

– Ne sois pas bête, Pinkie. Les armées ne prennent pas le pouvoir pour le lâcher ensuite ; et les généraux ne commettent pas une haute trahison pour organiser des élections et rétablir les institutions démocratiques. »

Je laisse à regret la chambre pour aller faire mes bagages. Mon père nous avait depuis des années préparés au moment où nous quitterions la résidence du Premier ministre, mais je n'aurais jamais pensé que ce serait sous la menace des armes. Il insistait : nous n'étions pas chez nous à la résidence, c'était un bâtiment officiel du gouvernement. S'il n'était pas réélu, nous devions pouvoir partir rapidement, et non rester des mois, comme son prédécesseur militaire Yahya Khan, après avoir abandonné ses fonctions. « Ne gardez ici que ce que vous pouvez emballer en un jour. » Mais j'avais enfreint cette règle capitale ; rentrée directement d'Oxford deux semaines auparavant, chargée d'un tas de livres et de vêtements, j'avais eu trop de travail avec mon père pour prendre le temps de les envoyer à Karachi, comme j'en avais eu l'intention.

Je fais mes bagages sans y penser, allant et venant d'une chambre à l'autre pour être sûre de ne pas manquer le départ de mon père. J'ai tout le temps dans les jambes ma chatte persane, Sugar, qui, sensible à l'atmosphère tendue, ne cesse de miauler en se frottant contre moi. La pièce est presque vide quand maman arrive.

« Il est 8 heures, dit-elle, et l'armée n'est toujours pas là. L'aide de camp prétend qu'on prépare encore la maison de Murree. Mais qui sait ? Dieu merci, les garçons ont pu partir. »

D'une certaine manière, la lumière du jour apporte un élément de calme. Je me suis un peu détendue, moi-même, au cours de cette tâche banale. Maman et moi nous trouvons Sanam dans sa chambre, en jeans et sweat-shirt, ses longs cheveux non coiffés ; elle jette dans sa malle tous ses vêtements, photos, disques, et même de vieux numéros de *Vogue*, et de *Harper's Bazaar*. « Je ne veux pas qu'ils touchent à mes affaires », dit-elle avec colère.

Juste avant 9 heures, j'entends ma mère appeler : « Pinkie ! Sunny ! Venez vite, papa s'en va.

— *Jaldi*. Vite, Sahib s'en va ! » répète à ma porte un domestique enturbanné portant l'uniforme rouge et blanc de la maison du Premier ministre. Il a les larmes aux yeux. Voilà que je pleure moi aussi, et Sanam a les yeux rouges. Nous ne pouvons pas lui dire au revoir dans cet état. Nous précipitant au cabinet de toilette, nous nous mettons, les mains tremblantes, des gouttes dans les yeux, avant de filer jusqu'à la porte d'entrée par le couloir aux boiseries blanc et or. J'entends les lamentations du personnel réuni sur la pelouse.

Papa est déjà assis dans la Mercedes noire du Premier ministre. La voiture démarre. Nous bondissons, criant : « Au revoir, papa ! » en agitant frénétiquement les bras. Il se retourne avec un demi-sourire tandis que l'auto franchit les grilles. Sur la plaque d'immatriculation, le soleil du matin fait briller le sceau du Premier ministre et ses feuilles d'or entrelacées.

On emmène mon père à Murree, au milieu d'un convoi de véhicules militaires, en détention provisoire « par mesure de protection », comme le dit Zia pour justifier l'arrestation de ses adversaires politiques. Il restera trois semaines dans la maison blanche de style colonial construite par les Anglais sur les collines qui mènent au Cachemire. Nous y passions des vacances d'été ; on jouait au scrabble sous le porche à colonnes. À présent, mon père y retourne sous la garde de l'armée. Son gouvernement civil n'est plus. Une fois encore, le Pakistan se retrouve aux mains des généraux.

J'aurais dû comprendre que le coup d'État était définitif, que cette première arrestation marquait la fin de la démocratie au Pakistan. La Constitution de 1973 était suspendue, la loi martiale imposée. Mais je m'entêtais, dans mes raisonnements abstraits et ma naïveté, à croire à ces élections que Zia promettait sans cesse pendant les dernières semaines. « Je tiens à faire clairement comprendre, avait-il déclaré le matin même, que je n'ai pas d'ambitions politiques et que l'armée n'entend pas être détournée de sa fonction proprement militaire. Mon seul but est d'organiser les élections libres et régulières qui auront lieu en octobre de cette année. Aussitôt après, le pouvoir sera remis aux représentants élus du peuple. Je garantis solennellement que je ne m'écarterai pas de ce programme. » Il mentait.

> Loi martiale, ordonnance n° 5 : Quiconque organise ou assiste à une assemblée syndicale, étudiante ou politique sans autorisation de l'administrateur de la loi martiale sera condamné à subir dix coups de fouet et cinq années d'emprisonnement.
> Ordonnance n° 13 : Toute critique contre l'armée, orale ou écrite, entraîne une peine de dix coups de fouet et cinq ans d'emprisonnement.
> Ordonnance n° 16 : Détourner un membre de l'armée de son devoir à l'égard de l'administrateur en chef de la loi martiale, le général Zia ul-Haq, est puni de mort.
> « Tout pillage est interdit », dit l'ordonnance n° 6, publiée le jour du coup d'État. « Peine maximum : amputation d'une main. »

Pour impressionner davantage le peuple, Zia déchaîna les forces des fondamentalistes religieux. Jeûner ou non pendant le mois sacré du ramadan avait toujours été laissé au choix personnel des musulmans pakistanais. Sous le règne de Zia, restaurants et points de vente de nourriture devaient être fermés depuis le lever du soleil jusqu'à son coucher. Dans les universités, l'eau était coupée partout, même dans les salles de bains, pour empêcher quiconque de boire pendant le jeûne. Les fondamentalistes, en bandes, parcouraient librement les rues, frappant aux portes en pleine nuit pour s'assurer que les gens préparaient le *sehri*, le repas d'avant l'aube. Boire de l'eau, manger ou fumer en public étaient motif d'arrestation. Il n'y avait plus de place pour le choix personnel au Pakistan, mais seulement pour la brutalité du régime prétendu religieux.

Inquiets de la détention de mon père et des ténèbres qui s'abattaient sur le Pakistan, les partisans du PPP vinrent en foule dans notre jardin de Clifton dès notre retour de Rawalpindi. Tandis que Mir parlait aux hommes, ma mère, qui souffrait de crises périodiques d'hypotension, m'envoyait recevoir les femmes. « Dis-leur seulement "*Howsla rakho*. Reprenez courage". » Et je répétais à chaque visiteuse « *Howsla rakho* », trébuchant un peu dans cette langue ourdou que j'avais délaissée pendant mes huit années à l'étranger.

Zia faisait campagne dans la presse pour discréditer mon père. « Bhutto a voulu me tuer », « Bhutto m'a enlevé », déclaraient en manchette nos ennemis politiques, qui évidemment étaient vivants et libres. « Il faut vous attendre à une campagne de diffamation ; ça fait partie de l'"opération Fair-play" », dit mon père au téléphone – il nous appelait chaque jour de Murree –, empruntant à Zia son expression favorite pour caractériser le coup d'État. Le général réduisait aussi le personnel, peu à peu, à Murree. « Comme si cela me dérangeait », disait mon père.

Il ne perdait ni le moral ni son sens de l'humour : « Un journaliste m'a téléphoné aujourd'hui pour savoir à quoi je passais mon temps. J'ai répondu que je lisais beaucoup Napoléon dans l'espoir d'apprendre comment il venait à bout de ses généraux alors que je n'arrivais pas à tenir les miens.»

La vitalité de mon père nous aidait tous à garder notre équilibre. Au lieu d'être déprimés, nous nous sentions forts, confiants et pleins d'allant. D'abord, il était vivant. Ensuite, le peuple le soutenait, et le PPP était plus populaire que jamais. Tandis qu'il avait envoyé Mir à Larkana pour s'occuper de la section locale, nous tenions des réunions, Shah et moi, avec les vingtaines de gens qui venaient chaque jour nous confirmer leur appui. Un reporter et un photographe de notre journal, *Musawaat*, rendaient compte de chaque séance. Le lendemain, *Musawaat*, seul dans la presse à présenter le point de vue du PPP, rapportait ce qui se passait dans les groupes du parti et démentait la propagande anti-PPP des journaux à la solde du régime.

Après l'arrestation de mon père, la diffusion de *Musawaat* augmenta de façon spectaculaire, de quelques milliers d'exemplaires à 100 000 rien qu'à Lahore. Et les presses ne pouvant suffire à la demande, des débrouillards se mirent à le vendre plus cher sous les comptoirs des bazars. «*Musawaat* vaut dix roupies au marché noir», dis-je à mon père, ravie; c'était plus que ne gagnait en une journée la moyenne des Pakistanais. Ces chiffres étaient encore plus étonnants dans une société où la proportion d'analphabètes était très forte et où, faute d'aide officielle pour la publicité et la distribution, les ventes restaient limitées.

«Zia vient me voir aujourd'hui», me dit mon père au téléphone le 15 juillet. Sur la photographie publiée le lendemain dans le journal, il avait l'air grave, à l'image de la situation politique du pays. Zia, quant à lui, se tenait comme un coupable, avec un sourire obséquieux et une main à moitié repliée sur la poitrine. «Il a répété son intention de tenir les élections et de se conduire en arbitre impartial entre les partis politiques», nous raconta mon père au téléphone après l'entrevue. Quel besoin avait-il de dire cela? Papa ne l'en croyait pas capable ; et nous non plus, étant donné le climat d'hystérie entretenu contre le PPP et lui dans les médias contrôlés par le régime.

Il y avait trop d'inconnues. Pour la première fois dans l'histoire du Pakistan et de ses deux premières périodes de loi martiale, des fonctionnaires avaient été arrêtés, notamment Afzal Saeed, secrétaire du Premier ministre, Rao Rasheed, son conseiller, Khalid Ahmed, commissaire adjoint de notre district de Larkana, Masoud Mahmoud, chef de la Sécurité fédérale, forte de 500 hommes, et beaucoup d'autres. Qu'avaient-ils à faire, ces fonctionnaires, avec la politique ? Et jusqu'où le régime irait-il ?

Zia déclarait dans des interviews que l'armée avait des « plans d'urgence » pour un coup d'État, reconnaissant ainsi que l'affaire était préparée de longue date. Et que les arrestations de fonctionnaires n'étaient pas une improvisation mais faisaient partie d'un projet mûrement réfléchi. Qui était derrière ? L'idée aussi d'inventer sur nous dans la presse des histoires calomnieuses était incompréhensible. S'il prétendait vouloir un scrutin honnête et impartial, alors cela ne tenait pas debout.

Entre-temps, les journalistes venaient sonner chez nous pour avoir des informations sur mon père, sur le PPP, sur les élections promises. « Invite-les à prendre le thé », suggéra papa. Je le fis. Et à ma grande surprise, la salle à manger était pleine, au point que l'air conditionné atténuait à peine la chaleur. Mes cousines Fakhri et Laleh vinrent aider, ainsi que Samiya et sa sœur. J'étais très inquiète d'avoir à répondre à toutes ces questions. Mais l'une me déconcerta complètement.

« Est-il vrai que M. Bhutto et le général Zia ont préparé ensemble ce coup d'État pour assurer la popularité de M. Bhutto ? me demanda un journaliste entre le thé et les "samosas".

– Évidemment pas. » Ce fut tout ce que je trouvai à dire, en me rappelant la peur et l'incertitude de cette nuit d'arrestation. Mais quand le lendemain je racontai l'histoire aux visiteurs du PPP, je fus encore plus surprise d'apprendre que c'était une rumeur très répandue, apparemment lancée par l'armée pour dérouter nos partisans et désamorcer l'hostilité à l'égard du pouvoir militaire. Le bruit persista, et beaucoup d'autres aussi.

Dans un pays comme le nôtre, où le taux d'alphabétisation est bas, les on-dit et les commérages de bazar remplacent souvent la vérité. Si invraisemblables qu'elles soient, les rumeurs ont une force propre qui les fait écouter même par les classes cultivées. « Est-il vrai que tu portes dans ton sac à main une caméra vidéo miniature pour filmer les meetings des leaders politiques ? » me demanda un jour une vieille amie d'école. Je n'en croyais pas mes oreilles. « Comment diable veux-tu qu'une caméra filme à travers un sac ? dis-je. – Oh, je n'avais pas pensé à ça. Je l'ai lu dans le journal. »

Même les pluies particulièrement violentes de l'été, qui commencèrent deux semaines après le coup d'État, furent reprochées à mon père. « Les fondamentalistes font courir le bruit que Bhutto Sahib a déchaîné les pluies pour se venger d'avoir été renversé », me dit un visiteur du parti. Des gens sans doute le crurent, y voyant une explication de l'inondation qui avait emporté leur maison et détruit leurs récoltes. Mais pas dans la partie de Lahore, bastion du PPP, qui fut la plus durement touchée.

« Va à Lahore, en signe de solidarité avec le peuple qui a été éprouvé pendant les pluies, me dit mon père. L'inondation y a fait de terribles ravages. »

Aller à Lahore toute seule ? Je n'avais encore jamais rempli une mission pour le parti. J'en avais l'estomac serré. « Annonce ton programme dans *Musawaat* et emmène Shah avec toi. » Dans les vingt-quatre heures, nous y étions, mon frère et moi.

Des centaines de partisans nous accueillirent à l'aéroport, criant des slogans du PPP malgré l'ordonnance n° 5 de la loi martiale qui menaçait de cinq ans d'emprisonnement les organisateurs et les participants d'une réunion politique. La foule était si enthousiaste que nous eûmes de la peine à nous faire un chemin jusqu'à notre voiture. Mon frère de dix-huit ans et moi, nous étions tous deux un peu dépassés par cette manifestation inattendue. Nous n'étions que les enfants du Premier ministre, pas des personnalités politiques.

La foule était encore plus dense au bungalow de la bégum Khakwani, présidente de l'aile féminine du parti au Penjab, où le peuple se répandit hors de ses vastes jardins jusque dans la rue. Shah et moi fûmes bientôt inondés de sueur dans la bousculade de la salle de réception et aveuglés par les projecteurs des caméras, tandis qu'on prenait de nous d'innombrables photos. Au milieu de tout cela, on m'appela au téléphone. « C'est le Premier ministre, chuchotaient les gens dans la foule devenue silencieuse. C'est le président Bhutto qui téléphone. »

Des dizaines de gens se pressèrent dans le salon autour de moi. « Comment vas-tu ? » demanda mon père sans se douter de la réception qu'on nous faisait. Je lui parlai des centaines de personnes à l'aéroport et maintenant à Lahore. Il en fut très heureux. « Adresse-leur un message de ma part », dit-il. Quand j'eus raccroché, je me tournai vers la foule qui attendait. « Mon père adresse ses condoléances à tous ceux qui ont perdu leur foyer et leurs récoltes, dis-je comme je pus en ourdou. Le PPP demande qu'on vienne en aide aux familles éprouvées. »

Devant un soutien aussi manifeste de mon père et du PPP, Zia s'efforça de montrer la popularité de la PNA. Il annonça à la mi-juillet que désormais les chefs détenus de tous les partis pourraient recevoir des visites. Mais son coup de dés fut un échec. Des foules de plus en plus importantes s'assemblaient chaque jour à Murree devant la villégiature du Premier ministre, pour voir mon père, tandis que les lieux de détention des leaders de l'opposition n'attiraient personne. Zia s'empressa de trouver une raison pour arrêter les dégâts. Le 19 juillet, l'administrateur en chef de la loi martiale proclamait : « Par suite d'abus, le droit de visite aux chefs politiques en détention est supprimé. »

Le coup d'État ne marchait pas comme Zia l'avait prévu. Traditionnellement, le peuple pakistanais avait toujours abandonné tout dirigeant déchu du pouvoir et reporté son soutien sur l'apparent vainqueur et nouveau leader. Mais, cette fois, Zia avait renversé mon père et cela semblait se retourner contre lui. Au lieu de délaisser son Premier ministre, le peuple lui était cent fois plus attaché. Quand, au bout de trois semaines, le général le relâcha avec les autres chefs politiques, des millions de gens défièrent la loi martiale pour le rencontrer dans les grandes villes où il passait. Les foules asiatiques sont toujours beaucoup plus considérables que celles d'Occident mais, même selon nos normes, les auditoires de mon père étaient fantastiques.

Rentré d'abord à Karachi, l'affluence était telle qu'il mit dix heures pour aller de la gare à la maison, au lieu de la demi-heure habituelle. Sa voiture était égratignée et bosselée quand il arriva à Clifton. Mes frères, ma sœur et moi, nous n'osions pas sortir à sa rencontre de peur d'être pris dans la cohue. Nous étions montés sur le toit pour le guetter et nous n'avions jamais vu une foule pareille. Tant de gens s'efforçaient de le voir, de le toucher, de l'approcher seulement, que le mur de douze pieds autour de la maison céda sous le poids.

« Oh, papa, je suis si heureuse que tu sois libre, lui dis-je quand nous fûmes tous réunis ce soir-là.

– Libre pour l'instant…

– Zia n'oserait pas t'arrêter de nouveau. Il a vu cette foule !

– Allons, allons », fit-il avec un geste autour de la pièce pour indiquer qu'il y avait sans doute des micros.

Mais je m'entêtai : «Zia est un lâche et un traître. Il est coupable de haute trahison!» criai-je, espérant que l'on m'entendrait, car je croyais sottement que le soutien des masses protégerait mon père.

«Tu ne réfléchis pas, dit-il sévèrement. Tu n'es plus dans une démocratie occidentale, mais ici, sous la loi martiale.»

L'ombre de la loi martiale se fit plus menaçante quand nous l'accompagnâmes tous à Larkana. Une fois de plus, la foule vint le saluer, ajoutant à ma joie de son retour, avec un sentiment de fausse sécurité. À Al-Murtaza, dans la chambre des parents, tout paraissait normal et familier. Mais non. Un de nos proches apporta un message d'un haut fonctionnaire d'Islamabad : le régime se préparait à impliquer mon père dans une affaire de meurtre.

Un meurtre? Un frisson passa dans la pièce. Ma mère et mon père échangèrent un regard en silence. «Prépare tout pour renvoyer les enfants à l'étranger, lui dit-il. Que tous leurs papiers et carnets de banque soient en règle. Dieu sait ce qui peut arriver.» Elle acquiesça d'un signe de tête, et papa se tourna vers moi : «Toi aussi, Pinkie, tu dois songer sérieusement à quitter quelque temps le pays. Continue tes études à l'étranger si tu veux, jusqu'à ce que la situation soit éclaircie.

– Quitter le Pakistan? Mais je viens d'arriver.

– Les domestiques, également, risquent des épreuves, continuat-il. Personne n'est à l'abri de la loi martiale.» Le matin, il réunit le personnel. «Il peut y avoir du danger pour vous tous. Si vous préférez quitter votre emploi pour retourner dans vos villages attendre la fin des troubles, je le comprendrai. Je ne suis pas en mesure de vous protéger sous la loi du général Zia.» Aucun ne choisit de partir. Et moi non plus. Mon père s'en fut à Lahore.

«*Jiye* Bhutto! *Jiye* Bhutto!» Dans la capitale du Penjab, forteresse de l'armée, la foule fut estimée à trois millions de personnes. Zia ne pouvait venir à bout politiquement des partisans de mon père. Et un second message arriva, par un agent de renseignements qui vint le trouver en secret. «Monsieur, dit-il en tremblant, le général Zia et l'armée sont résolus à vous faire disparaître. Ils sont en train de torturer les fonctionnaires détenus pour monter un faux procès criminel contre vous. Pour l'amour de Dieu, quittez le pays, monsieur. Votre vie est en jeu.» Mais mon père n'était pas homme à céder aux menaces et aux manœuvres terroristes. «Je ne serai sans doute plus longtemps libre», nous dit-il en téléphonant de Lahore ce soir-là; ce fut sa seule allusion à ce dernier message.

Après son retour à Clifton, les réunions politiques reprirent sans interruption. Zia avait fixé les élections au 18 octobre, autorisant un mois de campagne à partir du 18 septembre. Pendant que mon père discutait en bas avec les dirigeants du parti, je prenais des leçons d'ourdou dans la salle à manger du premier étage. «Il faut travailler ton ourdou, m'avait-il dit, je peux avoir besoin que tu parles à ma place.» Deux heures par jour, au mois d'août, je lisais les journaux en ourdou et j'apprenais le vocabulaire politique avec mon professeur. Entre deux réunions, papa venait à la porte lui demander: «Comment ça marche?»

À la fin d'août, je partis avec lui pour Rawalpindi. Espérant éviter ainsi les énormes rassemblements qu'il avait provoqués dans les gares de Karachi et de Larkana, Zia avait interdit par ordonnance aux hommes politiques de prendre le train. Précaution supplémentaire, à Rawalpindi il avait envoyé des patrouilles bloquer tous les accès de l'aéroport. Mais beaucoup de gens, ayant réussi à échapper aux barricades, faisaient la haie sur la route et se pressaient autour de la voiture.

Pendant ce temps, à Karachi, un journaliste partisan du PPP, Bashir Riaz, informait ma mère d'une nouvelle menace. «Je vous en prie, dites à Bhutto Sahib de quitter le pays. Un des confidents de Zia qui est de mes amis m'a conseillé d'oublier Bhutto Sahib et affirmé qu'il ne reviendrait jamais au pouvoir. "Zia, m'a-t-il dit, a décidé de le faire exécuter pour meurtre." Il a même essayé de m'acheter avec un chèque en blanc, mais j'ai refusé.»

Zia resserra son piège, qui s'étendit pour la première fois jusqu'à moi. Le lendemain, à Rawalpindi, j'assistai à un thé chez les Kho-khar, une grande famille de partisans du PPP, où vinrent une cen-taine de femmes. «Dites quelques mots», me demandèrent les trois sœurs Khokhar, dont deux étaient permanentes du PPP et l'autre, Abida, l'une des anciennes secrétaires de ma mère à la résidence du Premier ministre. «*Howsla rakho*. Reprenez courage», dis-je aux femmes réunies, au cours de mon petit discours en ourdou, que j'avais appris par cœur. En partant, je fus surprise de trouver à la porte d'importantes forces de police, y compris des «policières». «Ils sont ici à cause de vous», me dit une des sœurs.

Plus tard, le même soir, je me vis remettre un avertissement du général Zia, signé, si je ne me trompe, par le général Arif, me décon-seillant formellement toute activité politique. Un mois et demi après l'instauration de la loi martiale, je recevais la première mise en garde officielle; mais je ne la pris pas au sérieux. Je dis en riant à mon père : «Figure-toi que, pour eux, je défie la loi martiale en assistant à un thé. – Il n'y a pas de quoi rire, répondit-il calmement. La loi mar-tiale est une chose dangereuse et implacable.»

Le danger se rapprochait. Il était alors évident que l'opposition n'avait aucune chance de battre dans des élections régulières le parti de mon père. Et deux semaines avant le début de la campagne, Zia envoya ses hommes l'arrêter de nouveau.

3 septembre, 4 heures du matin. 70, Clifton, Karachi.

Je dormais dans ma chambre, quand j'entends craquer une marche de l'escalier. Comme c'est le jeûne du ramadan, je pense qu'un domestique vient m'apporter le repas d'avant l'aube. Mais brusquement cinq hommes en blanc surgissent à la porte, et je les reconnais immédiatement : ce sont des commandos de l'armée pakistanaise, de grands gaillards aux cheveux en brosse. Je les ai vus souvent de garde à la résidence du Premier ministre. Mais pourquoi sont-ils en civil ?

Ils pointent sur moi leurs mitraillettes tandis qu'un sixième, faisant le tour de la pièce, balaie les objets de ma table de toilette, décroche les vêtements des patères, vide les rayonnages de leurs livres, fracasse ma lampe de chevet et arrache les fils du téléphone.

« Que voulez-vous ? » dis-je, terrifiée. Les hommes n'entrent pas ainsi dans la chambre d'une musulmane. « Si vous tenez à la vie, taisez-vous », dit leur chef, et il prend la porte avec son équipe, laissant la pièce sens dessus dessous. « Allez-vous tuer mon père ? » L'homme à qui je pose cette question – celui qui a tout mis en l'air – semble un instant me prendre en pitié. « Non », dit-il après une hésitation, puis il se durcit. « Mais vous avez intérêt à ne pas bouger ! » et il me met son arme sous le nez avant de partir en claquant la porte.

J'enfile hâtivement sur mon tee-shirt quelques vêtements que je ramasse par terre. Ma sœur arrive, affolée. « Non ! non ! Où vas-tu ? Ils vont tous nous tuer.

– Calme-toi, il faut que je joigne papa. »

Je sors, suivie de Sanam, pour trouver le hall grouillant de commandos en blanc brandissant leurs armes. Ils nous parquent aussitôt en bas dans la grande salle où ils sont encore plus nombreux. Je me précipite vers la porte d'entrée dans l'intention de traverser la propriété jusqu'à la petite annexe où vivent mes frères, mais les hommes m'entourent et m'obligent sous la menace à m'asseoir sur le canapé avec ma sœur. Ils ont ordre de se tenir à deux, arme au poing, devant toutes les portes.

Il faut que je prévienne mon père, il est en danger. Ils ont choisi de forcer notre porte en pleine nuit, et sans uniforme. C'était bien inutile. Ils pouvaient l'arrêter n'importe quand sans tapage, avec un mandat ou une ordonnance de la loi martiale. Mais ils ont voulu nous faire peur et nous insulter. Jusqu'où iront-ils ? Peut-être préfèrent-ils cacher au peuple ce qu'ils réservent à mon père. Mais ils ne pourront pas le cacher à sa fille.

Je demande en ourdou aux hommes qui gardent la porte de la cuisine : «*Kya aap fauji hain ? Êtes-vous militaires ?*» Ils se regardent mais, observant la discipline, ne répondent pas. Alors, prenant mon souffle, je dis très haut à ma sœur, toujours en ourdou : «Regarde ces soldats. Comment peuvent-ils être aussi *besharam*, aussi impudents ? C'est leur Premier ministre, Zulfikar Ali Bhutto, qui les a ramenés des camps indiens où leurs généraux les laissaient pourrir. Et voilà comment ils l'en remercient : en pénétrant chez lui pour violer son foyer ?»

Du coin de l'œil, je les vois s'interroger du regard, inquiets. L'un demande : «*Yeh kis ka ghar hai ?* C'est chez qui ici ?» Je me rends compte soudain qu'ils ne savent même pas où ils sont ni pourquoi. «Vous ne savez pas que vous avez forcé les portes du Premier ministre du Pakistan ?» leur dis-je avec mépris. Penauds, ils baissent les armes. C'est le moment. Je monte l'escalier comme une flèche jusqu'à la chambre de mes parents. Personne ne m'arrête.

Papa est assis au bord du lit, ma mère, adossée aux oreillers, les couvertures tirées jusqu'au menton, tient à la main les boules qu'elle met dans ses oreilles pour n'être pas réveillée quand il rentre tard. Le commando les entoure, ses armes menaçantes. L'homme qui a bouleversé ma chambre recommence ici, s'efforçant d'arracher les sabres de cérémonie croisés sur la porte. «Que faites-vous ?» lui dit mon père au moment où j'arrive. Sa voix calme n'a rien perdu de son autorité, et l'autre s'arrête immédiatement.

Autre image particulièrement grotesque : une grosse brute se prélasse sur le brocart bleu et blanc d'une des petites chaises Louis XV de maman. «Qui est-ce? dis-je à voix basse à mon père, qui m'a fait asseoir près de lui. – Saghir Anwar, le directeur du Bureau fédéral de renseignements (FIA). Avez-vous un mandat d'arrêt?» demande-t-il à l'homme, qui répond «Non» d'un air embarrassé, en regardant le tapis. «Alors, sous quelle inculpation venez-vous me chercher? – J'ai l'ordre de vous conduire au quartier général. – L'ordre de qui? – Du général Zia. – Comme je ne vous attendais pas à cette heure, j'ai besoin d'une demi-heure pour me préparer. Envoyez-moi mon valet de chambre pour faire ma valise.» Saghir Anwar refuse, sous prétexte que personne n'a le droit de voir le Premier ministre. «Envoyez-moi Urs», répète mon père tranquillement. Et Anwar envoie un des soldats.

Urs, je l'appris plus tard, était dans la cour avec les autres, sous la menace des armes. «Ne bougez pas! Les mains au dos!» leur criaient les soldats en anglais. Ceux qui hésitaient, ne comprenant pas la langue, recevaient un coup de crosse. On leur prenait leur argent et leur montre.

«Qui est Urs? demanda le soldat qui venait de la maison. – C'est moi», répondit Urs, et il reçut un coup sur la tête pour avoir parlé. Alors, comédie absurde, l'homme parcourut toute la rangée en posant la même question, et quand plusieurs personnes eurent secoué la tête, il arriva au valet de chambre qui, ayant compris, hocha la sienne en signe d'acquiescement. On l'empoigna par la gorge et les pieds pour le monter jusqu'à la chambre, où, sous la menace, il emballa les vêtements. C'est encore avec six armes automatiques braquées sur sa tête et sa poitrine qu'il dut porter les bagages jusqu'à la voiture banalisée qui attendait.

En haut, mon père prend une douche et s'habille, avec un tel sang-froid que je n'en reviens pas. Arme combien plus imposante que l'arsenal de lâches qui menace toute notre maison. «En arrière!» me crie un des hommes pour m'empêcher de descendre avec lui; mais je ne m'en soucie pas et ils me laissent passer.

En bas, Sanam échange des regards avec papa, et voyant ses ravisseurs l'emmener vers la voiture, ma sœur, si craintive habituellement, leur crie à plusieurs reprises : «Lâches! Vous n'avez pas honte? Lâches!»

Une fois encore, je vois partir mon père, sans savoir où on l'emmène, sans savoir si je le reverrai jamais. Je flanche un instant, mon cœur se brise, il se glace. «Pinkie!» Une voix m'appelle, et j'aperçois en me retournant mon frère Shah Nawaz aligné dans la cour avec le personnel. Je crie aux soldats qui le retiennent : «*Usko choro!* Lâchez-le!» avec une violence nouvelle qui m'effraie moi-même. Mais ils le laissent aller.

Rentrée à la maison, ma mère est blême; sa tension est plus basse que jamais et à tour de rôle Shah Nawaz, Sanam et moi, nous lui massons les pieds pour stimuler sa circulation. J'essaie de téléphoner pour avoir un médecin, mais les lignes sont coupées. Je supplie les gardes, à la grille, de me laisser aller chercher le sien, mais cela sans plus de résultat. C'est seulement quand notre majordome arrive à Clifton le matin et, grâce à la compréhension d'un garde sindi, apprend ce qui est arrivé, que la nouvelle se répand. Dost Mohammed sillonne Karachi pendant des heures sur son scooter, alerte les dirigeants du parti et mon frère Mir à Al-Murtaza, nos parents, les médias et le médecin de ma mère. Mais quand la doctoresse Ashraf Abbasi se présente à la grille, on lui refuse l'entrée. Un médecin approuvé par le régime arrivera enfin à midi pour lui faire la piqûre dont elle a tant besoin.

Un colonel débarque dans l'après-midi avec un papier en blanc. «Le général Zia, administrateur en chef de la loi martiale, ordonne que vous et votre mère signiez ce papier», dit l'officier, vêtu de treillis de campagne, et qui porte son nom, Farooq, sur sa chemise verte et brune. Je refuse. «Je saurai bien vous faire signer», menace-t-il; ses yeux de fouine se font plus fouineurs encore et sa bouche mince plus cruelle. «Vous pouvez me tuer, mais vous ne pouvez pas m'obliger à signer, dis-je avec ma nouvelle voix. Le général Zia lui-même n'y réussirait pas. – Vous ne savez pas ce que vous risquez», dit-il d'un ton net et implacable. Puis il se retourne et s'en va.

À 5 heures de l'après-midi, l'armée enfin évacue la maison. Nous nous précipitons aussitôt, Shah Nawaz et moi, au siège du PPP, où la crainte gagne déjà certains dirigeants. Tandis que les uns réclament une grève générale de protestation et d'autres manifestations, au sommet on préconise la retenue jusqu'à ce qu'un contact soit établi avec mon père. Mais qui sait combien de temps cela prendra?

Ce qu'apprend ma mère le lendemain est bien pire. Elle s'est entretenue avec l'avocat : les mises en garde secrètes que mon père avait reçues étaient justes. L'accusation portée contre lui, à présent, c'est celle d'un complot criminel.

Un meurtre? Je ne savais même pas qui on l'accusait d'avoir voulu tuer.

Un homme politique de second ordre, m'expliqua ma mère ; un nommé Ahmed Raza Kasuri, qui était toujours bien vivant.

Quelqu'un lui avait tendu une embuscade trois ans plus tôt, alors qu'il était en voiture avec plusieurs membres de sa famille, près de Lahore. Son père, magistrat à la retraite, avait été tué. Mais Kasuri, membre de l'Assemblée nationale, élu sur la liste du PPP, déclara que c'était lui qu'on avait visé. Il avait, depuis, rejoint l'opposition, et on lui connaissait de nombreux ennemis ; il passait même pour avoir survécu, chose incroyable, à quinze attentats avant celui-ci. Soupçonnant mon père d'être impliqué dans l'affaire, il avait porté plainte. Telle était alors la liberté dans un Pakistan démocratique que la police avait enregistré cette plainte contre le Premier ministre. L'enquête de la Haute Cour avait disculpé mon père de tout lien avec le crime, et le regrettable incident avait été oublié.

Jusqu'en 1977. Kasuri ayant rejoint le PPP s'était même présenté sur une de ses listes pour le Parlement aux élections de mars. Mais le parti retint une autre candidature et Kasuri décida évidemment de déposer de nouveau plainte contre mon père. À présent, deux semaines avant la date prévue pour la nouvelle campagne, Zia prenait le prétexte de cette vieille accusation pour justifier l'arrestation. Mais, une fois encore, le stratagème échoua.

Le juge trouva le dossier «contradictoire et incomplet», et ne vit aucune raison de conclure à la culpabilité. Il mit mon père en liberté provisoire dix jours après son arrestation. Je retrouvai mon optimisme. «Puisque le tribunal civil a libéré le Premier ministre, déclara Zia devant la presse, je ne vois pas de raison de le détenir par ordonnance de la loi martiale.»

Mon père revint directement à Karachi le 13 septembre, pour partir le lendemain matin avec Shah Nawaz rejoindre Mir à Larkana et célébrer *Aïd* à la fin du ramadan. Il ne restait que cinq jours avant le début de la campagne, et il avait prévu quatre-vingt-dix réunions en trente jours. Nous étions réunis ce soir-là, comme d'habitude, dans la chambre des parents, et la conversation prit un tour inattendu.

«Tu sais, Nusrat, dit soudain mon père, qui fumait un cigare, allongé sur le lit, il est temps que Pinkie se marie. Je vais lui trouver un époux.»

Je me redressai brusquement et je faillis éparpiller les cartes de ma mère, qui faisait une réussite.

«Je ne veux pas me marier, protestai-je, je viens à peine de rentrer.»

Sanam et Shah en profitèrent pour me taquiner, scandant : «Il faut te marier, il faut te marier...»

«D'ailleurs, continua mon père, j'ai déjà vu un garçon qui me plaît.»

Ma mère sourit, imaginant déjà le mariage, je pense.

«Je ne veux pas me marier si tôt, et tu ne me feras pas dire oui, insistai-je, rebelle.

— On ne dit pas non à son père», dit papa, et Shah comme Sanam s'empressèrent de le répéter.

À mon tour, je scandai : «Non, non, non.» Je fus sauvée par l'arrivée du souper tardif de mon père, qu'on lui apportait sur une table roulante. On changea de conversation. Mais le nouveau sujet était encore plus redoutable.

«Il paraît, dit papa, que Zia ne me lâchera pas et que je devrais m'enfuir. Un des dirigeants du PPP m'a demandé de l'argent aujourd'hui pour partir. Je lui ai répondu : "Allez-vous-en si vous voulez, mais je ne détalerai pas comme un rat. Je vais rester ici pour tenir tête à Zia."

— Tu gagneras les élections et tu feras juger le général pour haute trahison.

— Attention, Pinkie !» Il fit un geste vers le mur pour me rappeler le risque des micros. Mais j'oubliais toute prudence dans ma joie de le voir libre et revenu chez nous. J'en rajoutai sur la traîtrise de Zia, et mon père se fâcha.

«Tais-toi, coupa-t-il sévèrement, tu ne sais pas ce que tu dis.»

Nous nous regardâmes tous deux. Puis, furieuse et blessée, je quittai la chambre en coup de vent.

Je me rends compte maintenant qu'il savait à quel point la situation deviendrait grave ; dès le début, il avait conscience des réalités que je tentais de nier. Sachant combien Zia était cruel, il voulait m'empêcher de le provoquer. Mais j'étais trop impétueuse alors pour le comprendre. Que de fois depuis j'ai remercié Dieu qu'il m'ait ouvert les yeux avant de partir pour Larkana. Il s'était assis au bord de mon lit.

«Ne prends pas trop à cœur ce que je t'ai dit hier soir. Mais je ne veux pas qu'il t'arrive malheur.» Il me prit dans ses bras.

« Je comprends, papa, et je te demande pardon », lui dis-je en l'embrassant. Je me rappelle exactement son *shalwar khameez* gris et le parfum de Shalimar. Je le voyais libre pour la dernière fois.

17 septembre 1977, 3 h 30 du matin, Al-Murtaza.

Bahawal, l'un des serviteurs de Larkana, raconte ce qui est arrivé, car je n'y étais pas.

« Un commando de 70 soldats et policiers escaladèrent le mur d'Al-Murtaza vers 2 heures du matin, assommant les *chowkidars* (gardiens) et progressant vers la maison.

« "Ouvrez la porte", hurlèrent-ils, martelant à coups de poing la porte d'entrée qu'avec les autres domestiques je tenais fermée de l'intérieur. Nous avons demandé ce qu'ils voulaient.

« "Bhutto !

« — Attendez, on va le réveiller.

« — Ouvrez la porte !", criaient-ils en pesant sur elle de tout leur poids.

« Mir entendit le vacarme et alla réveiller Bhutto Sahib, qui lui dit : "Ils n'ont pas besoin d'enfoncer la porte. Fais entrer deux officiers. Il me faut le temps de préparer mes affaires." Mais il savait déjà qu'ils viendraient et sa valise était prête. Sa serviette aussi.

« Bhutto Sahib fut emmené dix minutes après. Ils nous ont tous poussés dans la maison et bouclés sous la menace des armes.

« Des forces de sécurité étaient postées à l'intérieur et dehors. Nous pleurions.

« Mir *baba* était très en colère. Il essaya d'appeler Karachi, mais le téléphone était coupé. Le lendemain matin, je me suis faufilé entre les gardes et j'ai couru dans une autre maison téléphoner à la bégum Sahiba. La nouvelle s'était déjà répandue à travers le village, et des centaines de gens se rassemblaient devant les grilles d'Al-Murtaza en criant : "*Jiye*, Bhutto ! Vive Bhutto !"

« La police les arrêta. »

Mon père fut conduit à la prison de Sukkur, puis à celle de Karachi, enfin à Lahore. Zia voulait éviter que le peuple ne sache où il était.

Il était décidé, maintenant, à en finir avec mon père une fois pour toutes. Il reprit contre lui l'ancienne accusation de meurtre, mais en s'assurant des moyens de la faire aboutir.

6

RÉFLEXIONS À AL-MURTAZA :
LE MEURTRE JURIDIQUE DE MON PÈRE

Mars 1980. Le temps s'écoulant grain par grain à travers le sablier sans fond d'Al-Murtaza, j'ai l'impression d'être enterrée vivante, coupée de tout contact humain. Ma mère fait des réussites pour passer ces heures interminables. Mais, au bout de cinq mois, je suis plus impatiente que jamais. Impossible de savoir quand nous serons relâchées, si nous le sommes. Tout dépend de Zia.

Le gouvernement des États-Unis a fait son choix. Avec le passage de l'hiver au printemps, il devient évident que les Américains préfèrent la dictature militaire de Zia à un retour à la démocratie. Poussé par la présence envahissante des Soviétiques en Afghanistan, le président Carter offre au Pakistan en mars 1980 une aide de 400 millions de dollars, que Zia refuse comme une bagatelle. Il nous arrive de plus en plus de réfugiés afghans, prélude au flot qui va bientôt grossir avec la guerre civile en Afghanistan. Les réfugiés et les troupes soviétiques à nos portes vont assurer à Zia des dons étrangers si considérables que le Pakistan devient le troisième bénéficiaire de l'aide américaine après Israël et l'Égypte. L'invasion soviétique en Afghanistan, c'est ce que les Pakistanais appellent «le cadeau de Noël de Brejnev à Zia». Mais, ma mère et moi, nous sommes toujours prisonnières à Al-Murtaza.

Sanam arrive, pour une de ses rares visites, si attendues, entourée de l'habituelle escorte de fonctionnaires de la prison et de l'armée. Même une fille n'a pas le droit de voir sa mère et sa sœur sans la présence constante des autorités militaires. Ma mère, qui souffre toujours d'hypotension, garde le lit. Je demande si notre rencontre peut se faire près d'elle en présence d'une fonctionnaire. Comme Sanam et moi nous dirigeons vers les appartements privés de la famille, j'entends des pas derrière nous : ce n'est pas une employée de la prison, mais un officier de l'armée, le capitaine Iftikhar. Je le regarde, incrédule ; aucun homme, à moins d'être un parent, ne peut pénétrer dans ce domaine privé. Il y a des gens, dans notre culture, qui préfèrent mourir plutôt que voir des étrangers violer son caractère sacré.

« Selon le règlement même de la prison, seules les femmes fonctionnaires de la police peuvent entrer dans la chambre d'une prisonnière, lui dis-je.

– Je serai présent.

– Alors, il n'y aura pas de visite du tout. J'appelle ma sœur. »

Sanam est déjà arrivée chez ma mère, et je suis le couloir pour aller les prévenir que la rencontre est remise à plus tard. Mais le capitaine est toujours derrière moi.

« Où voulez-vous aller ? Vous ne pouvez pas entrer ici », lui dis-je, stupéfaite. Mais il reste indifférent. « Savez-vous qui je suis ? dit-il en élevant la voix. Je suis capitaine dans l'armée pakistanaise et je vais où je veux.

– Et savez-vous qui je suis ? dis-je sur le même ton. Je suis la fille de celui qui vous a ramené après votre honteuse reddition à Dacca. »

Le capitaine Iftikhar lève la main pour me frapper. Alors éclate la colère que je m'étais efforcée de réprimer.

« Quelle honte ! Vous osez lever la main sur moi, dans cette maison, près du tombeau de l'homme qui vous a sauvé. Vous et votre armée, vous étiez aux pieds des généraux indiens; c'est mon père qui vous a rendu votre honneur. Et vous levez la main sur sa fille?

– Nous allons bien voir!» crache-t-il avant de tourner les talons. La visite de Sanam est annulée.

J'écris au tribunal devant lequel nous avons, ma mère et moi, contesté notre arrestation, aussitôt enfermées à Al-Murtaza. Sous la loi martiale, en 1979, les tribunaux civils étaient encore autorisés à revenir sur les arrestations opérées par décision militaire. J'expose ce qui s'est produit dans nos appartements privés. Le général Zia a souvent parlé du caractère sacré du *Chador* et du *Char Divari*, le Voile et les Quatre Murs, symboles de la vie familiale. Encore que ni lui ni le capitaine Iftikhar ne semblent en faire grand cas. Je donne ma lettre au geôlier qui promet de la remettre au tribunal, et m'en donne un reçu. J'ignore à ce moment combien ce reçu sera précieux.

Cogito, ergo sum. Je pense, donc je suis. J'ai toujours eu à Oxford des difficultés avec ces prémisses philosophiques, et j'en ai plus encore maintenant. Je pense, même quand je ne le voudrais pas, mais plus les jours, lentement, passent, moins je suis sûre d'exister. Pour exister vraiment, il faut réaliser quelque chose, agir et produire une réaction. Je n'ai rien sur quoi laisser ma marque.

L'empreinte de mon père sur moi, en revanche, m'aide à tenir. Endurance, honneur, principes. Dans les histoires qu'il nous racontait quand nous étions enfants, les Bhutto remportaient toujours une victoire morale. «Rupert fondit sur moi dans les bois de Woodstock.» Ainsi commençait le récit de sa rencontre près d'Oxford avec Rupert de Hentzau, le traître des romans d'Anthony Hope. Mon père, en bondissant, brandissait une épée imaginaire. «Il me tranche l'épaule, me découpe une jambe en rondelles. Mais je retourne au combat, car un homme d'honneur lutte jusqu'à la mort.» Sous nos yeux fascinés, il parait un coup, poussait une botte, sans se soucier du sang qui coulait de sa blessure à la poitrine. Et, se fendant soudain, il achevait Rupert avant de s'écrouler, épuisé, dans son fauteuil. «Notre blessure», disait-il en soulevant sa chemise pour nous montrer la cicatrice de son appendicite.

Forte de ces légendes, je ne voyais pas, après le coup d'État, pourquoi il ne triompherait pas aussi bien de Zia. Je n'avais pas encore distingué nettement les fabuleux défis qu'il imaginait pour nous de l'épreuve réelle qui l'attendait.

Septembre 1977. D'énormes murs de brique hérissés de barbelés, de petites fenêtres haut perchées garnies de grillage rouillé, de lourdes grilles de fer : c'est la prison de Kot Lakhpat. La porte qui s'ouvre dans la grille ferraille et grince quand je la franchis. Je n'étais jamais encore entrée dans une prison.

Je me retrouve devant un autre mur d'acier, gardé celui-ci par un policier armé. Tout autour de moi, des hommes, des femmes et des enfants portant des boîtes-repas se pressent vers une petite porte percée dans le revêtement métallique. Pas de facilités dans les prisons pakistanaises : vêtements, literie, vaisselle et même nourriture doivent être fournis par les familles des détenus. Ceux dont les parents sont trop pauvres pour un tel «luxe», ou qui sont condamnés à une détention rigoureuse, sont mis en classe C dans des cellules collectives : on y dort à cinquante par terre sur des nattes pouilleuses, avec un trou dans un coin pour les toilettes, et l'on vit d'une ration quotidienne de deux bols de lentilles nageant dans l'eau, et un morceau de pain. Pas de ventilateur pour alléger la chaleur – plus de 30° – ni de douches pour se rafraîchir et se laver. On me conduisit dans le bureau du directeur de la prison pour y rencontrer mon père.

«En reprenant cette accusation de meurtre, Zia se déclare plus ouvertement contre nous, me dit-il. Les autres enfants doivent quitter le pays sans délai, avant qu'il ne rende leur départ impossible. Surtout les garçons. Je veux qu'ils aient filé dans les vingt-quatre heures.

– Oui, papa. » Mais je sais que Mir et Shah ne pourraient se résoudre à partir maintenant. Comment s'absorber dans des études avec un père en prison ? Et ils ont tant travaillé à Larkana et à Karachi pour préparer ces élections qu'avait promises le général.

« Tu as fini tes études, mais si tu veux retourner en Angleterre, vivre plus en sécurité, je le comprendrai. Tu peux partir. Si tu décides de rester, sache que la tempête est sur nous.

– Je resterai, papa, et je t'aiderai pour ton procès.

– Il te faudra beaucoup de courage. »

Mir partit à regret pour l'Angleterre quelques jours plus tard. Il ne devait jamais revoir son père. Ni Shah Nawaz, qui fit le long trajet jusqu'à la prison quelques jours avant de retourner en Suisse.

« J'ai l'autorisation de voir mon père, dit-il aux gardes de la première enceinte. Je viens lui dire au revoir.

– Nous n'avons pas de consignes pour vous. On ne peut pas vous laisser entrer. »

Mon père qui, par hasard, avait franchi l'enceinte intérieure pour un entretien avec ses avocats, surprit la discussion.

« Tu es mon fils, dit-il à voix haute, ne leur demande pas de faveur. Retourne à tes études et travaille sérieusement. Que je sois fier de toi. »

Shah Nawaz partit deux jours plus tard pour le collège américain à Leysin, et Sanam retourna bientôt à Harvard. Dix jours après, le 29 septembre 1977, je fus arrêtée pour la première fois.

La foule. Un fourmillement de gens : des jeunes en *shalwar khameez* grimpés sur les arbres et les lampadaires, en équilibre sur les bus et les camions. Des familles penchées aux fenêtres, sur les toits et les balcons. Des milliers de personnes si étroitement serrées les unes contre les autres qu'elles n'auraient pas pu tomber, et des femmes en *burqas* se hasardaient au bord de la foule, prenant le risque d'être vues en public. La fille de leur Premier ministre détenu était venue leur parler.

Une femme sur la scène politique, ce n'était pas si nouveau pour eux que je le croyais. D'autres femmes du sous-continent indien avaient repris avant moi le drapeau d'un mari, d'un frère, d'un père. L'héritage par les femmes des familles politiques était devenu une tradition du Sud asiatique : Indira Gandhi en Inde, Sirimavo Bandaranaike au Sri Lanka, Fatima Jinnah et ma propre mère au Pakistan. Mais je n'aurais jamais pensé que cela m'arriverait.

Debout sur une estrade improvisée de la ville industrielle de Faisalabad, j'étais terrifiée. À vingt-quatre ans, je ne me prenais ni pour un leader politique ni pour un orateur. Mais je n'avais pas le choix. «Chérie, m'avait dit ma mère une semaine plus tôt, il faut faire campagne. Nous devons nous partager le programme de ton père. Les autres dirigeants du PPP qui ne sont pas en prison ont déjà pris leurs engagements. Il ne reste plus que nous.

– Mais je ne saurai pas quoi dire.

– Ne t'inquiète pas, nous te préparerons un texte.»

«Bhutto *ko reha karo!* Bhutto libre!» scandait la foule. Le même cri qu'ils avaient été un million à lancer la veille pour ma mère à Rawalpindi. J'étais derrière elle sur l'estrade, à regarder, à apprendre. «Si le père est en prison, la mère est encore libre, criait-elle à l'auditoire. Je n'ai ni tanks ni fusils, mais ce que je suis sûre d'avoir, c'est la force invincible des opprimés face aux puissances du monde.»

Sa voix était ferme, mais ses mains tremblaient un peu tandis qu'elle parlait au peuple, et mon cœur était avec elle. Elle ne désirait pas cette vie publique ni la charge du PPP tant que papa était en prison; elle souffrait encore d'hypotension et se sentait très faible. Quand les dirigeants du parti discutant de la présidence lui avaient proposé d'assumer l'intérim, elle avait refusé, mais, mon père lui ayant écrit pour lui demander d'accepter leur décision, elle s'y était pliée. Il ne restait que deux semaines avant les élections promises, et le peuple n'attendait que le retour du PPP.

L'«opération Fair play» de Zia apparaissait au contraire malhonnête à la grande majorité de la population. Moins de deux mois après le coup d'État, les minoteries nationalisées par mon père avaient été rendues à leurs anciens propriétaires, et d'autres dénationalisations étaient prévues. Les industriels, dans le pays, en profitaient pour licencier les syndicalistes. Rien qu'à Lahore, cinquante mille ouvriers furent mis à la porte. «Où est maintenant Bhutto, votre père?» disaient les patrons ironiques aux travailleurs qui avaient perdu la sécurité de l'emploi qu'ils avaient connue pour la première fois.

D'autres furent menacés de licenciements massifs et de réductions de salaire. Aux paysans qui comptaient vendre leurs récoltes aux prix garantis, on offrait des tarifs «à prendre ou à laisser». Une fois de plus, les propriétaires fonciers et les chefs d'entreprise empochaient les profits; les oignons valaient cinq fois leur prix de 1975, les pommes de terre deux fois, les œufs et la farine avaient augmenté de 30 %. Le scandale de ce renversement de politique, dénoncé par le PPP, lui ralliait tout le pays. Bhutto *ko reha karo!* Libérez Bhutto!

À Faisalabad, je me raccrochais au discours que j'avais répété maintes et maintes fois dans ma chambre d'Islamabad. Lève la tête, ne baisse pas les yeux, parle pour le fond de la salle. Toute une technique bien au point qui était celle de l'Union d'Oxford. À présent se déployait devant moi dans un stade une multitude humaine qui semblait sans limites. «Ne défie pas la junte, et ne donne pas à Zia de prétexte pour annuler les élections», m'avait prévenue ma mère. Mais la foule était portée par un élan irrésistible. «Je ne peux pas le croire, disait une employée du parti local en s'épongeant le front, je n'ai jamais vu de ma vie une assistance pareille.»

Quelqu'un me tendait les micros qui étaient reliés aux haut-parleurs sans prise de terre. Des étincelles crépitaient et s'échappaient des fils. Les gens, tandis que je parlais, essayaient, sur l'estrade, de les envelopper d'étoffe et de tenir les micros pour moi. Non, ce n'était plus l'Union d'Oxford.

«Quand j'étais en Inde avec mon père, pendant les négociations avec Indira Gandhi, il refusait de dormir dans son lit, mais se couchait sur le plancher.» Là j'apportais ma contribution personnelle au discours préparé. «Pourquoi fais-tu cela? lui demandai-je. — Je ne peux pas me coucher dans un lit en Inde, alors que, dans les camps, nos prisonniers de guerre n'ont que la terre pour dormir.» Et les acclamations se déchaînaient.

Un jour Kasur, le lendemain Okara. Entre les champs verdoyants où les fermiers se courbaient pour sarcler et irriguer, le PPP se frayait un chemin dans le centre agricole du Penjab; sur les routes, des foules enthousiastes ralentissaient notre avance. Le Penjab était le pays des *jawans* (simples soldats) de l'armée, la base des électeurs fidèles de mon père. Il avait assuré aux *jawans* un statut décent : vêtements chauds pour les soldats qui couchaient l'hiver dans les tranchées du Pakistan occidental, augmentation de solde, nouvelles chances de promotion pour les officiers sortis du rang. Maintenant, leurs familles venaient en masse nous soutenir. Zia se sentit piqué au vif.

«Le juge est là pour vous voir», dit mon hôtesse inquiète quand j'arrivai le 29 septembre à Sahiwal, la troisième étape de ma tournée.

«Cette maison a été déclarée lieu provisoire de détention. Vous êtes détenue pour quinze jours», m'annonça le juge.

Je n'en croyais pas mes oreilles. La police cernait la maison. Le téléphone était coupé, et par moments l'eau et l'électricité. Les routes étant barrées dans tout le voisinage, les habitants ne pouvaient regagner leur foyer. Mes hôtes, qui par la suite quittèrent le parti, étaient au même régime que moi. Je passai trois jours en rage, à marcher de long en large dans ma chambre, une femme de la police montant la garde dans le vestibule.

De quoi m'accusait-on? Je n'avais violé aucune loi, même selon la loi martiale. Je remplaçais seulement mon père pendant le mois de campagne autorisé par Zia lui-même. J'ignorais presque tout, alors, de ce qui se jouait dans la partie où je me trouvais engagée. «Ma fille a l'habitude de porter des bijoux. Elle portera avec fierté ses chaînes de prisonnière», dit ma mère à un meeting où la foule avait dépassé toutes les prévisions. Les auditoires énormes que nous attirions anéantissaient l'espoir de Zia de battre politiquement le PPP. Bhutto en prison était encore plus redoutable que lorsqu'il était en campagne.

Le lendemain, le général annonça à la télévision que les élections n'auraient pas lieu.

Je compris, dès lors, qu'il n'y avait plus de lois.

24 octobre 1977. Premier jour du procès de mon père pour complot criminel. Contrairement aux autres affaires de meurtre, qui s'engagent dans les secondes chambres, celle-ci débuta devant la Haute Cour de Lahore, ce qui privait mon père d'une chance de faire appel. Le juge qui l'avait libéré six mois plus tôt avait été relevé de ses fonctions, et l'on avait constitué un tribunal de cinq magistrats soigneusement choisis. Leur premier acte fut d'annuler la liberté provisoire, ce qui eut pour effet de retenir mon père sous l'inculpation de meurtre et aux ordres de l'administrateur de la loi martiale.

Du moins étais-je libre de travailler avec ma mère à sa défense. On m'avait relâchée peu après l'annulation des élections. Un de nos partisans nous avait loué une maison non meublée à Lahore, capitale du Penjab; elle nous servirait de bureau et de lieu de réunion pour le PPP pendant le procès. Chaque jour l'une de nous assistait aux audiences dans le bel édifice construit par les Anglais en 1866. La justice y était dans tout son apparat, depuis le plafond à caissons jusqu'au superbe tapis rouge. Tout le monde se levait à l'arrivée de la Cour, précédée d'un huissier en long manteau vert et turban blanc, portant une canne de bois à pommeau d'argent. Les juges en robes noires et perruques blanches prenaient place sur cinq chaises à haut dossier sous un dais de soie rouge orné de glands. Les avocats de mon père étaient déjà là, vêtus de robes de soie noire par-dessus leurs jaquettes, de chemises blanches empesées à col cassé et de pantalons rayés. Assise avec les autres spectateurs dans les rangées de bancs de bois, j'aurais dû me sentir rassurée : ce procès semblait respecter les plus pures traditions de la justice britannique. Il n'en était rien.

L'accusation reposait essentiellement sur les aveux de Masoud Mahmoud, directeur général des Forces fédérales de sécurité (FSF). C'était l'un des fonctionnaires arrêtés peu après le coup d'État, et torturé, disait-on, pour fournir de faux témoignages contre mon père. Après bientôt deux mois de détention par l'armée, il avait décidé de devenir un «repenti» qui, reconnaissant sa complicité dans un crime, obtient son pardon sur sa promesse de dire la «vérité» au sujet des autres participants. Il affirmait maintenant que mon père lui avait donné l'ordre de tuer Kasuri.

Son témoignage était le seul qui impliquât mon père dans le prétendu complot. Les quatre autres «co-accusés», membres eux aussi des Forces fédérales de sécurité, étaient sous les ordres du directeur général. Arrêtés comme Mahmoud peu après le coup d'État, ils n'avaient pas assisté à l'attentat.

Tandis que les quatre accusés des FSF étaient assis près de leurs avocats, mon père, entouré d'agents de renseignements, se tenait dans un box spécialement construit pour lui. Le premier jour de ce procès qui allait durer cinq mois, Maulvi Mushtaq Hussein, premier juge par intérim, lui avait dit ironiquement : «Vous sachant habitué au luxe, je vous ai fait mettre une chaise au lieu d'un banc.» L'un des plus hauts magistrats acquis à Zia, il était du même pays – Jallandar en Inde – et c'était un vieil ennemi de mon père, qu'il avait déjà jugé lors de ses démêlés avec Ayub Khan. Sous le gouvernement du PPP, il avait été écarté des fonctions de premier juge et d'une promotion à la Cour suprême, après celles de ministre de la Justice et de procureur général; mon père l'avait jugé incompétent partout. Peu après le coup d'État, Zia l'avait nommé commissaire principal aux élections, bafouant la séparation de l'exécutif et des sections judiciaires du gouvernement. Comment aurait-il été impartial?

Le parti pris du tribunal était évident. Le premier jour du procès, Mian Abbas, l'un des accusés des FSF, homme honnête et courageux, revint sur son propre témoignage : «Mes aveux m'ont été arrachés sous la torture», déclara-t-il. Le lendemain, il n'était plus là – malade selon le procureur.

La défense demanda copie des dépositions des témoins contre mon père. La requête fut différée jusqu'à «un moment opportun». Au cours du procès, M. D. M. Awan, premier avocat de la défense, fut convoqué chez le premier juge, où on l'invita à «songer à son avenir». Et comme il persistait dans son respect de la légalité, on se vengea en rendant des jugements défavorables dans les autres affaires qu'il défendait devant le tribunal. Il finit par conseiller à ses clients de trouver un autre avocat.

J'étais là quand Maulvi Mushtaq déforma le témoignage du chauffeur de Masoud Mahmoud, pour tenter d'établir un lien entre mon père et le directeur général des FSF. «Est-il vrai que vous avez conduit Masoud Mahmoud chez le Premier ministre?

– Non, répondit le chauffeur effrayé.

– Écrivez : "J'ai conduit Masoud Mahmoud chez le Premier ministre", ordonna le juge au sténographe.

– Objection, my Lord! dit l'avocat de la défense, se levant.

– Objection rejetée!» coupa Maulvi Mushtaq en fronçant de rage ses épais sourcils blancs. Puis, se tournant vers le témoin : «Ce que vous vouliez dire, c'est que vous ne vous souveniez pas, mais vous pouvez avoir conduit Mahmoud chez le Premier ministre.

– Non, monsieur. Je ne l'ai pas conduit.

– Écrivez : "Masoud Mahmoud conduisait lui-même pour aller voir le Premier ministre", dicta le juge au sténographe.

– Objection ! répéta l'avocat en se levant de nouveau.

– Asseyez-vous !» rugit le juge, puis il se retourna vers le chauffeur : «Masoud Mahmoud a pu conduire lui-même ?

– Non, monsieur.

– Pourquoi ?

– Parce que j'avais les clés, monsieur», répondit l'homme en tremblant.

Un avocat anglais, John Matthews, avocat de la Couronne, qui vint en novembre assister au procès, confia plus tard son indignation à un journaliste. «J'ai trouvé particulièrement inquiétante la manière dont la Cour interrompait la réponse favorable d'un témoin, en la reprenant pour la réduire à rien ou en modifier le sens.» Les avocats de la défense étaient plus inquiets encore ; à la fin du procès, aucune de leurs objections ni des contradictions qu'ils avaient relevées dans les témoignages n'apparaissaient au long des 706 pages du compte rendu d'audience.

On ne prétendait pas d'ailleurs à l'impartialité. En arrivant un matin, je surpris les propos d'Abdul Khalid, directeur adjoint du bureau fédéral d'enquêtes, donnant à un groupe de témoins ses instructions pour leur déposition. «Quelle justice est-ce là ?» protestai-je à haute voix. Les gens commencèrent à se rapprocher. «Emmenez-la, ordonna Khalid à la police. – Je ne partirai pas !» criai-je, résolue à créer un incident pour mettre dans l'embarras le ministère public. «Arrêtez-la !» hurla-t-il encore. Comme la police approchait, le bruit courut dans les couloirs que mon père arrivait de la prison. Ne voulant pas lui donner le spectacle de sa fille brutalisée et chassée du tribunal, je me retirai. J'appris plus tard qu'on avait loué une maison près de là, bien pourvue de nourriture et de boissons pour y mettre la dernière main aux dépositions des témoins.

Ramsey Clark, ancien garde des Sceaux aux États-Unis, vint observer le déroulement du procès et publia ensuite un article dans *La Nation*. «Le dossier de l'accusation était entièrement fondé sur quelques témoins, détenus jusqu'à leur déposition, qui modifiaient et développaient leurs aveux et témoignages à chaque fois, se contredisant eux-mêmes, et les uns les autres : sauf Masoud Mahmoud (directeur général des FSF), ils ne faisaient que répéter ce qu'on leur disait ; leur témoignage menait à quatre hypothèses différentes de ce qui s'était passé, sans aucune confirmation d'un témoin oculaire, d'une preuve directe ou matérielle.»

Je croyais à la justice, aux lois et aux valeurs morales, au témoignage sous serment et aux procédures juridiques. Mais il n'y eut rien de tout cela pendant ce procès grotesque. La défense faisait état d'un journal de bord de l'armée, selon lequel la Jeep qui était censée avoir servi à l'attentat n'était même pas à Lahore ce jour-là. Le ministère public le contestait, alors qu'il avait lui-même proposé ce document à la Cour dans son dossier.

La défense produisit des bons de transport des FSF prouvant que Ghulam Hussein, l'officier qui aurait organisé et supervisé le meurtre, était alors à Karachi pour une autre mission. Ces bons établissaient d'ailleurs qu'il y séjournait aussi dix jours avant et dix jours après l'attentat. Là encore, le procureur avait déclaré ces documents «intentionnellement falsifiés», bien qu'il n'en ait jamais été question avant, ni dans ses propos ni dans les aveux des «repentis».

On eut la preuve irréfutable que toute l'accusation était fabriquée quand les avocats de mon père eurent obtenu copie du rapport de la balistique au sujet des coups de feu réels. Les positions supposées des agresseurs ne correspondaient pas aux impacts des balles sur la voiture. Il y avait eu quatre assassins et non deux comme l'affirmait l'accusation. En outre, les armes des FSF que les « repentis » disaient avoir utilisées ne correspondaient pas davantage aux cartouches vides trouvées sur les lieux. « Nous avons gagné ! » me dit, folle de joie, Rehana Sarwar, sœur d'un de nos avocats et avocate elle-même.

Je bondis aussitôt le dire à mon père, au moment de la pause thé. Tandis que les « repentis » pouvaient bavarder tant qu'ils le voulaient avec leurs familles, on le poussait souvent, sous bonne garde, dans une petite arrière-salle. « Papa, dis-je, nous avons gagné ! » et je lui parlai de l'enquête balistique. Je n'oublierai jamais son air indulgent devant mon enthousiasme. « Tu ne comprends pas, Pinkie, dit-il avec douceur. Ils vont me tuer. Peu importe les preuves. Ils vont me tuer pour un meurtre que je n'ai pas commis. »

Je le regardais, atterrée, incrédule, refusant de le croire. Aucun de nous dans la salle, y compris ses avocats, ne voulut le croire. Mais il savait, lui. Il avait compris depuis que les soldats de Zia étaient venus le chercher à Karachi, en pleine nuit. « Fuis », lui avait demandé sa sœur dès les premières rumeurs d'accusation de meurtre. D'autres encore l'avaient pressé de quitter le pays. Sa réponse avait toujours été la même : « Ma vie est entre les mains de Dieu, et de personne d'autre, me dit-il encore ce jour-là. Je suis prêt à me présenter devant lui dès qu'Il m'appellera. J'ai la conscience tranquille. Le plus important pour moi, c'est mon nom, mon honneur et ma place dans l'histoire. Et je me battrai pour cela. »

Il savait qu'on peut emprisonner un homme, mais pas une idée. Exiler un homme, le tuer, mais pas une idée. Aveugle à tout cela, Zia avait pour le peuple un message bien différent : Voyez votre Premier ministre. Il est fait de chair et de sang comme n'importe quel humain. À quoi, aujourd'hui, lui servent ses principes ? Il peut être tué comme vous. Voyez ce que nous lui avons fait, imaginez ce que nous pouvons contre vous.

Mon père essaya de me faire comprendre ce qui se préparait. Mais ce qu'il me disait me semblait très lointain et je ne fis rien pour m'en rapprocher. Sinon, je n'aurais jamais pu continuer à combattre l'une après l'autre les nouvelles accusations dont on le chargeait. La lutte pour sauver son honneur était devenue la mienne.

Le lendemain de l'arrestation de mon père à Karachi, Zia publia l'ordonnance n° 21 de la loi martiale. Tous les membres de l'Assemblée nationale, tous les sénateurs et membres des gouvernements provinciaux de 1970 à 1977 (l'époque du Parti du peuple pakistanais) étaient tenus de soumettre au régime militaire des déclarations détaillées de leurs propriétés et acquisitions, des terres, machines et bijoux, jusqu'aux polices d'assurances et aux fournitures de bureau. La peine pour défaut de déclaration était de sept ans d'emprisonnement rigoureux et la confiscation des biens.

Si le régime militaire jugeait que les propriétés et les capitaux avaient été acquis grâce à l'influence politique ou qu'il y avait eu abus des biens du gouvernement, le coupable était exclu de toute fonction politique, obtenue par nomination ou élection. Les exclusions se faisant par choix arbitraires, les autorités de la loi martiale utilisaient la nouvelle loi pour rallier par la menace les membres du Parlement au régime militaire. La seule chance pour les victimes de faire appel de leur exclusion était un tribunal institué par le régime même qui les avait d'abord exclus. Naturellement, ceux qui se soumettaient se voyaient miraculeusement réintégrés.

En tête de la première liste des personnalités politiques disqualifiées venait ma mère, bien qu'elle n'ait été que trois mois au Parlement. Elle eut à comparaître plusieurs fois devant le tribunal, où le régime eut bien de la peine à trouver des charges contre elle. Il fallait sans cesse ajourner les audiences. Mais, pendant l'automne et l'hiver de 1977, la cible la plus importante fut mon père, dont Zia s'acharnait à vouloir ruiner la réputation.

« Bhutto a dépensé les fonds du gouvernement pour fournir aux permanents du Parti du peuple des motos et des bicyclettes. Ses maisons de Larkana et de Karachi sont climatisées aux frais du gouvernement. Il se sert de nos ambassades à l'étranger pour s'offrir de la vaisselle et des vêtements sur les fonds publics. » On accumulait les accusations contre mon père : corruption, détournements de fonds, crimes même, sachant qu'il lui serait difficile de les réfuter du fond de sa prison. On avait même pris la précaution supplémentaire d'emprisonner sa secrétaire personnelle. Mais il avait un système de classement qui se révéla extraordinairement efficace dans les soixante affaires et quelques auxquelles nous devions faire face.

Je découvris dans les dossiers de Karachi tout ce qu'il nous fallait pour prouver la fausseté de ces accusations. Jour après jour, je progressais dans les comptes de la famille, je faisais aussitôt des copies pour les avocats, et je recevais en échange de nouvelles instructions sur les documents dont ils avaient besoin. Mon père avait gardé la trace de la moindre dépense, jusqu'à un reçu de 24 dollars pour l'achat d'un tissu en 1973, pendant un voyage en Thaïlande, ou 218 dollars en 1975 pour de la colle italienne à papier peint. Je m'aperçus avec surprise qu'il avait payé de sa poche les lunettes qu'il mettait pour lire, bien que le Premier ministre fût pris en charge en ce qui concernait sa santé. Mais les journaux ne faisaient état que des accusations, jamais de nos réfutations. Je ronéotypais celles-ci pour les distribuer dans le peuple.

Nous avions aussi composé une brochure, plus tard reliée en volume, sous le titre *Bhutto : rumeurs et réalité*, qui rappelait les bruits qu'on avait répandus contre mon père, puis la réalité des faits. Entreprise dangereuse, car tout texte favorable à sa cause était considéré comme «séditieux» par le régime; l'imprimer et le diffuser entraînait l'emprisonnement et la confiscation du matériel. Ces réfutations étaient pourtant nécessaires, pour les Pakistanais comme pour les journalistes étrangers que le régime inondait de sa propagande contre mon père et le PPP. Mais il fallait toujours faire davantage.

« Il faut appeler le peuple à la grève, aux manifestations, à une action… », disais-je dans mon impatience aux dirigeants du parti qui venaient en secret le soir à notre local. Mais ils tergiversaient. « Ne faisons rien avant d'avoir un programme. » Comme les autres jeunes, je m'irritais de leur apathie. « Allons prier dans les *mazaars* », proposai-je, pensant que le régime, qui répétait « islam, islam, islam » à toutes les oreilles, n'oserait pas nous empêcher de nous recueillir sur les tombes de nos saints. L'idée fut retenue ; les permanents du PPP commencèrent à se réunir dans les mosquées et les *mazaars* à travers tout le pays, y lire le Saint Coran et prier pour la liberté de mon père. Mais je m'étais trompée : le régime sévit lourdement, même autour des *mazaars*.

Les arrestations et les peines de fouet continuèrent : 700 en décembre 1977. L'exemple de Khalid Ahmed, commissaire adjoint de Larkana, révèle ce que le régime avait fait à Masoud Mahmoud et aux autres fonctionnaires arrêtés après le coup d'État pour les obliger à témoigner contre mon père. Deux soldats vinrent chez lui à Lahore avec un ordre écrit de Zia, me raconta sa femme, Azra. « Si tu n'as pas de nouvelles demain, lui dit-il avant qu'on l'emmène, tu sauras que j'ai des ennuis. » Sans nouvelles, elle finit par le retrouver un mois plus tard dans une prison d'Islamabad – et elle aurait presque préféré ne pas le revoir. « Je n'oublierai jamais ce jour-là. Son visage était couleur de cendre, ses lèvres sèches et crevassées ; une écume blanche avait séché autour de sa bouche. On lui avait envoyé des décharges électriques dans les parties génitales. Ils voulaient le forcer à déposer devant le tribunal contre M. Bhutto. »

Khalid resta cinq mois au régime cellulaire. Azra allait chaque soir dans un jardin public qui donnait sur la prison. « On lui accordait une demi-heure d'exercice quotidien, et j'attendais des heures assise sur un banc pour tâcher de l'apercevoir, et m'assurer qu'il était encore vivant. »

Il fut sauvé, sans doute comme beaucoup d'autres, par une requête que présenta ma mère à la Cour suprême peu après la première arrestation de mon père, contestant le droit de la loi martiale à le détenir. En novembre 1977, la Cour confirma la légalité de la loi martiale, comme loi de « force majeure », analogue à la règle coranique qui autorise un musulman à manger du porc s'il ne dispose d'aucune autre nourriture. Mais elle précisait aussi que la loi martiale ne valait que pour une période limitée, les neuf mois nécessaires au régime pour organiser des élections régulières et libres.

Les juges décidèrent aussi que les principaux tribunaux civils garderaient le pouvoir de réviser, en fonction de la Constitution, les décisions des tribunaux militaires. Sans cette disposition, des milliers de personnes, y compris des militants et des fonctionnaires, arrêtées depuis le coup d'État, n'auraient jamais pu faire appel de leur détention. Bien que la procédure d'appel demande – je l'avais expérimenté moi-même – plusieurs mois pour atteindre la Cour, au moins le recours aux tribunaux civils laissait-il alors quelque espoir.

La Haute Cour relâcha Khalid Ahmed en décembre 1977, faute d'avoir trouvé la moindre preuve contre lui, et pas même un mandat d'arrêt. « Nos ordres venaient de plus haut », dirent les officiers. Mais de même que le régime avait tourné toutes les décisions du tribunal pour arrêter mon père une seconde fois, Khalid fut encore menacé. Une semaine après sa libération, l'ancien commissaire apprit par un ami qu'on allait l'appréhender de nouveau en vertu de l'ordonnance n° 21 de la loi martiale pour l'usage abusif d'une voiture du gouvernement et d'un climatiseur ! « Je l'ai supplié de fuir », dit sa femme, les yeux pleins de larmes. Il partit la nuit même pour Londres. Azra éleva seule ses deux enfants. La persécution de cette famille, et de beaucoup d'autres, avait commencé en décembre 1977. Deux semaines plus tard, c'était l'escalade.

Les gaz lacrymogènes, des cris, des gens qui courent. Une violente douleur à l'épaule. «Maman, où es-tu? Est-ce que tout va bien? Maman!»

16 décembre 1977, l'anniversaire de la capitulation de l'armée devant l'Inde. Le stade Qaddafi à Lahore. Ma mère et moi, nous avons décidé d'aller à un match de cricket pour nous changer les idées. Nous prenons des billets pour les places réservées aux femmes, mais, trouvant les barrières fermées, nous passons par la seule entrée libre. Les spectateurs, en nous voyant, se mettent à nous acclamer et à applaudir, mais les joueurs quittent brusquement le terrain; là où était l'équipe de cricket, les policiers en ont mis trois à genoux.

Ouaf! Quelque chose de lourd passe à toute vitesse devant mon visage. On crie: «Les gaz! les gaz!» Les gens affolés se ruent vers les sorties condamnées. Je ne peux plus respirer, je ne vois rien, suffoquant dans les nuages toxiques qui nous gagnent. On croirait que les poumons prennent feu. Et mon épaule! J'ai failli tomber sous le choc. Tout autour de moi, dans un brouillard, la police assomme les gens à coups de bâton. J'appelle: «Maman! Maman!» Et je la retrouve appuyée aux rampes métalliques des tribunes.

Je crie: «Il faut emmener ma mère à l'hôpital!

— Non, dit-elle calmement. Allons trouver d'abord l'administrateur de la loi martiale.»

Le sang coule le long de son visage et tombe goutte à goutte sur sa robe. À travers la foule, nous partons chercher une voiture. «Conduisez-nous chez l'administrateur de la loi martiale», dit-elle. À l'entrée, le garde stupéfait nous laisse passer. Au moment où ma mère descend de voiture, la Jeep du général arrive derrière nous.

«Vous rappelez-vous ce jour, général?» dit-elle en abordant Iqbal, l'administrateur délégué de Zia pour le Penjab. «Ce jour-là vous vous rendiez, à Dacca, à l'armée indienne et aujourd'hui vous vous êtes encore déshonoré en répandant mon sang. Vous ignorez le mot honneur, général, vous ne connaissez que le déshonneur.»

Il la regarde, abasourdi. Se retournant avec dignité, elle rejoint la voiture, et nous partons pour l'hôpital où il faudra douze agrafes pour fermer sa blessure.

L'après-midi, on vient m'arrêter chez moi et l'on arrête ma mère à l'hôpital. Zia paraît à la télévision pour féliciter l'administration du Penjab de la façon dont elle a réglé l'incident. Et l'on exclut mon père du tribunal pour avoir dit «Nom de Dieu!» en s'inquiétant de ce qui nous était arrivé. «Emmenez-le jusqu'à ce qu'il ait recouvré la raison», dit le juge. Mon père déposa le lendemain une requête pour vice de procédure, qui fut repoussée.

Ma mère à l'hôpital et moi enfermée dans notre local vide à Lahore, je vis clairement pour la première fois jusqu'où irait Zia afin de venir à bout de notre courage. Je ne doutais pas que l'affaire du match de cricket ait été préméditée, les issues fermées par la police pour nous acculer à son barrage de gaz et de cannes de bambou. Les implications étaient terribles. On n'avait jamais encore choisi des femmes pour les punir et les harceler ainsi. On entrait dans une époque telle que le Pakistan n'en avait pas connu. Qu'ils furent sombres ces jours à Lahore, enfermée seule avec les ronéos et les machines à écrire.

Moins d'une semaine après, ma mère me rejoignit en détention, toujours avec ses agrafes. Qu'arrive-t-il? nous demandions-nous, incrédules. Avions-nous vécu ces horreurs? Nous avions du mal à l'admettre. Mais c'était pourtant ce qui soutenait notre courage; chaque nouveau coup fortifiait notre détermination. À ma colère succédaient la révolte et la fermeté. Ils croyaient pouvoir m'humilier? Qu'ils y viennent!

Je passai enfermée le premier Nouvel An depuis mon retour au Pakistan. L'année précédente à la même époque, je revenais d'Oxford à Al-Murtaza et je rencontrais Zia pour l'anniversaire de mon père. Son anniversaire, maintenant, mon père le vivait en prison. Ma mère et moi, nous pointions chacun de nos quinze jours de captivité, maman faisait des réussites, regardant parfois la télévision, que nous laissions branchée en permanence seulement pour entendre d'autres voix.

Je vis passer avec tristesse le jour où j'aurais pu rendre visite à mon père. Cela me faisait toujours du bien de le voir, et de rapporter ses instructions, notées pour moi sur les blocs jaunes officiels qu'il gardait dans sa cellule. Je trouvais cet endroit affreux, avec son plancher sale et son maigre filet d'eau, sans me douter que de bien pires l'attendaient.

On l'avait logé près d'un groupe de prisonniers à l'esprit dérangé qui braillaient toute la nuit, en s'assurant aussi qu'il entendrait fouetter dans la cour les autres détenus politiques, auxquels on allait parfois jusqu'à mettre des micros dans la bouche. Mais le régime ne put le briser. «Je garde le moral, me dit-il un jour. Je ne suis pas d'un bois qu'on brûle facilement.»

Cependant, les feux de la violence brûlaient hors de la prison. Au début de janvier 1978, le régime ordonna son premier massacre. Avant l'arrestation de ma mère et la mienne, le PPP avait prévu pour le 5 janvier, anniversaire de mon père, un Jour de la Démocratie. Les ouvriers de l'usine textile de Multan, qui s'étaient mis en grève parce que les patrons avaient réduit leurs primes, voulaient en profiter pour manifester. Ils n'en eurent jamais l'occasion.

Trois jours avant la date, l'armée boucla les portes de l'usine, s'installa sur le toit et tira de là sur les travailleurs pris au piège. Ce fut l'une des pires tueries qu'ait connues le sous-continent. On parla de centaines de morts ; deux cents, trois cents, personne ne savait au juste. Pendant des jours, on découvrit des cadavres dans les champs, dans les caniveaux. Zia lançait un avertissement aux membres de la classe ouvrière qui étaient le pivot du PPP : se soumettre ou se faire tuer.

Le Jour de la Démocratie fut un des plus sombres de la dictature. On arrêta dans tout le pays des milliers de nos partisans et les brutalités s'aggravèrent.

On fouettait quiconque disait : «Vive Bhutto» ou «Vive la démocratie», et ceux qui portaient un drapeau du PPP. L'exécution était immédiate, souvent moins d'une heure après la sentence, parce qu'on pouvait alors faire encore appel devant les tribunaux civils. À la prison de Kot Lakhpat, les condamnés étaient liés au chevalet bras et jambes écartés. Des médecins étaient chargés de prendre le pouls des victimes pour éviter que le châtiment ne soit abrégé par la mort. On les ranimait souvent en leur faisant respirer des sels pour que le nombre de coups prescrit, habituellement de dix à quinze, puisse être respecté.

Les châtiments publics, hors de la prison, devenaient aussi plus fréquents. Jugements et sanctions immédiats de tribunaux militaires mobiles étaient rendus par un seul officier de la loi martiale, qui parcourait les bazars pour savoir si les marchands trompaient le client sur le poids, vendaient trop cher ou écoulaient des produits de mauvaise qualité. À Sukkur, un officier demanda qu'on lui livre un homme, n'importe lequel. «Il nous faut quelqu'un à fouetter», dit-il. Le gardien du marché, ne sachant que faire, finit par lui amener un individu soupçonné de vendre du sucre au marché noir. Bien que ce «crime» fût commun à presque tous les gens du bazar, l'homme fut aussitôt et publiquement fouetté.

Rien dans ma vie ne m'avait préparée à une telle sauvagerie. Toute la structure sociale que j'avais connue en Amérique, en Angleterre et au Pakistan sous la Constitution de 1973, s'écroulait.

Le jour où s'achevait notre détention, les portes s'ouvrirent pour laisser entrer le magistrat mais non pour nous laisser sortir. Il nous remit au contraire un nouvel ordre de quinze jours de captivité, ce qui allait à l'encontre d'une autre disposition légale ; sous le gouvernement civil de mon père, la détention préventive était extrêmement limitée : nul ne pouvait être retenu plus de trois mois – en tout et non consécutifs – en une même année, et les tribunaux recevaient les requêtes dans les vingt-quatre heures. Une nouvelle et terrible histoire commençait pour le Pakistan.

Relâchée, détenue ; libérée, captive. Pendant le procès de mon père, le régime usa d'un pouvoir arbitraire pour nous tenir en suspens, ma mère et moi, nous lâchant et nous reprenant sans cesse, de sorte que nous ne pouvions faire aucun projet. Ce fut le cas pendant les premiers mois de 1978, au point que les autorités elles-mêmes semblaient ne plus savoir si je partais ou si j'arrivais.

Au milieu de janvier, nous pûmes enfin quitter Lahore, et je pris immédiatement l'avion pour Karachi, où j'étais convoquée par l'administration des impôts. Le motif? Dresser la liste de l'actif et du passif de mon grand-père, qui était mort lorsque j'avais quatre ans. N'étant pas même héritière, je n'étais tenue par aucune loi civile ni militaire de répondre aux questions concernant les biens de mon grand-père. Mais peu importe, faute d'obtempérer, précisait la mise en demeure, une décision *ex parte* serait automatiquement prise contre moi. J'arrivai à minuit au 70, Clifton.

Bang! Bang! Je fus tirée du lit à 2 heures du matin. «Qu'est-ce que c'est?» criai-je, avec cette angoisse qui ne m'avait jamais vraiment quittée depuis qu'un commando avait fait irruption dans ma chambre quatre mois plus tôt. «La police cerne la maison», me dit Dost Mohammed. Je m'habille et je descends.

«On vous a retenu une place dans l'avion de 7 heures pour Lahore, me fit l'officier. Vous êtes interdite dans la province du Sind.

– Pourquoi? Je viens d'arriver pour répondre à une accusation portée contre nous par votre régime.

– Le général Zia veut recevoir à un match de cricket le Premier ministre de Grande-Bretagne, Callaghan.»

D'abord, je restai sans voix. «Quel rapport cela a-t-il avec moi? Je ne savais même pas qu'il y avait un match de cricket.

– Le général ne veut pas d'agitation. Vous pourriez décider d'y assister, c'est pourquoi il a ordonné votre expulsion.»

À 6 heures, on m'emmena sous bonne garde à l'aéroport, et je fus embarquée dans un avion pour Lahore. Pourquoi ne pouvais-je seulement rester sous surveillance à Karachi pour la journée?

Deux jours après, je déjeunais à Lahore avec des amis, quand la police vint cerner la maison. «Vous êtes détenue pour cinq jours, me dit l'officier.

– Pourquoi?

– C'est l'anniversaire de la mort de Data Sahib» – je le savais, car c'est un de nos saints les plus révérés –, «vous pourriez décider d'aller sur sa tombe.»

Je retournai en détention avec ma mère. Elle faisait des réussites pendant que je marchais de long en large. Le téléphone était coupé et nous n'avions plus de courrier. Quand je sortis au début de février, j'allai aussitôt voir mon père. À cause de toutes ces détentions, j'avais manqué trois précieuses visites. Mais je n'avais manqué aucune audience.

Bien que le juge ait assuré à la presse mondiale que le procès se déroulerait «en pleine lumière», la salle resta fermée à tous les spectateurs le 25 janvier, le lendemain du jour où mon père commença sa déposition. Le monde avait été invité à entendre l'accusation, mais il n'y aurait personne pour écouter la défense. Écœuré du parti pris de la Cour, mon père avait déjà retiré ses avocats. Dès lors, il se refusa à tout témoignage et garda le silence pendant la plupart des séances.

Le juge du Penjab profita des débats à huis clos pour exprimer ses préjugés raciaux contre les Sindis, habitants de l'extrême sud du Pakistan, dont mon père était originaire. Les têtes du PPP, comme mon père, réclamèrent un nouveau procès en se fondant sur cet arbitraire, mais sans résultat.

Tandis que je m'occupais du procès, ma mère avait visité plusieurs villes du Penjab, notamment Kasur où elle avait prié devant le tombeau du saint musulman Buba Bullah Shah. « Je veux que tu ailles dans le Sind, me dit mon père à la prison. Maman et toi, vous avez passé tout votre temps dans le Penjab. Demande aux militants du PPP de te préparer une tournée. »

Je m'apprêtai, non sans appréhension, à quitter Karachi pour Larkana, sous prétexte d'aller me recueillir sur les tombes de mes ancêtres. Maman m'envoya à Karachi des conseils de prudence. « Garde-toi d'insulter ou de critiquer Zia ; mets plutôt l'accent sur des sujets comme la hausse des prix. Tu dois défendre notre cause et servir le parti », m'écrivait-elle de Lahore au retour d'un voyage secret à Multan pour réconforter les familles des ouvriers massacrés à l'usine. Elle m'indiquait les noms des foyers à visiter, ceux dont des membres avaient été arrêtés, combien d'argent je devais donner à chacun en fonction du nombre d'enfants. « Si le travailleur est le seul salarié, prends son adresse pour que nous envoyions de l'argent tous les mois à la famille jusqu'à sa libération. » Puis elle concluait : « Tu peux prendre la Mercedes ; elle est puissante et robuste, elle a une bonne accélération. Avec toute mon affection. Ta maman. »

Musawaat annonça mon départ et mon itinéraire. Le 14 février, je partis pour ma première tournée dans le Sind, emmenant un rédacteur, un journaliste et un photographe de *Musawaat*. La bégum Soomro, qui dirigeait l'aile féminine du PPP Sind, me servait de chaperon.

Thatta, où Alexandre le Grand fit reposer ses troupes. Hyderabad, où les anciens attrape-vents des toits canalisaient les brises fraîches jusque dans les maisons. D'énormes foules se pressaient autour de la voiture tout le long du chemin. Les réunions politiques ayant été interdites par Zia, nous tenions les nôtres entre les murs des plus grandes propriétés. Debout sur les toits, nous regardions les gens entassés dans les cours comme des sardines. «Mes Frères et mes Aînés respectés, leur criai-je de toutes mes forces, car micros et haut-parleurs étaient interdits par le régime, je vous apporte les *salaams* – les salutations – du président Zulfikar Ali Bhutto. Le crime contre lui est un crime contre le peuple.» Therparkar. Sanghar. Chaque fois que c'était possible, je m'adressais aussi aux associations du barreau et aux clubs de la presse, pour y parler de l'illégalité du régime et de l'injustice commise contre mon père et le PPP.

Comme nous quittions Sanghar, les camions de l'armée nous barrèrent soudain le chemin, devant et par-derrière. On nous escorta baïonnette au canon jusqu'à la maison où nous devions passer la nuit.

«Vous ne pouvez pas continuer votre tournée, nous dit le juge du district.

– Où sont vos ordres? lui demandai-je. Je veux les voir par écrit.» Il n'en avait pas.

«On l'a envoyé pour nous faire peur, dit Makhdoum Khaliq, un dirigeant du PPP qui voyageait avec nous. Continuons.»

Le lendemain, nous partions pour Nawabshah, où la réunion allait être la plus importante de toutes. Mais quand la voiture arriva à la frontière Khairpur-Nawabshah, nous trouvâmes la route bloquée par les forces de sécurité. Et cette fois, ils avaient des papiers.

Je fus ramenée de Nawabshah à Karachi le 18 février avec interdiction de quitter la ville. Une fois encore, j'avais manqué ma rencontre de la quinzaine avec mon père.

Mars 1978. «J'ai appris dans l'entourage de Zia que la Haute Cour de Lahore allait condamner à mort Bhutto Sahib», me dit un journaliste à Karachi. Je transmis automatiquement les nouvelles à ma mère à Lahore et aux dirigeants du PPP pour le Sind et Karachi, bien que je ne veuille pas y croire moi-même. Mais les signes se multipliaient.

Trois criminels non politiques furent condamnés au début de mars à être pendus en public. En public! Il y eut de grands reportages dans les journaux et à la télévision. Les exécutions, organisées dans un lieu public, étaient annoncées comme une représentation théâtrale. 200 000 personnes vinrent assister à l'horrible spectacle de ces hommes en cagoules noires se balançant à la potence. Je me rends compte à présent que le régime préparait ainsi, psychologiquement, le pays à la condamnation de mon père. Je n'y voyais alors qu'un signe extrêmement inquiétant. Tout ce que je me rappelais, c'étaient les propos d'Asghar Khan un an plus tôt pendant la campagne électorale : «Pendrai-je Bhutto au pont d'Attock ou à un lampadaire?»

Tout allait dans le sens d'une décision de la Cour. Des soldats en civil occupaient les bâtiments administratifs et les banques. Des voitures blindées pleines de militaires patrouillaient dans Rawalpindi, et les rues du Sind étaient parcourues de camions hérissés de mitrailleuses. Puis commença une rafle massive de partisans du PPP, dont le seul tort aux yeux du gouvernement était l'agitation qu'ils risquaient de causer lorsqu'on annoncerait la sentence. L'acte d'accusation était ainsi formulé. «Attendu que vous (*ici le nom de l'intéressé*) risquez d'encourager des troubles au moment du verdict du procès Bhutto, vous êtes, par la présente, détenu…» Comment le régime aurait-il prévu le verdict si les tribunaux avaient été indépendants et les procès équitables, comme Zia le prétendait?

80 000 arrestations au Penjab, 30 000 pour la province de la Frontière, 60 000 pour le Sind. Des chiffres inexplicables. Il fallut, pour tant de gens, ouvrir des camps de détention dans tout le

Pakistan : les champs de courses devinrent des prisons en plein air, sans autres équipements que des clôtures de barbelés, et surveillées par des hommes armés ; les stades servirent de geôles provisoires. On arrêta même des femmes, parfois avec leurs enfants.

Le 15 mars 1978. Kishwar Qayyum Nazami, épouse d'un ancien membre de l'Assemblée provinciale :

« On nous arrêta, mon mari et moi, à 1 heure du matin. La police avait cerné la maison. Comme notre bébé n'avait que quelques mois, je l'ai emmené avec moi dans un camion militaire non bâché. À la prison de Kot Lakhpat, rien n'était prévu pour les femmes de prisonniers politiques. On m'a finalement enfermée dans une minuscule pièce de rangement, avec six autres dames, dont Rehana Sarwar, la sœur d'un des avocats de M. Bhutto, et la bégum Khakwani, présidente de l'aile féminine du Penjab. « Pourquoi nous a-t-on arrêtées ? demanda au policier la bégum Khakwani. – Parce que l'arrêt va être rendu pour Bhutto. – Comment le savez-vous ? » L'homme ne répondit pas.

« Nous fûmes fouillées brutalement par les gardiennes, qui me prirent mon alliance et ma montre. Et quand on me relâcha, elles prétendirent les avoir perdues. Il n'y avait pas de toilettes dans la pièce, seulement un tas de briques dans un coin, et pas non plus de literie. Impossible de dormir. À minuit, on fouettait les prisonniers politiques dans la cour d'à côté. Ils portaient sur le dos des traits peints, qui représentaient le nombre de coups qu'ils devaient recevoir. L'homme qui les fouettait, un lutteur vêtu d'un pagne et le corps frotté d'huile, se précipitait vers les hommes en prenant son élan pour avoir plus de force, tandis qu'un officier assis à côté comptait les coups. On en fouettait vingt ou trente à chaque séance, et nous entendions les cris toute la nuit. "*Jiye* Bhutto!" hurlaient-ils en recevant le coup. Vive Bhutto! Je me bouchais les oreilles, souhaitant que mon mari ne soit pas parmi eux. Il avait déjà été fouetté en septembre 1977.

«Le second matin, la police nous relâcha brusquement. Comme nous nous hâtions de gagner la sortie, on nous arrêta de nouveau, cette fois pour le maintien de l'ordre et de la loi. Le régime avait dû s'apercevoir que cela faisait mauvais effet de nous avoir arrêtées en anticipant l'arrêt de la Cour. Et on nous ramena dans la pièce de débarras.

«M. Bhutto, dont nous voyions la cellule depuis notre réduit, apprenant que nous étions là, nous fit porter une corbeille de fruits par son avocat. "Voyez comment Zia traite les femmes de familles honorables", disait son petit mot. Deux semaines plus tard, je rentrai chez moi, assignée à résidence, parce que mon bébé était très malade en prison et que je n'avais rien pour le soigner. Les autres femmes n'en sortirent qu'au bout d'un mois.»

Pour moi, l'ordre de détention arriva trois jours après les leurs, aux premières heures du 18 mars. «La police vous demande.» Le message trop connu arriva à 4 h 30 du matin. Je savais pourquoi, mais je ne voulais pas y penser. Je voulais me réfugier près de ma mère – mais elle était déjà détenue à Lahore –, près de mon père, n'importe où, près de Samiya, des avocats, de Mir ou de Shah Nawaz, ou Sunny. Je ne pouvais pas supporter cela seule. Je ne le pouvais pas. Mon Dieu, aidez-nous tous, me répétai-je en arpentant la maison vide.

Les lamentations commencèrent en fin d'après-midi. Cela venait de la cuisine, du jardin, de l'entrée du 70, Clifton. Mon cœur se mit à battre si vite qu'il me semblait sur le point d'éclater. Soudain la porte s'ouvrit en coup de vent et ma cousine Fakhri s'abattit par terre dans le hall. «Assassins!» criait-elle en se frappant la tête sur le sol, dans son chagrin. «Assassins!»

Les juges de Zia avaient trouvé mon père coupable et l'avaient condamné à mort. Fakhri, qui fonçant sous le nez des gardes les avait pris de court, reçut son avis de détention dans la demi-heure, et passa une semaine avec moi. Je restai enfermée trois mois.

Des grilles de fer, l'une derrière l'autre, alternant avec de longs couloirs sales. Les femmes de la police me fouillent, passent les mains dans mes cheveux, sur mes bras, ma poitrine, mes épaules. Encore une grille de fer, puis trois petites cellules aux portes garnies de barreaux.

«Pinkie? C'est toi?»

J'essaie de voir, mais il fait trop sombre. Un fonctionnaire de la prison ouvre la porte et j'entre dans la cellule du condamné. Elle est humide et fétide; le soleil n'a jamais pénétré entre ces épais murs de ciment. Le lit tient la moitié de la place, fixé au sol par des chaînes de fer. Mon père y était enchaîné pendant les premières vingt-quatre heures qu'il a passées ici, et ses chevilles en portent encore les cicatrices. À côté du lit, un trou, seuls lieux d'aisances permis aux condamnés. La puanteur est écœurante.

«Papa!» Mes bras font aisément le tour de son corps, tant il est amaigri. Mes yeux s'accommodant à la faible lumière, je vois qu'il est couvert de piqûres d'insectes : les moustiques prospèrent dans cette chaleur humide. Je sens les larmes me couler dans la gorge; je ne veux pas pleurer devant lui. Mais il sourit, lui!

«Comment as-tu réussi à venir?

— J'ai déposé une requête à l'administration provinciale, disant qu'en tant que membre de la famille j'avais été privée de mon droit de visite hebdomadaire, selon le règlement de la prison. Le ministre de l'Intérieur m'a donné la permission de te voir.»

Je lui raconte comment j'ai été amenée à Kot Lakhpat dans un convoi de camions de l'armée, de voitures et de Jeeps. «Le régime est très nerveux», dis-je, et je le mets au courant des émeutes qui ont entraîné le couvre-feu dans les villages du Sind, depuis la nouvelle de sa condamnation, une semaine plus tôt. On a arrêté 120 des 146 habitants d'un village de huttes près de Larkana. La police a aussi appréhendé un commerçant qui avait mis sur son mur une photo de mon père à côté de celle d'une vedette de cinéma.

«Le nombre de pays qui ont adressé à Zia un appel à la clémence est fantastique. Je les ai tous entendus à la BBC. Brejnev a écrit ; et Hua Kuo Feng aussi en rappelant l'étroite collaboration que tu avais instaurée avec la Chine. Assad a appelé de Syrie, Sadate du Caire, le président de l'Irak, le gouvernement d'Arabie Saoudite, Indira Gandhi, le sénateur McGovern. Tout le monde pratiquement, sauf le président Carter. Une résolution adoptée à l'unanimité par la Chambre des communes canadienne demande que la peine soit commuée, et 150 membres du Parlement britannique pressent leur gouvernement de faire une démarche. La Grèce, la Pologne, Amnesty International, le secrétaire général des Nations unies, l'Australie, la France. Papa, comment Zia pourrait-il passer outre?

— Ce sont des nouvelles réconfortantes. Mais il n'y aura pas d'appel de notre part.

— Mais, papa, il faut faire appel !

— Devant les tribunaux de Zia? Tout ce procès n'est qu'une farce. Pourquoi le prolonger?»

Tandis que nous parlons, il me fait signe d'approcher. Les geôliers, à la porte, écoutent, regardent. Il glisse un papier dans ma main.

«Papa, il ne faut pas renoncer, dis-je à voix haute pour détourner l'attention des gardiens.

– Dieu sait que je suis innocent. C'est à son tribunal que je ferai appel le jour du Jugement, pas maintenant. L'heure est presque passée ; pars quand tu le décides, toi, et non eux. »

Je l'embrasse. Il me chuchote à l'oreille : « Le papier ne doit pas tomber aux mains des autorités, sinon tes visites seront annulées.

– À bientôt, papa. »

On me fouilla en sortant, sans rien trouver. Puis une seconde fois quand on me conduisit voir maman, en détention près de Lahore, et encore lorsque je l'eus quittée. On ne découvrit rien. Parfois les fouilleuses étaient compréhensives et se contentaient de faire semblant, mais je ne savais jamais jusqu'au dernier moment. À l'aéroport d'où l'on me ramenait en détention à Karachi, je dus rester trois heures assise sous surveillance dans une voiture, entourée d'un convoi d'autres véhicules militaires.

Enfin, l'avion était prêt, je voyais à travers les vitres de la voiture que tous les passagers étaient à bord ; les moteurs tournaient, les phares éclairaient la piste. Les policiers me firent sortir et me poussèrent vers les marches, vite, toujours vite, l'un devant, l'autre derrière, arme en main. Un émetteur-récepteur crépita et, immédiatement, ils se retournèrent pour me ramener à la voiture.

Je vois toujours son gros corps se dandinant sur la piste ce soir-là, les poings sur les hanches. Je ne la connaissais que trop, cette préposée à la sécurité qui se trouvait toujours de garde quand j'arrivais ou repartais de Lahore, et si peu avenante que je soupçonnais le régime de l'avoir envoyée tout exprès pour me fouiller. Elle avait l'air méchant, du genre à prendre bagues et montres pendant la fouille et à ne jamais les rendre. Rien n'était trop petit pour ses recherches : elle sortait le rouge à lèvres de son tube, examinait chaque page de mon carnet de rendez-vous ; enfin, elle adorait son travail.

« Je ne veux pas qu'elle me fouille ! » criai-je, reculant loin de la voiture entre les armes braquées en cercle autour de moi. « On m'a fouillée à l'entrée de la prison de mon père. On m'a fouillée en sortant. On m'a fouillée pour aller voir ma mère en détention et on m'a refouillée en partant. Ça suffit.»

Les voitures du convoi militaire prirent position autour de moi. Encore des armes, encore des policiers. «Vous devez être fouillée, insista l'un d'eux. Sinon, vous manquerez votre avion.

– D'accord! Qu'est-ce que j'ai à perdre? Vous condamnez mon père à mort, vous brisez la tête de ma mère, vous m'envoyez vivre seule à Karachi, ma mère seule à Lahore et mon père dans une cellule de condamné. Nous ne pouvons même pas nous parler, nous réconforter l'un l'autre. Je me moque bien de vivre ou de mourir. Faites donc ce que vous voudrez!»

Je frisais l'hystérie. Mais je n'avais pas le choix: j'étais au pied du mur. La femme de la sécurité restait à l'écart, hésitant devant cette scène impressionnante. Mais, si elle me fouillait, elle trouverait le message.

«Venez, laissez-la tranquille, commençaient à murmurer les hommes.

– Vous pouvez partir», dit le policier.

Je faillis m'évanouir pendant le vol. J'avais mal à l'oreille pour la première fois. Clic, Clic. Le bruit était si obsédant que, de retour au 70, Clifton, j'eus de la peine à dormir. On appela enfin un médecin, qui commença des examens.

Je lus le papier de mon père; c'était un conseil pour les points précis sur lesquels je devais discuter ma détention illégale. J'essayai d'écrire un projet de lettre pour le tribunal, mais je me sentais trop mal.

Les animaux. Étrange ce qui arrivait aux animaux de la famille. Le jour où la sentence de mort était rendue contre mon père, un de ses caniches mourut: il allait très bien et, d'une minute à l'autre, il était mort. La femelle mourut à son tour le lendemain, sans plus de raison apparente. J'avais avec moi une chatte siamoise, à Clifton ; le troisième jour, elle était morte.

Certains musulmans croient que, si le maître d'une maison est en danger, les animaux parfois détournent le mal et meurent à sa place. Ce que j'en conclus, tandis que j'étais malade, c'est que le danger pour mon père était si grand qu'il n'avait pas tué un, mais trois de nos animaux familiers. Ce n'était pas consolant. Chaque matin, quand j'écoutais le journal de 6 heures à la BBC, je priais pour qu'on annonce la mort de Zia. Mais il était toujours vivant.

Je récusai ma détention au 70, Clifton, en suivant les conseils de mon père. Le tribunal ajourna l'audience de ma cause jusqu'en avril, puis en mai, et je devais chaque fois soumettre une nouvelle requête pour être entendue. Le 14 juin, mon avocat m'apporta mon plus beau cadeau de pré-anniversaire : ma détention était sans motifs, avait décidé le juge Fakhr ud-Din lors du premier jugement d'un cas de détention préventive. J'étais libre, et je pouvais enfin m'occuper de ma santé.

Je fus opérée une première fois à la fin de juin, pour mon oreille et mes sinus, à l'hôpital MidEast de Karachi. Après l'anesthésie, toutes mes craintes se réveillèrent avec moi. « Ils tuent mon père ! Ils tuent mon père ! » Je m'entendis crier. Avec mon nez enveloppé de pansements, je ne pouvais pas respirer. Pourtant, je me sentais plus tranquille au sujet de ma mère, qui bien qu'en détention à Lahore avait obtenu l'autorisation de venir me voir, escortée par la police.

Quel triste monde je retrouvai une fois guérie ! La succursale à Karachi de notre journal, *Musawaat*, avait été fermée en avril et les machines saisies. On avait arrêté l'éditeur et l'imprimeur pour avoir publié « des ouvrages condamnables » ; c'est ainsi que le régime qualifiait notre point de vue sur l'histoire du procès de mon père. Les autres journalistes s'étant mis en grève pour protester, on en arrêta quatre-vingt-dix et quatre furent condamnés au fouet, dont un des principaux rédacteurs du *Pakistan Times,* qui était physiquement handicapé.

L'opinion internationale fut enfin alertée. Pendant l'été de 1978, le directeur de *Musawaat* et son imprimeur faisaient partie des cinquante prisonniers politiques «adoptés» par Amnesty International, l'organisation mondiale pour la défense des droits de l'homme, qui contrôle le statut des prisonniers politiques. Elle étudiait les cas de trente-deux autres, sans aucun appui du régime. Bien que Zia ait promis son aide à deux délégués au cours de leur enquête au Pakistan au début de l'année, le rapport d'Amnesty publié en mars resta sans réponse.

J'avais moi-même rencontré les délégués pendant leur visite en janvier ; je leur avais dit notre inquiétude devant le mépris des droits fondamentaux de la personne humaine sous la loi martiale de Zia, le jugement de civils et de prisonniers politiques par les tribunaux militaires, et les «châtiments rigoureux» infligés, comme l'amputation de la main gauche d'un droitier ou de la droite d'un gaucher, convaincus de vol. Je voulais aussi leur faire comprendre les irrégularités du procès de mon père et les conditions inhumaines dans lesquelles il vivait en régime cellulaire. Ils voulurent naturellement les vérifier, mais on leur refusa l'autorisation de visite.

28 avril 1978. Prison de Kot Lakhpat. Docteur Zafar Niazi, dentiste de mon père :

«Quand je rendis visite en avril à M. Bhutto, à la prison de Kot Lakhpat, je m'aperçus que ses gencives s'altéraient rapidement. Les conditions de vie dans la prison étaient malsaines et son régime insuffisant. Les tissus des gencives étaient enflammés et douloureux, mais il n'y avait sur place rien qui me permette de lui faire suivre un traitement. Je ne suis pas sûr d'ailleurs qu'il aurait été efficace dans ces conditions inhumaines. Je remis un rapport après ma visite, déclarant que je ne pouvais rien pour M. Bhutto en tant que dentiste à moins que ses conditions de vie ne s'améliorent. Je savais que le régime n'apprécierait pas un tel rapport. Beaucoup de mes patients étaient des diplomates étrangers, et le régime craignait certainement que je ne leur fasse part de mes découvertes. Je donnai par précaution une copie à ma femme. "Si l'armée m'arrête, lui dis-je, remets cela à la presse étrangère." La police vint me chercher deux jours plus tard. »

La persécution ne faisait que commencer contre le docteur Niazi et sa famille. Il fut arrêté deux fois, l'une pendant qu'il soignait un malade sous anesthésie dans sa clinique. «Laissez-moi une heure pour en finir avec mon patient», demanda-t-il, mais les policiers refusèrent, et il dut abandonner le malade sur son fauteuil. Au cours de sa première arrestation, la police débarqua à 2 heures du matin, retournant les matelas, jetant les vêtements hors des placards, à la recherche d'un prétexte pour l'épingler. Ils ne trouvèrent qu'une demi-bouteille de vin qu'avait laissée un de ses collègues américains, un orthodontiste qui opérait tous les trois mois dans sa clinique. On accusa donc le docteur Niazi d'avoir de l'alcool chez lui.

Lui, qui n'était pas un partisan du PPP et n'avait aucune activité politique, passa six mois en prison, accusé d'alcoolisme. Au moment où il fut relâché, mon père avait été transféré de la prison de Kot Lakhpat à celle de Rawalpindi, dans une autre cellule de condamné à mort. Le docteur Niazi demanda aussitôt l'autorisation de le revoir. Elle lui fut refusée.

21 juin 1978. Prison centrale de Rawalpindi. Mon vingt-cinquième anniversaire.

Je suis assise dans une petite chambre de l'hôtel Flashman à Rawalpindi, attendant l'heure d'aller voir mon père. Je ne cesse de regarder ma montre. Où est maman ? Les avocats de mon père ont obtenu un ordre du tribunal qui nous autorise à le voir ensemble pour mon anniversaire. Mais il est midi et j'attends depuis 9 heures du matin que la police la ramène en avion de sa détention à Lahore. Une fois de plus, il y a eu contrordre.

Je m'inquiète pour ma mère. Elle a eu de terribles maux de tête, qui l'ont laissée presque toujours épuisée. Le souci lui fait payer un lourd tribut, et son hypotension s'aggrave. Elle s'est trouvée mal deux fois dans l'avion en venant de Lahore voir mon père à « Pindi ». Les avocats ont demandé au régime de la détenir à Islamabad, d'où l'on peut faire en voiture le trajet jusqu'à la prison. Mais elle est toujours à Lahore. Une fois de plus elle y est seule, avec pour toute compagnie une petite chatte que j'ai fait entrer en cachette dans ma poche. « Chou-Chou est ma consolation », dit-elle ; elle lui met sa patte sur la main quand maman fait une réussite.

Je défroisse mon *shalwar khameez*. Je veux paraître élégante devant mes parents pour leur montrer que je garde le moral. 13 heures, 14 heures. C'est un des tours favoris du régime. Pendant ma propre détention, ils m'ont fait attendre ainsi des heures sans prévenir pour me mener voir mon père. Ils savent que ces visites tous les quinze jours m'aident à tenir. Alors ou bien ils tardent jusqu'à ne me laisser qu'une demi-heure avec lui, ou ils ne viennent pas du tout. Comment le régime peut-il bafouer une décision du tribunal ?

15 heures, 15 h 30. Le règlement de la prison prévoit que tous les visiteurs doivent être partis au coucher du soleil. Je me rappelle mon dernier anniversaire : la fête sur les pelouses d'Oxford me paraît dater de dix ans. Je me demande si je ne l'ai pas rêvée.

16 heures. On m'annonce que ma mère est enfin arrivée à l'aéroport. «Pinkie, bon anniversaire!» me dit-elle en m'embrassant à l'entrée de la prison où nous nous retrouvons.

«Tu as eu de la chance, me dit plus tard mon père, de naître le jour le plus long de l'année. Le régime lui-même ne peut obliger le soleil à se coucher plus tôt pour ton anniversaire.»

Il est enfermé maintenant dans une autre cellule sombre d'une cour intérieure de la prison. Des tentes de l'armée sont dressées tout autour de cette cour, et des gardes postés devant l'entrée, bouclée et garnie de barreaux. Un procès civil? Quelle ironie. C'est une opération militaire, et nous sommes dans un avant-poste militaire.

Sombre, humide, la cellule mesure moins de deux mètres sur trois. Il n'y a pas de treillis aux barreaux de la porte comme aux portes des gardes des cellules voisines. L'air grouille de mouches et de moustiques; une chauve-souris dort accrochée au plafond, et des lézards incolores montent et descendent le long des murs.

Nous regardons son lit de métal nu. «Ils ne t'ont pas donné le matelas que je t'ai envoyé il y a deux semaines? demande ma mère. – Non.» Son dos porte des plaies et des bleus dus à la mince literie de la prison. Il a eu deux crises graves d'influenza et de terribles maux d'estomac à cause de l'eau non bouillie. Trois fois déjà, il a vomi du sang et saigné du nez aussi.

Il est incroyablement gai, malgré son extrême maigreur. Et je le trouve toujours beau; ou peut-être que je ne veux pas le voir autrement.

«Il faut que tu ailles à Larkana pour l'*Aïd*, prier sur les tombes de nos ancêtres.

– Mais, papa, je manquerai ma prochaine visite, alors.

– Ta mère est toujours détenue. Tu es la seule à pouvoir y aller.»

C'est dur. Je ne suis jamais allée à notre cimetière familial pour l'*Aïd* et n'ai jamais reçu les visites traditionnelles des villageois et de leurs familles dans la petite maison voisine, à Naudero. Ce sont toujours les hommes de la famille qui s'en sont chargés, mes frères accompagnant mon père si la fin du ramadan coïncidait avec leurs vacances scolaires. J'ai comme un frisson de solitude. Si mon père pouvait être bientôt libre!

«Va prier Lal Shahbaz Qalander, insiste-t-il. Je n'y suis pas allé la dernière fois.» Lal Shahbaz Qalander : un de nos saints les plus illustres. Ma grand-mère était allée prier sur son tombeau quand mon père, alors enfant, était tombé si malade qu'on avait cru le perdre. Dieu écouterait-il la prière d'une fille pour la même personne?

Nous passons dans la cour une heure précieuse, nos têtes rapprochées pour que les trois geôliers de garde ne puissent nous entendre. Mais ils sont compréhensifs cette fois et nous laissent tranquilles.

«Tu as vingt-cinq ans maintenant, plaisante mon père, et tu es éligible. Zia n'organisera jamais les élections.»

Nous rions. Comment est-ce possible? Quelque part dans cette prison la potence du bourreau dresse une ombre sur nos vies. L'armée, me dit mon père, essaie de le pousser à un éclat. Chaque nuit, on grimpe sur le toit de sa cellule et l'on piétine avec de lourdes bottes. La même ruse que pour Mujib ur-Rahman, prisonnier pendant la guerre civile au Bangladesh. On espère que le prisonnier perdant son sang-froid insultera les gardes, d'où pour l'armée cette excuse toute trouvée : un soldat à la détente facile a tiré sur lui, se sentant provoqué. Mais mon père connaît leurs pièges et il inclut les tracasseries dans le dossier de sa défense.

Je retournai à l'hôtel Flashman, suivie de mon convoi de véhicules militaires, qui allait parfois jusqu'à sept, huit ou même dix camions. Les gens dans les rues le regardaient passer, les uns avec compassion, d'autres baissant les yeux comme s'ils ne voulaient pas croire ce qui arrivait.

Un silence sinistre était tombé sur la ville, sur tout le pays. La nation entière ne donnait plus signe de vie. On parlait de 100 000 arrestations. «Zia ne peut pas exécuter la sentence contre le Premier ministre, ce n'est pas possible», murmuraient les gens entre eux. Le procès de mon père, sa condamnation à mort, l'appel à la Cour suprême étaient le seul sujet de conversation.

Malgré la répugnance de mon père, nous avions fait appel devant la Cour suprême du Pakistan à Rawalpindi. «Je suis obligé de respecter le point de vue de ma femme et de ma fille, non seulement à cause de nos liens de parenté, mais pour des motifs plus élevés», écrivit mon père à M. Yahya Bakhtiar, ancien procureur général du Pakistan et avocat principal de sa défense. «Toutes deux se sont conduites avec héroïsme et vaillance dans ces moments périlleux. Elles ont de toute évidence leur mot à dire et un droit politique sur ma décision.»

Le tribunal commença les audiences en mai. Bien que dans d'autres procès les accusés aient eu un mois pour faire appel devant la Cour suprême, mon père n'eut qu'une semaine. Ses avocats demeuraient au Flashman, où ils avaient installé un bureau pour suivre l'affaire de plus près. Yasmin Niazi, la fille adolescente du docteur Niazi, participait au travail, organisant mes rendez-vous, comme Amina Piracha qui assurait la liaison entre nos avocats et la presse étrangère. En outre, ma vieille amie d'Oxford, Victoria Schofield, qui m'avait succédé à la présidence de l'Union d'Oxford, était venue au Pakistan pour nous aider.

Certains jours, je devais faire un effort pour me lever le matin. Vite se lever, s'habiller, affronter la journée. Encore des accusations à réfuter. Rencontrer les quelques permanents du parti restés en liberté. Donner des interviews à la presse réunie à Rawalpindi. Celle que contrôlait le régime ne faisait état que des accusations. *Musawaat* à Lahore, qui restait ouvert malgré la fermeture des bureaux de Karachi, et la presse mondiale étaient notre seul espoir de faire connaître la vérité. Peter Niesewand, correspondant du *Guardian*, et Bruce Loudon, celui du *Daily Telegraph*, devinrent des visages familiers.

Le régime publia à la fin de juillet le premier de sa série de «Livres blancs», celui qui critiquait la conduite des élections en mars 1977. Au Flashman, on travaillait sans désemparer sur la riposte de mon père aux accusations mensongères, qu'il voulait déposer à la Cour suprême avec son dossier de défense. Nous recopiions chaque jour, Victoria et moi, les pages manuscrites que les avocats nous rapportaient de la prison centrale de Rawalpindi. Les papiers de mon père, couverts de pattes de mouches des deux côtés, étaient difficiles à lire. Il avait dû lui être beaucoup plus difficile de les écrire dans sa cellule de condamné, en observant le jeûne du ramadan, dans la chaleur du mois d'août. Les avocats lui rapportaient les pages dactylographiées, qu'il mettait au point puis nous renvoyait pour une nouvelle frappe. Nous adressâmes son texte définitif – sous un nom de code «Reggie» – à une imprimerie clandestine de Lahore.

Mais avant que le document soit soumis à la Cour suprême, les exemplaires imprimés furent saisis. Les permanents du PPP passèrent toute la nuit à photocopier les trois cents pages dactylographiées pour les distribuer à la presse étrangère. L'emplacement du photocopieur que nous avions utilisé et les noms de ceux qui nous aidaient avaient été gardés absolument secrets.

Le filet se resserrait autour du Flashman. Une nuit, la police dressa devant l'hôtel un barrage impressionnant, arrêta l'un de nos assistants et le fit condamner promptement par un tribunal militaire. Nous travaillions dans la crainte perpétuelle de l'imprévisible.

Quand le dossier de la défense fut enfin soumis à la Cour suprême, le président de la Cour en interdit la publication. Entre-temps, plusieurs exemplaires étaient parvenus à l'étranger et, plus tard, on en fit un livre en Inde, sous le titre *Si l'on m'assassine*, qui devint un best-seller.

Selon des rumeurs persistantes, la décision de la Cour était imminente. Au début des audiences, le président de la Cour, Anwar ul-Haq, avait annoncé que le pourvoi devrait être complété le plus tôt possible, et les avocats de mon père étaient optimistes. Des neuf juges du tribunal, cinq posaient des questions et reprenaient les dépositions dans un sens qui semblait défavorable au jugement de Lahore. Mais soudain, en juin, Anwar ul-Haq renvoyait la Cour et partit pour une conférence à Djakarta. Nous pensions tous que l'appel était prolongé et la décision remise à plus tard ; mais, à la fin de juillet, le juge le plus favorable à l'acquittement et le seul de la Cour à avoir une très grande expérience des procès criminels fut mis à la retraite. Et, bien que nous l'ayons demandé, le président refusa de le laisser terminer l'audition des témoins. Un autre magistrat impartial fut obligé de se retirer en septembre, une hémorragie oculaire l'ayant laissé momentanément affaibli et sujet aux vertiges ; sa demande d'un bref ajournement jusqu'à sa guérison fut également rejetée. Ce qui fit pencher la balance en notre défaveur à quatre contre trois.

Le président de la Cour se montra aussi partial que son homologue de Lahore. Ils étaient d'ailleurs très amis et, comme lui, Anwar ul-Haq était originaire de Jullandar, en Inde, le pays natal de Zia. Rien, cette fois encore, ne séparait l'exécutif du judiciaire. Quand Zia partit en pèlerinage pour La Mecque en septembre 1978, Anwar ul-Haq fut assermenté pour assurer l'intérim ; il y avait même une ligne permanente entre le cabinet du président de la Cour et le bureau de l'administrateur de la loi martiale.

Jusqu'où allait le parti pris, je ne le sus que des années plus tard, en exil, par un autre juge de la Cour suprême, Safdar Shah. Anwar ul-Haq l'avait un jour pris à part. « Nous savons, lui avait-il dit, que

Bhutto est innocent, mais il faut l'éliminer pour sauver le Pakistan.»
Safdar Shah, ayant continué à voter pour un acquittement honorable, se vit lui-même persécuté et contraint à l'exil. Cependant, Zia
et Anwar ul-Haq prétendaient toujours que le pourvoi de mon père
était entre les mains d'une magistrature indépendante. «Nous exa-
minons les preuves sans préjugés», répétait le président de la Cour.

Que faire? Le régime contrôlait les tribunaux, l'armée, la presse,
la radio et la télévision. D'autres Livres blancs furent en temps
opportun publiés par le régime, en quatre langues, et distribués aux
ambassades étrangères, pour salir la réputation de mon père par des
allégations mensongères. Simultanément, son accusateur, Ahmed
Raza Kasuri, faisait une tournée en Europe et en Amérique, descendant dans les hôtels de luxe et tenant des conférences de presse sur
«le jugement légitime» de mon père au Pakistan. Il affirmait qu'il
payait tout de sa poche, mais les renseignements financiers que lui
et tous les autres membres du PPP avaient été obligés de fournir,
conformément aux arrêtés de la loi martiale, ne justifiaient pas ces
déclarations. D'où l'argent pouvait-il venir, sinon du régime?

«Je veux que tu fasses une tournée dans la province de la Frontière, me dit mon père en septembre. Il faut soutenir le moral du
peuple. Emporte la casquette que Mao m'a donnée; elle est dans mon
vestiaire au 70, Clifton. Porte-la quand tu prendras la parole, puis
pose-la par terre et ajoute : "Mon père disait que sa casquette devait
toujours être devant les pas du peuple."»

Je l'écoute attentivement, mais sa santé m'inquiète. Je le retrouve
chaque fois plus amaigri. Ses gencives sont devenues rouge foncé, et
infectées par endroits. Il a souvent la fièvre. Maman et moi, nous
emportons des sandwiches au poulet pour essayer de le tenter; nous
les enveloppons dans un torchon humide afin de les garder frais et
tendres.

Mais il s'intéresse peu à la nourriture pendant cette visite de septembre, bien plus préoccupé de préparer les thèmes de mes futurs discours. «Il faudra reprendre toute la question de l'autonomie, à cause de la loi martiale. Rappelle au peuple que moi, par la démocratie, je lui ai rendu l'espoir d'un Pakistan uni. Seul le retour à la démocratie peut assurer l'unité nationale.»

En me quittant, il paraît soucieux. «Pinkie, je déteste te mettre en danger; tu peux être encore arrêtée s'ils s'acharnent davantage. Je me débats avec ce problème depuis le début. Mais je pense aussi aux milliers d'autres qu'on fouette et qu'on torture pour notre cause…

— Papa, je t'en prie. Je sais que tu te tourmentes comme un père pour sa fille. Mais tu es plus qu'un père pour moi : tu es mon chef politique comme tu es celui des autres, qui souffrent.

— Sois prudente, Pinkie, tu vas entrer dans les zones tribales. N'oublie pas qu'ils sont très conservateurs. Parfois, quand tu parles, ta *dupatta* (petit voile) glisse de tes cheveux. Souviens-toi de la remettre en place.

— Je ferai attention, papa.»

Et je l'entends encore crier derrière moi : «Bonne chance, Pinkie!»

Victoria m'accompagna dans la province de la Frontière du Nord-Ouest et les zones tribales, bordées par l'Afghanistan à l'ouest et la Chine au nord. Yasmin était venue aussi, et il fallait du courage à cette jeune fille élevée dans une famille pakistanaise, protectrice par tradition. Elle n'avait jamais dormi hors de chez elle jusqu'à ce que je lui demande, un soir tard, de rester avec moi au Flashman; sa grand-mère avait consenti avec réticence, non par crainte du régime mais parce que c'est interdit à une fille non mariée.

Les Niazi, comme beaucoup de familles, étaient poussés à bout par la brutalité du régime. Prenant de grands risques, ils insistèrent pour me loger chez eux, où je trouverais un semblant d'ambiance familiale. Par représailles, ils furent constamment harcelés : tracasseries fiscales, filatures ; les camions des services de renseignements suivaient Mme Niazi au marché et les enfants à l'école, tandis que leurs agents suivaient les patients du docteur au point de lui faire perdre toute sa clientèle.

Avec les dirigeants locaux du PPP, nous allâmes à Mardan, autrefois centre de la civilisation bouddhique du Gandhara ; Abbotabad, ancienne station de montagne britannique ; Peshawar, capitale de la province de la Frontière du Nord-Ouest, que ses murs de brique ocre défendaient depuis des siècles des envahisseurs de l'Asie centrale. Les mots me venaient sans effort, dictés par mon cœur, à chaque étape dans cette province et dans les zones tribales autonomes régies par le code sévère des Pathans : la vengeance pour toute insulte, et, pour tout hôte, l'hospitalité. «Les Pathans sont célèbres pour leur sens de l'honneur. Mon père se bat non seulement pour son honneur, mais pour celui du pays», disais-je à la foule, dont les traits étaient aussi rudes que les montagnes proches de la passe de Khyber. Nous allâmes à Swat, avec ses luxuriants champs de riz en terrasses, et à Kohat, où un air salé vient des tas de sel gemme irrégulièrement alignés.

Je parlais en ourdou, ignorant la langue régionale, le pachtou, mais les Pathans écoutaient tout de même. Je ne rencontrais pas non plus d'opposition en tant que femme, même dans ces zones où celles des tribus étaient jalousement gardées. Les épreuves du pays, les souffrances de ma famille et de nous tous faisaient oublier la barrière des sexes. «*Rasha, rasha,* Benazir *rasha !*» répondaient les gens en pachtou. Bienvenue, bienvenue, Benazir !

«Bravo», dit mon père, qui m'accueillit en applaudissant derrière la porte de sa cellule quand je revins à Rawalpindi, juste avant de repartir pour le Penjab.

Des centaines de militants du PPP vinrent m'entendre à Lahore chez un dirigeant du parti. Malgré les sévères sanctions du régime, leur dévouement restait intact. « Ce procès est irrégulier, nous protesterons devant le tribunal, me dirent les fidèles du PPP. Zia devra tous nous arrêter avant de pouvoir exécuter la sentence. » À Sargodha, où les propriétaires féodaux régnaient toujours, il vint plus de monde encore. L'enthousiasme monta, et le régime s'empressa de l'écraser. Des dizaines de partisans furent arrêtés peu après mon départ, y compris mon hôte, dont le seul crime était d'avoir mis sa maison à ma disposition. Il fut condamné pour cela à un an de prison ferme et une amende de 100 000 roupies, ou 10 000 dollars.

« Le régime est à cran. N'allons pas à Multan tout de suite, disaient certains à Lahore. – Nous avons le vent en poupe, répliquaient les autres. – On peut aussi bien être arrêtés quand on est très motivés. – Si on prend un peu de recul, on peut gagner du temps pour aller voir plus de pays et toucher plus de gens. » La discussion se poursuivit, la seconde stratégie l'emporta, et je revins en coup de vent à Karachi pour répondre à une autre accusation du régime.

Entre-temps, l'engagement du peuple pour la cause de la démocratie atteignait de nouveaux sommets. L'un après l'autre, des hommes de différentes villes commencèrent à s'immoler par le feu, sacrifiant leur vie en une dernière protestation contre le sort promis à leur chef. En voyant les photos dans *Musawaat,* je fus bouleversée d'en reconnaître au moins deux. L'un, Aziz, était venu me trouver quelques mois plus tôt au Flashman, simplement pour me demander de me faire photographier avec lui. J'avais accepté malgré ma fatigue ; petit effort de ma part, que j'étais loin de regretter maintenant.

Un autre, un chrétien nommé Pervez Yaqoub, le premier à s'immoler, était venu peu après l'arrestation de mon père, en septembre 1977, avec un projet terrible : il voulait, me dit-il, détourner un avion de ligne et garder les passagers en otages jusqu'à ce que le régime soit obligé de libérer mon père. « Il ne faut pas faire cela, répondis-je, des innocents pourraient en mourir, et vous ne vaudriez pas mieux que les brutes sans loi du régime. Combattons selon nos règles, ne nous abaissons pas aux leurs.» Maintenant, à Lahore, il s'était sacrifié par le feu.

Pervez aurait pu être sauvé par la foule qui se précipita pour l'arracher aux flammes, mais les autorités de la loi martiale empêchèrent quiconque de l'approcher. Elles tinrent à ce que ces gens assistent à son agonie, pour effrayer les autres fidèles de Bhutto qui auraient voulu l'imiter. Pourtant, l'exaltation ne faisait que croître.

Pendant les semaines suivantes, cinq hommes encore se firent brûler pour tenter de sauver leur Premier ministre.

«Le régime prétend que ces martyrs étaient payés par le parti, écrivais-je dans mes notes pour une prochaine allocution à Multan. Peut-on payer ainsi une vie humaine? Non. C'étaient des idéalistes dont le dévouement à la démocratie et au respect de la personne humaine transcendait leur propre souffrance. Nous les saluons.» Je n'eus jamais l'occasion de prononcer ce discours.

4 octobre 1978. Aéroport de Multan.

Le vol de Karachi à Multan pour continuer notre tournée du Penjab est retardé par deux fois. Yasmin et moi, nous étions à l'aéroport à 7 heures du matin et nous ne partirons qu'à midi. En arrivant à Multan, nous comprenons pourquoi: au lieu de rouler jusqu'à l'aérogare, l'avion est dirigé en bout de piste et entouré aussitôt de camions et de Jeeps.

«Où est Mlle Benazir Bhutto?» demandent deux hommes en civil qui sont montés à bord.

Le steward me désigne.

«Suivez-nous, disent-ils.

– À quel titre?

– Ne posez pas de questions.»

Un petit avion attend tout près quand nous descendons les marches, Yasmin et moi.

« Vous prenez le Cessna, m'ordonne-t-on. Elle reste ici. »

Je regarde Yasmin. Ses yeux semblent immenses dans son visage : une jeune fille toute seule dans une ville étrangère. Dieu sait ce qui peut lui arriver. « Chiennes ! » ont crié les fondamentalistes et les autorités de la loi martiale contre les femmes qui, dans tout le Pakistan, ont quitté pour la première fois l'asile sacré de leur foyer pour manifester contre l'arrestation de mon père, de ma mère, de leurs propres maris et fils et, de plus en plus, de leurs filles. Yasmin est inquiète aussi de ce qui peut m'arriver ; à plusieurs, on risque moins.

« Je ne pars pas sans elle, dis-je au policier.

— Montez, répète-t-il, l'air mauvais.

— Je refuse. » Et je tiens ferme la main de Yasmin.

Alors ils s'approchent, me saisissent et commencent à me tirer sur la piste. Yasmin se cramponne à moi. Je lui crie : « Ne lâche pas ! » Sous les regards horrifiés des passagers de l'avion que nous venons de quitter, ils nous traînent sur le ciment. Mon *shalwar* se déchire, et la peau de mes jambes, écorchée, se met à saigner. Yasmin crie, mais nous ne nous lâchons pas.

La radio de la police crépite sur les marches du Cessna. Comme d'habitude, ils ne savent que faire et demandent des instructions. Tandis que les policiers sont occupés, nous nous précipitons dans le petit appareil pour trois passagers. Le pilote prévient la police que, s'il ne décolle pas immédiatement, il fera trop nuit pour qu'il puisse atterrir. Atterrir où ? On ne sait pas. Le commandant du corps de Multan est furieux quand on lui transmet le message du pilote ; il ordonne qu'on nous laisse aller. Mais l'avion reste sur la piste.

« Je n'ai ni mangé ni bu depuis ce matin 7 heures », dit tranquillement le pilote. On lui apporte en hâte une boîte-repas : il a entendu le commandant me refuser de l'eau, et nous la donne. «J'ai mangé. J'ai demandé ça pour vous», dit-il.

Cinq heures plus tard, on atterrit à Rawalpindi. Je sais que c'est «Pindi» parce que j'ai reconnu un des policiers, qui vient me tirer de l'avion. Au moins, Yasmin est chez elle. Comme je résiste pour passer la porte, le pilote se tourne vers moi et je vois l'inquiétude sur son bon visage et des larmes dans ses yeux. «Je suis sindi», me dit-il. C'est tout, mais c'est assez.

Ma mère est ravie de me voir quand j'arrive à la maison, où elle est dans son dixième mois de détention. «Quelle bonne surprise!» dit-elle, croyant que je viens en visite. Ses yeux s'agrandissent quand elle voit mes vêtements déchirés et mes jambes en sang. «Oh! je comprends.» Sa voix s'éteint. Nous voilà de nouveau prisonnières ensemble.

J'écris à Mir en Amérique, où il est allé demander aux Nations unies de faire pression sur le régime. «Papa me demande de t'indiquer quelques grandes lignes. À titre de conseil et non de critique. Donc, allons-y :

«1. La femme de César doit être au-dessus de tout soupçon. La presse ici a dit que tu vivais dans le luxe à Londres. Papa sait que c'est faux, mais il me demande de te rappeler que tu dois être prudent dans ta vie personnelle. Pas de films ni de gaspillage, ou les gens diront que tu t'amuses pendant que ton père languit dans une cellule de condamné.

«2. Pas d'interviews et aucun contact avec l'Inde ni Israël. Ton interview pour un journal indien a été mal interprétée ici.»

Etc. Je déteste écrire à Mir une lettre au ton aussi autoritaire. Je sais qu'il a travaillé dur. Il a vendu ma petite MG et utilisé l'argent pour faire imprimer à Londres le dossier de défense de mon père. Il a eu des entretiens avec tous les membres de gouvernements étrangers qui ont accepté de le voir et dirigé des manifestations de Pakistanais en Angleterre, pour protester contre la condamnation. Je voudrais tant que nous puissions lutter ensemble, mais il n'y a aucune chance que lui ou Shah, qui ont tous deux abandonné leurs études pour défendre notre cause à l'étranger, puissent revenir au Pakistan sans être arrêtés. Nous devons tous nous battre seuls.

18 décembre 1978. Cour suprême, Rawalpindi.

La salle déborde de gens impatients d'apercevoir leur Premier ministre. Après une interminable bataille juridique, les avocats de mon père ont enfin obtenu pour lui le droit de plaider sa propre défense devant la Cour suprême. Il n'y a que cent places dans la salle, et ils sont trois ou quatre cents à s'entasser pendant les quatre jours de son intervention, assis sur les radiateurs, se bousculant dans les allées, perchés sur les piles de livres de droit dans le barreau, devant le banc des avocats. Des milliers attendent dehors, derrière des barrières, l'arrivée de mon père dans une voiture de police à 9 heures, et, à midi, son retour à la prison.

Je voudrais tant y être, mais je suis en détention, et l'autorisation m'a été refusée. Ma mère, cependant, libérée en novembre après être restée détenue près d'un an, peut y assister. Urs, le valet de chambre, a réussi à obtenir un laissez-passer. Mme Niazi et Yasmin aussi, ainsi que Victoria et Amina. Celle-ci, plus tard, écrira un livre sur ce procès, sous le titre : *Bhutto, procès et exécution*. Il aurait dû s'appeler *Meurtre légal*.

La défense de mon père a été brillante, me dit maman. Pendant les quatre jours accordés par le tribunal, il a réfuté les accusations portées contre lui de complicité dans l'affaire criminelle, relevant les irrégularités et les contradictions des «témoins» au procès de Lahore ; l'accusation de n'être musulman que de nom ; d'avoir personnellement truqué les élections. «Je ne suis pas responsable de toutes les

pensées et toutes les opinions des fonctionnaires et non-fonction-
naires de notre fertile vallée de l'Indus. » Improvisant, parlant sans
notes, il a une fois de plus tenu sous le charme de son esprit et de
son éloquence une foule conquise.

« Tout être de chair doit un jour quitter ce monde, dit-il encore.
Je ne veux pas la vie pour la vie, je veux la justice. La question pour
moi n'est pas de démontrer mon innocence ; c'est que l'accusation
fonde ses arguments au-delà de la suspicion légitime. Il ne s'agit pas
d'abord d'innocenter Zulfikar Ali Bhutto, mais d'une considération
plus haute : dénoncer une injustice grossière. Une injustice qui
éclipse celle de l'affaire Dreyfus. »

L'exploit est plus remarquable encore si l'on songe à ses conditions de vie : l'insomnie entretenue chaque nuit par l'armée, pas de
soleil depuis plus de six mois, pas d'eau fraîche pendant vingt-cinq
jours dans sa cellule de condamné. Il est pâle et faible, dit maman,
mais semble reprendre des forces au cours de ses interventions. « Je
me sens un peu étourdi, dit-il devant la Cour, je ne suis plus dans le
mouvement et la vie. » Il regarde la foule autour de lui. « Oui, c'est
bon de voir tout ce monde », dit-il en souriant.

L'assistance se lève par respect chaque fois qu'il entre ou sort. Il
a tenu à paraître en public tel qu'il a toujours été : le Premier ministre
du Pakistan, impeccablement vêtu. Urs lui apporte du 70, Clifton,
les vêtements qu'il demande, et il est apparu le premier jour devant
le tribunal en complet, chemise de soie et cravate, avec une pochette
de couleur. Seul le pantalon trop large montre combien il a maigri.

Au début, les autorités l'ont laissé entrer librement par l'allée
centrale, mais, voyant l'empressement des gens à venir lui serrer la
main et ses réponses souriantes aux premiers témoignages d'affection
qu'il recevait depuis un an, les gardes ont fait barrage autour de lui ;
les trois derniers jours, il est étroitement encadré de six hommes
armés.

La procédure d'appel se termine le 23 décembre. Nous demandons, ma mère et moi, à le voir le 25 décembre, pour l'anniversaire de Mohammed Ali Jinnah, le fondateur du Pakistan. L'autorisation nous est refusée, et de même pour le Nouvel An, puis, cinq jours plus tard, pour son cinquante et unième anniversaire.

Le 6 février 1979, la Cour suprême rend son arrêt : la sentence de mort est confirmée par quatre voix contre trois.

Nous apprîmes la décision à 11 heures, peu après son annonce. Nous avions espéré un miracle. Mais les quatre juges du Penjab, centre militaire du pays – deux avaient été désignés tout exprès et furent titularisés après le procès par le régime –, votèrent pour soutenir le premier tribunal, tandis que les trois juges des provinces minoritaires votèrent contre. La réalité de cette condamnation à mort me rendait malade.

Ma mère se préparait à aller voir mon père comme chaque mardi, quand les autorités de la loi martiale vinrent à la maison que nous avions louée, avec un ordre de détention pour elle. Mais elle leur échappa ; sans leur laisser le temps de réagir, elle se précipita dehors et monta dans sa voiture, une jaguar rapide. «Ouvrez la grille», ordonna-t-elle aux gardes postés autour de la maison où j'étais détenue depuis mon arrestation à l'aéroport de Multan. Et ils obéirent, sans réfléchir que les ordres de détention valaient aussi pour ma mère. Elle fila à toute allure jusqu'à la prison centrale de Rawalpindi, distançant les Jeeps de ses poursuivants. Et, comme on attendait sa visite, les geôliers la laissèrent entrer.

Elle passa une porte de fer, puis une autre, précédant de peu son ordre de détention qui allait être transmis à la prison et faire annuler son autorisation de visite. Elle fonça. La cour intérieure était devant elle ; elle dépassa d'un pas ferme les tentes de l'armée et tout l'arsenal qui entourait mon père, et la dernière porte s'ouvrit enfin.

« L'appel a été rejeté », réussit-elle à lui dire avant que la police et les autorités de la prison ne la rejoignent. « Je l'ai fait, me dit-elle. Je n'allais pas leur laisser le plaisir pervers de lui apprendre le verdict. » Nous nous retrouvâmes enfermées ensemble. Et il ne restait qu'une semaine pour faire appel contre la sentence.

Au Flashman, les avocats travaillaient sans relâche à la requête de révision. Ils avaient demandé quatre exemplaires des 1 500 pages de conclusions de la Cour suprême, en plus des 800 pages écrites par Anwar ul-Haq. Ils ne reçurent qu'un exemplaire qu'il fallut faire photocopier ; le secrétaire qui en était chargé fut arrêté en pleine action, ainsi que le propriétaire de la machine.

L'équipe de défense réussit pourtant à se procurer un photocopieur qu'on installa à l'hôtel. C'était prendre un grand risque ; depuis le début de l'année, le régime avait limité aux entreprises commerciales la vente des machines à écrire et à photocopier, pour éviter leur usage par le PPP ou quelque autre organisation politique de publications clandestines. Cet usage était considéré comme « atteinte à la sûreté de l'État », et quiconque nous vendrait du matériel s'exposait à l'arrestation. Les avocats travaillaient toujours.

Enfermée avec ma mère à Islamabad, je me sentais prise au piège d'un cauchemar sans fin. Une nouvelle vague d'arrestations suivit l'arrêt de la Cour suprême. On ferma les écoles et les universités. Zia était décidé à étouffer toute agitation avant même qu'elle se manifeste. Il balaya en hâte les menaces de contestation pour éviter qu'elles ne se répandent.

Les répressions déchaînées par les régimes militaires ont un effet paralysant sur le peuple. Quand le danger ou la tension se font trop pressants, les gens pensent à leur propre survie. Le silence, c'est la sécurité ; ils se détachent et se réfugient dans l'inertie. Ils ne veulent plus faire un geste, de peur d'en devenir victimes.

Mais cela m'était interdit. Je ne pouvais m'abstraire de la marche inéluctable du temps jusqu'à la mort de mon père. Je ne me reconnaissais pas quand je me regardais dans une glace. J'étais rouge et couverte d'acné causée par l'inquiétude. La maigreur faisait ressortir le menton, la mâchoire et les sourcils ; j'avais les joues creuses et les traits tirés.

Je voulus faire un peu de gymnastique : du jogging sur place quinze minutes chaque matin. Mais j'étais distraite et je m'arrêtais. Impossible de dormir. J'avais essayé tous les remèdes de ma mère, mais je m'éveillais en sursaut, la tête perdue. Rien n'y faisait.

12 février 1979. Camp de Sihala.

Les autorités vinrent le matin nous annoncer que nous allions être transférées dans un camp d'entraînement de la police à Sihala, à quelques kilomètres de la prison de mon père à Rawalpindi. On nous mena dans un bâtiment isolé, entouré de barbelés, au sommet d'une colline aride. On n'avait rien prévu pour nous, ni couvertures ni nourriture. Ibrahim et Basheer, deux serviteurs du personnel d'Al-Murtaza, devaient chaque jour faire un long trajet aller et retour pour les provisions.

13 février 1979. Les avocats avaient achevé la rédaction de la requête à 5 heures du matin, le jour où elle devait être remise. Le tribunal accorda à mon père un sursis, le temps de la révision. La Cour commença à siéger le 24 février. Les appels à la clémence affluaient au Pakistan, venant de chefs d'État du monde entier. « Tous les politiciens veulent sauver leur collègue, mais les non-politiciens sont rares à me demander la clémence », ironisait le général Zia, pour qui les appels des chefs d'État n'étaient rien qu'« activité syndicale ».

De Sihala, j'allai voir mon père au début de mars. Je ne sais pas comment il survivait. Depuis que la sentence avait été confirmée, il refusait tout traitement médical et ne prenait plus aucun médicament. Il avait aussi cessé de manger, non seulement parce qu'il souffrait des gencives et des dents, mais pour protester contre le régime auquel il était soumis. Il restait maintenant enfermé dans sa cellule, incapable de se servir des «commodités» qu'on avait installées pour lui dans une autre cellule.

J'étais comme toujours impatiente de le voir, mais plus encore ce jour-là, car j'avais une surprise pour lui. Avant sa dernière arrestation, ma mère était allée à Karachi et en avait ramené le chien de mon père, Happy, pour qu'il me tienne compagnie. Je l'aimais bien. Nous aimions tous ce bâtard de peluche blanche que ma sœur lui avait offert. «Ne bouge pas», murmurai-je à Happy en le cachant sous mon manteau pour entrer à la prison centrale.

En arrivant à la zone de fouille de la première barrière, j'eus la chance de ne pas trouver le directeur, ni le colonel Rafi, chef du contingent affecté à la prison, qui surveillait toujours nos moindres mouvements. À la seconde barrière, les fouilleuses de la police ne firent aucune objection. «Nous n'avons pas d'ordres en ce qui concerne les chiens», dit l'une gentiment. Je passai la dernière enceinte. «Cherche-le», chuchotai-je en lâchant Happy.

Le nez au sol, il allait de cellule en cellule, et je l'entendis japper en découvrant mon père, qui fut très surpris.

«Que de chiens sont plus fidèles que les hommes!» dit-il quand je les rejoignis.

Les autorités se fâchèrent dès qu'elles furent au courant, et Happy ne fut plus autorisé à voir son maître. Du moins avions-nous retrouvé un instant le souvenir d'une famille normale : une mère, un père et quatre enfants vivant sous le même toit, avec des chiens et des chats dans le jardin.

Pendant les premières semaines de mars, nos avocats inondèrent la Cour de motifs de révision. Ils étaient accablés de travail. Au début de mars, en écoutant un soir à Sihala les nouvelles de la BBC, nous apprîmes que Ghulam Ali Memon, un des avocats de mon père et l'un des magistrats les plus estimés du Pakistan, était mort d'une crise cardiaque à son bureau du Flashman. «*Allah, Ya Allah*», avait-il dit, paraît-il, en dictant son dernier argument juridique contre la décision de la Cour suprême. C'était une autre victime de la loi martiale. Que dire? Nous éteignîmes la radio.

Le 23 mars, anniversaire du jour où Mohammed Ali Jinnah, fondateur du Pakistan, demanda la création d'un État musulman indépendant, Zia annonça des élections pour l'automne, et le lendemain la Cour suprême fit connaître son arrêt. Bien que la requête de mon père fût rejetée, la Cour, à l'unanimité, préconisait la commutation de la peine. L'espoir renaissait une fois de plus. La décision désormais ne dépendait que de Zia.

Sept jours, c'était tout ce qui restait pour que quelqu'un, n'importe qui, détourne Zia d'envoyer mon père à la mort. Il avait d'ailleurs toutes les raisons de l'épargner. Un arrêt aussi discuté, particulièrement celui-ci, à quatre contre trois, n'avait jamais, au Pakistan, entraîné une exécution capitale. Aucun gouvernement, dans l'histoire judiciaire, n'avait rejeté chez nous une recommandation unanime de la Cour suprême pour commuer une peine de mort. Et d'ailleurs personne dans l'histoire du sous-continent n'avait été exécuté pour conspiration criminelle.

De l'étranger, on fit encore pression sur Zia. Les messages affluaient : Callaghan, le Premier ministre de Grande-Bretagne, faisait appel à la clémence de Zia pour la troisième fois. L'Arabie Saoudite, siège de l'islam fondamentaliste, rappelait aussi. Le président Carter les rejoignait, cette fois. Mais Zia ne répondit pas. Le sort de mon père était en jeu, et les minutes passaient.

Aucune date n'étant fixée pour l'exécution, les gens gardaient espoir. Personne ne voulait accepter ce que lui avait toujours su, et l'on préférait se raccrocher à la décision unanime de la Cour et aux promesses de commutation faites par Zia aux gouvernements musulmans. Il avait fait savoir qu'une démarche de mon père lui-même ou de sa proche famille lui permettrait de sauver la face et de commuer la peine. Mais mon père, qui avait accepté la mort depuis longtemps, persista dans son refus. «Un innocent n'implore pas de clémence pour un crime qu'il n'a pas commis», dit-il en nous interdisant tout appel. Sa sœur aînée, une de mes tantes de Hyderabad, passa outre et déposa sa requête à la porte même de Zia, une heure avant l'expiration du délai fixé. Mais elle n'eut pas plus de réponse.

Les signes inquiétants se multipliaient. À la prison centrale de Rawalpindi, on enleva de la cellule du condamné le misérable mobilier qui restait encore, y compris le lit. Il fut réduit à dormir par terre sur sa literie de fortune. On lui prit même son rasoir, et mon père, toujours rasé de près, eut désormais le visage envahi de barbe grise. Il était malade et de plus en plus faible.

À Sihala, on me remit un autre ordre de détention de quinze jours pour éviter que je ne «poursuive une politique d'agitation dans le but d'assurer la libération de [mon] père, créant une grave menace pour la paix, le calme et la conduite efficace de la loi martiale».

Personne ne savait ce qui allait arriver. Zia passerait-il vraiment à l'exécution et pendrait-il mon père en dépit de la réprobation mondiale et de la recommandation de la Cour? Si oui, quand? La réponse tomba, claire et tragique, le 3 avril, quand on vint nous prendre pour la dernière visite.

Yasmin! Yasmin! Ils vont le tuer ce soir!

Amina! Écoute toi aussi. C'est ce soir! Ce soir!

Les avocats rédigèrent une autre demande de révision. Amina prit l'avion pour Karachi, où elle et un des avocats de mon père, M. Hafiz Lakho, tentèrent de la soumettre à la Cour. Le greffier refusa de la recevoir; il leur conseilla de la donner aux juges, qui la refusèrent aussi. L'un d'eux s'échappa même par la porte de derrière pour les éviter. Ils allèrent jusqu'au domicile personnel du premier magistrat, qui refusa de les voir. Amina, au désespoir, reprit l'avion pour Islamabad.

3 avril 1979.

Les forces de la loi martiale cernent notre cimetière familial, barrant toutes les routes qui mènent à Garhi Khuda Bakhsh. Amina craignant d'être seule se rend directement, de l'aéroport, chez les Niazi. «C'est ce soir», répète le docteur, calmement, au téléphone, tandis que Yasmin et Amina reposent en silence, sans pouvoir dormir, dans la maison obscure.

Un camion militaire quitte rapidement la prison centrale de Rawalpindi aux premières heures du matin. Un peu plus tard, Yasmin entend un petit avion qui survole Islamabad. Elle se persuade qu'il appartient à l'un des dirigeants arabes : il s'est introduit dans la prison et, comme par enchantement, a enlevé le condamné pour le mener en lieu sûr. Mais cet avion, qu'elle entend, emporte le corps de mon père chez lui, à Larkana.

7

Libération d'Al-Murtaza
La démocratie défie
la loi martiale

À l'approche du premier anniversaire de l'exécution de mon père, le 4 avril 1980, les gens passent en foule devant Al-Murtaza sur le chemin de sa tombe, à Garhi Khuda Bakhsh. Dans notre sixième mois de détention, nous demandons aux gens du régime, ma mère et moi, l'autorisation de nous y rendre, mais je sais qu'ils ne l'accorderont pas. Ils craignent tant toute manifestation publique à la mémoire de mon père et en faveur du PPP que les routes de notre village ont été barrées dans un rayon de cinquante kilomètres.

Si nombreuses que soient les armes braquées sur le peuple, Zia n'en est pas moins hanté par le fantôme de mon père. Vivant, on l'admirait comme homme d'État aux vues sociales inspirées, mais son assassinat l'a élevé, dans l'esprit de ses fidèles, au rang des martyrs, et, pour quelques-uns, des saints. Or, en pays musulman, il n'est pas de prestige supérieur à ceux-là.

On parle de miracles près de sa sépulture, à quinze kilomètres d'Al-Murtaza : un jeune infirme se met à marcher, une femme stérile donne le jour à un fils. Un an après son exécution, des milliers de gens ont fait le pèlerinage à notre cimetière familial, pour poser sur leur langue pendant la prière un peu de terre ou un pétale de rose pris à son tombeau. Les fonctionnaires locaux ont arraché les panneaux qui indiquaient ce lieu perdu dans le désert. Mais le peuple y vient toujours.

La police et les patrouilles multiplient les tracasseries, demandent les noms, notent les numéros d'immatriculation de ceux qui sont venus en car ou en camion, leur adresse s'ils sont venus à pied. On confisque leur nourriture, on brise les cruches d'eau mises à leur disposition par les villageois. Ils viennent toujours, accumulant ses portraits encadrés et les guirlandes de roses et de soucis sur sa tombe dans le désert.

Huit jours après l'anniversaire de sa mort, l'audience en vue d'obtenir notre libération s'ouvre enfin à Karachi. Quand notre avocat fait état de ma protestation écrite contre le manque de respect du capitaine Iftikhar, lors de la visite manquée de Sanam le mois précédent, l'avocat général affirme tout ignorer de cette lettre. Mais j'ai le reçu signé par le geôlier, et notre avocat demande un jour de délai pour nous permettre de le présenter. Retenir une lettre destinée au tribunal est répréhensible et entraîne une peine de six mois de prison. Sachant que je possède la preuve, les autorités n'ont plus qu'à se prémunir contre une telle accusation.

Le soir même, nous sommes brusquement libérées, ma mère et moi. Je ne reverrai jamais le geôlier; j'apprendrai plus tard qu'on lui a refusé toute promotion et qu'on l'a rétrogradé à titre de sanction.

Libre, mais qui sait pour combien de temps? Ma mère demeura à Karachi après notre libération d'Al-Murtaza, tandis que je partais pour Rawalpindi afin de rattraper le cours des événements depuis nos six mois de détention. La douleur de mon oreille fut presque insupportable pendant ce vol, surtout lors de l'atterrissage. En m'éveillant le lendemain matin chez Yasmin, je trouvai mon oreiller taché de pus et de sang. Mes amis me conduisirent d'urgence à l'hôpital. «Vous avez beaucoup de chance, me dit le docteur au service des urgences après avoir nettoyé mon oreille. La pression de l'air dans l'avion a fait s'écouler l'infection au-dehors ; elle aurait pu se répandre à l'intérieur et causer de graves dégâts. »

Je ne savais que penser. Le médecin officiel d'Al-Murtaza avait d'abord prétendu que mon problème d'oreille était pure imagination, puis que je m'étais moi-même crevé le tympan. Celui-ci, maintenant, après m'avoir dit combien j'avais eu de chance, se contentait de me donner un mot pour que je me fasse examiner tous les quinze jours par mon docteur à Karachi. Étaient-ils tous stupides ou fermaient-ils délibérément les yeux sur mon état ? Personne ne m'informa que j'avais une sérieuse mastoïdite qui endommageait peu à peu les os fragiles de l'oreille moyenne ; c'est ce qui expliquait ma partielle surdité. Sans opération, je le compris plus tard, l'inflammation chronique pouvait entraîner la surdité complète et la paralysie faciale. Mais on ne m'avait rien dit.

Ma mère fut très inquiète quand je revins à Karachi. « Écris pour demander l'autorisation de te faire examiner à l'étranger. Ta santé n'a rien à voir avec la politique. » J'écrivis, mais il n'y eut pas de réponse. Le régime entendait nous tenir à l'œil.

Les camionnettes des renseignements militaires stationnaient vingt-quatre heures sur vingt-quatre devant la maison, et nous suivaient dès que nous sortions l'une ou l'autre. Quiconque venait chez nous était photographié et le numéro d'immatriculation noté. Nos lignes téléphoniques étaient sur écoute, et nous entendions souvent un déclic caractéristique. D'autres fois, elles étaient coupées.

« Pourquoi n'irais-tu pas à Larkana essayer de débrouiller les comptes de la ferme ? suggéra maman quand je me sentis mieux. Personne dans la famille n'a été capable de mettre nos comptes à jour depuis deux ans. »

Les agents de renseignements me suivirent pas à pas quand j'allai à Al-Murtaza voir nos fermiers et examiner les rapports sur les plantations et les récoltes. Je me demandais ce qu'ils pouvaient bien attendre ou chercher. Mon père et mes frères avaient toujours surveillé les terres.

En parcourant les livres de comptes, je me croyais revenue en arrière, dans la cuisine quand j'avais huit ans et que je vérifiais les comptes du ménage avec Babu. Mais c'était un soulagement d'avoir à m'occuper d'une tâche concrète et d'arrêter, même momentanément, le tourbillon sans fin de mes pensées. Chaque matin, avant que la chaleur estivale ne devienne trop forte, je partais en Jeep à travers les vergers de goyaviers, les rizières et les champs de canne à sucre, pour me familiariser avec mes nouvelles responsabilités. Je parcourais les champs en grosses chaussures, avec un foulard ou un chapeau de paille sur la tête pour me protéger du soleil brûlant, et j'étudiais notre système de canaux d'irrigation secondés par des puits. J'aidais aux travaux d'été pour le riz, le coton et je m'initiais à la culture de la canne à sucre, aux problèmes de teneur en sel et d'inondation des sols. L'effort physique devenait un baume.

Les métayers, les *kamdars* ou exploitants et les *munshis* ou comptables étaient vraiment soulagés d'avoir de nouveau parmi eux un membre de la famille Bhutto. «L'or suit les pas du propriétaire. Maintenant que vous êtes là, tout ira bien pour nous, me dit l'un d'eux. Nous ne sommes plus orphelins.»

Je me plaisais dans nos terres, et pourtant il me semblait étrange de travailler côte à côte avec les hommes à Larkana. Les femmes, très conservatrices dans les zones rurales, sortaient rarement sans voile, et assurément elles ne conduisaient pas de voitures. Mais je n'avais pas le choix. Il n'y avait plus au Pakistan d'hommes de ma famille ; mon père était mort et mes frères, qui auraient été arrêtés immédiatement s'ils étaient rentrés au pays, vivaient en Afghanistan. Ainsi, allant et venant, j'étais aux champs tous les matins. La tradition ne tenait plus guère de place dans ma vie, comme dans celle d'aucun de nous.

En un sens, j'avais dépassé ma condition de femme. Personne n'ignorait les circonstances qui m'avaient obligée à sortir du modèle des familles de propriétaires fonciers, où les jeunes femmes jalousement gardées quittaient peu, sinon jamais, leur maison sans un homme de la parenté. Les femmes, dans notre tradition, étaient l'honneur des familles. Pour les protéger, elles et leur honneur, une famille gardait ses femmes en *purdah*, entre quatre murs et sous le voile.

Mes quatre tantes, filles de mon grand-père par son premier mariage, appartenaient à cette tradition. En l'absence de cousins Bhutto, directs ou germains, à épouser, elles avaient été réduites à vivre en *purdah* derrière les murs de leur propriété de Hyderabad. Tout le monde comprenant les raisons de leur célibat, elles jouissaient d'un grand prestige dans la famille. N'ayant jamais connu d'autre vie, elles semblaient toujours gaies. «Les soucis n'ont pas ridé leur visage», disait souvent ma mère, surprise, quand elle revenait de les voir.

Dans cette vie où je ne voyais qu'ennui, mes tantes paraissaient plutôt heureuses. Elles savaient assez d'arabe pour lire le Coran, surveillaient la cuisine, préparaient de délicieuses carottes au vinaigre et des sucreries, cousaient et tricotaient. Pour prendre un peu d'exercice, elles se promenaient dans la cour. De temps en temps, le marchand de tissu laissait discrètement à la porte des pièces d'étoffe pour qu'elles fassent leur choix. C'était l'ancienne génération. J'étais la nouvelle.

Le soir, à Al-Murtaza, je rencontrais des délégations d'étudiants et d'autres visiteurs qui m'apportaient des nouvelles de ceux qui étaient encore en prison et des rapports sur la résistance à l'autorité militaire. Nous dressions des listes de prisonniers à visiter et de familles à consoler. Dans l'après-midi, je trouvais le temps de commander un *shamiana* pour abriter la tombe de mon père et, répondant au désir de ma mère, de faire remplacer par des vitres les vieilles fenêtres de bois d'Al-Murtaza. «Je préfère la lumière à la fraîcheur», avait-elle dit lors des coupures de courant presque quotidiennes que nous avions subies pendant nos longs mois de détention dans la maison. «Qui sait si nous ne serons pas encore détenues ici? Mieux vaut être prêtes.»

Je me trouvai aussi impliquée dans une tradition orientale mal connue. Restant la seule Bhutto aux environs, je devins tout à coup l'«aînée» pour les villageois, qui commencèrent à venir me trouver, dans la cour d'une hutte de terre, pour me soumettre leurs différends et leurs problèmes. Survivance des temps féodaux, quand les chefs de clan avaient la haute main sur toutes les décisions concernant leurs gens, il restait dans les zones rurales un système simplifié de justice tribale, comme il y subsistait des tribus. Bien que je ne sois évidemment pas le chef de la tribu Bhutto, on insistait pour me voir. La justice au Pakistan était trop lente, trop loin d'eux, trop chère, et trop corrompue, disait-on, pour qu'on s'y frotte. La police avait la réputation de se faire de «l'argent de poche» en arrêtant les gens et en ne les relâchant que moyennant finances. Les villageois s'accommodaient mieux des *faislas*, ou jugements, d'une famille qu'ils reconnaissaient. Mais, après huit ans en Occident, je m'apercevais que j'étais peu versée dans les complexités de la vie rurale.

«Son cousin a tué mon fils il y a quarante ans», expliquait un matin devant moi un vieil édenté, alors que je tenais séance, assise sur un lit de corde. «Le *faisla* de votre grand-oncle, ce fut alors mon mariage avec la première fille qui naîtrait dans sa famille, s'il y en avait une. Et regardez : la voilà! Mais il refuse de me la donner.»

Je regardai la fille de huit ans tapie derrière son père, qui protesta : «Il n'a jamais dit un mot quand elle est née, et j'ai cru qu'il nous avait pardonné le crime commis tant d'années avant. Si j'avais su qu'il la réclamait, j'aurais élevé ma fille en la prévenant qu'elle ne nous appartenait pas et que je serais un jour obligé de l'abandonner.

233

À présent, nous avons pensé arranger un mariage pour elle avec une autre famille qui l'accepte. Nous leur avons donné notre parole. Comment la reprendre?»

Je frémis à l'idée de ce marchandage pour une pauvre petite fille. Le sort des femmes dans les zones rurales n'est pas toujours heureux. Il en est peu qui puissent choisir quoi que ce soit dans la vie, et on ne leur demande jamais ce qu'elles désirent. «Vous n'aurez pas la fille, mais une vache et 20 000 roupies à titre de dédommagement, dis-je au vieux. Tel est mon jugement. Il fallait la réclamer avant qu'elle soit promise à un autre.» Une vache pour une fille : voilà une équation dont on n'avait jamais discuté à Radcliffe à propos des droits de la femme. Mais c'était cela le Pakistan. Et le vieil homme furieux s'en alla en récriminant.

Mon *faisla* du lendemain tourna au désastre. «Ma femme a été enlevée!» criait un homme devant moi, et son beau-père ajoutait au tapage : «Le ciel est tombé sur nos têtes, nos vies sont perdues, et toute la journée les enfants de ma fille réclament leur mère en pleurant. Il faut nous aider à la retrouver.

– Qui soupçonnez-vous?» demandai-je, inquiète pour la femme.

Ils me le dirent et j'envoyai quelqu'un au village négocier avec les «aînés». La jeune femme fut ramenée sans dommage, mais elle était furieuse.

«Je ne veux pas vivre avec mon mari, me fit-elle dire. J'en aime un autre. C'est la troisième fois que je m'enfuis et qu'on me ramène. Je croyais qu'une femme comprendrait et aurait pitié de moi.»

J'étais stupéfaite. Étais-je la seule à ignorer que, selon les dures lois de la tradition tribale, il n'est pour une femme pas d'autre moyen de quitter son mari que de se faire enlever? Une épouse malheureuse ne peut pas partir de son plein gré. La pauvre jeune femme, je l'appris par la suite, ne put jamais s'échapper. Ce n'était pas la première fois que je constatais le conflit entre les traditions tribales et les valeurs humaines d'égalité et de libre choix.

Le fossé s'élargissait entre un Pakistan démocratique et le pays sous la dictature militaire. Tandis que je rendais des jugements dans les champs de Larkana, Zia avait établi dans chaque province des tribunaux militaires d'exception, présidés par un magistrat et deux officiers sans formation juridique, qui distribuaient de plus en plus de condamnations à mort et d'emprisonnements à vie. L'injustice grandissait aussi dans les centaines de tribunaux sommaires où un seul officier non formé recevait les dépositions et condamnait sur-le-champ à un an de prison rigoureuse et quinze coups de fouet. Tandis que les jugements que je rendais n'étaient pas exécutoires et que les conflits pouvaient être soumis à une cour, les accusés des tribunaux militaires n'avaient ni avocats ni droit d'appel. Les victimes ne pouvaient échapper à l'exécution immédiate de la peine qu'en achetant l'officier responsable, au tarif de 10 000 roupies par coup de fouet, soit alors environ 100 dollars. La loi martiale resserrait son piège.

Loi martiale, ordonnance n° 77, 27 mai 1980 : La juridiction des tribunaux civils est remplacée par les tribunaux militaires dans les crimes tels que la trahison et la corruption de membres des forces armées. Les peines vont de la mort par pendaison au fouet et à l'emprisonnement à vie.

Loi martiale, ordonnance n° 78 : La période de détention de douze mois sans procès est renouvelée pour les prisonniers politiques, mais avec une nouvelle aggravation. Il n'est plus donné aucune explication à ceux qu'on arrête chez eux ou dans les rues : « Les motifs ou les lieux de détention ne seront communiqués à aucun d'eux », précise l'ordonnance. Et la durée peut en être prolongée aussi longtemps que « les circonstances l'exigent », selon les autorités de la loi martiale.

Désormais, n'importe qui pouvait être arrêté n'importe où, sans aucun droit d'appel, sur une accusation dont il ou elle n'était pas informé, et détenu indéfiniment. Le 19 juin, un défilé d'avocats fut organisé à Lahore, pour réclamer le retrait des nouvelles ordonnances, et des élections qui rendent le gouvernement à l'autorité civile. Quatre-vingt-six avocats furent passés à tabac et arrêtés. Douze autres eurent le même sort, en août, à Karachi, pour avoir demandé le retour à la Constitution de 1973. Des étudiants et des dirigeants syndicaux furent aussi balayés par le régime sous le règne d'une terreur qui paraissait sans fin.

Quand je revins à Karachi pendant l'été, ma mère me recommanda la prudence. Mais le régime ne prenait aucun risque. À Lahore, où nous étions allées en août pour le mariage d'une amie de la famille, la police cerna notre hôtel et nous expulsa de la province du Penjab. Nous fûmes ramenées sous escorte à l'aéroport et mises dans un avion pour Karachi.

Il était clair que, trois ans après le coup d'État et l'instauration de la loi martiale, Zia n'avait pas réussi à forcer le peuple à l'obéissance ni conquis son adhésion. Au contraire, il perdait du terrain. Presque sans appui politique, il n'était maître que de l'armée. Les membres mêmes de la PNA, cette coalition de politiciens qui s'était opposée à mon père et au PPP lors des élections de 1977, et dont certains étaient ensuite devenus ministres de Zia, firent défection. Quand, six mois après la mort de mon père, il se passa de leurs ministères et interdit tous les partis, la PNA se retrouva dans un désert politique.

Si bien que, peu après notre détention à Al-Murtaza en octobre 1979, quelques-uns de ses militants avaient commencé à rechercher une alliance avec le PPP contre Zia. Nous avions alors pris leurs avances pour une manœuvre tendant à leur donner plus de poids vis-à-vis du régime militaire. «Si vous nous écartez des ministères, lui disaient-ils en effet, nous rejoindrons le PPP.» Maintenant, en automne de 1980, notre ancien adversaire renouvelait ses propositions, et cette fois, il convenait d'en tenir compte.

Sans espoir de se créer une base politique, Zia et ses derniers partisans s'en remettaient aux pots-de-vin. Chaque jour apportait des échos de cette campagne de séduction. Dhoki, le fils d'un dirigeant pauvre du PPP, et qui gagnait deux roupies par jour dans un magasin de cycles, s'en vit offrir 1000 pour quitter le parti au profit de la Ligue musulmane, une fraction de la PNA qui soutenait encore Zia. À un membre du parti aussi important que Ghulam Mustafa Jatoi, président du Sind et ancien chef de gouvernement régional, Zia proposa lui-même – comptant sur un accord – d'être Premier ministre du régime. On pouvait craindre un nouveau regroupement politique qui aurait abusé le peuple en lui faisant espérer une forme civile du régime militaire détesté.

«Il faut prévenir ces manœuvres, me dit ma mère en septembre après la proposition faite à Jatoi. Bien que je répugne à cette idée, nous devrions peut-être tâter le terrain du côté de la PNA. Il n'y a pas intérêt à diviser l'opposition au régime.»

Je fus d'abord consternée, et je protestai : «Cela déchaînera une tempête parmi les dirigeants du parti. Comment oublier que la PNA a été la première à accuser le PPP d'avoir truqué les élections? Elle qui a ouvert la voie à la prise du pouvoir par l'armée? Ses militants étaient ministres de Zia quand il a envoyé papa à la mort.

– Mais avons-nous le choix? Aujourd'hui c'est Jatoi, demain ce seront les autres. Quand les conditions idéales ne se présentent pas d'elles-mêmes, il faut tirer parti des tristes réalités.»

Elle organisa une réunion secrète des trente et quelques membres du comité exécutif central du PPP. Nous étions conscients de prendre un grand risque, les assemblées politiques étant interdites, mais garder le silence eût été accepter tacitement le régime. La séance, comme toutes les autres, eut lieu au 70, Clifton. Les dirigeants venaient parfois de loin, de la province de la Frontière du Nord-Ouest et du Baloutchistan. Et, comme on pouvait s'y attendre, le débat fut houleux.

« Ceux de la PNA sont des assassins, dit un membre du parti du Sind. Si nous traitons avec eux aujourd'hui, qu'est-ce qui nous empêchera demain de le faire directement avec Zia lui-même?

– Mao Tsé-toung a collaboré avec Tchang Kaï-chek quand le Japon a envahi la Chine, répliqua le vieux Sheikh Rashid, le marxiste du parti. S'ils pouvaient travailler dans l'intérêt national, je serais prêt à collaborer avec eux. »

Les arguments opposés s'affrontaient. « Nous les savons opportunistes et intéressés, dis-je. Mais que faire? Ou nous attendons que l'occasion nous échappe, ou nous avalons l'amère pilule de la PNA en prenant nous-mêmes l'initiative. Je propose de transiger et de conclure une alliance sans renoncer aux identités distinctes de nos partis. »

Après sept heures de discussion, le pragmatisme l'emporta, et chacun de nous accepta à regret de répondre aux propositions de la PNA. Ainsi s'élabora la structure du MRD, Mouvement pour le rétablissement de la démocratie.

« Il n'est pas question que nous nous retrouvions en prison toutes deux en même temps, me dit ma mère. Mets ton activité apparemment en veilleuse, de sorte qu'il y ait toujours l'une de nous en liberté pour diriger le parti. »

J'acceptai à contrecœur, mais aussi avec un certain soulagement. Bien que la formation du MRD se justifiât politiquement, je ne trouvais pas moins difficile à admettre cette alliance avec les anciens ennemis de mon père. Les dirigeants de son ancienne opposition trouvaient les mêmes difficultés à négocier avec le PPP, et avec les autres partis qui la composaient. Ces adversaires farouches, profondément méfiants, refusèrent de discuter directement les préliminaires et envoyèrent des représentants.

Les démarches se compliquèrent par la suite du fait des échanges orageux qui devaient aboutir à cette problématique coalition, en particulier à propos des termes proposés pour ses statuts : les élections de 1977 avaient-elles été ou non «truquées»? La mort de mon père était-elle qualifiée d'exécution ou d'assassinat? Il fallut quatre mois, d'octobre 1980 à février 1981, pour sortir de l'impasse et rédiger un projet d'accord entre les dix participants, qui de ce fait était fragile.

La Ligue musulmane, parti de Mohammed Khan Junejo, qui allait devenir un Premier ministre de choix pour Zia, se retira à la onzième heure. Les autres chefs et délégués de partis se trouvèrent face à face pour la première fois à Clifton, le soir du 5 février 1981.

Je regardais les anciens adversaires de mon père, réunis chez lui pour arrêter un programme politique avec sa veuve, présidente du PPP, et sa fille. Quelle chose étrange que la politique! Nasrullah Khan, chef du Parti démocratique pakistanais, était assis, coiffé de son fez, à la droite de ma mère. Devant moi, Kasuri, le représentant bien en chair du *Tehrik-e-Istiqlal* plus modéré d'Asghar Khan. Les dirigeants barbus du parti religieux *Jamaat-ul-Ulema-e-Islam* étaient d'un côté de la salle; de l'autre, Fatehyab, à la tête du petit parti de gauche *Mazdoor*, portant un *churidaarkurta* blanc empesé, chemise vague et pyjama étroit. Une vingtaine en tout, venant pour la plupart de l'ancienne coalition de la PNA. Je devais me rappeler qu'il s'agissait de déloger Zia et que l'essentiel était, en dépit de nos divergences, de souder une alliance qui l'oblige à organiser des élections. Cela n'allait pas de soi.

La fumée des cigarettes et les éclats de voix montaient dans le salon entre les lustres et les murs tendus de velours; la réunion fut si longue qu'il fallut la reprendre dans la matinée. Un ancien dirigeant de la PNA essaya un moment de justifier le rôle de son parti dans l'agitation de 1977. Je m'étonnai d'entendre ainsi critiquer implicitement le PPP dans notre propre maison.

«Nous sommes ici pour préparer une alliance de défense de la démocratie et non pour discuter de ce que vous pensez de nous, ou nous de vous, dis-je d'un ton glacial.

– Oui, il faut considérer l'avenir et non le passé», intervint Nas-rullah Khan, essayant de ramener le calme.

Tout de même, il m'était dur de les voir tous boire leur café dans la porcelaine de mon père, assis sur son canapé et se servant de son téléphone pour appeler leurs amis dans tout le pays, expliquant d'un air excité : «Je suis au 70, Clifton! Oui, c'est vrai. Chez M. Bhutto!»

Yasmin, Amina et Samiya réussirent à m'apaiser. «Ils sont venus vous trouver; cela prouve la force du PPP, dit Samiya.

– Vous vouliez cette coalition, ajouta Amina, et elle se justifie politiquement, alors passe sur tes problèmes.»

J'avalai mes objections et les autres dirigeants en firent autant, si bien qu'ils finirent, l'un après l'autre, par signer l'accord qui unissait tous les partis. Le 6 février 1981, le Mouvement pour le rétablissement de la démocratie était né.

L'annonce de cette signature, que beaucoup apprirent par la BBC, galvanisa le Pakistan. L'impulsion qu'en reçut le peuple fut le signal de nombreuses manifestations contre les injustices du régime. Les étudiants de la province de la Frontière furent les premiers à descendre dans la rue. Zia nous signifia immédiatement, à ma mère et à moi, des ordres d'interdiction de séjour pour nous empêcher de visiter les blessés.

Le mécontentement gagna bientôt le Sind et le Penjab, où les professeurs d'université, les avocats et les médecins se joignirent au mouvement grandissant de protestation. Beaucoup de manifestations d'étudiants éclatèrent à Multan, à Bahawalpur, à Sheikupura, à Quetta. Les chauffeurs de taxi, les commerçants et les petits marchands commencèrent à murmurer «Dieu soit loué pour le MRD, le temps de Zia est passé.» Notre cuisinier revint du marché de l'Impératrice, à Karachi, en disant que «même les bouchers étaient prêts à se mettre en grève à l'appel du MRD».

Zia, se voyant serré de près, ferma les universités dans tout le pays et interdit les réunions de plus de cinq personnes. Mais le soulèvement continua, évoqué par *Time Magazine* comme «La plus forte vague d'opposition à laquelle ait dû faire face le général Zia».

Une assemblée secrète du MRD fut fixée à Lahore le 27 février, et Zia réagit aussitôt en arrêtant dès le 21 beaucoup des dirigeants. Les autres membres du MRD et du PPP reçurent des ordres leur interdisant le Penjab : «Votre entrée au Penjab est jugée préjudiciable à la sécurité et au maintien de l'ordre aussi bien qu'à l'intérêt public», disait l'ordre que je reçus du gouverneur du Penjab.

Ma mère renforça la décision que nous avions prise concernant mon activité politique. «Pas de politique pour l'instant. Si je suis arrêtée, tu dois être prête à assurer la direction», me dit-elle avec fermeté. La situation devenait explosive, au point d'ébranler Zia, et je m'irritais de toutes ces restrictions. Il incombait à ma mère d'assister à l'assemblée secrète du MRD à Lahore. Toutes les routes qui menaient à la ville étaient barrées par la police, qui fouillait chaque voiture. Les membres du MRD encore libres durent emprunter des chemins détournés. Ma mère prit le train, déguisée en grand-mère voilée, accompagnée de son «petit-fils», le garçon de treize ans d'un de nos employés.

La police fit une descente pendant la réunion et arrêta les participants, y compris ma mère, qui fut ramenée à Karachi. Mais le MRD avait eu le temps de lancer son ultimatum, réclamant la fin de la loi martiale et les élections dans les trois mois : «Nous exigeons le départ immédiat de Zia, faute de quoi le régime de la loi martiale sera supprimé par la volonté irrésistible du peuple.»

Le MRD fixa au 23 mars la date prévue pour les grèves et les manifestations de masse dans tout le Pakistan. Certains des conseillers du PPP élus en 1979 aux élections locales consentirent à se retirer et réclamèrent la démission de Zia au moment de la grève. Le compte à rebours avait commencé pour la chute de Zia et le retour du gouvernement civil au Pakistan.

2 mars 1981.

Je suis assise dans le salon du 70, Clifton, avec un groupe de permanents du parti, quand le téléphone sonne. C'est Ibrahim Khan, le correspondant de l'agence Reuter à Karachi.

« Comment avez-vous réagi à la nouvelle ? me demande-t-il.

— Quelle nouvelle ?

— Un appareil des Pakistan International Airlines a été détourné.

— Par qui ? » Je suis stupéfaite, car ce n'est jamais arrivé à un avion des PIA.

« Personne ne le sait encore, dit-il. On ne sait rien, ni qui sont les auteurs du détournement, ni où ils emmènent l'avion, ni ce qu'ils veulent. Je m'en occupe et je vous tiens au courant. Mais puis-je savoir ce que vous en pensez ?

— Tout détournement est condamnable, celui d'un avion comme celui d'une nation », réponds-je instantanément. Quand je raccroche, les membres du PPP me regardent, intrigués.

« Un de nos avions a été détourné, dis-je. C'est tout ce que je sais. »

8

EN ISOLEMENT
À LA PRISON DE SUKKUR

Prison centrale de Sukkur, 13 mars 1981.

Pourquoi suis-je ici? Je ne comprends pas. La prison mainte-nant. Une prison loin de tout dans le désert du Sind. Il fait froid. J'entends l'horloge sonner 1 heure, puis 2 heures. Je ne peux pas dormir. Le vent glacé du désert souffle entre les barreaux de ma cel-lule : quatre murs de barreaux nus. On dirait une énorme cage, un grand espace où il n'y a qu'un lit de corde.

Je me tourne et me retourne sur le lit, en claquant des dents. Je n'ai ni pull-over ni couverture, rien. Seulement le *shalwar khameez* que je portais quand on m'a arrêtée à Karachi, il y a cinq jours. Une des geôlières a eu pitié de moi et m'a passé en cachette une paire de chaussettes. Mais elle avait tellement peur d'être punie de sa charité que ce matin elle m'a demandé de les lui rendre. J'ai mal aux os. Si je voyais clair, je pourrais au moins marcher. L'électricité est cou-pée la nuit dans ma cellule. Depuis 7 heures, il n'y a que de froides ténèbres.

La police était venue me chercher le 7 mars au 70, Clifton, mais je n'y étais pas. J'avais passé la nuit avec Samiya, évitant la réunion politique que ma mère tenait à Clifton avec les dirigeants du MRD. La police, naturellement furieuse de ne pas me trouver, avait débarqué chez ma cousine Fakhri, puis à Clifton où ils arrêtèrent d'abord ma mère, puis mirent tout sens dessus dessous à ma recherche. «Qu'est-ce que vous croyez? Que c'est un scarabée?» demanda ma sœur Sunny en voyant les policiers qui fouillaient vider jusqu'aux boîtes d'allumettes.

Se déployant à travers Karachi, ils avaient continué à perquisitionner chez mes anciennes camarades d'école, notamment chez les Punthakey, une famille zoroastrienne. On emmena Paree, leur fille de vingt-cinq ans, au poste de police où on l'interrogea pendant sept heures. Paree et sa famille étaient membres d'une minorité religieuse et, pour la politique d'islamisation de Zia, tout ce qui n'était pas musulman risquait particulièrement des sanctions. «Nous savons comment traiter les minorités religieuses dans ce pays», s'étaient entendu dire les parents de Paree quand ils avaient pris contact avec les autorités pour protester contre sa détention. «Vous n'avez pas de place dans la politique de ce pays. Il ne fallait pas vous en mêler.»

Après avoir fouillé les maisons de deux autres amies, Putchie et Humo, la police finit par me retrouver le lendemain chez le docteur Ashraf Abbasi, ancienne vice-présidente de l'Assemblée nationale et l'un des médecins de ma mère à Karachi. Comme j'allais profiter de sa ligne directe pour téléphoner à quelques amis d'Islamabad, le fils du docteur, Safdar, nous dit : «La police est là et veut fouiller la maison.» Nous le regardâmes avec étonnement. Ignorant tout des recherches et me tenant résolument à l'écart des activités du MRD, je crus qu'on venait pour Ashraf Abbasi ou peut-être pour son fils Munawwar. «Dites-leur qu'il est inutile de fouiller, dis-je à Safdar. Demandez-leur qui ils cherchent.» Il revint au bout d'un moment. «C'est pour vous qu'ils viennent.»

Cette arrestation avait quelque chose d'inattendu et de terrible. Je le pressentis quand on me fit monter à l'arrière d'une Jeep découverte, bourrée d'agents comme aucune des voitures utilisées lors de mes précédentes détentions. Je refusai et ils me laissèrent monter devant. Le convoi militaire qui nous escortait dans les rues vides était aussi plus important et la destination inquiétante : un poste de police. On ne m'y avait jamais menée avant. Qu'allait-il arriver ? Personne ne dit rien pendant les cinq heures que je passai dans cette salle nue, à regarder les policiers fumer cigarette sur cigarette et cracher leur jus de bétel sur les murs déjà souillés. Un air de crainte figeait leurs traits. Cette fois, je comprendrais vite : Zia avait dépassé ses limites habituelles dans la répression et la brutalité.

Ce que les autorités savaient et moi pas, c'était que des milliers de gens étaient ramassés dans tout le Pakistan : la plus vaste rafle qu'on ait jamais connue. Amnesty International, dont les estimations étaient toujours prudentes, évaluait à plus de six mille le nombre des arrestations pour le seul mois de mars 1981. Cinq jours après le détournement de l'avion de ligne des PIA, le 2 mars, Zia avait pris prétexte de l'incident pour arrêter la lame de fond qu'avait soulevée le MRD. Quiconque avait le moindre lien avec le mouvement ou le PPP se vit emprisonné.

Les Niazi furent arrêtés à Islamabad. On vint aussi chercher Amina mais, la voyant enceinte de neuf mois, on emmena à sa place son mari Salim. L'émotion la fit accoucher. Yahya Bakhtiar, ancien procureur général du Pakistan, qui avait dirigé, pour la défense de mon père, l'équipe des avocats, fut arrêté au Baloutchistan. Faisal Hayat, ancien membre de l'Assemblée nationale et neveu de Khalid Ahmed, commissaire adjoint de Larkana contraint à l'exil, fut arrêté à Lahore, comme le furent une fois de plus beaucoup de femmes membres du PPP. Qazi Sultan Mahmoud, directeur adjoint de l'hôtel Flashman, subit à Rawalpindi sa troisième arrestation. Même chose pour Irshad Rao, éditeur de *Musawaat* à Karachi, et Pervez Alo Shah, un des dirigeants du PPP dans le Sind. La liste s'allongeait toujours. Et nous étions traités avec une rigueur nouvelle.

« Où est ma mère ? demandai-je au poste de police.

« – À la prison centrale de Karachi.

– À la maison de séjour ? » La « maison de séjour » était un logement relativement confortable pour les visiteurs officiels, où mon père avait été gardé au début.

« En cellule », me répondit-on.

Quelle honte : ma mère, la veuve de l'ancien Premier ministre, dans une cellule de classe C, sans eau, ni literie, ni air ?

« Où me conduisez-vous ?

– Rejoindre votre mère. »

Ils mentaient.

Je fus tenue cinq jours au secret à la maison de séjour de la prison centrale de Karachi, dépouillée maintenant de son mobilier jusqu'au strict minimum. Les fonctionnaires prétendaient ignorer où se trouvait ma mère et niaient même qu'elle eût jamais été détenue à Karachi. Je ne fus pas autorisée à voir mon avocat. Je n'avais pas d'autres vêtements que ceux que je portais lors de l'arrestation. Ni brosse, ni peigne, ni brosse à dents, ni dentifrice, rien. Je suivais un traitement pour des malaises féminins résultant de tension nerveuse répétée ; il me fallait d'autres médicaments, mais il n'y avait pas de médecin ou de femme à qui j'aurais pu dire ce qui me manquait.

« Vous partirez à 2 h 30 du matin. Soyez prête », me dit le directeur qui vint me trouver dans ma cellule le soir du 12. Il avait l'air effrayé.

« Où m'emmenez-vous ? » Pas de réponse. « Où est ma mère ? » Même silence. Pour la première fois, j'avais peur. J'avais entendu raconter que les autorités de la prison emmenaient parfois les prisonniers « à problèmes » la nuit dans le désert et les tuaient, tout simplement. On les enterrait avant de prévenir leurs familles que leurs parents avaient été tués en essayant de fuir, ou qu'ils avaient succombé à de mystérieuses et soudaines crises cardiaques. En arrivant à la maison de séjour, j'avais écrit à la Haute Cour du Sind pour protester contre mon arrestation, et demander d'être autorisée soit à présenter ma propre défense devant le tribunal, soit à recevoir un avocat. Je désespérais à présent de voir ma lettre arriver à destination.

«Il faut envoyer cette lettre au tribunal», dis-je à l'un des geôliers tandis que j'attendais l'arrivée des officiers du régime aux premières heures de la matinée. Il prit discrètement ma lettre et la fourra dans sa poche. Dieu merci. S'il l'envoyait, au moins y aurait-il quelque trace de l'endroit où j'étais et de celui où l'on m'avait emmenée.

Toute une camionnette de femmes de la police vint me chercher à 2 h 30. Et des camions pleins de gens de la police et de l'armée. On fila à tombeau ouvert par les rues désertes dans une voiture aux rideaux tirés, comme si l'on craignait une embuscade. Brusquement, la voiture s'arrêta avec un sursaut, et il y eut beaucoup de chuchotements et de pourparlers à leur poste émetteur-récepteur.

«Isolez-la sur la piste», entendis-je, et j'en fus soulagée. J'étais donc sur un aéroport. Mais où m'emmenait-on? Je connaissais par cœur maintenant les horaires, et il n'y avait à cette heure-là aucun vol prévu pour où que ce soit au Pakistan. Peut-être à Larkana, me disais-je pour me rassurer. Peut-être, dans leur souci de secret, avaient-ils prévu un avion spécial? J'attendais un atterrissage, mais rien ne vint. Il se passa quatre heures ainsi, jusqu'au lever du jour.

À 6 h 30, un avion ordinaire arriva sur la piste. On m'embarqua, une femme de la police assise à côté de moi, deux derrière et deux dans l'allée centrale. «Où allons-nous?» demandai-je à l'hôtesse, mais l'autre lui coupa la parole : «Vous êtes en état d'arrestation et vous ne pouvez parler à personne.»

Que se passait-il? Je n'avais pas vu un journal pendant mes cinq jours à la prison de Karachi, et je n'avais aucune idée de ce qui pouvait motiver un traitement pareil pour ma mère et pour moi. C'était la création du Mouvement pour le rétablissement de la démocratie, j'en étais sûre, et notre défi à Zia qui avaient entraîné ces dernières vagues d'arrestations. Les journaux ne parlaient que de cela la semaine où j'avais été arrêtée. Mais pourquoi tant de rigueur ? Et pourquoi tant de crainte sur le visage des autres passagers et même des policiers ?

L'hôtesse de l'air me passa un journal. L'essentiel n'y était pas les nouvelles du MRD, mais celles du détournement. Réclamant la libération de cinquante-cinq prisonniers politiques pakistanais, les pirates avaient détourné l'avion sur Kaboul, en Afghanistan, où ils avaient tué un des passagers, un officier, le major Tariq Rahim, qui avait été autrefois l'aide de camp de mon père. Le pilote s'était vu ensuite obligé de décoller pour Damas, en Syrie.

Je retenais mon souffle en lisant cet article, refusant à moitié de le croire, tout en redoutant qu'il ne fût vrai. Les auteurs du détournement se réclamaient d'un groupe de résistance nommé Al-Zulfikar, dont le siège était à Kaboul, où vivaient mes frères. Le chef du groupe, affirmait l'article, était mon frère Mir.

Trente et un, trente-deux, trente-trois. Sept coups de brosse dans les cheveux. Quatre-vingt-dix-sept, quatre-vingt-dix-huit. Compter jusqu'à cent en se brossant les dents. Puis marcher quinze minutes dans la cour. Discipline. Routine. Je ne dois pas m'en écarter. De long en large, l'égout à ciel ouvert coulant à travers cette cour poussiéreuse, le long des cellules vides derrière leurs barreaux, face à la mienne dans l'enceinte verrouillée. On l'a entièrement vidée à cause de moi, me dit-on. Le régime m'a condamnée à l'isolement cellulaire.

À part des geôliers qui ouvrent ma cage le matin pour m'apporter une tasse de thé léger et du pain pour le petit déjeuner, une soupe de lentilles claire, de la citrouille bouillie et, deux fois par semaine, une portion minuscule de poisson pour le déjeuner ou le dîner, avant de m'enfermer de nouveau, je ne vois personne. Dans les rares occasions où j'entends une voix humaine pendant mes cinq mois de régime cellulaire à Sukkur, c'est pour apprendre des nouvelles déprimantes. «Aujourd'hui, il y a eu encore cinquante arrestations», me disent les autorités de la prison en faisant leur ronde hebdomadaire, ou : «On a fouetté aujourd'hui un prisonnier politique.»

Comme l'intervention soviétique en Afghanistan, le détournement s'était produit à un moment critique pour Zia. Sur le point d'être obligé d'abandonner ses fonctions sous la pression populaire, il utilisait l'événement pour inventer un lien entre le PPP et le terrorisme. La synchronisation était si étonnante que beaucoup de gens en vinrent à penser qu'il avait organisé lui-même le détournement. En tout cas, ce fut très efficace. Treize jours après le début de l'affaire et quelques minutes seulement avant l'heure fixée par les pirates pour faire sauter l'avion, le régime accepta d'accueillir leur demande en libérant cinquante-cinq prisonniers politiques. Qu'étaient cinquante-cinq prisonniers quand il tenait captifs des milliers de ses opposants politiques et qu'il accusait beaucoup d'entre eux de terrorisme ? Le défi du MRD avait disparu des journaux : le détournement et Al-Zulfikar étaient partout à la une.

Bouclée dans ma cellule à Sukkur, j'ignorais les efforts de Zia pour établir un lien entre Al-Zulfikar et le PPP, et tout particulièrement ma mère et moi. Je ne pensais qu'à obtenir ma libération. Je me sentis un peu rassurée quand mon avocat, M. Lakho, vint me voir à Sukkur pour faire appel contre ma détention. Une fois encore, un honnête geôlier m'était venu en aide ; la lettre que j'avais écrite à la Haute Cour du Sind avait bien été transmise. Mais ces efforts, comme ceux de M. Lakho, devaient être inutiles.

Le 23 mars, trois ou quatre jours après la visite de l'avocat, parut une «ordonnance constitutionnelle provisoire» : «Le général Zia aura, et sera considéré comme ayant toujours eu, le pouvoir de modifier la Constitution.» En vertu de cette nouvelle ordonnance, il retira immédiatement aux tribunaux civils le droit de réviser des sentences prononcées en vertu de la loi martiale. L'appel que j'avais déposé par l'intermédiaire de M. Lakho, comme ceux de tous les autres prisonniers politiques, était désormais sans objet. Nous pouvions être arrêtés, jugés, condamnés et exécutés par un tribunal militaire, sans aucun recours légal.

Zia utilisa aussi la nouvelle ordonnance relative aux tribunaux pour purger ceux-ci de toute opposition judiciaire. Tout juge était désormais tenu de s'engager sous la foi du serment à faire respecter la loi martiale et l'autorité de Zia. Ceux qui refusaient étaient destitués. D'autres l'étaient avant d'avoir pu prêter serment. Un quart de la magistrature pakistanaise fut ainsi éliminé par le régime, y compris tous les juges qui avaient cassé les condamnations à mort et les lourdes peines de prison frappant des prisonniers politiques. «S'il est question de partager le pouvoir avec la magistrature, je ne l'admettrai pas. Ils sont là pour interpréter la loi», avait dit Zia dont le *Guardian* rapportait les déclarations. Les associations internationales et Amnesty International, une fois de plus, élevèrent de vives protestations contre le régime, mais en vain. Le droit civil n'existait plus au Pakistan et M. Lakho ne fut plus autorisé à me joindre.

Le temps, impitoyable, monotone. Pour maintenir une activité cérébrale, je notais tout ce qui m'arrivait dans un petit carnet qu'un gardien compréhensif m'avait passé en cachette. Cela occupait un certain temps. J'avais droit à un journal par jour, une nouvelle édition de *Dawn* pour le Sind. Lis-le lentement, me répétai-je, mot par mot : les histoires de pêche, les devinettes pour enfants le vendredi, le sabbat musulman, les recettes. Mais en une heure, j'avais fini.

«Pouvez-vous m'apporter *Time* ou *Newsweek*? demandai-je au directeur lors de sa visite hebdomadaire.

– Ce sont des journaux communistes qui ne sont pas autorisés.

– Ils ne sont pas précisément communistes; ils viennent du centre même du capitalisme.

– Ils sont communistes.

– Quels livres avez-vous dans votre bibliothèque?

– Nous n'avons pas de bibliothèque ici.»

Fin mars, début avril, je commençai à redouter l'arrivée des journaux. Le détournement était toujours à la une, ainsi que le rôle de mon frère Mir; je lus une interview dans laquelle il en revendiquait la responsabilité mais, dans une autre, il la niait. Tous les journaux gouvernementaux laissaient entendre qu'Al-Zulfikar était l'aile armée du PPP.

Quelle accusation mensongère! Le PPP était entièrement fondé sur le principe d'une évolution pacifique par des moyens politiques, en travaillant dans le cadre de la légalité. Sinon, pourquoi aurions-nous tant réclamé des élections, pourquoi nous y serions-nous engagés malgré toutes les embûches que Zia nous dressait et jusque sous la menace des armes de la loi martiale? On ne gagne pas par la force le cœur et la fidélité du peuple. Le général lui-même aurait dû le savoir; il continuait pourtant à altérer la vérité, quelle qu'elle soit, sur Al-Zulfikar, pour détruire le MRD, le PPP et les Bhutto.

Seule dans ma cellule à Sukkur, je me persuadais que les autorités avaient décidé de me tuer. Un fonctionnaire de la prison m'apprit avec inquiétude que j'allais être jugée en secret par un tribunal militaire, dans la prison même, et condamnée à mort. Un autre dit que l'on vidait les cellules de condamnés d'une autre cour en prévision de mon transfert. Les mesures de sécurité avaient été renforcées à Sukkur à cause de rumeurs selon lesquelles mes frères tenteraient de me délivrer après ma condamnation. À en croire d'autres bruits, on m'emmènerait dans un centre de tortures au Baloutchistan pour m'arracher la «confession» de ma complicité dans le détournement.

«Vous avez devant vous des jours terribles, me chuchota l'un d'eux avec compassion. Nous prions pour que vous en réchappiez.»

L'inspecteur général des prisons confirma ces rumeurs lors de son passage. «Ils torturent des gens pour les obliger à vous compromettre avec Al-Zulfikar», me confia cet homme aimable aux cheveux gris, tâchant de me mettre en garde contre les dangers qui m'attendaient.

«Mais je suis innocente, on ne peut pas me compromettre», dis-je naïvement.

Il secoua la tête. «J'ai vu un garçon de Larkana, votre ville natale, à qui on avait arraché les ongles des pieds, dit-il, les larmes aux yeux. Je ne sais pas jusqu'où on peut aller ainsi sans se rendre.»

Je refusais de les croire. Il était important, si je tenais à survivre, de ne pas accepter cette réalité. M'y résigner, ce serait me soumettre à la menace. Inconsciemment cependant, mon corps réagissait à la tension; mes problèmes de santé s'aggravaient. Comme il n'y avait dans ma cellule pas de place pour la vie privée, l'infirmière de la prison fut, dès mon arrivée, au courant de mon état gynécologique, et on fit venir un médecin mais je ne sus rien de son diagnostic.

Je commençai à repousser la nourriture qu'on m'apportait, car j'avalais difficilement. Je mangeais à peine, tout en m'imaginant que je grossissais. Mon estomac me paraissait plus grand et mon thorax plus large. J'étais devenue anorexique.

Comme je perdais de plus en plus de poids, les autorités qui m'avaient informée de mon éventuelle condamnation à mort commencèrent à craindre que je ne meure avant. «Préparez vos affaires, vous êtes transférée à Karachi», me dit l'infirmière le matin du 16 avril, cinq semaines après mon arrivée à Sukkur.

«Pourquoi?

– Vous êtes en mauvaise santé. On vous emmène à Karachi.»

À l'aéroport de Karachi, la police m'annonça que j'allais chez moi.

J'étais ravie. 70, Clifton, de l'eau pure, fraîche, au lieu de l'eau jaunâtre de la prison. Mon propre lit au lieu d'une couchette de corde. Quatre bons murs au lieu de barreaux. Je croyais mes épreuves finies. Elles ne l'étaient pas.

«Ce n'est pas chez moi», protestai-je, épuisée par le voyage, en me voyant dans une maison inconnue.

«Nous voulons d'abord vous faire examiner par un autre médecin, me dit le policier qui m'escortait, puis nous vous conduirons chez vous.»

Une femme s'approcha. «Pourquoi ne pas me mener chez moi, où mon médecin viendrait me voir?» Personne ne répondit.

Le docteur, au moins, avait une bonne tête. «Les médecins de Sukkur pensent que vous avez un cancer de l'utérus, me dit-elle avec calme après m'avoir auscultée. Je n'en suis pas sûre. Il faut faire un examen plus approfondi.»

Un cancer? À vingt-huit ans? Je la regardai, incrédule. La menace de cancer était-elle réelle, ou cherchait-on encore à me déconcerter? Cette femme, comme tous les autres médecins que j'avais déjà vus, était choisie par le régime.

Tout en parlant, elle griffonnait quelque chose sur un bloc. «Ne vous inquiétez pas. Je suis une amie et une sympathisante. Vous pouvez me faire confiance», disait le petit mot qu'elle me passa. Mais le pouvais-je? Je n'avais pas de raison de me fier à qui que ce soit.

«Vous avez dit que vous me conduiriez à Clifton, dis-je au policier dans la Jeep qui traversait Karachi. Ce n'est pas le chemin.

– Vous irez plus tard. Nous vous emmenons d'abord voir votre mère à la prison centrale.»

J'étais très agitée: je n'avais pas vu ma mère ni eu de ses nouvelles depuis nos arrestations un mois plus tôt. J'avais terriblement besoin de lui parler de mon état, de la situation du MRD, des accusations de haute trahison que le régime ne manquerait pas de lancer contre nous.

«Maman! Maman! criai-je en me précipitant dans la "maison de séjour". C'est Pinkie, je suis là!»

Pas de réponse. C'était un nouveau mensonge. Ma mère était dans un autre quartier de la prison, me dit en secret un gardien. Je demandai à la voir immédiatement, mais je n'eus jamais de réponse. Le lendemain, au lieu de me conduire au 70, Clifton, la police me mena à un grand hôpital. Les couloirs étaient déserts, sans ces familles qui d'habitude sont nombreuses à accompagner leurs proches jusqu'à la porte de la salle d'opération. Je me sentais tellement seule sans les miens! Quand je m'éveillai après l'intervention, je fus soulagée de voir ma sœur près de moi. Le régime l'avait tout de même autorisée à me voir; mais sa visite l'avait bouleversée.

Sanam :

«L'hôpital était très grand. Je ne savais pas où aller ni même auprès de qui m'informer pour voir ma sœur. Dès que je prononçais son nom, tout le monde se figeait et me regardait fixement. J'avais peur. Je n'étais pas sortie de la maison depuis des mois; le Pakistan était un pays épouvantable à l'époque, surtout pour quelqu'un qui s'appelait Bhutto, mais je n'avais nulle part où aller.

«"Pardon, pouvez-vous m'aider?" demandais-je aux uns et aux autres dans les couloirs sans fin. "Allez ici, allez là", me disait-on. Brusquement, j'entendis une femme crier. "Mon Dieu, c'est ma sœur, dis-je à la femme qui était près de moi. – Ce n'est pas votre sœur, elle n'est ici que pour une petite intervention", me dit cette femme, qui était sans doute un agent de renseignements. "La femme qui crie est en train d'accoucher."

«Je savais que c'était Pinkie. J'en étais sûre. Je me précipitai dans la direction des cris, je la trouvai sur un chariot entouré de policiers et que l'on roulait en hâte hors de la salle d'opération. Des tuyaux sortaient de ses bras et de son nez. "Ils vont me tuer! Ils vont tuer papa! criait-elle, encore à demi endormie. Arrêtez-les! Que quelqu'un les arrête!"

« Dans ses cheveux, j'aperçus un cheveu blanc. Pour moi, ce fut le comble. Elle était enfermée depuis tant d'anniversaires, enfermée sans une présence humaine. Et qu'y avait-elle gagné? Un cheveu blanc.

«Je restai assise près de son lit dans la salle jusqu'à son réveil. J'espérais qu'on me laisserait passer l'après-midi près d'elle, mais ils ne m'accordèrent qu'une demi-heure. En sortant, je vis son médecin : "Dites à votre sœur que tout va bien." Je n'en eus pas l'occasion, car l'après-midi même on la ramenait à la prison centrale de Karachi.»

Quelque chose gronde dans mes oreilles, le noir s'épaissit puis s'estompe. J'ouvre les yeux à la prison pour trouver une femme de la police en train de fouiller dans mon sac et de sortir le minuscule carnet contenant mes notes de Sukkur. «Que faites-vous?» lui dis-je, dans une demi-torpeur. Elle me regarde, surprise, fait «Bon» et remet le carnet dans le sac. Après son départ, un sixième sens me tire du lit. Fébrile et un peu égarée, je me traîne dans la salle de bains où je brûle les feuillets. Une heure plus tard, un policier et la femme reviennent. «Votre sœur vous a remis quelque chose. Où est-ce?» C'est ce qu'ils ont cru en trouvant le carnet. «Je ne sais pas ce que vous voulez dire. – Vous mentez!» hurlent-ils en fouillant mon sac et mes quelques vêtements. Ils ne trouvent rien et sont fous de rage.

«Debout, vite», me crient deux femmes de la police le lendemain matin. Je me sens trop faible pour tenir debout, et j'essaie de protester : «Le docteur a dit que je ne devais pas bouger pendant quarante-huit heures.» Elles n'en tiennent aucun compte et jettent mes affaires dans un sac. Tandis qu'elles me bousculent dans une voiture, puis dans un avion, je me sens sombrer. Leurs voix me parviennent de très loin, des vagues d'ombre déferlent vers moi. Qu'elles ne m'engloutissent pas, mon Dieu! Je ne veux pas m'évanouir. Mais je tombe dans le noir. En reprenant conscience, plusieurs heures après dans ma cellule de Sukkur, j'entends des voix : «Elle est vivante. – On n'aurait pas dû la transporter si tôt.» Je retombe dans le noir, mais plus paisiblement cette fois. J'ai survécu.

J'ignorais encore quelle chance j'avais eue. Jam Sadiq Ali, ancien ministre du PPP en exil à Londres, me raconta plus tard l'appel désespéré qu'il avait reçu du Pakistan pendant ma brève hospitalisation. «Faites quelque chose, lui dit-on. Ils ont décidé de la tuer sur la table d'opération.» Il tint une conférence de presse et révéla ce qui menaçait ma vie, prévenant ainsi les plans qu'on avait faits pour me tuer.

Pendant des semaines après l'opération, je restai lasse et anémiée, à Sukkur, trop épuisée pour marcher. Le personnel subalterne de la prison devint plus ouvertement bienveillant. Prenant de grands risques, ils me procurèrent secrètement un stylo, un nouveau carnet et plusieurs numéros de *Newsweek*. L'un m'apporta même des fruits frais. Je passais autant de temps que je pouvais à noter tout ce qui se passait au-dehors, dans mon carnet, sur les marges des journaux et les moindres papiers qui me tombaient sous la main. Les geôliers emportaient chaque soir mes notes pour le cas d'une inspection à l'improviste. Si l'on avait découvert quoi que ce soit, ils auraient perdu leur emploi. J'attendais chaque matin avec impatience de récupérer mes papiers.

Extraits de mes notes de prison :

20 avril 1981 : « Le journal en ourdou *Jang*, contrôlé par le régime, donnait une interview de Mir Murtaza Bhutto à la BBC, disant qu'il était à Kaboul au moment du détournement, mais n'en avait rien su avant qu'il se produise. Mir Murtaza déclarait que sa mère et sa sœur, qui vivaient au Pakistan, n'avaient aucun accord avec Al-Zulfikar. Il ne travaillait pas pour le Parti du peuple pakistanais et n'avait eu aucun contact avec sa mère ni avec sa sœur. »

21 avril, Dawn. « Radio Australie citait hier soir des propos de Mir à Bombay récemment, disant que son organisation d'Al-Zulfikar, connue aussi comme l'Armée de libération pakistanaise, pouvait "mettre le Pakistan sens dessus dessous" et s'était engagée désormais à évincer le gouvernement par la violence. Al-Zulfikar, disait Mir, avait déjà organisé au moins cinquante-quatre autres opérations à l'intérieur du Pakistan, y compris l'explosion d'une bombe avant l'arrivée du pape, au stade de Karachi. Interrogé au sujet des informations selon lesquelles le quartier général de son organisation était à Kaboul, il répondit : "Nous y avons des représentants, mais notre quartier général est au Pakistan." »

Mon cœur se serrait tandis que je notais ces nouvelles. Si seulement je pouvais parler à Mir, le voir! Depuis cinq ans, je n'avais vu son visage et celui de Shah qu'en photo dans la presse. Autant je comprenais la frustration de Mir et sa colère, autant ses déclarations, réelles ou déformées par le régime, étaient dangereuses pour moi et les autres membres du PPP. Zia pouvait en prendre prétexte pour achever le PPP. Il ne pouvait pas atteindre mes frères, mais nous étions à sa merci.

Le 28 avril, Mir fut inscrit au Pakistan sur la liste des « criminels recherchés en priorité ». Et l'administrateur adjoint de la loi martiale vint me trouver inopinément pendant une tournée d'inspection. Il entra dans ma cellule, accompagné du directeur de la prison et d'un autre fonctionnaire. Nous nous assîmes sur les deux seules chaises qu'il y avait là.

« Pourquoi suis-je détenue ?

— À cause d'Al-Zulfikar.

— Je n'ai rien à voir avec cela.

— Nous avons trouvé dans votre chambre un projet d'Al-Zulfikar qui révélait tout le détail de leurs plans. » Je ne savais pas de quoi il parlait.

« Je n'avais jamais entendu parler d'Al-Zulfikar avant le détournement, répétai-je.

— Il appartient au tribunal de trancher à propos de votre association avec Al-Zulfikar, de la bombe au stade et de Lala Assad. »

Lala Assad ? Le vice-président de l'aile étudiante au Sind ? Je le connaissais ; il poursuivait ses études d'ingénieur à Khaipur. Comment croire qu'il était compromis avec Al-Zulfikar, si toutefois ce groupe existait ? Mais, manifestement, le régime exploitait le prétexte pour se débarrasser du plus grand nombre possible de nos fidèles. Une autre personne, me dit l'administrateur adjoint, avait été arrêtée comme complice des pirates : Nasser Baloach, que je connaissais aussi ; c'était le représentant ouvrier du PPP aux grandes aciéries de Karachi.

« Ce que je peux conclure de la conversation de ce matin, notai-je sur mon carnet après son départ, c'est que, aux yeux du régime, j'ai préparé avec Lala Assad et les autres l'explosion du stade pour le compte d'Al-Zulfikar. Incroyable ! C'est surréaliste, mais sinistre : les innocents sont poursuivis et les criminels règnent. Quel monde ! »

Un monde qui devint plus inquiétant encore deux jours plus tard.

« DES DOCUMENTS PROUVENT QUE LES DAMES BHUTTO ÉTAIENT AU COURANT DE L'ENTREPRISE », annonçait la manchette de *Jang*. Mon cœur cessa de battre une seconde et j'en eus froid dans le dos. Il était sûrement question du «projet» trouvé dans ma chambre. On préparait le pays à un autre procès Bhutto.

«Nous vivons un cauchemar, écrivais-je le 30 avril. D'abord les nouvelles renversantes à propos de Mir et d'Al-Zulfikar; maintenant, la résolution du régime de nous impliquer dans ce qui nous était tout à fait étranger. Au fond, n'ont-ils pas fait la même chose contre papa? Ils répètent une imposture que le monde savait mensongère. Ou peut-être croient-ils que le monde était dupe. Qu'importe la vérité? Mais à quoi bon un tribunal militaire pour cela? Incapable de nous vaincre politiquement, Zia en est à l'élimination physique et la destruction.» Je ne savais pas encore jusqu'où irait leur brutalité.

Le centre Baldia et la division 555 à Karachi. Le fort de Lahore et la caserne de Birdwood. Le fort d'Attock au nord du Penjab. La base aérienne de Charklala près de Rawalpindi. La prison de Mach et le camp de Khalli, au Baloutchistan. Les noms de ces lieux de torture venaient hanter les vies des partisans du PPP, comme les rapports de plus en plus pressants d'Amnesty International et des autres organisations humanitaires. Et tout cela pour impliquer le PPP, ma mère et moi dans l'affaire d'Al-Zulfikar.

Des années s'écouleraient avant que je sois informée en détail de ce qui se passait dans ces centres de torture. Des chaînes, des blocs de glace. Des piments rouges dans le rectum des prisonniers. En écoutant les récits de mes amis et collègues, j'étais malade à l'idée des cruautés dont les humains étaient capables. Mais il faut qu'il y ait des témoignages sur ce que les victimes de la loi martiale ont souffert de sa sauvagerie.

Faisal Hayat, avocat, propriétaire foncier, ancien membre de l'Assemblée nationale pour le Penjab :

« Quatre cents policiers, avec le chef de la police et un colonel des Renseignements, vinrent cerner ma maison à Lahore, le 12 avril 1981, à 3 h 30 du matin. Ils frappèrent les domestiques et entrèrent par effraction. Ma sœur, qui venait de subir une opération du foie, fut traînée hors de sa chambre ; ils en firent autant à ma mère et enfoncèrent la porte de ma chambre. "C'est le quartier général d'Al-Zulfikar ici, me dirent-ils en me prenant à la gorge. Nous venons saisir les lance-fusées, bazookas, mitraillettes et munitions que vous entreposez dans votre sous-sol." Je les regardais, ahuri. "Cherchez tant que vous voudrez, dis-je. C'est une maison familiale et non un quartier général. Nous n'avons même pas de sous-sol." Ils m'arrêtèrent quand même.

« Je passai mes premières vingt-quatre heures de prison sans manger ni boire. Puis ils m'emmenèrent les yeux bandés au fort de Lahore, vieille forteresse de brique, construite au temps des Moghols, il y a quatre cent cinquante ans. Chah Djehan, à qui l'on doit le Tadj Mahal, y fit élever le magnifique palais des Miroirs. Nous allions souvent, ma famille et moi, nous promener à l'ombre du pavillon d'Été, où les empereurs moghols entretenaient des bassins de nénuphars. Mais depuis le détournement, le fort de Lahore n'était plus connu que pour ses tortures. Il devint au Pakistan la réplique de la Bastille en France.

« Vingt-cinq ou trente d'entre nous furent arrêtés en même temps : Jehangir Badar, secrétaire général suppléant du PPP au Penjab ; Shaukat Mahmoud, le secrétaire général ; Nazim Shah, notre trésorier ; Mukhtar Awan, ancien ministre, tous hauts fonctionnaires du gouvernement. Ce furent des moments terribles.

« Tous les deux jours, on me menait à l'interrogatoire, mais je ne savais jamais exactement quand. Ils venaient me chercher à 6 heures du matin, le soir ou en pleine nuit. Bien que déjà en prison, on nous mettait les menottes pour être cuisinés par le général Rahib Qureshi, adjoint de l'administrateur de la loi martiale pour le Penjab, et Abdul Qayyum, chef des services de renseignements provinciaux. Je n'oublierai plus, de toute ma vie, les noms et les visages de ces deux hommes-là.

« "Nous vous donnons votre chance, me disaient-ils pendant les heures et les heures où ils m'obligeaient à rester debout devant eux. Vous êtes jeune, de bonne famille, vous avez de l'avenir. Tout ce qu'on vous demande, c'est de témoigner contre la bégum Nusrat Bhutto et Mlle Benazir Bhutto dans l'affaire du détournement."

« Je refusais, et ils essayaient de me tenter. "Vous faites de la politique ; nous vous nommerons ministre." Ou bien : "Vous travaillez dans le textile, et, à cause de vos activités politiques, on vous a refusé l'autorisation d'ouvrir une nouvelle usine, nous vous rendrons cette autorisation et vous ferez fortune."

« Voyant que je leur résistais toujours, ils changèrent de tactique. "Nous pouvons vous garder vingt-cinq ans derrière les barreaux. Notre gouvernement de loi martiale n'a pas besoin de preuves. Nous pouvons vous déclarer coupable sur-le-champ."

« Je passai trois mois enfermé dans une cellule qui faisait à peine plus de 1,20 m sur 1,50 m ; avec mes 1,80 m de haut, je ne pouvais jamais m'étendre, ni de jour ni de nuit. Il y avait quatre cellules identiques orientées à l'ouest. À partir de midi, le soleil nous incendiait sans relâche et la température montait souvent jusqu'à plus de 45°. Nous n'avions aucun moyen de nous en protéger ; des ventilateurs installés sur des socles à l'extérieur étaient orientés de manière à souffler sur nous un air brûlant.

« J'avais les lèvres si enflées et douloureuses que je ne pouvais plus boire ; ma peau se couvrait d'ampoules, et des cercles sombres me marquaient tout le corps de la tête aux pieds ; j'avais des plaies partout. Un après-midi, n'en pouvant plus, je nouai ma chemise aux barreaux pour faire obstacle au soleil, mais les gardes me la confisquèrent pour trois jours.

« Les prisonniers des cellules voisines succombaient l'un après l'autre à la chaleur, je les entendais gémir et appeler dans leur délire. Étant le plus jeune, j'avais alors vingt-sept ans, je tins plus longtemps que tous, mais je perdis connaissance au bout de deux mois. Je revins à moi deux jours plus tard dans une cave dont les autorités de la prison avaient fait un hôpital de fortune et, quand les médecins me virent ranimé, ils me renvoyèrent dans ma cellule.

« Les nuits devinrent bientôt pires que les jours. Personne n'avait de literie, pas même un drap. On se pelotonnait sur le sol de ciment crevassé, à côté du trou puant qui servait de toilettes. Les fourmis nous couraient sur le corps comme les cafards, les lézards, les rats et tous les rongeurs de la création. Et la chaleur ne baissait pas. Ils avaient fait mettre au plafond des ampoules de 500 watts qui restaient allumées toute la nuit ; et l'on avait pris soin de fixer les douilles assez profondément dans le plafond pour que nous ne puissions pas nous suicider en nous électrocutant. Si je l'avais pu, je crois que je l'aurais fait.

« Ma santé déclina rapidement. Comment pouvait-on survivre dans des conditions pareilles ? La nourriture pitoyable qu'on nous apportait, et que nous avions dix secondes pour attraper sur un plateau à travers les barreaux, c'était du pain plein de sable et de cailloux, et un maigre curry farci de mouches. Je souffris d'attaques répétées de dysenterie, de malaria, de choléra, et ma température montait à plus de 40°. Sentant ma tête éclater et mes yeux torturés par la lumière, je ne pouvais m'empêcher de crier. Le corps tantôt brûlant, tantôt glacé, j'étais constamment malade et gisais des jours entiers dans mes vomissures.

«"Regardez qui vient vous voir", me dit un jour le général Qureshi, accompagné du général de division Qayyum. Je distinguai en clignant des yeux une silhouette familière, devant moi, dans la salle d'interrogatoire. C'était ma mère.

«"Il restera vingt-cinq ans en prison, lui dirent les administrateurs de la loi martiale, à moins qu'il ne consente à témoigner contre les Bhutto."

«Ma mère avait le visage ruisselant de larmes. C'était une femme brisée, son beau-frère torturé puis exilé, son fils à bout de force et nos terres ancestrales ruinées, car on nous avait supprimé l'eau. Mais malgré son cœur tendre et son esprit bienveillant, elle fit preuve ce jour-là d'une force d'âme telle que je n'en avais jamais vu.

«"Ne te laisse pas intimider, Faisal, me dit-elle devant eux. Ne les laisse pas t'obliger à agir contre ta volonté. Tu dois faire ce que te dicte ta conscience.

«– J'ai mis ma foi en Dieu, lui répondis-je. Ces hommes ne sont que des êtres humains ; si c'est la volonté de Dieu que je passe vingt-cinq années en prison, je n'y peux rien, mais je ne trahirai pas la confiance de la famille Bhutto."

«Je ne pouvais pas les trahir, pas plus que les autres prisonniers politiques du fort de Lahore. Nous étions tous de bonnes familles aux longues traditions religieuses, et fidèles au service de l'État. Nous avions une culture, une place dans la société, nous n'aurions pu mentir puis vivre dans le déshonneur, malgré les promesses et les menaces du régime.

«Aucun fonctionnaire de l'ancien gouvernement n'accepta de porter un faux témoignage contre les Bhutto. Au bout de trois mois, les autorités finirent par renoncer et nous transférer dans les prisons de district. Je passai encore deux mois à celle de Gujranwala, à quarante miles au nord de Lahore. Les gens du régime n'osaient pas nous renvoyer directement du fort à la vie sociale : eux-mêmes étaient gênés de l'état où ils nous avaient réduits. »

Qazi Sultan Mahmoud, ancien employé de l'hôtel Flashman à Rawalpindi, secrétaire général du PPP pour Rawalpindi :

« J'avais déjà passé une année d'emprisonnement rigoureux à la prison centrale de Mianwali pour avoir organisé des défilés de protestation contre la condamnation du président Bhutto. J'avais aussi perdu mon emploi sans indemnité à cause de mon travail pour le PPP. Après le détournement, je fus de nouveau arrêté et mené à la prison de Rawalpindi, puis à Gujranwala et enfin au fort de Lahore, un lieu redoutable.

« "Parle-nous des liens de Mlle Bhutto avec Al-Zulfikar", me demandaient sans cesse les autorités de la prison. Quand je leur répondais qu'elle ne m'en avait jamais parlé et que je ne savais rien du détournement, ils me fouettaient avec des lanières de cuir et me donnaient des coups sur la tête avec des cannes de bambou. Et ce n'était que le début.

« Je suis un homme de très petite taille : moins d'un mètre, et je pèse quarante-huit livres. Ils avaient beau jeu de se moquer de moi, en me faisant porter de lourdes menottes et en m'obligeant à tenir mes mains au-dessus de ma tête. Avec mes bras très courts, je tombais alors, et ils me marchaient dessus en éclatant de rire. Souvent, ils me prenaient par la peau du ventre et me jetaient par terre, ou bien me lançaient et me rattrapaient comme un ballon.

« Ils me bandaient les yeux et me faisaient marcher je ne sais où, me disant chaque fois : "Maintenant, tu vas mourir si tu ne confirmes pas les liens des dames Bhutto avec Al-Zulfikar." Comme je refusais, ils me saisirent un jour par un pied et me suspendirent au sommet des hauts murs de la prison. "Pourquoi veux-tu mourir ? disaient-ils. Signe simplement cette confession. – Allez, tuez-moi, répondais-je, mais je ne peux pas vous dire ce que je ne sais pas."

« Pendant trente-cinq jours, ce furent des tortures perpétuelles. Un de leurs supplices préférés était de me mettre nu, debout devant eux, et m'obliger à me tenir en équilibre sur une perche passée entre mes jambes. Il m'était impossible de garder cette position même deux ou trois minutes sans tomber la tête la première ; alors ils riaient de voir jaillir le sang de mon nez et de ma bouche.

« "Oh ! tu es un grand chef, raillaient-ils. Qu'aimait-il en toi, M. Bhutto ? Qu'y avait-il de spécial ? Tu es le genre d'homme qu'on déteste. Pas du tout le beau jeune homme. C'est donc que tu as une activité secrète avec Al-Zulfikar." Puis ils me donnaient des coups de pied et me battaient. Les plaies s'infectèrent sur mon dos, mes jambes, mes mains, et ils refusèrent d'appeler un médecin.

« Je passai encore trente-cinq jours au régime cellulaire, enfermé dans une obscurité totale. On me laissait dans la poussière, enterré vivant. En fait de nourriture, une espèce de biscotte et une *chapatti* (galette de blé) avec une sauce claire aux lentilles. Ils jetaient le tout par un petit guichet dans la porte de la cellule et, comme je n'étais pas assez grand pour l'atteindre, il me fallait ramasser ce que je pouvais dans la poussière. On me passait de même une tasse de thé par jour, qui se trouvait généralement renversée, à moins qu'avec un peu de chance je puisse en garder une ou deux gorgées, mais il m'arrivait souvent d'avoir la tête et les pieds ébouillantés.

« Quand je fus relâché au bout de deux mois, je fis une déclaration pour les prisonniers politiques de Rawalpindi en insistant sur la situation révoltante des détenus politiques sous la loi du général Zia. Le *Guardian* répandit ces informations en Angleterre et l'Associated Press dans le monde entier. Je fus arrêté de nouveau et tenu au régime cellulaire à la prison de Kot Lakhpat pendant deux ans et quatre mois. Un tribunal militaire expéditif me condamna alors à trois ans de travaux forcés à la prison centrale de Multan, puis à Attock. Je fus enfin libéré le 15 juin 1985.

« Mes neveux ont assuré, depuis, ma subsistance, car je suis toujours sur les listes noires du gouvernement, mais je continue à travailler pour le PPP, et je n'abandonnerai jamais Benazir Bhutto aussi longtemps que je vivrai. »

Pervez Ali Shah, actuel vice-président du PPP pour le Sind, alors membre dirigeant du parti dans le Sind, ancien éditeur et rédacteur en chef de l'hebdomadaire *Javed* :

« Je faisais une partie de cricket avec mes fils le 24 mars 1981, quand arriva une voiture banalisée, dans laquelle des hommes en civil me prièrent de monter. Ils se disaient de la police mais n'avaient pas de mandat. Ils m'emmenèrent sans informer ma famille de leur destination.

« J'avais déjà été arrêté trois fois, la première avec mon vieux père de soixante-deux ans, le 1er octobre 1977, le jour où Zia annula les élections pour la première fois. Des voitures et des Jeeps pleines de policiers étaient arrivées chez nous à Khairpur, dans le Sind, où je me présentais à l'Assemblée provinciale sur une liste du PPP. "Suivez-nous", nous ordonna-t-on en nous mettant les menottes, le bras de mon père lié au mien, et ils nous promenèrent par les rues, suivis des voitures et des Jeeps. Les gens, stupéfaits, se pressaient pour nous regarder passer. On ne traite pas ainsi les malfaiteurs ordinaires, mais encore moins les membres de familles honorables. J'éprouvai d'abord tant de honte que je pris mon mouchoir pour essayer de cacher les menottes, mais je le retirai en voyant des larmes dans les yeux des spectateurs. Après nous avoir fait coucher pendant vingt-cinq jours sur le plancher du poste de police, un commandant me relâcha mais condamna mon père à un an dans la prison de Sukkur.

«Un an plus tard, quand des milliers de personnes à Khairpur risquèrent l'arrestation en réclamant la mise en liberté de M. Bhutto, ils revinrent. Cette fois, j'étais absent, et la police à ma recherche entra même dans l'appartement des femmes où, depuis des générations, aucun étranger n'avait jamais pénétré. Ils sortirent les vêtements des placards et vidèrent les tiroirs par terre. Ils finirent par m'arrêter au mariage d'un ami, auquel j'assistais, et me mirent dans une cellule de trois mètres sur deux avec vingt et un autres prisonniers. J'étais accusé d'incendie volontaire, mais comme on ne trouvait pas de témoins, je fus condamné à un an de prison pour incitation des masses à la violence.

«Mais l'arrestation de 1981 fut la pire. On me conduisit, les yeux bandés pendant six heures, de Karachi à la prison centrale de Khairpur, où je restai trois jours sans manger. Puis on me transporta encore, d'abord à Hyderabad, ensuite de nouveau en pleine nuit à Karachi, au poste de police. "Donnez-moi au moins une tasse de thé, demandai-je. – Vous aurez tout ce qu'il vous faut au 555", me répondit-on. Le 555 était connu comme le quartier général de l'Agence centrale de renseignements à Karachi.

« Je fus une fois de plus embarqué dans une camionnette de la police. Et j'atterris dans une cellule noire comme un four, où ma tête touchait le plafond. "Attention!" crièrent des voix parce que j'avais marché sur d'autres détenus. Je ne sais pas combien de temps nous restâmes tous recroquevillés les uns contre les autres, dans le noir.

« On me conduisit devant le colonel Salim, chef de l'ISI. Il me tendit une feuille de papier et un stylo. "Écrivez que Mlle Benazir est l'auteur de l'attentat à la bombe et que la bégum Bhutto est impliquée dans le détournement, me dit-il. – Comment puis-je écrire une chose que j'ignore? répondis-je. Il insista et je refusai. Alors il fit venir Lala Khan, le fameux tortionnaire du 555, qui lia mes jambes à un chevalet de bois et se mit à frapper mes rotules avec une longue baguette. La douleur devenait de plus en plus aiguë jusqu'à m'arracher des larmes. "Je ne sais rien de la bombe ni du détournement", disais-je d'un ton suppliant, mais Lala continuait à frapper. Quand il s'arrêta, je ne pouvais plus bouger mes jambes. "Levez-vous, dit-il froidement, sinon vous ne pourrez plus jamais marcher."

« On me transporta dans une autre cellule. Les membres des quatre sections des Renseignements venaient régulièrement me demander de compromettre Benazir et la bégum Sahiba. Et comme je refusais, ils appelaient Lala.

« Parfois il m'obligeait à regarder les autres qu'il pendait la tête en bas et frappait jusqu'à ce qu'ils crient. Il m'attachait aussi au plafond, les pieds touchant à peine terre, et me laissait ainsi des heures. Le soir, les gardes venaient souvent s'installer autour de ma cellule pour m'empêcher de dormir en me posant des questions stupides, demandant mon nom par exemple, et me cinglant avec des baguettes si je ne répondais pas. Quand j'étais complètement épuisé et affamé par mon régime de deux verres d'eau et des lentilles bouillies chaque jour, on me faisait venir pour déjeuner avec celui qui m'interrogeait et, vêtu de ma tenue malpropre de prisonnier, je m'asseyais devant un somptueux déjeuner et des verres de thé bien chaud. "Vous êtes un homme cultivé, de bonne famille, me disait-il, pourquoi vous compliquer la vie? Dites seulement que Benazir et la bégum Bhutto ont trempé dans le détournement et tout sera fini." Devant mon refus, on m'emmenait pour me torturer.

« Au bout de trois mois, je fus transféré à la prison centrale de Karachi et plus tard à Khairpur, où ma famille eut le droit de me voir une fois par mois. Les sept fois où je fus traduit devant un tribunal militaire, le régime ne présenta ni témoins ni accusations. En février 1985, il me condamna finalement à un an de prison pour "propagation d'opinions politiques préjudiciables à l'idéologie, l'intégrité et la sécurité du Pakistan". Il ne fut tenu aucun compte des quatre années que j'avais déjà passées en prison. Ma femme fit une dépression nerveuse à la suite des soucis auxquels elle dut faire face pour préserver notre petite entreprise à Karachi tout en élevant nos trois enfants. »

Pervez Ali Shah fut reconnu comme « détenu politique » par Amnesty International, ainsi que beaucoup d'autres pendant la période atroce qui suivit la création du MRD et le détournement. Selon Amnesty, le nombre de prisonniers politiques torturés au Pakistan augmenta de façon spectaculaire au cours de l'année 1981. La plupart des victimes étaient des étudiants, des permanents de parti politique, des syndicalistes et des avocats appartenant à des partis politiques. Mais le détournement toucha une nouvelle catégorie de prisonniers.

«En 1981, Amnesty International reçut pour la première fois des articles de presse faisant état de tortures subies par quatre femmes de prisonniers politiques», déclarait un rapport d'Amnesty pour cette période. «Nasira Rana et la bégum Arif Bhatti, épouses de fonctionnaires du PPP, Farkhanda Bukhari, membre du parti, et Mme Safouran, mère de six enfants.» Je les connaissais toutes.

Nasira Rana, 13 avril, Lahore :

«Mon mari, membre du MRD, était à Karachi au début d'avril quand la police débarqua brusquement chez moi. "Qui êtes-vous?" demandai-je, effrayée, à l'homme qui braquait son fusil sur ma tête. Il ne portait pas d'uniforme, mais une chemise ouverte et un pantalon noir. Je vois encore la chaîne d'or qu'il portait autour du cou.

«"Qui je suis? dit-il d'un air menaçant. Je suis un général de l'armée pakistanaise." Il me faisait mal au front avec son fusil et je le repoussai; alors il me donna un coup de crosse, me cassant un doigt et les os de la main, tandis que ma fille de douze ans criait.

«"Où est votre mari? demanda-t-il pendant que d'autres hommes armés fouillaient la maison.

– Il n'est pas là", dis-je. Il leva de nouveau son arme. "Où est la porte du passage secret?

– Il n'y a pas de passage secret." Il m'enferma dans une pièce avec ma fille et ils finirent par s'en aller. Quinze jours plus tard, ils revenaient.

«"Suivez-nous, vous êtes en état d'arrestation, me notifièrent le chef suppléant de la police et le magistrat local.

– Où sont vos mandats?

– Nous en tenons lieu", répondirent-ils.

«Ils me menèrent à la prison, où l'on m'obligea à rester debout la nuit entière. Toutes les heures, une nouvelle personne venait m'interroger.

«"Votre mari est membre d'Al-Zulfikar comme Benazir et la bégum Bhutto. Nous le savons. Avouez, avouez."

«Les heures passaient, mais j'étais inflexible. Quoi qu'ils disent, je ne cédais pas. Mais je sentis se dérober mes genoux et approchai une chaise tout à côté de moi. "Allez-vous-en!" hurlèrent-ils.

«Deux jours plus tard, on m'emmena au fort de Lahore, où je fus enfermée dans une cellule minuscule avec une autre prisonnière politique, la bégum Bhatti, dont le mari avait été ministre provincial et ministre du Budget pour le Penjab.»

Bégum Bhatti :

«Nous fûmes interrogées par onze organismes différents des Renseignements. Ils demandaient toujours : "Où sont vos maris ? Ce sont des terroristes qui travaillent avec les dames Bhutto."

«Les fonctionnaires de la prison nous tinrent éveillées toute la nuit, la troisième sans sommeil. "Ne dormez pas, madame Rana, criaient-ils dans notre cellule en tapant sur les barreaux. Réveillez-vous, bégum Bhatti!"

«Le lendemain, on nous conduisit devant le général Qayyum, chef des Renseignements. Mêmes questions, mêmes réponses. À un moment, il me saisit par les cheveux et me frappa la tête contre le mur.

«"Où est votre mari ? hurla-t-il.

«– Je ne sais pas."

«Il approchait des cigarettes de nos bras jusqu'à ce que l'on sente l'odeur de la chair brûlée.

« "Où sont vos maris ?"

« J'allais perdre connaissance et j'entendais, au loin, les cris de Nasira.

« "Nous vous briserons", criait le général Qayyum, et ce furent les derniers mots que j'entendis avant de m'évanouir. »

Nasira :

« Nous restâmes cinq semaines au fort de Lahore, à l'époque la plus chaude de l'année. Le soleil était impitoyable. "Maintenant, vous allez nous avouer ce que nous voulons", dirent-ils, nous laissant sous surveillance dans la cour centrale en plein midi. On nous tint là des heures, debout, des taches noires dansant devant nos yeux, la tête douloureuse, la langue enflée. Les gardes riaient en buvant sous nos yeux de l'eau fraîche. Une heure passa, une autre. Qui sait combien de temps nous restâmes là, debout ? La garde changeait toutes les trois heures.

« Ils nous menèrent trois fois dans une salle spéciale. On nous attachait aux poignets des éponges humides, à travers lesquelles on faisait passer des fils électriques. Toutes les deux ou trois secondes, ils envoyaient des décharges. Nos corps se contractaient, se raidissaient. Ma main brisée, dans le plâtre, était particulièrement sensible. Je finis par crier sans pouvoir m'en empêcher. "Nous torturerons votre père, menaçaient-ils. Et nous amènerons ici votre fille pour la torturer." Les décharges électriques se répétèrent pendant deux heures. »

Bégum Bhatti :

« Nous n'avions dans notre cellule ni lit ni literie ; on nous donna un sac de jute. Quand je voulus l'étendre par terre, il en sortit un serpent de trois pieds de long. "Ne criez pas", dis-je à Nasira, autant qu'à moi-même. Je ne sais pourquoi, ce serpent attisa ma fureur : je l'attrapai avec le sac, le frappai contre le mur et lui tordis le cou. La femme de la police hurla en le voyant.

« On essaya de nous faire signer une déclaration selon laquelle le personnel de la prison n'était pour rien dans l'incident du serpent, qui était entré de lui-même. Nous refusâmes de signer.

« "Dénoncez Benazir, dénoncez la bégum Sahiba, dénoncez vos maris", nous répétait-on. "Si votre femme était à ma place, que dirait-elle ? demandai-je un jour.

– Elle dirait oui.

– Eh bien, c'est une femme sans honneur", répondis-je à celui qui m'interrogeait. »

Nasira :

« J'appris par un gardien que mon mari avait été pris et mené au fort. J'ignore ce qu'ils lui ont fait et je ne veux pas le savoir. Il a eu une crise cardiaque après la torture, il était tout bleu et ne pouvait plus respirer. On l'a transporté à l'hôpital pour qu'il ne soit pas dit qu'il était mort sous la torture. C'est un miracle qu'il ait survécu. »

J'ignorais tout de ces tortures dans mon isolement à Sukkur. Je ne savais pas que le docteur Niazi, à la demande pressante de sa femme et de sa famille après le détournement, avait quitté le Pakistan quelques minutes avant que la police ne vienne l'arrêter pour la troisième fois. Il eut à Kaboul une crise cardiaque grave à la suite de ces épreuves et n'échappa à la mort que grâce à un pontage réalisé par un chirurgien à Londres, où il demeura jusqu'en 1988.

Yasmin, elle aussi, évita de justesse l'arrestation. Les policiers vinrent à sa porte demander : « Yasmin Niazi est-elle là ? » Elle eut la présence d'esprit de répondre : « Non. » Comme ils décidèrent d'emmener sa mère à sa place, il y eut entre elles un bref dialogue chuchoté à l'insu de la police. « J'y vais », dit Yasmin, et sa mère répondit : « Si tu fais cela, je mourrai. Alors, tu as le choix : ta mère en prison ou le cadavre de ta mère. » Et Yasmin garda le silence tandis que l'on emmenait Mme Niazi à la prison centrale de Rawalpindi, où elle fut enfermée avec trois autres femmes dans une cellule, en face de celle où avait été mon père. Pendant les cinq jours qu'elle y resta, les prisonnières étaient si nombreuses qu'elles devaient dormir par roulement.

Yasmin se cacha pendant trois mois alors qu'on la cherchait toujours. Elle courait de grands risques. Le docteur Niazi, malade et inquiet du sort de sa fille, envoya un billet d'avion pour qu'elle le rejoigne à Londres. Mais comment quitter le pays ? Mme Niazi, une fois relâchée, téléphona à l'ambassade britannique. Heureusement, Yasmin étant née en Angleterre, l'ambassade pouvait lui établir un passeport britannique dans les quarante-huit heures si sa mère retrouvait celui qui lui avait servi pour voyager avec elle quand elle était petite. Et Mme Niazi découvrit dans un carton au sous-sol le précieux document vieux de dix-huit ans.

« Je n'osais pas accompagner Yasmin à l'aéroport, craignant d'être reconnue », me raconta-t-elle des années plus tard, d'une voix qui tremblait encore. « Je l'enveloppai d'une *burqa* et l'envoyai avec sa sœur. Elle était recherchée sur ordre personnel de Zia. Des mandats d'arrêt l'attendaient à Islamabad, et il en était de même dans toutes les provinces : pas une liste où son nom ne figure. Elle a été sauvée par l'intervention de Dieu. »

« Il n'y a pas de visa d'entrée sur votre passeport, lui dit à l'aéroport le préposé aux immigrations.

– C'est très bizarre, ils ont dû se tromper », bluffa-t-elle. Et comme l'employé se retournait pour chercher son nom sur une liste, les lumières s'éteignirent brusquement, et l'aéroport fut plongé dans l'obscurité pendant une minute, semant le désordre parmi les passagers qui essayaient de trouver leur avion. Si bien que, la lumière revenue, l'employé débordé tamponna en hâte le passeport et la laissa passer.

Elle arriva sans encombre à Londres, où elle épousa plus tard mon cousin Tariq, lui-même réfugié politique. Ils y demeurent toujours avec leurs deux jeunes enfants.

La chaleur atteignit Sukkur en mai : une chaleur sèche et brûlante qui fit de ma cellule un four. À travers les à claires-voies, les vents soufflaient sans cesse, chauffés à plus de 40° dans le désert tout proche du Sind intérieur. Une perpétuelle tempête de sable tourbillonnait autour de moi, et j'étais souvent enduite de poussière collée par la sueur.

La peau de mes mains se gerçait et pelait par plaques. Les boutons se multipliaient sur mon visage et la sueur me brûlait comme un acide. Mes cheveux, qui avaient toujours été épais, commençaient à tomber par poignées. Je n'avais pas de miroir, mais je sentais sous mes doigts mon cuir chevelu moite, grumeleux et dénudé ; je trouvais chaque matin des cheveux sur mon oreiller.

Les insectes rampaient partout, telles des armées d'envahisseurs : sauterelles, moustiques, mouches agressives, abeilles. Ils venaient toujours bourdonner autour de mon visage ou grimper sur mes jambes. Je faisais de grands gestes de bras pour les tenir en respect, mais il y en avait trop, et c'était souvent inutile. Ils arrivaient par les fentes du sol entre les barreaux de la cour : grosses fourmis noires, cafards, colonies grouillantes de petites fourmis rouges, araignées. J'essayais, le soir, de tirer le drap par-dessus ma tête pour me protéger des piqûres, le repoussant quand il faisait trop chaud là-dessous pour respirer.

L'eau. J'en rêvais. De l'eau fraîche, claire. Celle qu'on me donnait à boire était jaune ou brun clair ; elle avait une odeur d'œuf pourri, sans la saveur de l'eau, et n'apaisait pas ma soif. Mais les autorités de la prison avaient confisqué l'eau fraîche que Mujib, un avocat du voisinage, avait essayé de m'envoyer. « C'est pour votre bien, m'avait dit le directeur. Ces gens-là sont vos ennemis. Les dirigeants de votre propre parti essaient de vous éliminer. » Une autre fois, il m'expliqua qu'au lieu de me remettre les oranges envoyées par Mujib, il les avait mangées lui-même. « Pour vous sauver la vie, ajouta-t-il. Il pouvait y avoir injecté du poison. » C'était le théâtre de l'absurde.

« Pourriez-vous me procurer une bombe d'insecticide ? demandai-je à la direction de la prison.

– Oh non, c'est toxique ; il ne faudrait pas qu'il vous arrive quelque chose. »

Que signifiait tout ce discours à propos de poisons ? Je me rendis compte brusquement qu'ils étaient en train de me mettre dans la tête des idées de suicide. Ce serait une solution commode pour le régime de pouvoir annoncer que Benazir Bhutto avait mis fin à ses jours : problème résolu. La preuve m'en fut donnée sous forme d'un flacon de puissant détergent, qui restait toujours dans ma cellule. L'étiquette portait l'image d'un crâne et de deux tibias croisés. « N'oubliez pas de le remporter, disait le directeur chaque semaine à la femme qui nettoyait la cellule. Surveillez bien le flacon, elle pourrait vouloir abréger ses souffrances. » Mais le poison restait toujours au même endroit.

Influençaient-ils mon esprit ? Mon oreille me tourmentait de nouveau, mes malaises chroniques étant aggravés par la poussière et la sueur qui coulait sans cesse sur mon visage. Mais le médecin de la prison ne trouvait rien d'anormal. « Le régime cellulaire vous soumet à une forte tension, me disait-il pour me calmer. Beaucoup de gens dans votre cas souffrent de maux imaginaires. » Je le croyais à moitié ; j'inventais peut-être le cliquetis qui m'obsédait jour et nuit. Si seulement il n'avait pas fait si chaud !

« Ma chère Pinkie », m'écrivait ma mère le 23 mai, de la prison centrale de Karachi, pour me donner une recette contre la chaleur. « Je m'arrose trois ou quatre fois par jour pour combattre la chaleur. Tu devrais essayer. Je commence par me verser des gobelets d'eau sur la nuque et le haut du crâne en baissant la tête, puis sur mes vêtements. Ensuite, je m'assieds sur mon lit, sous le ventilateur, et c'est si rafraîchissant jusqu'à ce que l'étoffe sèche ! Même après, il demeure un certain temps une impression de fraîcheur. Avec ce système, tu évites la fièvre et les irritations. C'est merveilleux et je te le recommande vivement… Affectueusement, ta maman. »

Je suivis ses conseils et me versai chaque matin tout mon baquet d'eau sur la tête. Il faisait beaucoup plus chaud à Sukkur qu'à Karachi et je n'avais pas de ventilateur. Pendant l'heure où mes vêtements séchaient à la chaleur du vent, j'étais plus à l'aise, mais je ne songeais pas que tant d'eau s'infiltrant dans mon oreille en aggravait l'infection. « Ce sont des idées », répétait le docteur, rassurant. Il n'était pas spécialiste, et je n'ai jamais su s'il agissait ainsi délibérément ou par ignorance.

Courir sur place 250 fois, 40 mouvements d'assouplissement, balancer mes bras, respirer à fond 20 fois. Lire les journaux, en négligeant les perpétuelles histoires sur notre prétendue complicité dans le détournement. S'absorber plutôt dans la broderie que m'avaient envoyée Mujib et sa femme : tissu, fil de nylon et recueil de modèles.

« J'ai terminé une nappe de table roulante et quatre serviettes, notai-je à la mi-mai. Quand je serai libre, j'ennuierai tout le monde avec ça : "Et voilà ce que j'ai fait en prison." Observation moins futile, l'attention que réclame ce genre d'ouvrage me procure un centre d'intérêt, quelque chose à faire au lieu de laisser errer mes pensées dans le vide du régime cellulaire; cela donne un but à la journée et les effets sont positifs.»

Je m'obligeais à écrire au moins une heure par jour dans mon journal. «François Mitterrand a été élu, devenant le premier président socialiste de la France d'après-guerre, notai-je le 11 mai. La presse anglo-américaine a mené une campagne féroce contre Giscard. Cette élection aura des conséquences importantes sur la politique européenne. La France peut se trouver entraînée dans des polémiques intérieures pour s'adapter à la politique socialiste, ce qui freinera le caractère offensif de sa politique étrangère. Qui viendra remplacer l'influence française dans les pays arabes et africains? Que deviendra l'amitié entre la France et la République fédérale d'Allemagne, maintenant que l'alliance des "technocrates amis", Giscard et Schmidt, est rompue? Quelles peuvent être les retombées en Italie?»

Le même jour, je relevai la mort de Bobby Sands, dissident politique irlandais. «Après une grève de la faim de soixante-six jours, il a fini par mourir dans une prison anglaise. Pour les Britanniques, Bobby Sands était un terroriste, mais pour son pays, il a défendu sa liberté et ses droits politiques. Telle est l'histoire du monde.» Souvent, pourtant, je laissais passer les jours sans rien écrire. «Je n'ai pas écrit comme je l'aurais dû depuis quelque temps, avouai-je le 8 juin. Inutile de me demander ce que je pourrais écrire, car on peut toujours résumer les articles de journaux. À ne pas écrire, on perd l'aisance du langage, la familiarité des mots et des phrases, aussi bien que la faculté d'exprimer des idées.»

Lentement mais sûrement, je m'installais dans une routine. «Chaque heure m'a paru durer plus qu'un jour ou une semaine, écrivais-je le 11 juin, et pourtant j'ai tenu jusqu'à présent. "Adaptée" n'est pas le mot; je ne peux pas m'adapter à une situation pareille.

S'adapter, c'est renoncer. Je m'en suis tirée. Chaque instant a été un boulet à traîner, mais il a passé. Dieu seul m'a aidée dans cette épreuve. Sans Lui, j'y aurais laissé la vie. »

Ma détention à Sukkur prit fin le 12 juin à midi. J'ignorais si j'allais être libre ou prisonnière encore, peut-être pour affronter un procès ou l'exécution. «La mort est au bout et je ne la crains pas, notai-je dans mon journal. Les brutes du régime ne peuvent supprimer que les personnes, pas les idées. Le concept de démocratie survivra, et nous revivrons dans son irrésistible victoire. Au moins serai-je libérée de l'uniformité du régime cellulaire, où l'on reste vivant sans vivre. »

À 11 heures, le dernier jour de ma captivité, arriva un arrêt de l'administrateur adjoint de la loi martiale. Il avait «le plaisir», écrivait-il, de me signifier un nouvel ordre de détention. Mon incarcération à Sukkur était prolongée jusqu'au 12 septembre.

21 juin 1981, mon vingt-huitième anniversaire. Prison centrale de Sukkur.

Ma sœur, Sanam :

«J'avais obtenu l'autorisation de voir ma sœur pour son anniversaire, le troisième qu'elle passait en captivité. Le vol fut retardé au départ de Karachi, ce qui ne me laissait plus qu'une heure avec elle, et j'étais si déçue que j'arrivai en pleurant. On m'avait fouillée trois fois de suite : les infirmières de la prison avaient cherché dans mes cheveux, très courts à l'époque, vidé mon sac et tourné chaque page de la revue *Cosmopolitan* que je lui apportais. On m'obligea même à goûter la nourriture que je lui destinais, pour prouver qu'elle ne contenait pas de poison. "Il ne me restera plus de temps", protestai-je, voyant les geôliers ouvrir et refermer avec lenteur chacune des quatre grilles qui la séparaient des murs de la prison. Ils ne voulaient que la tourmenter, même le jour de son anniversaire.

«Elle m'accueillit comme une aimable hôtesse reçoit une invitée de qualité. Un ami de Sukkur lui avait envoyé des oranges ce jour-là, et elle m'en offrit une en s'excusant de n'avoir pas d'assiette pour la servir ni de couteau pour la peler. "Ils ont peur que je me tranche les poignets", dit-elle en souriant. J'avais honte, moi qui pleurais sur mon voyage décevant, alors qu'elle vivait sans se plaindre dans la fournaise de Sukkur. Elle semblait si malade, si maigre; je m'aperçus avec horreur qu'elle perdait ses cheveux au point qu'on voyait par endroits la peau du crâne.

«"Raconte-moi les nouvelles", me dit-elle comme si nous étions revenues chez nous, dans nos chambres. Je n'avais rien d'important à lui dire, mais un grand flic costaud était assis devant les barreaux et une femme de la police restait avec nous à l'intérieur, ne perdant pas un mot de ce que nous disions. Il n'y avait que le lit pour s'asseoir et je me penchai tout près de ma sœur.

«"Nasser veut m'épouser", chuchotai-je.

«"– Ne les laissez pas chuchoter!" cria le policier.

«La femme s'approcha. "Oh! Sunny, c'est merveilleux, dit ma sœur. Je suis si heureuse pour toi." Notre gardienne était si près que nous avions pratiquement sa tête entre nous deux.

«"Je ne veux pas me marier alors que vous êtes en prison, toi et maman. J'ai dit à Nasser que nous attendrions que la famille soit de nouveau réunie.

«– Mais c'est justement pourquoi il ne faut pas attendre, répondit Pinkie. Qui sait quand nous sortirons? Nous étions inquiètes de te laisser seule. Tu seras beaucoup plus heureuse sous la protection d'un mari, et nous serons rassurées à ton sujet.

« – Oh! Pinkie, pourquoi faut-il que tout soit comme ça? dis-je en la prenant dans mes bras.

« – Non, non!" hurla le policier, et la femme nous sépara en posant son pied sur le lit, entre nous.

« "Bonté divine, s'écria Pinkie, nous ne parlons pas de politique, mais de notre famille. Je n'ai pas vu ma sœur depuis des mois, et c'est le jour de mon anniversaire. Ne pourriez-vous nous laisser un peu d'intimité?"

« L'homme s'affairait à griffonner des notes sur notre conversation. Il ne tint aucun compte de ce qu'avait dit Pinkie, et la femme resta entre nous tout le reste de l'heure. J'eus du mal à retenir mes larmes, encore une fois, en laissant ma sœur dans cette cellule nue, avec ces horribles gens. "Je vous souhaite beaucoup de bonheur, à Nasser et à toi", me cria-t-elle, et je réussis, de loin, à lui répondre : "Bon anniversaire, Pinkie!" tandis que le policier me poussait hors de la cour. »

À Mademoiselle Benazir Bhutto,
prison centrale de Sukkur.
De la part de la bégum Nusrat Bhutto,
prison centrale de Karachi,
9 juin 1981.

« Mon enfant chérie,

« Le temps que cette lettre te parvienne, ce sera presque ton anniversaire. Je me rappelle l'heureux jour où le docteur m'annonça que j'étais enceinte. C'était en Angleterre; ton père y faisait ses études, et nous étions fous de joie. Tu étais notre premier enfant, notre amour. Plus tard, à Karachi, à l'hôpital Pinto, je ne pouvais pas dormir la nuit après ta naissance, tant j'avais hâte de te tenir dans mes bras pour admirer tes boucles blondes, tes joues roses et tes jolies mains aux longs doigts. Mon cœur battait rien qu'à te voir.

«Quand papa revint d'Angleterre, tu avais trois mois. Il était réservé devant ses parents mais, quand nous étions seuls, il ne se lassait pas de t'admirer, de toucher ton visage et tes mains, émerveillé d'avoir un bébé si charmant. Il voulait apprendre à te tenir, et je lui montrai comment faire, "une main sous la tête et l'autre autour du corps". Il trouvait que tu lui ressemblais et il était ravi… Je ne peux t'en dire plus, car j'ai les larmes aux yeux en me rappelant ces jours de bonheur.

«Tu fis tes premiers pas à dix mois à peine. À Quetta, une semaine avant ton premier anniversaire, tu prononças tes premiers mots et, quand je te conduisis à l'école maternelle, tu avais à peine trois ans et demi. Je te faisais de jolies petites robes brodées, avec toute ma tendresse, et je priais lors des cinq prières quotidiennes pour ton bonheur, ta santé et une longue vie.

«À présent, c'est le 21 juin : je te souhaite un heureux anniversaire et beaucoup, beaucoup d'autres encore. Je ne peux pas te faire le moindre cadeau, ni même te donner un baiser, puisque nous sommes prisonnières si loin l'une de l'autre pour encore quatre-vingt-dix jours.

«… J'espère, ma chérie, que tu es bien nourrie et que tu bois beaucoup d'eau. N'oublie pas de manger aussi des fruits et des légumes.

«Ta maman toujours aimante.»

Des fruits et des légumes, de l'eau. Quelles bonnes pensées maternelles! J'avais peur pour elle, avec cette nouvelle détention. Combien de temps allaient-ils encore la tourmenter?

Mes nouvelles conditions de détention m'avaient, quant à moi, élevée à la catégorie A, qui me donnait droit à la radio, la télévision, un réfrigérateur, que j'imaginais plein d'eau pure et fraîche, et un climatiseur. J'eus un instant d'émotion, bien qu'il parût inimaginable de climatiser une cage ouverte à tous les vents, mais je n'avais pas besoin de m'inquiéter : le seul privilège que me vaudrait la catégorie A, c'était de pouvoir marcher dans la cour le soir. Et, m'apprit le directeur comme si c'était une faveur considérable, je ne serais plus enfermée à clé la nuit. « Je refuse votre catégorie A, lui écrivis-je. Je ne me laisserai pas prendre à vos mensonges. »

Je rêvais d'être libre, de manger un steak aux champignons au restaurant de la Sorbonne, à Oxford ; je rêvais de cidre nouveau en Nouvelle-Angleterre et de glace à la menthe de chez Brigham. Mon père passait le temps dans sa cellule de condamné à évoquer quelqu'un qu'il avait connu, en se remémorant les moindres détails à son sujet. Je pensais à Yolanda Kodrzycki, ma compagne de chambre à Radcliffe qui, aux dernières nouvelles, était économiste dans le Massachusetts. Je pensais à Peter Galbraith qui travaillait à Washington, à la commission des Affaires étrangères du Sénat, et qui avait épousé son amie de longue date, Anne O'Leary, elle aussi de mon âge. Je les avais présentés l'un à l'autre à Harvard. Le temps s'écoulait, monotone. « Ces jours passeront, m'avait dit mon père en prison. L'important, c'est que nous les vivions dans la dignité. »

Je n'avais pas sa patience, il fallait sortir de là. Absolument. Le général Abbassi, administrateur de la loi martiale dans le Sind, avait déclaré – Sunny me l'avait raconté – que le régime était décidé à nous détruire physiquement, moralement et financièrement. Sur ce dernier point, ils étaient passés à l'action au mois de mai, en engageant un procès pour faire vendre aux enchères la maison du 70, Clifton, Al-Murtaza, nos terres et tous nos autres biens. J'ignorais ce qui s'était passé. Si je vivais, aurais-je encore un toit, pourrais-je dormir de nouveau dans mon lit ? Avec la chaleur de l'été, je ne pensais plus qu'à me faire transférer à Clifton ou Al-Murtaza. Il me semblait que ma seule présence dans l'une de nos demeures empêcherait le régime de les saisir. Mes demandes répétées furent naturellement rejetées. «Nous ne pouvons disposer d'autant de gardes», me dirent-ils, comme s'il fallait un régiment pour détenir une jeune femme dans sa propre maison.

Le directeur de la prison inaugura une nouvelle tactique pour me démoraliser. «Les responsables de votre parti vous abandonnent», me dit-il. Ils trouvaient, selon lui, des réunions avec des membres de partis d'opposition et même avec le régime. «Ils vous quittent tous. Pourquoi gâcher votre vie ici? Si vous renoncez à la politique, vos ennuis seront terminés.»

Je priais Dieu de me donner la force. «Si je reste seule pour résister à la tyrannie du régime, eh bien soit! leur dis-je. Je ne crois pas vos mensonges. Même si tous les autres capitulent, moi pas.» Je ne pensais pas que les dirigeants du PPP, dont certains avaient été relâchés en juillet, quitteraient le parti. Je me refusais à le croire.

J'adoptai, pour obtenir ma libération, une prière spéciale dont m'avait parlé une infirmière de la prison. «*Qul Huwwa Allahu Ahad*, Dis : Il est Dieu l'unique.» Je commençais ainsi la 112e sourate du Coran, récitant le verset quarante et une fois, puis je soufflais sur un gobelet d'eau et j'en aspergeais les quatre coins de la cellule. Je priais pour tous les prisonniers. Je priais pour ma mère, pour moi-même. Le quatrième mercredi, me promit l'infirmière, la porte de la prison s'ouvrirait. Et elle s'ouvrit.

Le quatrième mercredi de mon quatrième mois de détention, à Sukkur, on ouvrit la porte de ma cellule, et les autorités de la prison m'emmenèrent à Karachi pour une courte visite à ma mère. Quatre mercredis de prière après cela, la cellule de ma mère fut ouverte à son tour. Elle fut relâchée en juillet après avoir vomi du sang. Les médecins de la prison diagnostiquèrent un ulcère; elle avait aussi une mauvaise toux qui leur sembla d'origine tuberculeuse.

Je ne savais rien de son état de santé et je n'appris sa libération que par l'infirmière. J'étais heureuse que ma prière ait été efficace et je redoublai d'efforts, multipliant les prières et les aspersions d'eau pour les autres prisonniers et pour moi-même. « *Allahu Samad*, Dieu l'Éternel. » Le quatrième mercredi d'août, la porte de la cellule s'ouvrit de nouveau. « Vous partez », me dit l'infirmière.

Je jetai en hâte mes affaires dans mon sac. Plaise à Dieu, priai-je, qu'on m'emmène au 70, Clifton.

Mais au lieu d'aller jusqu'à Clifton, le convoi militaire me conduisit à la prison centrale de Karachi, où l'on m'enferma dans l'ancienne cellule de ma mère.

9

DANS L'ANCIENNE CELLULE
DE MA MÈRE
À LA PRISON CENTRALE DE KARACHI

Prison centrale de Karachi, 15 août 1981.

Du ciment fissuré, des barreaux de fer et le silence. Un silence total. Revenue à l'isolement complet, entourée de cellules vides dans un quartier condamné, je guette en vain le son d'une voix humaine. Il n'y a que le silence.

La cellule est étouffante dans la moiteur de Karachi, et le ventilateur du plafond n'apporte aucun soulagement; l'électricité est encore coupée. C'est ainsi chaque jour, pendant trois heures ou davantage. Les responsables de la prison me disent que c'est à cause d'une défaillance de la centrale électrique, mais je sais que c'est faux : je vois le soir le ciel éclairé par les lumières des autres quartiers de la prison. Seul mon groupe de cellules est dans le noir.

On m'a placée dans la catégorie A réservée aux prisonniers politiques de haut rang, mais une fois de plus je n'en ai pas les privilèges : les cellules à droite et à gauche de la mienne, qui sont censées servir de salon et de cuisine, sont actuellement vides et fermées à clé. Celle où je suis détenue est petite et sale. Pas de chasse d'eau pour les «toilettes», qui grouillent de cafards et de mouches, et dont la puanteur se mêle à celle de l'égout à ciel ouvert qui traverse la cour. L'unique baquet d'eau est couvert d'insectes morts.

Le matin, j'entends le cliquetis de clés et le déclic des serrures qui annoncent l'arrivée de la nourriture. Sans dire un mot, la femme en uniforme gris qui couche dans la cour, au bout de la rangée de cellules, m'apporte les boîtes-repas qu'on m'autorise à recevoir du 70, Clifton. Ma gorge se serre les premières fois que je les ouvre pour y découvrir poulet à la crème et aux champignons, kebab et *chicken sheeks* (brochettes de poulet), soigneusement préparés. Bien que j'aie peu d'appétit et n'en goûte que quelques bouchées, je pense toujours au soin qu'a pris ma mère de faire faire tout cela dans notre cuisine.

Je suis inquiète à son sujet. Elle a pu venir me voir pendant la deuxième semaine que j'ai passée à la prison centrale et, malgré mon soulagement de la retrouver vivante, j'ai été bouleversée de sa pauvre mine. Cette femme pâle, défaite, aux gestes nerveux, aux cheveux gris réunis en une tresse, était si différente de la mère élégante et sûre d'elle que je connaissais.

Ses yeux se remplirent de larmes quand elle me vit encore captive dans son ancienne cellule. Mais nous essayâmes courageusement de sourire, au mépris des geôliers assemblés autour de nous pour écouter les nouvelles qu'elle m'apprenait d'une voix hésitante. Elle avait contracté une mauvaise toux, me dit-elle doucement, à cause de la poussière sans doute, mais comme elle commençait à cracher du sang, le médecin et les responsables de la prison avaient parlé de tuberculose ; diagnostic qui ne surprit personne, car il y a beaucoup de tuberculeux au Pakistan. La poussière perpétuelle irrite les poumons, et les organismes sont souvent épuisés par la malnutrition. L'insalubrité de la prison rend les détenus particulièrement vulnérables à cette maladie comme à toutes les autres. Les prisonniers, souvent, crachent par terre et répandent ainsi les virus.

Les craintes de son propre médecin étaient pires encore, me dit-elle. Comme son état de faiblesse ne permettait pas une bronchoscopie, il ne pouvait exclure le risque d'un cancer du poumon.

Je l'embrassai sans cacher mon émotion mais en essayant d'être forte pour nous deux, en présence des agents de renseignements mêlés aux gardiens, qui ne manqueraient pas de tout rapporter au général Zia.

«Peut-être n'est-ce pas un cancer; attendons la bronchoscopie, lui dis-je de ma voix la plus ferme pour la réconforter.

– Il pense qu'on peut le guérir en s'y prenant tout de suite, au besoin par un traitement à l'étranger.

– Il faut partir aussitôt que tu pourras», dis-je spontanément, bien que mon cœur se brise à l'idée qu'elle quitte le Pakistan.

«Mais toi, ma chérie? Comment pourrais-je te laisser seule?»

Je l'assurai que tout allait bien, mais il n'en était rien. Trois jours après sa visite, je me retrouvai sur mon lit, les yeux au plafond, prise d'une irrationnelle et profonde dépression. Je n'avais plus le courage de bouger, de me laver, de changer de vêtements; je ne pouvais plus manger ni boire. Mon Dieu, me disais-je, j'ai perdu mon père, et voilà que je perds ma mère à présent. Consciente de m'apitoyer sur moi-même, je ne pouvais me défendre de ce sentiment d'abandon. Même les bonnes nouvelles que m'annonça ma mère – les mariages de Sanam et de Shah en septembre – accentuaient mon désespoir. Pendant son emprisonnement, mon père nous avait recommandé de ne pas nous distraire ostensiblement. «Si tu vas au cinéma, porte une *burqa*», m'avait-il dit. Maintenant, ma famille semblait résignée à ma détention permanente. Leur vie continuait, et ils célébraient des mariages comme si je n'avais pas existé.

Au bout de trois jours sans eau, je me sentis faible et perdue. Ne fais pas le jeu de Zia en t'effondrant, me disait une voix dans ma tête. Et je me sentis mieux dès que j'eus fait l'effort de boire un gobelet d'eau et d'entreprendre des mots croisés dans un des journaux pakistanais que ma mère m'envoyait chaque jour, et que je laissais de côté depuis longtemps. Mais les caractères imprimés me paraissaient flous, et je sentais venir une de ces migraines que j'avais contractées depuis mon transfert à la prison centrale de Karachi. Mes dents et mes gencives étaient douloureuses, mon oreille aussi. Et je continuais à perdre mes cheveux.

Mes problèmes de santé, je l'appris plus tard par un médecin, étaient dus en partie à un dérèglement dans le fonctionnement harmonieux de l'organisme. Normalement, me dit-il, les systèmes cardio-vasculaire, musculaire, digestif, respiratoire et nerveux prennent chacun leur part d'énergie et ce qu'il leur faut de nourriture. Mais en cas de grande tension, le système nerveux reste pleinement actif et prend plus que sa part, au détriment des autres systèmes, qu'il affaiblit ainsi. Le cœur est particulièrement vulnérable, ce qui expliquerait la fréquence des crises cardiaques chez les prisonniers politiques. Nos volontés ont pu rester fortes, mais ce sont nos corps qui en ont pâti. Il y avait tant d'incertitude...

Le 13 septembre, date fixée pour la fin de ma détention, approchait maintenant. L'infirmière de la prison m'avait plusieurs fois chuchoté qu'on semblait libérer, disait-on, des prisonniers politiques. Si le régime avait commencé à relâcher ceux qu'on avait arrêtés après le détournement, pourquoi pas moi?

On ne parlait plus dans la presse, pour ma mère et moi, de complicité avec Al-Zulfikar. En dépit de tant de tortures et de «témoignages» fabriqués, le régime n'avait pas réussi à monter contre nous un procès valable devant le tribunal de l'opinion internationale. Et Zia ne pouvait pas se permettre de perdre les éventuelles générosités de l'Occident, en particulier des États-Unis.

Le Pakistan n'avait pas reçu d'aide des États-Unis depuis 1979, quand l'administration Carter, soupçonnant notre pays de préparer ou de posséder déjà un potentiel nucléaire, renforça sa politique de non-prolifération nucléaire et nous coupa les vivres. Mais c'était avant l'intervention soviétique en Afghanistan. À présent, Zia pouvait compter sur la présence russe à la frontière pakistanaise pour éclipser aux yeux de l'Amérique le souci de notre programme nucléaire.

L'administration Reagan avait offert au Pakistan, pour six ans, une aide globale économique et militaire de 3,2 milliards de dollars – plus de deux fois ce que Zia avait refusé un peu hâtivement du temps de Carter. S'y ajoutait ce qu'il appréciait plus que tout : 40 avions F-16. Le contrat, qui devait être soumis au Congrès à l'automne de 1981, s'il était une aubaine pour le général, décevait gravement beaucoup d'entre nous : l'empressement de l'Amérique à soutenir le Pakistan contre la menace communiste aurait dû être contrebalancé par le souci des droits de l'homme et du rétablissement de la démocratie.

La position de Zia était encore fortifiée par les centaines de millions d'aide aux réfugiés que le Pakistan reçut des États-Unis, de l'Arabie Saoudite et de la Chine, du haut-commissariat des Nations unies pour les réfugiés, du programme pour l'alimentation dans le monde, et d'autres organismes internationaux d'assistance. Le nombre des réfugiés afghans qui traversaient l'Hindou Kouch par les anciens défilés de marchands et de contrebandiers pour attendre au Pakistan la fin de la guerre ou rejoindre les forces rebelles des moudjahidins se comptait maintenant par millions. Camps de réfugiés, hôpitaux, écoles et centres de services avaient été installés tout le long de la frontière, donnant aux membres du régime l'occasion d'écrémer l'aide internationale qui venait inonder le pays. Je lus plus tard dans le livre de Richard Reeves, *Passage to Peshawar*, que selon l'estimation d'un fonctionnaire des Nations unies, un tiers seulement de l'aide parvenait vraiment aux réfugiés. Les armes envoyées aux moudjahidins passaient aussi par le Pakistan, ce qui permettait à Zia et aux siens d'en détourner pour les arsenaux de son armée et de prélever des commissions substantielles sur les ventes d'armes. Un autre journaliste américain me dit un jour que les responsables de

Washington prévoyaient l'arrivée d'un tiers environ de ces armes à leur première destination.

Je soupçonnais la CIA de suivre de très près le rôle du Pakistan dans la guerre en Afghanistan. Mais je ne compris son intérêt primordial à défendre Zia et son régime qu'en lisant, des années plus tard, le livre du journaliste américain Bob Woodward, *CIA, guerres secrètes*. « Aucun dirigeant n'a gouverné dans une situation plus précaire, écrivait-il. La bonne volonté du président Zia était de la plus haute importance pour permettre à la CIA d'acheminer par le Pakistan le soutien paramilitaire destiné aux rebelles afghans, Casey (directeur de la CIA), la CIA et l'administration Reagan avaient tous besoin de maintenir Zia au pouvoir, et de savoir ce qui se passait dans son gouvernement. Le centre de la CIA à Islamabad était le plus grand du monde. »

Je n'avais pas non plus mesuré jusqu'où allait l'interdépendance entre Casey et Zia. « Le Congrès a déclaré illégal pour les entreprises américaines le paiement de pots-de-vin à l'étranger afin de conclure une affaire, écrivait Woodward. Casey comprit que les versements et services rendus aux dirigeants étrangers ou sources de renseignements étaient l'exception : des pots-de-vin légaux. Par exemple, il s'assura de pouvoir rendre visite à Zia au Pakistan une ou deux fois par an ; et il eut bientôt avec lui des relations plus étroites qu'aucun membre de l'administration Reagan. »

Tout cela permit à Zia d'améliorer son image : du bourreau et du dictateur brutal à l'homme d'État du monde civilisé. Ses fameux mots – comme celui-ci à un correspondant du *Daily Mail* en 1978 : « Nous pendrons des gens… Quelques-uns » – furent remplacés par des références au Pakistan « un État en première ligne » pour aider au *jihad*, à la guerre sainte, contre les communistes sans dieu. Les Américains étaient spécialement disposés, sinon empressés, à gober le nouveau style de Zia. Dans un article de l'*International Herald*

Tribune reproduit par la presse locale, je le vis pour la première fois qualifié de «dictateur bienveillant».

Je me distrayais de ces journaux déprimants en reprenant ma gymnastique : j'arpentais pendant une heure chaque jour l'étroit couloir qui longeait ma rangée de cellules. Même quand je n'avais pas faim, je m'obligeais à manger ce qu'on m'envoyait de Clifton. Fin août, début septembre, je m'accordai un peu d'optimisme. Le mariage de Sanam avait été fixé au 8, et j'avais demandé l'autorisation d'y assister. Peut-être même serais-je remise en liberté ?

Je me mis à fantasmer à propos de tous les bruits de pas qui s'approchaient de ma cellule ; m'apportaient-ils des nouvelles de ma libération ? Je fantasmais quand on déverrouillait la porte de la cour pour déposer les boîtes-repas, et puis le soir avec l'arrivée de l'infirmière. Régulièrement aussi le lundi matin, en entendant les pas légers du directeur de la prison, un petit homme nerveux qui venait tantôt seul, tantôt avec son adjoint. Il disait toujours la même chose :

«Pourquoi gâcher votre vie derrière des murs de prison alors que les autres membres du parti sont libres et prennent du bon temps ? Si vous acceptez d'abandonner un peu la politique, vous serez libérée.»

Que voulait le régime ? Le directeur n'aurait jamais osé dire cela sans un accord officiel. Ma liberté dépendait de la décision de Zia ; mais pourquoi ce chantage ? Pourquoi essayer de me compromettre ? Croyaient-ils vraiment que je consentirais ? Où était-ce seulement pour me briser, comme Ayub Khan avait tenté de le faire avec mon père ?

«Vous pouvez être libre demain, me disait le directeur. C'est vous qui vous gardez prisonnière. N'aimeriez-vous pas aller à Londres, à Paris ? Pourquoi perdre votre jeunesse en prison ? Vous pouvez attendre que votre heure arrive. Elle arrivera...»

Ses visites me laissaient toujours perplexe. Bien que je n'aie jamais songé à accepter ses offres, je ne savais que penser de ses mobiles : me voulait-il du bien ou du mal ? Je détestais cette nouvelle et nécessaire méfiance à propos de tous, mais comment faire autrement ? Ils essayaient sans doute de me déséquilibrer. Et j'en vis une preuve dans les bruits mystérieux qui se produisaient la nuit autour de ma cellule.

Chuchotements, voix d'hommes et de femmes parlant à voix basse. Le bruit parfois m'éveillait avant l'aube. Or nul, en dehors de la police, n'avait accès à ce quartier de la prison. Je me plaignis qu'on trouble volontairement mon sommeil. « Il n'y a personne dans votre quartier, me dit le directeur adjoint. Vous vous imaginez tout cela. »

Bruits de pas, les pas lourds d'un homme qui s'approche. « Qui est là ? », demandai-je en surveillant la porte de sous mon drap. Silence. « Vous avez entendu les pas ? demandai-je à l'infirmière. – Je n'ai rien entendu. » Et quand je me plaignis de nouveau : « Vous vous faites des idées », me dit-on.

Clic. Clic. Un nouveau bruit comme le tintement d'un bracelet à la cheville d'une femme ; puis des chuchotements. Je m'éveillais de plus en plus tôt, au point de ne plus dormir du tout. Quand la vieille infirmière fut remplacée par une autre, j'essayai de nouveau. « Entendez-vous des bruits la nuit ? » demandai-je à la vieille Pathane édentée et ratatinée qui couchait maintenant dans la cour.

« Chut ! Dites que vous n'avez rien entendu ! » dit-elle en regardant de tous côtés et en lissant d'un geste nerveux son mince uniforme gris.

« Mais qui est-ce ? fis-je, anxieuse d'avoir enfin une confirmation.

– C'est la *chur-ayle*. »

Une *chur-ayle*, le fantôme d'une femme qui a les pieds tournés devant derrière ? « Mais ça n'existe pas, répondis-je, me raccrochant au rationnel. – Si, si. Tout le monde l'a entendue dans la section des femmes. Dites que vous ne l'entendez pas, et elle ne vous fera pas de mal. »

Clic. Clic. Cette nuit-là et beaucoup d'autres, mon bon sens m'abandonna tout à fait ; je tremblais dans mon lit en me demandant pourquoi elle ne restait pas dans la section des femmes au lieu de venir de mon côté. Et les bruits continuaient.

Cloc. Cloc. Quelqu'un ou quelque chose entrechoquait dehors de la ferraille – on eût dit des poubelles dont on aurait fouillé les ordures. Des pas approchaient de nouveau de ma cellule, bien qu'on n'ait pas entendu ouvrir la porte du quartier. *Ya Allah*, qu'est-ce que c'est ! *Ya Allah*, au secours ! On ramassait à ma porte mes boîtes-repas vides, j'entendais ouvrir le couvercle, cogner la boîte contre le mur. *Allah !* Prenant mon courage à deux mains, je me précipitai à la porte de la cellule. Les boîtes gisaient sens dessus dessous dans la poussière, et il n'y avait personne.

« Vous êtes à bout de nerfs », me dit le directeur à la visite suivante. Il finit par m'expliquer que ces cellules avaient été bâties sur un *phansi ghat*, un ancien gibet utilisé par les Anglais. « Peut-être est-ce une âme qui ne trouve pas le repos », suggéra-t-il. Ce n'était pas plus rassurant que l'explication de la gardienne pathane : « Mon mari était veilleur de nuit, et il a été assassiné par des voleurs, me dit-elle, les yeux étincelants. On ne les a jamais retrouvés, et son âme sans doute cherche en vain le repos. »

Je ne suis pas superstitieuse et je soupçonnais le régime de mettre mes nerfs à l'épreuve comme il l'avait fait avec mon père à la prison de Rawalpindi. Mais, à tout hasard, je me mis à prier pour les âmes perdues du *phansi ghat*. Au bout de quelques mois, les voix se turent, et j'ignore toujours d'où elles venaient.

Je continuais le rituel de prière que m'avait enseigné l'infirmière de Sukkur, murmurant la sourate du Coran sur le baquet d'eau et aspergeant un peu les coins de ma cellule. Comme elle était d'une forme bizarre et n'avait pas quatre coins, je craignais que cela ne marche pas. Pourrais-je au moins assister au mariage de Sanam? Je n'avais pas de nouvelles de ma demande. Je priais : « *Que Huwwa Allahu Ahad*, Dis : Il est Dieu l'unique. » Après le deuxième mercredi et avant le troisième, l'infirmière pathane vint dans ma cellule le matin de bonne heure. « J'ai entendu les voix près de mon lit, m'annonça-t-elle ; elles disaient : "Elle s'en va demain." » Cette vieille est folle, pensai-je. Deux heures plus tard, les autorités étaient là : « Vous partez immédiatement. Vous êtes autorisée à aller au mariage de votre sœur. »

70, Clifton. Les plaques de cuivre brillent toujours près de la grille : Sir Shah Nawaz Khan Bhutto. Zulfikar Ali Bhutto, avocat au barreau. Les tensions de ces six derniers mois se relâchèrent un peu quand le convoi de la police qui m'amenait s'arrêta devant la porte. J'avais cru ne jamais revoir cette maison, qu'elle soit confisquée par le régime ou que je sois discrètement mise à mort à Sukkur sans avoir pu y retourner. Mais j'étais là, vivante, et ma maison aussi, ses murs d'enceinte ornés de guirlandes lumineuses pour fêter le mariage de ma sœur. Nous avions survécu toutes deux.

Je ressentis un nouvel élan quand les grilles s'ouvrirent, que le *chowkidar* me salua et que l'escorte pénétra dans la cour. Dieu m'accordait une seconde vie. Avec son secours, je n'avais pas été vaincue par l'ennemi. Une nouvelle impression de force et de résolution m'envahit : en cet instant, je renaissais.

Tambours, danses, guirlandes de roses et de jasmin. Toute la maisonnée réunie à l'entrée dansait des danses populaires en ondulant des bras au rythme du *dholak* (tambour). Les *chowkidars*, les serviteurs, les secrétaires. Je vis Dost Mohammed, notre majordome, qui avait couru plus vite que les gardiens de la prison pour rejoindre mon père en détention ; Urs, le valet de mon père qui, au moment de son arrestation, avait été frappé à coups de crosse et battu par l'armée ; Basheer et Ibrahim, qui étaient avec ma mère et moi à Sihala lors de son exécution ; Nazar Mohammed, de Larkana, qui avait reçu son corps et l'avait enterré.

Ils chantaient et dansaient, le visage rayonnant. Quelle merveilleuse ambiance de fête, pensai-je en sortant de la voiture. On se précipita vers moi pour me passer des guirlandes autour du cou. « Gardez-les pour les invités, dis-je, car j'en avais jusqu'aux oreilles. – Non, non, nous avons cueilli ces fleurs pour vous. Nous sommes si heureux de vous avoir à la maison. »

La maison. Je ne pouvais pas le croire. L'air vibrait de hourras tandis que ma famille sortait en foule des portes de bois sculpté. Les sœurs de ma mère étaient là ; tante Behjat venue de Londres, cousine Zeenat de Los Angeles, ma cousine Fakhri, qui avait été détenue avec moi après la condamnation à mort de mon père. La sœur de mon père, tante Manna, m'accueillit ainsi que ses trois demi-sœurs de Hyderabad qui avaient en vain présenté une requête à Zia pour qu'il épargne sa vie. D'autres parents venaient d'Inde, d'Amérique, d'Angleterre, d'Iran, de France, occupant tous les lits de la maison et ceux des appartements particuliers de mes frères, restés vides depuis quatre ans. Laila ! Nashilli ! Nous nous embrassions tous en riant et en poussant des exclamations. Nous avions cru ne jamais nous revoir. Sans parler de la crainte que je ne sorte pas vivante de prison.

Le luxe d'un bain chaud, du tapis sous mes pieds, de l'eau pure et fraîche dans mon verre. La fête de ma famille. Je ne fermai pas l'œil pendant deux jours et deux nuits, ne voulant pas perdre une seconde de liberté. Ma mère alla se coucher de bonne heure, et je restai avec Sanam à bavarder jusqu'au matin. Elle était à peine couchée que maman se leva. Je ne me lassais pas de les voir, elles et mes autres proches parents.

Je me retirai un moment pour dévorer de vieux numéros d'*Asia Week*, *Far Eastern Economic Review*, *Time* et *Newsweek*. Je nettoyai aussi les murs de ma chambre. Je m'aperçus bientôt que pendant leur dernière «descente», les gens du régime avaient volé beaucoup des lettres que mon père m'avait écrites quand j'étudiais à l'étranger; d'irremplaçables photographies de mes frères, de ma sœur et de moi également, certains de mes bijoux, y compris une de mes bagues préférées, cadeau de ma mère, et une boîte à khôl en or qui venait de ma grand-mère. Mais c'était le sentiment d'une profanation que je ressentais surtout, et je frottai de toutes mes forces pour effacer sur mes murs la trace psychique de leurs empreintes digitales. Je ne cessais de me répéter «Remercie Dieu de t'avoir laissé cette chambre et cette maison. Il y a quelques mois, j'ignorais si elles me resteraient.» «Ils ne vont pas te remettre en prison, n'est-ce pas?» s'enquit mon cousin Abdul Hussein, oubliant qu'il était au Pakistan et non à San Francisco. Si dur que ce soit, je ne pouvais me permettre de partager son espoir.

Tout semblait si normal au 70, Clifton, si traditionnel et rassurant! Les domestiques allaient et venaient, préparant les tables du buffet sous la tente décorée dressée dans le jardin, et les fauteuils pour les invités. Sunny avait livré ses mains à l'artiste *mehndi*, qui était venu peindre au henné celles des femmes de la maison en y traçant des formes délicates et compliquées; il dessinait sur la paume de ma sœur avec un cure-dents de magnifiques spirales et des arabesques, puis il fixait le henné avec du jus de citron et du sucre.

Pour une réception pakistanaise, c'était un petit mariage : seulement cinq cents invités. Et toutes les traditions n'y seraient pas respectées. Je n'avais pu me procurer le *shalwar khameez* de soie neuf pour la cérémonie du *mehndi*, ou pour la *nikah* ou cérémonie du mariage, comme l'avaient fait la plupart des autres femmes qui remplissaient la maison. Mais peu importait. Je n'avais pas vu les vêtements dans mon placard ni porté rien d'élégant depuis si longtemps que mon vieux *shalwar khameez* de soie rose me parut tout neuf.

«Maman m'oblige à me maquiller, dit Sunny, surgissant dans ma chambre. Et il faut que je porte un sari. Je voudrais pouvoir me marier en blue-jean. Fais quelque chose.

– Tu ne te maries qu'une fois. Et maman a tant souffert. Rends-la au moins heureuse en écoutant ce qu'elle dit.»

« Cette fiancée est plus belle que la lune. Elle l'est, oui elle l'est. » La maison fut pleine non de silence mais de chansons, la première nuit que j'y passai. *« Cette fiancée est plus belle que la lune. »* Nos parentes tapaient dans leurs mains avec les amies de Sanam en interprétant les chansons et les danses traditionnelles pour la cérémonie *mehndi*. J'ignorais combien durerait ma liberté et, pour n'en rien perdre, j'allai plutôt parler à des parents et des amis. Nos mondes étaient devenus si différents ; mais lequel était le vrai ? Je me surpris deux fois à dire «chez moi» en parlant de ma cellule.

Sanam était très belle quand elle rejoignit son futur mari, Nasser Hussein, sur un coussin vert incrusté de miroirs, pour le *mehndi*. Comme ce n'était pas un mariage arrangé, il n'y avait pas de gêne entre eux, mais il fallait respecter les traditions, et elle gardait son visage soigneusement à l'abri de sa *dupatta* pour qu'il ne puisse pas l'apercevoir avant le mariage, alors qu'assise près de moi elle la soulevait pour me parler.

Amies et parentes chantaient devant nous : «Nasser *ji*, Nasser *ji*, futur beau-frère, vous devez accepter sept conditions avant que Sanam ne devienne votre épouse. La première, c'est qu'elle ne fasse pas de cuisine.

– Je prendrai un cuisinier, chanta Nasser.

– Sanam ne lavera pas le linge, chanta la demoiselle d'honneur.

– Je le porterai à la blanchisserie.» Et Nasser répondit en chantant à chaque condition jusqu'à ce que le garçon d'honneur trouve une occasion de renvoyer la plaisanterie.

Les parents des deux côtés apportaient des plateaux chargés de henné, décorés de bougies allumées et de papier d'argent. Un par un, les parents de Nasser pressaient sur la paume de Sanam une pincée de henné dans une feuille de bétel, lui mettaient dans la bouche un peu de sucrerie sur le bout du doigt et agitaient de l'argent au-dessus de sa tête pour éloigner le mauvais sort. Conduits par ma mère, nous, les parents de la fiancée, en fîmes autant à Nasser.

L'ambiance de fête se dissipa brusquement quand quelqu'un du personnel vint nous dire : « La police est à la porte. » Un silence terrible tomba sur toute la pièce. Je pensais que c'était pour moi, mais notre majordome revint annoncer qu'ils demandaient ma mère. Les invités retinrent leur souffle. Maman ne survivrait jamais à une autre détention.

« Fais-les entrer, Dost Mohammed, dit-elle calmement. Je ne veux pas qu'ils enfoncent les grilles pendant que nos hôtes sont là. » Des policiers entrèrent, manifestement très gênés. « Que me voulez-vous ? » leur demanda-t-elle, d'une voix ferme malgré sa faiblesse. Ils tendirent, l'air penaud, un ordre de la loi martiale. Ce n'était pas pour l'arrêter, Dieu merci, mais pour lui signifier que le Penjab lui était interdit. Elle n'avait pas l'intention d'y aller, et Zia le savait. Il ne voulait que nous harceler, étouffer et gâcher tout ce que les Bhutto pouvaient encore goûter de joies.

Et les brimades continuèrent. Le lendemain matin, les musiciens que ma mère avait engagés firent savoir inopinément qu'ils ne viendraient pas ; les autorités leur refusaient l'usage du microphone, la loi martiale ayant banni les haut-parleurs. Était-ce bien le fait du régime, ou les musiciens avaient-ils pris peur ?

Nos hôtes ne furent pas épargnés ; des agents du régime, dans des camionnettes garées en face de la maison, relevaient leurs numéros d'immatriculation. Ils avaient déjà essayé d'obtenir la liste des invités, et le secrétaire de ma mère lui avait avoué en pleurant qu'on l'avait menacé des pires représailles s'il refusait de la communiquer.

Le pays, cependant, ne devait rien savoir du mariage. Les journaux n'étaient autorisés à citer le nom des Bhutto que dans un contexte négatif, bien que les journalistes pakistanais aient pris l'habitude de tourner les interdictions. Pour annoncer les fiançailles de Sunny, ils avaient remarqué que le grand-père de Nasser, comme le nôtre, avait été Premier ministre de l'État de Junagadh : «MARIAGE DES PETITS-ENFANTS DE DEUX ANCIENS PREMIERS MINISTRES DE L'ÉTAT DE JUNAGADH.» Maintenant, un titre en manchette mentionnait le mariage et ma libération provisoire de la prison de Karachi : «LA SŒUR AU MARIAGE DE SA SŒUR.»

Derrière les grilles du 70, Clifton, nous étions bien décidés à garder au mariage son caractère privé, familial. Sanam avait assez souffert d'être entraînée, du seul fait de son nom, dans ce monde politique auquel ne la liait aucun intérêt. Diplômée de Harvard deux mois après l'assassinat de notre père, elle avait été admise à Oxford puis, incapable de se concentrer sur ses études, elle était rentrée au Pakistan. Mais pourquoi? Pour devenir elle-même une sorte de prisonnière, vivant seule au 70, Clifton, sa mère et sa sœur passant d'une détention à l'autre, ses deux frères en exil. Elle avait toujours préféré un petit cercle d'amis, fuyant la notoriété de la famille et les questions perpétuelles sur son père. Elle ne fréquentait plus qu'une poignée d'amis fidèles, notamment Nasser, ancien camarade d'école de Shah Nawaz et de Mir.

«N'épouse pas Sanam. Le régime te perdra», avaient dit les oncles de Nasser quand il les avait priés de demander sa main. «C'est mon choix, répondit-il, et non le vôtre. J'aime cette jeune fille et, quel qu'en soit le prix, je l'assumerai.» Il l'a fait depuis; le pouvoir possède toutes sortes de brimades pour ceux qu'il met en disgrâce : enquêtes fiscales, refus d'autorisations, coupures de l'alimentation d'eau pour les cultures. Nasser était particulièrement vulnérable dans sa florissante entreprise de télécommunications, qui vendait au Pakistan l'équipement le plus moderne, essentiellement à l'administration. Ses offres de contrats furent bientôt repoussées et ses affaires baissèrent de 75 %. Avec Sanam, il habite maintenant à Londres, où il lui a fallu repartir de zéro. Mais leur mariage fut magnifique.

Tenant le Saint Coran au-dessus de sa tête, nous accompagnâmes Sanam, ma mère et moi, jusqu'au bas des marches, à l'estrade du *nikah* dans le hall d'entrée. Son sari de cérémonie était vert, la couleur du bonheur. «Acceptes-tu pour mari Nasser Hussein, fils de Nasim Abdul Qadir?» demanda notre cousin Ashik Ali Bhutto. Sanam nous sourit mais garda le silence, sachant que la question devait lui être posée trois fois en présence de deux autres témoins afin que son consentement soit certain. Ashik Ali interrogea de nouveau et Sanam resta muette. L'islam veut être sûr que la femme comprend et consent librement au mariage. Après la troisième demande, Sanam accepta enfin et signa le contrat. Ashik Ali alla porter la bonne nouvelle aux hommes assemblés dans une autre pièce. Le *maulvi* lut à Nasser les prières de mariage; et ma sœur devint la première femme de la famille à épouser un homme de son choix.

Deux des plus proches amis de Nasser le menèrent sur l'estrade rejoindre sa femme. Les cousines et les amis de Nasser tendirent un châle de soie comme un dais au-dessus du couple tandis qu'on plaçait un miroir entre eux deux. Je refoulai mes larmes quand Sanam et Nasser se regardèrent ensemble dans la glace; instant traditionnel où l'épouse et l'époux se voient unis pour la première fois.

L'estrade était ornée de roses, de soucis et de jasmin, qui exhalaient dans la nuit leurs doux parfums. Les mariés étaient assis sur un tabouret de velours bleu au milieu de plats d'amandes confites, d'œufs dorés, de noix et de pistaches argentées. Des bougies brûlaient près d'eux dans des candélabres d'argent pour que leur vie soit pleine de lumière. Les cousines heureusement mariées de Sanam tenaient au-dessus de leurs têtes des cristaux de sucre afin que la vie soit douce. Dans le bruit des acclamations, la fête était commencée.

Ma mère et moi nous assîmes près de Sunny et de Nasser tandis que les invités défilaient pour offrir leurs félicitations. Beaucoup avaient connu la prison et certains, maigres et les traits tirés, en gardaient les traces. «Comme tu as bonne mine», me disaient-ils, et j'espérais qu'ils étaient sincères, tenant à paraître invaincue, comme mon père comparaissant devant la Cour suprême. «Je suis si heureuse de te voir», murmurai-je machinalement à chacun. Je gardais la tête haute, mais en tremblant intérieurement.

Devrais-je retourner en prison? Les autorités ne m'avaient rien fait dire. Je vis dans la foule mon avocat, Mujib; il avait, m'apprit-il, rendez-vous de bonne heure le lendemain matin avec le ministre de l'Intérieur du Sind. Ma détention devant prendre fin dans moins d'une semaine, il fallait demander qu'on me laisse passer au 70, Clifton, le temps qui restait.

Les invités partis, je ramassai quelques revues et journaux pour essayer de les faire passer discrètement dans la prison, si la police venait me chercher, ainsi que des Kleenex et de l'insecticide. Je restai debout toute la nuit à bavarder avec mes cousines, avec Samiya, puis j'écrivis à la dernière minute une lettre à Peter Galbraith, mon vieil ami de Harvard et d'Oxford. Ma mère m'avait dit qu'il était chargé de l'Asie du Sud au comité des Affaires étrangères du Sénat américain, et qu'il était venu récemment au Pakistan pour faire un rapport sur les intérêts de la sécurité américaine. Il avait cherché à me voir à la prison centrale de Karachi, mais sa demande d'autorisation était restée sans réponse. Il me raconta plus tard ce qui s'était passé.

Peter Galbraith, août 1981 :

« J'emportais au Pakistan une lettre du sénateur Claiborne Pell, chef de la minorité au comité des Affaires étrangères du Sénat, qui demandait pour moi au régime l'autorisation de voir Benazir. Je fis une grande offensive au ministère des Affaires étrangères pakistanais et à l'ambassade des États-Unis, qui était alors très hostile aux Bhutto.

« Le régime ne répondit même pas à la demande du sénateur Pell ni à la mienne. Bien que l'ambassade eût essayé de m'en dissuader, j'allai au 70, Clifton, pour rencontrer la bégum Bhutto. Elle était pâle et semblait très fatiguée. Les détentions de Benazir depuis cinq mois dans les prisons de Sukkur et de Karachi la tourmentaient beaucoup.

« Elle m'invita à l'accompagner, avec Sanam et Fakhri, au Boat Club de Karachi. En quittant le 70, Clifton, elle me pria de sourire aux hommes de la Sécurité qui prenaient des clichés au téléobjectif, d'une voiture garée de l'autre côté de la rue. Je leur adressai de la main mon salut le plus politicien.

« Pendant le déjeuner, je ne cessai de penser à la captivité de Pinkie. Je l'avais vue pour la dernière fois à Oxford en janvier 1977 ; elle venait d'être élue présidente de l'Union d'Oxford et siégeait dans le bureau du président, devant des étudiants béats d'admiration.

« Sa vie avait pris depuis un tour tellement inattendu, presque incompréhensible. Je ne pouvais chasser de mon esprit ce retour chez elle pour trouver son père renversé, condamné à mort, puis exécuté. Pour passer elle-même tant de temps en prison, et dans des conditions si dures. Très sensibilisé au questions des droits de l'homme, je savais que tout cela existait, mais j'avais du mal à comprendre que pareille chose puisse arriver à une amie. Avant de quitter le Boat Club, je remis à la bégum Bhutto pour Benazir une longue lettre, que j'avais écrite la nuit précédente sur un bloc officiel.

« De retour aux États-Unis, je rédigeai un rapport pour le comité des Affaires étrangères sur l'éventuelle reprise de l'aide au Pakistan, évoquant alors le risque pour les États-Unis d'être identifiés avec une dictature militaire impopulaire, et de répéter l'expérience américaine en Iran. J'insistai sur l'urgence d'une politique énergique des droits de l'homme, pour montrer que notre assistance entendait servir le pays autant que ses dirigeants. À titre personnel, j'informai le sénateur Pell et le sénateur Charles Percy, président du comité, de la situation des dames Bhutto. Tous deux se montrèrent empressés à leur venir en aide. Je voulais que Benazir sache qu'elle n'était pas oubliée. »

Le soleil se levait à peine sur Karachi tandis que je lisais et relisais l'amical bavardage de Peter, heureuse des nouvelles de sa femme Anne et de la naissance de leur fils. De vieux souvenirs me revenaient d'une époque plus facile. Je lui répondis :

10 septembre 1981.

« Cher Peter,

« Hier soir, c'était le mariage de Sunny. Toute la maison est endormie. Il est 6 heures du matin, et il me reste très peu d'heures de liberté. Je veux t'écrire tout de suite pour te dire combien j'ai été heureuse de ta lettre, de te lire, de recevoir des nouvelles de nos amis et de savoir comment tu réussis ta vie. Je prie toujours pour ton succès et pour celui de ton frère Jamie.

« C'est troublant, en un sens, de se rappeler Harvard, cette voix du passé qui revient toujours à un âge d'innocence. Nous avait-on appris que la vie peut être pleine de dangers redoutables et de drames? Ces mots, que nous lisions ou non, je peux dire, maintenant, que je n'en comprenais pas la signification. Indépendance et liberté, nous écrivions là-dessus des textes, des mémoires pour nos professeurs, pour nos diplômes, mais connaissions-nous le prix de ces mots dont nous discutions? Ces mots aussi précieux que l'air que nous respirons, aussi précieux que l'eau. En ce temps-là, les dures réalités nous semblaient si lointaines, dans les neiges du Vermont et les cours de Harvard…»

Un peu plus tard dans la matinée, je montai porter le thé dans la chambre de maman. «Reste avec moi, dit-elle. Nous apprendrons peut-être ensemble les bonnes nouvelles de Mujib.» Mon avocat arriva peu après; le ministre de l'Intérieur avait rejeté sa demande. Tant que je ne m'engagerai pas par écrit, me dit-il, à respecter l'interdiction de toute activité politique, je resterais en prison.

La police vint à 10 heures. Ma famille et le personnel se pressèrent dans la cour pour me voir partir, courant derrière la voiture qui traversait Clifton, passsait devant l'ambassade d'Iran, les jardins de Clifton où les enfants lançaient des cerfs-volants, l'ambassade soviétique, l'ambassade de Libye, et l'ambassade d'Italie. Comme toujours, on filait à toute allure par des rues à moitié vides jusqu'à la prison.

Le bruit familier des clés qui ouvraient les cadenas l'un après l'autre m'accueillit à la centrale. Je passai rapidement la petite porte de fer ouverte dans le haut mur de brique, me tenant bien droite tout le long du couloir sale et sans fenêtre qui menait à mon quartier. Je ne voulais pas que quiconque puisse me croire assouplie par mes deux jours de liberté. J'espérais aussi qu'on ne me fouillerait pas, car avant de quitter la maison, j'avais bourré mon sac de revues et de journaux.

Comme d'habitude, l'électricité était coupée quand j'arrivai dans ma cellule, et systématiquement je déposai une plainte. Je fus malade les deux jours suivants, rendant de la bile et des sucs gastriques de couleur brune. Était-ce psychologique, ou quelque chose m'avait-il incommodée? Je ne sais pas, mais je me sentais très mal.

Le troisième jour, 13 septembre, je repris des forces. Un geôlier vint m'apporter un ordre, déprimant sinon surprenant, de l'administrateur du district. Ma détention à la prison centrale de Karachi était prolongée de trois mois.

Je me mis à lire ma prière du mercredi tous les jours au lieu d'une fois par semaine. Elle m'avait toujours été bénéfique. Peut-être, avec une lecture quotidienne, les portes de ma cellule s'ouvriraient-elles toujours après le second mercredi et avant le troisième? Mon but à présent était le 30 septembre, le troisième mercredi; sinon, la date suivante serait celle de la visite au Pakistan de Margaret Thatcher, au début d'octobre.

Zia me libérerait bien un jour, et je cherchais toujours des dates auxquelles accrocher mes espoirs. Je connaissais Margaret Thatcher pour l'avoir rencontrée la première fois avec mon père à Rawalpindi, dans la résidence du Premier ministre, quand elle était leader de l'opposition. Je l'avais vue une autre fois à Londres dans ses bureaux à la Chambre des communes quand j'étais présidente de l'Union d'Oxford. Si la visite de Thatcher passait sans que je sois libre, je le serais peut-être pour la fête de l'*Aïd* qui cette année tombait le 9 octobre. Le régime relâchait toujours quelques prisonniers à la fin du ramadan, par respect pour cette solennité religieuse.

Ces deux dates passèrent sans changement pour moi. Le 25 septembre 1981, Chaudhry Zahur Elahi, un des ministres du cabinet militaire de Zia, qui s'était fait offrir le stylo avec lequel le général avait signé l'arrêt de mort de mon père et avait distribué des bonbons après son exécution, fut tué dans une embuscade à Lahore. Maulvi Mushtaq Hussein, l'ancien juge de la Haute Cour de Lahore qui avait condamné mon père, voyageait dans la même voiture et fut blessé. M.A. Rehman, procureur au procès de mon père pour meurtre, qui y était aussi, s'en tira sans dommage. Il y a donc une sanction divine, me disais-je en lisant les manchettes des journaux sur l'assassinat d'Elahi. « Sa femme, sa fille, sa famille sauront désormais ce qu'est le chagrin, notai-je dans mon journal. Je ne me réjouis pas, car un musulman ne se réjouit pas d'une mort. La vie et la mort sont dans les mains de Dieu. Mais il est consolant de penser que les méchants ne font pas le mal impunément. »

Ma satisfaction ne dura guère. Le régime affirma qu'une fois de plus Al-Zulfikar était responsable des dernières violences, et les arrestations recommencèrent. Mir n'arrangea rien quand, le lendemain, il revendiqua le meurtre au nom d'Al-Zulfikar dans une interview à la BBC. Un débat autour de l'attentat aurait pu montrer le rôle immoral qu'avait joué Elahi dans la mort de mon père ; au contraire, toute l'attention se porta sur les membres supposés d'Al-Zulfikar qu'il s'agissait de débusquer.

Terroristes ! Tueurs ! Assassins politiques ! clamaient les gros titres. Une fois de plus, le régime se servit d'Al-Zulfikar pour écraser l'opposition. Les jeunes dirigeants du PPP étaient arrêtés les uns après les autres ; on avait lancé des centaines de mandats. Quatre furent menés à la prison de Haripur où ils furent cruellement torturés. Comme je l'appris plus tard, le père de l'un d'eux, Ahmed Ali Soomro, vint confier son tourment à un membre du parti. La police lui avait fait payer une somme considérable pour apercevoir son fils de loin, afin de savoir s'il était encore vivant. Selon la presse, il y avait 103 jeunes gens à la prison de Haripur et 200 dans une ville voisine.

On vit une fois de plus des rafles parmi les femmes, entre autres Nasira Rana Shaukat qui fut ramenée au fort de Lahore. L'épouse du secrétaire général du PPP subit de nouveau des décharges électriques et vingt-trois jours d'interrogatoires sans sommeil. «Reconnaissez la complicité de votre mari dans le meurtre, lui ordonnait-on. Compromettez Benazir et la bégum Bhutto.» Ce qu'endura cette femme courageuse dépasse l'entendement. On la garda ensuite sept mois dans une cellule sans toilettes, avec seulement un plateau qu'on changeait deux fois par semaine. Elle passa l'hiver couchée sur le ciment, sans lainage, ni literie, ni couvertures, et faillit mourir de pneumonie. Quand on la ramena enfin chez elle en résidence surveillée, elle ne pouvait plus ni marcher ni parler.

La visite de Margaret Thatcher survint en plein milieu de cette nouvelle vague de brutalités. Deux ans plus tôt, ainsi que le remarquait un communiqué de la BBC repris par la presse, il eût été impensable qu'un chef d'État occidental vînt au Pakistan – quand Zia avait rejeté les interventions du monde entier pour sauver la vie de mon père. Mais l'invasion soviétique de l'Afghanistan avait eu raison des réserves de l'Occident. Bien plus, rapportait la BBC, la Grande-Bretagne mettait tous ses soins à restaurer l'image de Zia. Il était consolant que la presse mondiale, au moins, reconnaisse en lui le misérable criminel qu'il avait toujours été, et dont l'autorité ne se maintenait que grâce à des appuis extérieurs. Quel choc, pourtant, de lire dans les journaux qu'après une tournée dans les camps de réfugiés afghans, Margaret Thatcher avait présenté Zia comme «le dernier bastion du monde libre».

Je fus plus déçue encore d'apprendre l'interprétation aberrante de notre situation politique par l'administration Reagan, lors de la campagne du Congrès pour rétablir l'aide au Pakistan. «Le PPP de Bhutto peut y être opposé, mais non la grande masse du peuple, consciente d'avoir à affronter avec un armement périmé une terrible menace pour sa sécurité», avait déclaré en septembre l'ambassadeur au Pakistan, Ronald Spiers, devant le comité des Affaires étrangères au Sénat. Il se trompait totalement. D'abord, le PPP était la seule voix de la «grande masse du peuple». Ensuite, nous n'étions pas – pas plus que nous ne le sommes maintenant – contre l'assistance étrangère en tant que telle, mais dans la mesure où elle maintenait l'occupation militaire du pays. On était en plein paradoxe. Le sous-secrétaire d'État James Buckley, chargé d'organiser le contrat d'assistance, affirmait même que les élections «ne servaient pas la sécurité du Pakistan», comme si nous, le parti démocrate, étions l'ennemi plutôt que le dictateur!

J'ignorais alors que derrière les manchettes des journaux, certains hommes politiques américains contestaient secrètement les conclusions de M. Buckley. Peter Galbraith était rentré à Washington, résolu à soulever le problème des atteintes aux droits de l'homme au Pakistan et à obtenir ma libération. Travaillant avec le sénateur Pell, Peter mena une stratégie très directe : chaque fois qu'il était question du Pakistan au Sénat, le problème des droits de l'homme et de ma détention était aussitôt évoqué. Ni l'administration américaine ni la dictature de Zia n'avaient plus le droit d'oublier les prisonniers politiques du Pakistan. On espérait finalement pouvoir pousser le régime à la conclusion qu'il serait plus simple de me relâcher que d'affronter sans cesse cette question de détention injuste pour moi et les autres.

J'appris par la suite comment le sénateur Pell, opposé à la reprise de l'aide au Pakistan, avait mené sa stratégie. *India Today* citait ses propos : «Le F-16 est le symbole le plus apparent du soutien américain au régime de Zia, avait-il dit au sous-secrétaire d'État Buckley. Amnesty International estime que les violations des droits de l'homme sont la règle au Pakistan... Pensez-vous qu'ils ont raison?» À la réponse vague esquissée par M. Buckley, le sénateur Pell opposa des précisions : «Tout se passe comme si le président Zia poursuivait une vendetta contre la veuve et la fille de l'ancien Premier ministre Bhutto exécuté – ou plutôt assassiné. Je me demande si l'administration américaine a jamais fait aucune démarche auprès du gouvernement pakistanais au sujet de l'emprisonnement et des mauvais traitements subis par la famille Bhutto. » Le sous-secrétaire d'État promit alors que des efforts seraient faits par voie de «diplomatie officieuse », ce qui en code signifie ne rien faire du tout. Mais au moins le sénateur Pell avait-il marqué un point.

La traditionnelle déférence du Congrès à l'égard de la requête d'une nouvelle administration ainsi que son inquiétude à propos de l'Afghanistan l'emportèrent sur les objections du sénateur Pell quant au dossier «droits de l'homme» de Zia et au programme nucléaire pakistanais. Tandis que le Congrès approuvait le contrat d'assistance, le sénateur Pell persuada ses collègues d'appuyer un amendement qui spécifiait : «En autorisant l'aide au Pakistan, le Congrès entend favoriser la restauration rapide des libertés civiles dans leur intégralité et du gouvernement représentatif au Pakistan.» L'amendement Pell n'eut guère d'effet pratique, mais ce fut un avertissement utile à la dictature de Zia.

À la prison centrale de Karachi, l'*Aïd* passa sans m'apporter la liberté. L'infirmière pathane m'apprit que des prisonniers politiques figuraient parmi ceux qu'on relâchait à l'occasion des vacances, et j'en fus très heureuse pour eux et leurs familles. Beaucoup de membres du personnel de la prison me témoignèrent alors leur cordialité personnelle et leur respect. La femme d'un geôlier réclama un de mes *khameez* pour me faire des vêtements de fête, tandis qu'un autre gardien m'envoyait dire qu'il restait au bureau d'entrée afin d'obtenir des autorités le retour de l'électricité dans ma cellule. «J'espère que ces gens-là ne seront pas oubliés quand nous aurons des temps meilleurs», notai-je dans mon journal.

Pour chaque prisonnier politique libéré, on en arrêtait dix autres. Le leader étudiant Lala Assad était, selon les journaux, l'objet d'une véritable chasse à l'homme ; c'était un fidèle du parti, et je priai pour qu'il échappe à la police. Vers la fin de ma période de liberté en 1981, quand j'étais allée à Khairpur distribuer des certificats aux étudiants emprisonnés pour avoir manifesté contre la loi martiale, j'avais pris prétexte de la naissance de Zulfikar, le fils de Lala Assad, qui avait reçu le nom de mon père. Lala Assad lui-même avait passé deux ans en captivité pour avoir soutenu notre cause. Son propre père, ancien ministre du Pakistan de l'Ouest, champion de l'indépendance pakistanaise aux côtés de Mohammed Ali Jinnah, demanda à me voir pendant ma visite. Retenu au lit par la maladie, le vieil homme me supplia d'éloigner son fils de la politique.

« Je n'ai plus longtemps à vivre, me dit-il. Je ne me suis jamais opposé aux activités politiques de mon fils tant que M. Bhutto a été en prison. Mais maintenant que le Premier ministre est mort, j'ai besoin qu'il s'occupe de moi, de sa femme et de son enfant. Quand je serai parti, il sera libre de travailler pour vous et votre parti. Mais pendant mes derniers jours, j'ai besoin de mon fils. » Je promis de parler à Lala Assad et je le fis. J'ignore ce qui arriva après mon départ, mais il fut arrêté un mois plus tard et conduit à Sukkur. À présent, au bout d'un an, il passait pour un responsable d'Al-Zulfikar, et je ne savais que penser de cette accusation.

Terrorisme. Violence. Cela ne finirait-il jamais ? Dernièrement, en quelques mois, trois présidents avaient été assassinés : le président Zia ur-Rehman au Bangladesh, le président Rajai en Iran, et plus récemment, le 6 octobre, Anouar al-Sadate en Égypte. J'étais triste pour le président Sadate, pour sa famille, de cette fin violente. Enfant, j'avais beaucoup admiré son prédécesseur, Gamal Abdel Nasser, dans sa lutte contre le colonialisme britannique et l'impérialisme américain pendant la guerre de Suez. Il me paraissait un géant, qui promettait un nouveau monde, édifié dans l'égalité sur les cendres et les décombres des rois et des souverains absolus d'hier. J'avais passé des heures au 70, Clifton, dans la bibliothèque de mon père, à lire tout ce que je pouvais sur Nasser, y compris son propre livre, *La Philosophie de la révolution*.

Je n'aimais pas Sadate, qui s'était retourné contre son mentor et avait renversé sa politique en prenant la présidence de l'Égypte en 1970. Mais lire dans ma cellule la nouvelle de sa mort me causa une émotion inattendue. Bien que papa eût vivement critiqué sa paix séparée avec Israël, Sadate était intervenu pour demander sa grâce. Il avait aussi donné refuge au chah d'Iran et à sa famille, au risque de se rendre impopulaire ; et quand le chah était mort d'un cancer, Sadate lui avait organisé des funérailles grandioses, témoignant d'un esprit généreux, rare dans le monde de la *realpolitik*. Il ne se laissait détourner ni par des divergences politiques ni par des discussions quand une chose lui paraissait juste. Et maintenant, il était mort lui aussi.

Je tombai dans la dépression. Nuit après nuit, assise avec ma broderie, j'avais des maux de tête atroces. La nuit du 21 novembre – anniversaire de mon frère Shah –, j'eus soudain la gorge serrée et les larmes jaillirent de mes yeux. Je me couchai sans pouvoir arrêter mes pleurs. Où étaient mes frères ? Comment se portaient-ils ? Mir et Shah s'étaient tous deux mariés juste après l'*Aïd*. Ils avaient épousé deux sœurs afghanes de Kaboul, Fauzia et Rehana, filles d'un ancien fonctionnaire. C'est tout ce que je savais d'elles. J'avais été très heureuse que mes frères aient trouvé une source d'amour, de chaleur et de réconfort dans ces temps difficiles. Alors, pourquoi ce désespoir ?

Je sombrai dans un sommeil agité, et fis un rêve qui revenait souvent. Mir était rentré secrètement au Pakistan. Il avait franchi à pied les défilés montagneux depuis l'Afghanistan, passé l'Indus à gué et s'était caché dans un placard au 70, Clifton. L'armée fouillait la maison et, au moment même où on le découvrait dans le placard, je m'éveillai.

Je m'étais trompée de victime. Je lus le lendemain matin que Lala Assad avait été tué par la police. Ma migraine s'aggrava. Selon le journal, il avait été abattu au cours d'un échange de coups de feu dans le secteur fédéral B de Karachi, après avoir tué un policier. Je n'appris la vérité que des mois plus tard. En fait, Lala Assad n'était pas armé au moment de la fusillade, et le policier, dans la confusion, tomba sous la balle d'un de ses collègues. Quand Lala Assad tenta d'éviter l'embuscade, il fut abattu de sang-froid.

Ainsi il était mort, et son sang, maintenant, était aussi sur l'uniforme du général Zia. Que pouvait ressentir son père ? Au lieu d'avoir son fils pour prendre soin de ses vieux jours, il avait reçu son cadavre. Quand cela finirait-il ?

« La chasse aux terroristes d'Al-Zulfikar se poursuit dans tout le pays et la police a arrêté plusieurs centaines de personnes », disait le journal du 26 novembre. Tout était sous surveillance, les maisons, les auberges de jeunesse, les aéroports. Des contrôles étaient établis sur toutes les routes au sortir de Karachi – par terre, mer ou air. La police, disait-on, utilisait des jumelles spéciales pour voir à travers les vitres teintées des voitures ; et elle avait pris contact avec des artistes du maquillage pour dissuader les « fugitifs » de recourir au déguisement.

J'étais de plus en plus inquiète, et tourmentée de remords à cause de la mort de Lala Assad. Je priais pour qu'il me pardonne les moments où j'avais pu lui parler rudement. Je me reprochais amèrement d'avoir conservé au 70, Clifton, des photos de lui et d'autres dirigeants étudiants, que la police avait saisies lors de la dernière fouille. S'en était-elle servie pour l'identifier ?

Je considérais les lignes entrecroisées sur le dos de mes mains, les rides autour de mes yeux, sur mes yeux, sur mes joues et mon front. C'était sans doute l'effet de la chaleur sèche et des vents de Sukkur, mais cela semblait définitif. Je vieillissais beaucoup trop vite.

Le 11 décembre, date prévue pour la fin de ma détention, je me préparais à m'en voir ordonner une autre ; je savais que je ne serais pas relâchée après la répression. On m'apporta ma nourriture une heure plus tôt – avec l'ordre attendu. Mais le message du sénateur Pell avait apparemment fait son chemin au Pakistan. Deux semaines plus tard, le sous-directeur me rendit en fin d'après-midi une visite inattendue. «Préparez vos affaires, me dit-il brusquement. On vous emmène à Larkana demain matin à 5 h 45 sous escorte.»

L'infirmière de jour pleura notre séparation. L'infirmière pathane pleura aussi et implora mon pardon si sa sottise m'avait irritée. Je pleurai beaucoup moi-même. Bien que j'eusse rêvé et fantasmé sur le transfert d'une «détention au domicile», je redoutais tout à coup de quitter les liens secrets qui s'étaient tissés à la prison centrale de Karachi. J'avais aimé ces numéros de l'*International Herald Tribune*, du *Time* ou de *Newsweek* que des geôliers compatissants s'arrangeaient pour m'envoyer quelquefois. Et puis, à Karachi, j'étais près de ma mère et de ma sœur. J'allais être séparée d'elles dans la solitude campagnarde d'Al-Murtaza.

La police vint me prendre peu après l'aube le 27 décembre 1981. Je regardai une dernière fois mon horrible cellule humide et froide. Comment être triste de la quitter ? Je l'étais pourtant, de même que je l'avais été en quittant la prison de Sukkur qui m'était devenue familière. Tel était l'effet des années de captivité : l'inconnu me faisait peur.

10

DEUX ANS DE PLUS, SEULE,
EN « RÉSIDENCE SURVEILLÉE »

FAMILIARITÉ. CONFORT. La maison. À part les forces paramilitaires de la Frontière postées dans l'enceinte de la propriété, et un personnel pénitentiaire qui venait chaque jour à Al-Murtaza surveiller ma détention, je me délectais de ma chance apparente. Quelques-uns de nos domestiques étaient autorisés, me dit-on, à venir pendant la journée; je pouvais me servir du téléphone et, surtout, recevoir trois visiteurs tous les quinze jours. Après presque dix mois de régime cellulaire, de tels privilèges valaient un séjour dans un hôtel cinq étoiles. Pour fêter ma première soirée à la maison, je pris un long bain chaud et je me fis les ongles.

Mais je m'étais réjouie trop tôt. Mes appels téléphoniques étaient limités aux conversations avec mes proches, et je n'avais pas le droit d'aborder des questions politiques. Le téléphone fonctionnait rarement; souvent les communications étaient coupées ou, simplement, il n'y avait pas de tonalité. Plus tard, je découvris pourquoi : toutes les lignes passaient par un poste de transmissions militaires installé à l'extérieur de la propriété.

Pendant l'année où le régime me garda recluse à Al-Murtaza, la promesse des trois visites par quinzaine devint bientôt mythique elle aussi. Seules ma mère, Sanam et ma tante Manna figuraient sur la liste des autorisations. Or elles habitaient Karachi, à une heure d'avion, et le voyage était d'autant plus difficile que les vols à l'intérieur du Sind étaient rares et leurs horaires incommodes. Sanam, qui avait maintenant à s'occuper d'une maison et d'un mari, ne vint qu'une ou deux fois. Ma mère, en triste état, ne pouvait me rendre beaucoup de visites. Mes relations politiques de Larkana seraient venues sans difficultés, mais les autorités n'admettaient pas de substitution. En fait, j'étais revenue à l'isolement. Quand j'avais une visite, le plus souvent un fonctionnaire de la prison, j'avais ensuite mal aux mâchoires, ayant perdu l'habitude de parler. J'aurais pu parler toute seule, dans ce silence sans fin, simplement pour entendre une voix humaine, mais je n'y songeai pas.

Cependant, de nouveaux ordres de détention arrivaient régulièrement tous les trois mois. Je les connaissais par cœur maintenant : «Attendu que l'administrateur adjoint de la loi martiale estime que dans le but d'empêcher Mlle Benazir Bhutto de se conduire d'une manière préjudiciable aux fins pour lesquelles la loi martiale a été proclamée, ou à la sécurité du Pakistan, à l'ordre ou l'intérêt publics, ou à la conduite efficace de la loi martiale, il est nécessaire de détenir ladite Mlle Benazir Bhutto...»

Le temps me pesait plus que jamais. Pas de journaux à lire l'après-midi, pas d'*International Herald Tribune*. Peu de chose à la télévision, sauf les programmes d'étude de la langue arabe, les nouvelles de Zia en sindi, en ourdou et en anglais, du bourrage de crâne sous forme de films documentaires sur les activités politiques du régime, et quelques pièces d'une demi-heure. Je cédais à des mouvements de pitié sur moi-même, suivis de crises de remords, et je me faisais des reproches : Ne sois pas ingrate envers Dieu. Tu as ta maison, de quoi te nourrir et t'habiller. Pense à tous ceux qui ont moins de chance. Mes sentiments oscillaient de l'un à l'autre comme un pendule.

Je me mis à la cuisine pour passer le temps et je préparai des plats d'après de vieux livres de recettes de ma mère, qui restaient dans la cuisine. Les fours ne marchaient pas et les ustensiles étaient limités : il n'y avait pas même un batteur pour les œufs. Si bien que tout ce que je réussissais, curry, riz, *dahl* (lentilles), constituait un petit triomphe. Comme les *gombos* et les piments que ma mère avait fait pousser à Al-Murtaza pendant notre détention trois ans plus tôt, la nourriture que je préparais maintenant prenait un sens tout particulier. Dans mon bol de riz, je voyais une preuve de mon existence : je l'avais rendu comestible. *Coquo, ergo sum*, je cuisine, donc je suis.

Je m'inquiétais sans cesse pour ma mère. Il s'était passé quatre mois depuis que, venant me voir à la prison centrale de Karachi, elle m'avait fait part des craintes de son médecin. Si elle avait réellement un cancer du poumon, il ne fallait pas perdre de temps. Dépisté et traité dès le début, le mal peut être contenu. Négligé, il risque de tuer très vite. Afin qu'elle reprenne des forces en vue de nouveaux examens, le docteur la soumit à un régime spécial. La dernière série d'analyses fut concluante : l'ombre sur le poumon gauche était très probablement d'origine maligne, conclurent les médecins. Ils informèrent les autorités de la nécessité d'un *catscan* et d'un traitement irréalisable au Pakistan. Ma mère demanda en vain le rétablissement de son passeport pour consulter à l'étranger. Le bruit courut que le ministère de l'Intérieur n'y pouvait rien parce que Zia était parti faire un tour à Beijing en emportant le dossier de maman.

Un mois passa, puis un autre, sans qu'elle obtienne l'autorisation de quitter le pays. Perdant espoir, son médecin de Karachi commença une chimiothérapie. Ma déception quand elle m'apprit ces nouvelles au téléphone fit place à une profonde tristesse lors de ses appels suivants : ses cheveux tombaient et elle perdait du poids, avouait-elle, regrettant de ne pouvoir venir. Et moi, sa fille, je me trouvais incapable de la rejoindre ou de l'aider.

Malgré la censure, les gens apprenaient partout sa cruelle épreuve et Sanam, au bout du fil, tâchait de me rassurer : « Le peuple n'a pas oublié maman. On nous demande sans cesse de ses nouvelles, et à Fakhri aussi. Sa santé semble être le thème essentiel des conversations, dans les réceptions diplomatiques comme à l'heure du café, aux arrêts d'autobus ou dans les cinémas.

– Zia sera forcé de la laisser partir», disais-je avec optimisme pour m'en convaincre moi-même. Mais quelle que soit la pression de l'opinion, il ne cédait pas. Bien plus, trois mois après le diagnostic des médecins, il convoqua une commission médicale fédérale pour décider si oui ou non son état réclamait un traitement à l'étranger.

Cette commission introduisait de nouvelles tracasseries discriminatoires. Depuis l'époque d'Ayub Khan, où les déplacements à l'étranger étaient réglementés, jamais les Pakistanais n'avaient eu besoin d'une commission médicale pour obtenir un passeport. Du temps de mon père, c'était un des droits fondamentaux de tous les citoyens, avec la faculté de circuler librement. Les membres du régime voyageaient couramment hors des frontières, aux frais du gouvernement, pour y faire soigner de petits maux qu'on aurait pu traiter dans le pays. Mais Zia avait rétabli cette commission pour ses adversaires politiques ; elle lui servait à présent à retarder le traitement de ma mère.

Quand elle se réunit enfin, on n'y comptait que des hommes à ses ordres. De même que la Cour suprême n'avait confirmé la condamnation de mon père que grâce à un aménagement de sa composition, ici sept médecins, au lieu des trois habituels, furent désignés afin d'assurer la décision souhaitée. Tous étaient au service du régime et le président était un général de division en exercice.

«La bégum sahiba me paraît très bien», déclara ce général avec désinvolture peu après la première séance de la commission. Les autres membres, dociles, demandèrent pour ma mère quatorze autres radios du poumon et une analyse de sang ; épuisée, elle eut de la fièvre, se mit à cracher le sang et finalement s'évanouit. Les examens montrant que l'ombre s'étendait sur son poumon et que le taux d'hémoglobine avait baissé, le président de la commission proposa une nouvelle bronchoscopie, non seulement inutile mais qui pouvait aggraver le mal. Le médecin de ma mère à Karachi, le docteur Saeed, lui-même membre de la commission, fut indigné et repoussa cette décision. L'anesthésiste de l'hôpital se joignit à lui, affirmant que la malade ne supporterait pas l'anesthésie générale indispensable pour introduire dans son poumon le dispositif d'exploration.

Je priais pour elle à Al-Murtaza, et c'est tout ce que je pouvais faire. Mais dans le reste du pays, les gens commençaient à se mobiliser, dans la crainte que Zia ne la laisse vraiment mourir. «Nous n'avons pas pu sauver M. Bhutto, murmuraient-ils entre eux. Nous n'allons pas, sans rien faire, voir dépérir la bégum Bhutto.» Devant la dureté du régime, l'indignation gagnait, à travers le réseau traditionnel des partisans du PPP, jusqu'aux familles des militaires et aux plus importantes personnalités de l'administration.

«Imagine-toi, me dit Fakhri au téléphone, que la femme et les sœurs de l'administrateur de la loi martiale dans le Sind ont participé à une manifestation pour sauver la vie de tantine.

– Et la police les a arrêtées?» m'écriai-je, n'en croyant pas mes oreilles. Après le général Zia, les quatre administrateurs provinciaux étaient les personnages les plus puissants du pays.

«Elle n'a pas osé; en la voyant arriver, toutes les manifestantes se sont enfermées dans la maison de l'administrateur.»

La situation de ma mère, je le sus plus tard, avait suscité d'autres protestations à l'étranger. En Angleterre, un groupe de vieux amis de Oxford s'étaient joints au docteur Niazi, à Amina Pirach. et à quelques militants des droits de l'homme pour lancer la campagne «Sauvez les dames Bhutto». Leur premier effort visait la libération de ma mère, en faisant pression sur le Parlement, avec l'aide de Lord Avebury, membre de la Chambre des lords. Deux députés,

Joan Lestor et Jonathan Aitken, réagirent aussitôt en soutenant à la Chambre des communes une motion ainsi rédigée : « Traitement médical de la bégum Bhutto : que cette Chambre prie d'urgence le gouvernement du Pakistan d'autoriser la bégum Bhutto à voyager à l'étranger pour faire traiter le cancer dont elle est atteinte. » Le 4 novembre, Lord Avebury tint à la Chambre des lords une conférence de presse au cours de laquelle un médecin anglais évoqua la gravité du cas.

Des membres du gouvernement des États-Unis lancèrent aussi des appels en faveur de ma mère. Le sénateur John Glenn, de la commission des Affaires étrangères au Sénat, écrivit le 8 novembre à Ejaz Azim, ambassadeur du Pakistan à Washington : « Cher monsieur l'Ambassadeur. Depuis plus de deux mois, Mme Nusrat Bhutto, veuve de l'ancien Premier ministre, demande l'autorisation d'aller consulter à l'étranger pour une menace de cancer au poumon... Pour des raisons humanitaires, je me permets d'insister auprès de votre gouvernement pour que la requête de Mme Bhutto soit satisfaite d'urgence. Une réponse positive rapide serait tenue ici pour un geste de compassion et ne pourrait que renforcer les liens entre nos deux pays. »

Zia, cependant, avait pris l'habitude de négliger les appels à la clémence des gouvernements occidentaux. Lors d'une visite en Asie du Sud-Est, il était si sûr de la docilité de sa commission qu'il anticipa sa décision. La presse rapporta ses déclarations à Kuala-Lumpur le 11 novembre, le jour même où devait se tenir la dernière réunion. « La bégum Bhutto n'a rien, dit-il. Si elle veut aller en vacances à l'étranger pour faire du tourisme, elle n'a qu'à le demander et j'y songerai. »

Mais il avait compté sans le médecin de ma mère, le docteur Saeed. « Je ne signerai pas votre rapport, dit-il au général qui présidait la commission plus tard ce jour-là. Ma conscience de médecin m'interdit de mettre en danger la vie de ma patiente.

– La mienne aussi», annonça brusquement un autre des médecins participants, enfreignant la règle tacite selon laquelle les membres de la commission devaient se rallier à la décision de leur président.

«Ma conscience me l'interdit aussi», dit un second puis un troisième. Et le président, stupéfait, vit le défi faire boule de neige : l'un après l'autre, les médecins signèrent une déclaration du docteur Saeed exigeant le départ immédiat de ma mère. «Vous devez signer vous aussi, lui dit celui-ci avec délectation. Quand tous les officiers sont d'accord, comment le général se déroberait-il ? » Mais le général en question dut se sentir autrement troublé quand, ayant signé le document, il fut démis purement et simplement par Zia de toutes ses fonctions civiles et militaires.

Le lendemain du revirement imprévu de la commission, le régime autorisa le départ de ma mère. Folle de joie en apprenant la nouvelle dans le journal du matin, je demandai aussitôt la permission de lui dire au revoir. Après presque un an de détention à Al-Murtaza, je fus soudain priée de préparer mes affaires. Un convoi de douze voitures de police, camions et Jeeps me conduisit à l'aéroport de Moenjodaro. Là, on confisqua leurs appareils aux photographes qui voulurent prendre une première photographie de moi en public depuis onze mois. Des policiers armés de mitraillettes me suivirent jusqu'à l'avion. Quand j'arrivai à Karachi, un hélicoptère survola la voiture qui me conduisait avec un autre convoi au 70, Clifton. Tout cela pour qu'une fille puisse dire au revoir à sa mère.

Maman gisait, pâle et défaite, sur son lit, beaucoup plus vieille que son âge. Une fois de plus, j'étais en proie à un conflit : je désirais plus que tout qu'elle trouve à l'étranger le traitement dont elle avait un si urgent besoin ; et pourtant, je redoutais de retrouver la solitude de la détention. Mais je n'eus pas le temps de m'attarder sur ces pensées, car Fakhri fit une apparition rapide dans la chambre avec les messages de dernière minute du secrétaire général du MRD et d'autres personnes du parti : « Que va-t-il arriver si la bégum Bhutto s'en va ? » Mais maman n'avait pas le choix.

« C'est le cœur lourd et pour obéir à des impératifs médicaux que je quitte pour un temps notre terre et notre peuple, écrivait-elle dans son mot d'adieu. Mes pensées resteront avec vous, avec les masses en lutte, avec les affamés et les opprimés, les exploités et les exclus, avec tous ceux qui veulent un Pakistan progressiste et prospère… »

Le régime annonça dans les journaux des dates fausses pour son départ, espérant décourager les manifestations. Connaissant ces roueries, un défilé ininterrompu de partisans du PPP surveillait le 70, Clifton, pour y déceler les signes de préparatifs. Nous les entendions crier par-delà les murs : « *Jiye*, Bhutto, bégum Bhutto, *zindabad!* Vive la bégum Bhutto ! »

Le soir du 20 novembre 1982, j'embrassai une dernière fois maman, lui confiant pour mes frères des médaillons pleins de terre prise au tombeau de mon père et, pour mes nièces qui venaient de naître, des pendentifs gravés du verset coranique de la sécurité. Nous pleurâmes ensemble, ne sachant ce que nous réservait l'avenir. « Prends bien soin de toi », me dit maman. Nous passâmes ensemble les portes de bois sculpté du 70, Clifton où, treize ans plus tôt, elle avait tenu au-dessus de ma tête le Saint Coran avant mon départ pour Harvard. Et elle disparut dans la foule qui attendait dehors.

Samiya Waheed :

« Dost Mohammed conduisit la bégum Bhutto à l'aéroport avec Sanam et Fakhri sur le siège arrière. La foule était énorme devant le 70, Clifton. Défiant le régime qui avait tenté de cacher son départ, la bégum Bhutto alluma la lumière dans la voiture pour que les gens puissent la voir. Mme Niazi, Amina, ma sœur Salma et moi, nous suivîmes dans une autre voiture. À chaque carrefour, d'autres autos nous rejoignaient en une immense caravane de sympathisants. En arrivant sur le pont de l'aéroport, je me retournai : les véhicules qui accompagnaient la bégum Bhutto formaient sept files sur la route, et celles qui allaient dans la direction opposée étaient réduites à une seule.

« Plus de monde encore l'attendait à l'aéroport et, en arrivant au terminus, nos voitures furent prises d'assaut. Je vis à travers le pare-brise un homme aux pieds nus qui grimpait sur notre toit. "Dieu soit avec vous", criait-il à la bégum Bhutto tandis que les membres du parti essayaient de l'installer sur un fauteuil roulant pour la faire entrer dans l'aérogare. Ils durent passer le fauteuil par-dessus la tête des gens. L'équipage du vol d'Air France eut les mêmes difficultés ; il fallut jongler avec les sacs et, au bout d'un parcours mouvementé, les uniformes étaient chiffonnés, les coiffures défaites et les hôtesses de l'air hirsutes. Ce fut l'adieu au Pakistan le plus tumultueux qu'on ait jamais vu. Ces gens ignoraient s'ils reverraient jamais la veuve de leur Premier ministre, la dirigeante bien-aimée du PPP. »

Maman passa un scanner puis un traitement en Allemagne de l'Ouest. Elle réagit bien, et, heureusement, le cancer fut stoppé. Pendant ce temps, je demeurai sous surveillance au 70, Clifton. Onze représentants du personnel pénitentiaire étaient postés dans la maison. Dehors, les membres des forces de la Frontière s'alignaient tout autour, à deux pas de distance l'un de l'autre. Des agents de renseignements installés en face des portes, devant et derrière la maison, ne laissaient rien échapper. J'allais rester derrière cette barricade agressive, au 70, Clifton, pendant quatorze mois encore.

Je lus avec un grand intérêt le livre de Jacobo Timerman, *Prisoner without a Name, Cell without a Number*, Prisonnier sans nom, cellule sans numéro, chronique d'un éditeur de journal, prisonnier politique en Argentine pendant deux ans et demi. «C'était le miroir de nos âmes, des yeux pleins de douleur qui se reflètent dans un autre regard de douleur», notai-je dans mon journal. «Quand il parlait de la torture sur la chaise électrique, les mots sur la page me sautaient au visage. Le corps était déchiré, écrit Timerman, et pourtant, miraculeusement, la chair n'en gardait ni trace ni cicatrice. Après chaque séance, on laissait aux prisonniers politiques le temps de se remettre, puis on les torturait à nouveau. Parlait-il de l'Argentine ou des cellules d'interrogatoire du régime militaire au Pakistan?»

Ordonnance présidentielle n° 4, du 24 mars 1982. Les procès devant les tribunaux militaires spéciaux pouvaient désormais être tenus secrets, à huis clos. Nul n'avait à savoir quand un procès avait lieu, qui était l'accusé, les charges retenues contre lui ou la sentence prononcée. Pour éviter toute fuite, il devenait un crime pour les avocats, ou pour quiconque était lié à l'affaire d'une manière ou d'une autre, de rendre publique la moindre information à son sujet.

Loi martiale n° 54, du 23 septembre 1982, avec effet rétroactif depuis le jour du coup d'État contre mon père, le 5 juillet 1977. La peine de mort était désormais autorisée pour tout coupable d'un délit «susceptible de causer un état d'insécurité, de peur ou d'abattement dans le public». La peine de mort était aussi requise contre quiconque ayant connaissance d'un tel délit négligerait d'en informer les autorités de la loi martiale. Bien plus, l'accusé était maintenant présumé coupable jusqu'à ce qu'il ait prouvé son innocence. «Le tribunal militaire… peut, à moins de preuve du contraire, présumer l'accusé coupable du délit qui lui est reproché», déclarait l'ordonnance.

En octobre, deux mille avocats se réunirent à Karachi pour réclamer le rétablissement des libertés civiles. Les organisateurs furent arrêtés et condamnés à une année de prison sévère. Deux semaines plus tard, M. Hafiz Lakho, qui avait été l'un des avocats de mon père, fut arrêté à son tour, ainsi que le secrétaire de l'association du barreau de Karachi.

En décembre, je lus dans les journaux que Zia était à Washington pour y rencontrer le président Reagan et les membres du Congrès. Et dans ce seul mois de décembre, il y avait eu plus de vingt exécutions de prisonniers au Pakistan. Les membres du Congrès étaient-ils informés des violations des droits de l'homme dans le pays? S'en souciaient-ils?

Je n'eus pas la réponse avant trois ans. Zia s'était attendu à voir consacrer à Washington sa nouvelle respectabilité devant l'opinion occidentale, mais il avait rencontré au contraire un barrage critique, lors d'une réunion avec la commission des Affaires étrangères du Sénat. Jack Anderson écrivait dans le *Washington Post* : «Ceux qui étaient présents se rappellent l'attitude assurée et détendue du général jusqu'au moment où le sénateur Pell lui tendit une lettre exprimant le souci de la commission au sujet de certains prisonniers politiques du Pakistan. En tête de liste venait Benazir Bhutto.»

Zia, paraît-il, bondit quand le sénateur Pell l'interrogea sur mes détentions. «Je peux vous le dire, sénateur», répondit-il sèchement, en prétendant que j'avais enfreint la «Loi». «Elle vit dans une maison plus luxueuse que celle d'aucun sénateur.» Et il prétendit que j'avais droit aux visites de parents et d'amis, «et même à l'usage du téléphone».

Peter Galbraith, ayant entendu les déclarations de Zia, voulut les mettre à l'épreuve et téléphona au 70, Clifton. Une voix mâle lui répondit et il demanda à me parler.

«Vous ne pouvez pas lui parler. Elle est en prison, répondit l'homme.

– J'appelle des États-Unis. Votre président est ici, au Sénat, et il nous a dit que Mlle Bhutto pouvait se servir du téléphone.

– Vous ne pouvez pas lui parler. C'est interdit», dit l'homme fermement, et il raccrocha.

Je passai le 25 décembre, anniversaire de la fondation du Pakistan, en détention au 70, Clifton. J'étais seule le Jour de l'An et pour l'anniversaire de mon père. En commençant 1983, je me rendis compte que je n'avais été libre pour le Jour de l'An qu'une fois depuis 1977. Je commençais à grincer des dents la nuit et je m'éveillais souvent le matin avec les articulations des doigts gonflées et les mains si crispées que je ne pouvais les ouvrir.

«Je suis vraiment reconnaissante à Dieu de tout ce dont il m'a comblée, écrivais-je dans mon journal. Mon nom, mon honneur, ma réputation, ma vie, mon père, ma mère, mes frères, ma sœur, l'instruction, la facilité de parole, l'usage de mes mains et de mes jambes, la vue, l'ouïe, pas de cicatrices pour me défigurer…» Et ainsi de suite, ma liste de bénédictions finissait par avoir raison de mon apitoiement sur moi-même. D'autres prisonniers politiques étaient beaucoup plus mal que moi, dans le froid de leurs cellules d'hiver.

Un membre du personnel vint un jour à la maison avec une écharpe de laine neuve. Les réfugiés afghans en vendaient à bas prix au marché noir, me dit-il. Je fis passer un message à un militant du parti pour qu'on fasse faire des écharpes portant les couleurs du PPP, rouge, vert et noir. On en envoya des milliers aux prisonniers dans tout le Sind, avec des chaussettes et des pulls.

Je recommençais à souffrir de l'oreille, et aussi des dents, des gencives et des articulations. «Votre oreille n'a rien», me dit un spécialiste à l'hôpital de la marine. Le dentiste était aussi incompétent; il me demanda quelle dent je voulais faire radiographier. «Je ne sais

pas, lui dis-je, c'est vous le dentiste et pas moi. C'est de ce côté.
– Nous ne pouvons pas gaspiller les radios», répondit-il.

Mes histoires de santé commencèrent à circuler dans la presse britannique et le ministre de l'Information à l'ambassade du Pakistan répondit : «Quand elle s'est plainte de quelque chose, on l'a menée au meilleur hôpital de Karachi, écrivait Azziz Qutubuddin dans le *Guardian*. L'abus du tabac lui a causé une affection des gencives qui a été traitée par un dentiste éminent de son choix.» Quels mensonges! Je n'avais pu choisir aucun médecin. Et je ne fumais pas.

J'étais privée de conversation, de relations, d'échanges d'idées. Certes, j'étais heureuse d'avoir avec moi mes chats au 70, Clifton, mais ils ne remplaçaient pas une compagnie humaine. Le régime entendait me tenir totalement au secret. Je fus donc surprise de recevoir une citation à comparaître, en mars 1983, pour témoigner au procès d'un certain Jam Saqi, un communiste qu'on jugeait sur plusieurs inculpations, entre autres pour avoir attaqué l'idéologie du Pakistan et propagé le mécontentement contre les forces armées.

Je n'avais jamais rencontré Jam Saqi qui était, en fait, hostile à mon père. Mais il avait apparemment fait appel à certaines personnalités politiques pour cerner les questions afin d'établir si les accusations portées contre lui étaient valables ou non. J'étais tout à fait disposée à débattre de l'illégalité de la loi martiale, malgré les doutes que je pouvais avoir sur les intentions du régime. En m'autorisant à comparaître en personne, voulait-on me faire passer pour une «sympathisante communiste»? Mais le plus important pour moi, c'était le droit de tout prévenu à un procès ouvert et libre. En même temps, le tribunal m'offrait une occasion d'exposer mes idées politiques pour la première fois depuis presque deux ans.

Quand arriva ma convocation du tribunal militaire spécial le 25 mars, j'écrivis, par l'intermédiaire des autorités pénitentiaires, qu'étant prisonnière, je ne pourrais pas me rendre au tribunal à l'heure dite. Si la cour souhaitait mon témoignage, c'était à elle de faire le nécessaire.

En retour, un mot du ministère de l'Intérieur vint immédiatement, me priant d'être prête le lendemain matin à 7 heures. Je l'étais. À 11 heures, nouveau message : ma comparution était reportée au lendemain, même heure. J'étais prête à 7 heures le 27 mars. J'attendis de nouveau quatre heures, et la convocation fut encore retardée de vingt-quatre heures. Je me consolai en songeant que le régime cherchait ainsi à dérouter les partisans qui se seraient rassemblés pour me voir. Quand on vint me chercher le troisième jour, toutes les précautions avaient été prises pour m'isoler du public.

Les rues que nous suivions étaient complètement désertes, car la police avait bloqué tout l'itinéraire. D'importantes forces de police étaient postées à tous les accès de Kashmir Road et les passages pour les piétons étaient condamnés par des barbelés. Quand j'arrivai au tribunal de fortune aménagé dans un centre sportif, je m'aperçus qu'il avait lui aussi été dégagé. Les proches de Jam Saqi et des autres étaient autorisés à s'asseoir dans la salle d'attente seulement, et à condition de ne pas me parler. Cela m'était égal. J'étais si heureuse de voir les quelques avocats présents, ainsi que Samiya, Salma et ma cousine Fakhri qui avaient réussi à obtenir une autorisation spéciale pour franchir les barrages. Plus que tout, je me réjouissais de pouvoir prendre la parole.

La salle était petite, et un colonel siégeait derrière un bureau, flanqué d'un commandant et d'un juge. Nous nous assîmes devant eux sur les trois rangs de chaises – Jam Saqi resta enchaîné pendant toute la séance. Quelle tristesse, me disais-je, même dans cette petite salle, l'armée trouve nécessaire de maintenir des barreaux. Jam Saqi posait aussi les questions, car les tribunaux militaires n'autorisaient pas les avocats à défendre les accusés.

Il était prévu que je témoigne pendant une journée, mais je répondis si longuement aux questions de Jam Saqi que cela prit deux jours. Ce qu'il demandait ne pouvait être réglé aisément ni en peu de mots. «Nous avons été accusés de travailler contre l'idéologie du Pakistan. Y a-t-il une idéologie au Pakistan? Que pensez-vous de la révolution iranienne? Est-il question de la loi martiale dans l'islam?»

Je savais qu'une culture de littérature clandestine était née, avec des brochures photocopiées et des plaquettes médiocrement imprimées qui circulaient parmi l'intelligentsia des grandes villes, passant discrètement de la main à la main. Certains imprimeurs, qui travaillaient la nuit à des tarifs spéciaux, les tiraient en secret à la lumière de torches électriques, puis détruisaient les clichés. C'était ma seule chance de faire connaître l'opinion du parti et de discréditer la loi martiale. J'allais la saisir.

«Pour établir avec clarté si la loi martiale a ou non une place dans l'islam, il nous faut bien comprendre le concept de l'un et de l'autre, répondis-je à la troisième question. L'islam est la soumission à la volonté de Dieu, tandis que la loi martiale est la soumission au chef de l'armée. Un musulman ne se soumet qu'à la volonté d'Allah.

«Le terme de "loi martiale", si j'ai bonne mémoire, vient de l'époque de Bismarck et de l'Empire prussien. Pour intégrer les territoires conquis, Bismarck y remplaçait la loi en cours par sa propre loi, fondée sur ses lubies et imposée sous la menace du fusil. La loi martiale, avant la Seconde Guerre mondiale, faisait aussi référence aux règles d'une armée d'occupation. L'ordre du chef de l'armée occupante remplaçait la loi.

«Avec le colonialisme, les populations indigènes étaient traitées comme des déshéritées, privées du droit de choisir leur gouvernement, de façonner leur propre destinée selon leurs espoirs, leurs désirs et en fonction de leur intérêt économique. À la suite de la Seconde Guerre mondiale et du retrait des puissances coloniales de la plupart des pays colonisés, les peuples qui venaient d'accéder à l'indépendance profitèrent un certain temps de leur liberté. Ce fut l'époque des dirigeants nationalistes comme Nasser, Nkrumah, Nehru et Soekarno, qui tinrent à instaurer l'égalité sociale et la justice. Mais les anciennes puissances coloniales, à présent restructurées, voulaient préserver le bonheur de leurs propres peuples et, délibérément ou non, elles finirent par donner leur appui à un complexe militaro-mollah. Or ce complexe militaro-mollah refuse au peuple la responsabilité de son propre destin, ainsi que les fruits qu'on pourrait attendre d'une vie responsable. La situation se compliqua en outre de la rivalité de l'Union soviétique et des États-Unis.

«Beaucoup des États récemment venus à l'indépendance sont actuellement régis par une forme d'administration militaire. Toutefois, une administration fondée sur la force et non sur le consensus ne saurait s'accorder avec les principes essentiels de l'islam, qui mettent l'accent sur le consensus. Ensuite, les régimes militaires prennent toujours le pouvoir par la force des armes, ou la menace du recours à la violence, alors qu'il n'existe pas dans l'islam de notion d'usurpation de pouvoir. Il est donc clair qu'il n'est pas question de la loi martiale dans l'islam.» Mon intervention photocopiée ferait plus tard son chemin dans les salles de rédaction, les associations du barreau et même les cellules des militants politiques incarcérés.

La salle du tribunal était fermée à la presse, mais un correspondant britannique trouva naturellement le moyen d'y entrer. Personne ne s'en aperçut jusqu'au moment où un homme vint chuchoter quelque chose à l'oreille du colonel.

«Où?» demanda celui-ci. L'homme fit un signe de tête vers le fond de la salle.

«Je crois que vous êtes journaliste, gronda le colonel. La presse n'est pas admise ici. Vous devez sortir immédiatement.»

J'aperçus quelqu'un vêtu d'un *shalwar khameez*, que tout le monde avait pris pour un Pathan au teint clair, et qu'on faisait sortir de la pièce. Au moins avait-il entendu une partie de l'affaire.

«Mlle Bhutto semblait calme, en bonne santé et démontra qu'elle n'avait rien perdu de son éloquence ni de son esprit», écrivit par la suite le correspondant du *Guardian*.

Ma santé, pourtant, n'était pas si bonne qu'elle le paraissait. Mon état d'épuisement général fut aggravé par la déloyauté de certains dirigeants du PPP, en avril 1983. Zia, une fois de plus, s'agitait pour essayer de s'assurer la base politique qui lui échappait depuis le coup d'État. Ayant l'intention d'annoncer en août les derniers progrès de l'«islamisation», il prit le prétexte d'une tournée dans le Sind, pour la première fois depuis qu'il avait renversé mon père et enterré la Constitution de 1973. Comme on pouvait s'y attendre, le peuple reçut sa visite avec irritation et colère.

Sous le gouvernement de mon père, les Sindis avaient avancé à grands pas, obtenant des emplois aux douanes, dans la police, à PIA (Pakistan International Airlines). Des quotas leur étaient réservés dans les universités, ils avaient reçu des terres et gagnaient de hauts salaires dans les nouveaux hôpitaux, les sucreries et les usines de ciment. Avec Zia, la situation s'était inversée : le Sind était de nouveau mis à part. L'État possédait quelques-unes des meilleures terres, elles furent alors distribuées aux officiers de l'armée au lieu des fermiers démunis. Les Sindis qui s'étaient élevés à des postes d'administration dans l'industrie y furent remplacés par des militaires en retraite. Bien que 65 % des revenus du pays soient assurés par le port sindi de Karachi, la province en bénéficiait fort peu elle-même. Les malheurs économiques du Sind attisèrent l'indignation qu'avait suscitée l'assassinat de mon père. Beaucoup restèrent persuadés qu'on ne l'eût pas exécuté s'il n'avait pas été sindi.

Après les élections locales de 1979, les conseillers élus du PPP à Badin et Hyderabad firent passer une résolution qui condamnait l'exécution de mon père et lui rendait hommage. En représailles, Zia avait commencé à prendre dans tout le Sind des mesures de disqualification contre les conseillers PPP. Il cherchait maintenant à s'assurer le consentement du peu qu'il restait, en leur demandant de l'accueillir pendant sa tournée dans la province. J'appris avec horreur par les journaux qu'ils semblaient prêts à accepter.

Comment faire partir un message? Les domestiques étaient fouillés en arrivant au 70, Clifton et en le quittant, puis suivis par des agents de renseignements à motocyclette quand ils allaient faire leurs courses. Je finis par demander à l'un d'eux de feindre un malaise devant les gardiens, en prétendant qu'il rentrait chez lui à Larkana.

« J'espère que votre fils ne va pas recevoir Zia, fis-je dire verbalement au chef du PPP dont le fils était l'un des conseillers. Comme vous le savez, c'est contre la politique du parti. Faites passer la consigne. »

J'adressai aussi un message au conseiller PPP de Larkana. « Vous et les autres pouvez entrer à l'hôpital, ou quitter Larkana sans qu'on sache où vous joindre. Mais n'allez pas recevoir Zia. »

Je fus malade de rage de voir à la télévision que certains avaient tout de même accueilli Zia. Ils s'étaient évidemment concertés pour conclure que le parti ne pourrait sévir contre eux tous. Je fus profondément déçue. Une fois de plus, les politiciens servaient leurs propres intérêts aux dépens de l'unité du parti. Peut-être étais-je trop idéaliste, mais j'attendais davantage. Je n'avais d'autre choix que de téléphoner au président du PPP, conversation politique interdite. « Je vous demande d'exclure les conseillers PPP qui ont rencontré Zia. Ils ont enfreint la discipline du parti », dis-je en hâte, sachant que la ligne était sur écoute et qu'il n'y avait pas de temps à perdre. Le téléphone fut immédiatement coupé et ne fut jamais rétabli.

Je n'avais plus d'appels de mes proches. Les quelques visites auxquelles j'avais droit furent supprimées. Les fouilleurs, à la grille, ne laissèrent plus de répit au personnel. Ceux qui entraient ou sortaient devaient enlever chaussures et chaussettes. On fouillait leurs cheveux. On ouvrait les paquets de viande ou de légumes que le cuisinier rapportait du marché. On fouillait même les ordures.

De nouveau complètement isolée, j'étais de plus en plus malade. Mon oreille me faisait beaucoup souffrir, et si je frottais ma joue gauche, elle était presque insensible; et les bruits s'aggravaient.

Un soir d'avril, je traversais la salle de réception du 70, Clifton, quand je crus voir le plancher s'élever vers le plafond. Je m'agrippai au bras du canapé pour me retenir, attendant que se dissipe mon vertige. Mais je vis approcher un mur noir, et je tombai évanouie sur le sofa.

Heureusement, un des domestiques me vit m'écrouler. «Vite, vite! Un docteur pour la sahiba», courut-il dire aux gardes. Là encore, ce fut comme si Dieu m'avait protégée. Au lieu de la routine bureaucratique – écrire au ministère de l'Intérieur pour demander une consultation, attendre l'autorisation pendant plusieurs jours, parfois deux semaines –, la police amena en quelques heures un médecin du service d'urgences de l'hôpital MidEast. Et, cette fois encore, l'infection se répandit hors de mon oreille et non à l'intérieur.

«Votre état est très grave, dit le médecin après m'avoir examinée. Il faut voir un spécialiste.

– Si vous ne précisez pas qu'il me faut un spécialiste, le régime continuera à prétendre que je n'ai rien», lui répondis-je.

Le jeune praticien eut le courage d'expliquer clairement dans son rapport pourquoi j'avais besoin d'un spécialiste. On m'envoya l'oto-rhino-laryngologiste qui avait opéré mes sinus trois ans plus tôt. Préférant la discrétion, il n'a pas voulu être nommé dans ce livre; mais c'est lui qui m'a rendu la santé. Peut-être même m'a-t-il sauvé la vie.

«Votre oreille a été perforée», me dit-il, confirmant mes soupçons à propos du médecin envoyé par les autorités quatre ans plus tôt, pendant ma détention à Al-Murtaza. «Cette perforation a causé une infection de l'oreille moyenne et de l'apophyse mastoïde. » L'infection devait être drainée régulièrement pour diminuer la pression sur le nerf facial qui causait l'engourdissement de la joue. L'infection arrêtée, il faudrait opérer. « Vous devrez aller à l'étranger pour une microchirurgie, dit le docteur. Nous ne disposons pas ici de cette technologie ; il faut ouvrir le crâne, et c'est dangereux. Pour votre sécurité, vous feriez mieux, beaucoup mieux, d'aller à l'étranger. »

Je le regardai, stupéfaite. À quoi faisait-il allusion, en dehors du risque normal de ce genre de chirurgie au Pakistan ? Je savais qu'en 1980, le régime avait suggéré à l'un de mes médecins de diagnostiquer chez moi un problème d'oreille interne et non d'oreille moyenne, et de préconiser un traitement psychiatrique. « Nous réunirons dix commissions médicales pour confirmer votre diagnostic », lui avait-on dit. Quelle solution idéale que de me déclarer malade mentale ! Mais le docteur refusa. À présent, celui-ci m'affirmait qu'il fallait quitter le pays. « Je peux vous opérer ici, mais j'ai peur de ce qu'on peut m'obliger à faire pendant l'anesthésie. Même si je refuse, ils trouveront quelqu'un d'autre pour le faire. De toute façon, il vaut mieux aller à l'étranger. »

Je demandai l'autorisation de quitter le pays pour raisons de santé. Il n'y eut d'abord pas de réponse ; mais j'avais moi-même besoin de temps. « Vous êtes trop faible pour supporter une anesthésie générale avant plusieurs mois, me dit le médecin. Votre organisme a besoin de reprendre des forces. » Comme ma mère, je fus soumise à un régime riche en protéines : lait, steaks, poulet et œufs.

Mais mon oreille n'allait pas mieux. Le côté gauche de mon visage devenait insensible, cela cognait sans cesse dans ma tête, et le cliquetis dans mon oreille me rendait presque sourde à tous les autres sons. Le médecin obtint l'autorisation de venir chaque semaine au 70, Clifton, pour tâcher de drainer l'infection. Mais on lui fit payer l'intérêt médical qu'il témoignait à une Bhutto.

«Vous allez souvent en voiture à Hyderabad, n'est-ce pas? lui demanda bientôt son voisin, commissaire de police. Avez-vous vu *Death Wish*, Désir de mort?» Le lendemain, on lui adressa anonymement le film en vidéo. Puis on le menaça par téléphone; il fut convoqué pour répondre d'une accusation de fraude fiscale. Son intégrité professionnelle fut même mise en question par le régime qui lui signifia à quelles conditions il ne serait pas congédié de l'hôpital. Il trouva pourtant le courage de continuer le traitement, et je lui en suis profondément reconnaissante. Il fut à peu près le seul être humain du monde extérieur à qui je pus parler, bien que le régime déclarât le contraire, comme me l'apprit plus tard Peter Galbraith.

Peter Galbraith :

«À la fin de juin, le gouvernement pakistanais répondit enfin à la lettre que le sénateur Pell et les autres sénateurs avaient remise à Zia en décembre au sujet de certains prisonniers politiques détenus au Pakistan. Reprenant les propos du général à l'époque, cette réponse évoquait ainsi la réclusion de Benazir :

«"Elle est actuellement détenue à sa résidence de Karachi pour l'empêcher de se livrer à des activités politiques interdites. Cependant, elle dispose de toutes les commodités possibles et les médecins de son choix l'examinent et la soignent quand elle le demande. Elle est autorisée à rencontrer ses amis et ses parents. Huit de ses proches peuvent rester un certain temps avec elle par groupes de trois. Elle a à sa disposition vingt-quatre domestiques de son choix et un téléphone pour son usage personnel."

«Je reçus peu après un appel d'une cousine de Benazir. Je lui demandai ce qu'elle en pensait.

«"C'est faux! s'écria-t-elle. Aucun ami n'a pu la voir. Sa sœur Sanam ne l'a vue qu'une fois depuis trois mois. Sa cousine

Fakhri a eu beaucoup de peine à y réussir. Elle ne peut même pas sortir dans le jardin. Elle est solitaire et malade. Je suis très inquiète à son sujet."

«J'envoyai une note au sénateur Pell. Pure coïncidence : Yaqub Khan, ministre des Affaires étrangères du Pakistan et ancien ambassadeur à Washington, était en ville. Il s'y était fait des amis et avait la réputation d'un homme sans détours. Je ne le croyais complice d'aucune hypocrisie au sujet de la situation de Benazir. Quand le sénateur Pell l'interrogea sur l'apparente contradiction entre le rapport officiel et ces nouveaux faits, Yaqub se raidit. Il parut sincèrement choqué et promit de s'informer en rentrant au Pakistan.»

21 juin 1983. Le plus long jour de l'année et mon trentième anniversaire. Toujours optimiste, j'ai écrit au ministre de l'Intérieur, en lui expliquant que je n'avais pas eu de visites depuis des mois et que j'aimerais voir mes anciens camarades d'école pour mon anniversaire. À ma vive surprise et ma grande joie, le régime accepta.

Dans la soirée, Samiya, sa sœur et Paree arrivèrent, apportant un gâteau au chocolat que Paree avait mis des heures à préparer. Sous l'œil attentif d'une femme de la police, nous nous embrassâmes. «Dieu merci, dit Samiya, le gâteau est intact. Ils ont fouillé tout le reste si minutieusement que nous craignions qu'ils ne l'entament avant toi.»

Victoria Schofield et mes autres amis anglais n'avaient pas oublié non plus. Comme la date de mon anniversaire approchait, Victoria avait écrit à l'actuel président de l'Union d'Oxford, en rappelant que c'était mon troisième anniversaire en captivité. Le 21 juin, l'Union d'Oxford observa une minute de silence, honneur habituellement réservé aux ex-présidents quand ils meurent. David Johnson, autre vieil ami et ancien président de l'Union de Cambridge, était à ce moment dans la salle des débats. Il demanda par la suite qu'on prie pour moi le dimanche suivant à tous les offices de Westminster Abbey et de la cathédrale Saint-Paul, à Londres. Autant de témoignages réconfortants d'intérêt et d'amitié.

Un autre témoignage d'intérêt plus suspect me vint à cette époque d'un membre du régime. « Veuillez être prête ce soir à 7 heures, me dit un des gardes. Nous vous menons dans une des maisons de villégiature du gouvernement.

— Pourquoi ?

— Parce que l'administrateur de la loi martiale souhaite vous voir, répondit l'homme d'un air triomphant.

— Je ne veux pas rencontrer le général.

— Mais il le faut, dit-il choqué. Vous êtes prisonnière.

— Peu importe. Je ne le verrai pas. Il faudra m'y traîner. Je crierai, hurlerai et ferai un scandale. Je n'irai pas voir mes ravisseurs. »

Le fonctionnaire fila en marmonnant que je n'étais pas raisonnable, que mon refus de voir le général Abbasi n'arrangerait pas mes affaires. Cela m'était bien égal. Pour nous, adversaires de Zia, tout contact avec les chefs militaires détestés était considéré comme une trahison. Aller jusqu'à eux équivalait à accepter leur autorité et les reconnaître tacitement.

Ce soir-là, je préparai une valise, convaincue que le régime se vengerait en me renvoyant en prison. Je dressai la liste familière des fournitures indispensables au prisonnier : stylos, carnets, insecticide, papier hygiénique, mais personne ne vint pour me mener en prison. En revanche, à ma grande surprise, l'administrateur de la loi martiale me rendit visite au 70, Clifton.

C'était inouï pour ces arrogants militaires, tellement habitués à convoquer et ordonner, de venir chez un chef de l'opposition. Je regardais, incrédule, le général aux cheveux blancs assis au 70,

Clifton, dans son uniforme kaki, lors de cette première visite. Son discours, par la suite, resta toujours le même.

«Je sais que vous êtes malade, disait-il. Que je sois dans l'armée ne m'empêche pas de m'en inquiéter. Souvenez-vous, nos familles se connaissent depuis des générations. Je n'aimerais rien tant que vous savoir soignée à l'étranger. Mais nous ne pouvons nous permettre aucune complication politique.»

Reste polie, me disais-je. Il n'y a pas lieu de montrer ton jeu. Je me doutais que le général Abbasi était venu jauger mon moral et découvrir ce que je voulais faire au cas où l'on me laisserait partir. Je lui donnai l'impression d'être impatiente d'avoir ce traitement, et de revenir immédiatement chez moi. En un sens, c'était vrai, car je n'avais pas à l'époque l'intention de rester en exil. Mais j'étais toujours aussi décidée à saisir toutes les occasions de démolir le régime.

Je ne comprenais pas alors quel était le problème du gouvernement. Le docteur avait fait savoir que j'avais besoin d'un traitement médical à l'étranger, et que si quelque chose m'arrivait pendant ma détention, le régime en serait responsable. Il s'y était ajouté l'intervention du sénateur Pell, de la commission des Affaires étrangères du Sénat et peut-être celle de Yaqub Khan. Au cours de l'été de 1983, ma détention était devenue non seulement un souci pour le régime, mais un handicap certain. Dans mon isolement à Clifton, je l'ignorais, et je compromettais mon éventuelle libération en me mêlant une fois encore de politique.

L'agitation du Sind pendant la tournée de Zia n'était pas apaisée. À l'approche du 14 août, jour de l'Indépendance du Pakistan, qu'avait choisi Zia pour annoncer une autre prétendue élection, le MRD lança son deuxième mouvement de masse pour la restauration de la démocratie. Du 70, Clifton, je suivis attentivement son appel, en lisant les journaux et en écoutant la BBC. Prenant de gros risques, je communiquais par messages avec les dirigeants du PPP qui avaient organisé un groupe clandestin à l'hôpital MidEast tout proche et avec mon district de Larkana, leur envoyant des consignes politiques et aidant à réunir des fonds.

Ce mouvement du MRD se développait autrement que les précédents. Autrefois, au seul mot de « manifestation », le régime se jetait sur les militants, les arrêtait par milliers pour prévenir toute action et laisser le peuple sans dirigeants. Maintenant, les leaders du MRD restaient libres de provoquer l'arrestation – ce qu'ils faisaient. La police n'empêchait même pas la foule de se réunir pour les acclamer. Les propriétaires fonciers du Sind se lançaient eux-mêmes dans le mouvement, fournissant tracteurs et camions pour transporter les partisans et facilitant les transmissions entre leurs organisateurs.

Certains chefs du PPP, cependant, montrèrent d'abord quelque hésitation à se joindre à l'action. On crut que l'un d'eux, Jatoi, avait eu des entretiens avec des personnalités américaines et des officiers de l'armée et avait obtenu leur soutien pour renverser Zia; Jatoi se maintiendrait au pouvoir, tandis que le PPP en serait écarté. Je persuadai la direction du parti de rejoindre quand même le mouvement : il était plus important, insistai-je, de faire bloc au moment d'une action contre Zia, quitte à s'inquiéter ensuite, si nécessaire, d'une éventuelle scission.

Le mouvement grandissait lentement; je fis passer secrètement plusieurs lettres aux permanents du parti, les pressant de soutenir l'élan sans laisser au régime le temps de nous éliminer. Je savais que si ces messages étaient découverts, au lieu de partir pour l'étranger je retournerais en prison. Mais l'émancipation politique du peuple pakistanais était à mes yeux plus importante que tout. Pour détourner les soupçons des autorités pénitentiaires pendant leurs visites, je me faisais plus faible que je ne l'étais. Normalement, la colère et la méfiance me donnaient provisoirement des forces, si malade que je fusse, le temps de ces rencontres hebdomadaires. Mais durant l'insurrection du Sind en 1983, je gardai volontairement les yeux baissés sur le tapis pour leur cacher ma décision et les persuader que j'étais trop mal pour songer à autre chose.

Entre-temps, Jatoi me pressait de donner au peuple un message de ma mère. Quelqu'un réussit à grand-peine à la joindre par téléphone. «Dites à Benazir de lancer la déclaration en mon nom», fit-elle répondre. Je m'assis devant la machine à écrire et, entre les coupures de courant, je tapai comme une enragée, les mots filant au bout de mes doigts pour remplir les pages. Je commençai ainsi l'appel de ma mère à la nation, qui fut traduit en ourdou, en sindi et diffusé clandestinement dans toute la province.

«Mes concitoyens patriotes et héroïques, frères et sœurs respectés, fils et filles pleins de courage… Le but de notre mouvement, c'est la désobéissance civile. Depuis six longues années, nous avons affronté la persécution et l'oppression. Nos appels pour le rétablissement de la démocratie sont restés sans réponse, nos travailleurs ont été emprisonnés et condamnés à mort. Trop, c'est trop. Nous demandons à tous les propriétaires de bus de les retirer des routes, à tous les cheminots d'arrêter les trains. Aux policiers nous disons : suivez l'exemple de vos frères de Dadu et ne tirez pas sur les innocents qui sont vos frères. Que notre mouvement ne vous fasse pas peur. Il est pour notre peuple, nos pauvres, nos enfants, afin qu'ils ne vivent pas dans la pauvreté, la faim, la maladie. Luttez pour votre Parlement, votre gouvernement, pour votre Constitution, afin que les décisions soient prises en faveur du pauvre peuple et non pour la junte et ses laquais…»

Le mouvement éclata et ce fut une forte et très large expression de mécontentement contre Zia ul-Haq. Les gares furent saccagées, les camions et les bus cessèrent de circuler, on incendia des postes de police. Des centaines de gens furent tués. Zia lui-même faillit être la victime d'une foule qu'il croyait amicale. L'hélicoptère où on pensait le trouver fut pris d'assaut aussitôt après son atterrissage à Dadu et ses occupants attaqués. Il était en réalité dans un second appareil qui partit se poser ailleurs. Quand on le découvrit dans une maison d'étape, il échappa de peu au lynchage.

Le soulèvement du Sind gagna bientôt les autres provinces. Les associations du barreau à Quetta, au Baloutchistan, et à Peshawar dans la province de la Frontière du Nord-Ouest défièrent l'interdiction des déclarations politiques pour réclamer les élections. À Lahore, la brigade antiémeute boucla toutes les entrées de la Haute Cour pour empêcher les avocats de sortir manifester dans les rues, puis les cribla de pierres. Un défilé de juristes réussit pourtant à sortir, mené par l'avocate Talaat Yaqub, qui avait fait partie de l'équipe de mon père. Lançant ses bracelets de verre et brandissant le drapeau pakistanais, elle criait aux hommes, majoritaires dans l'association locale du barreau : «Prenez ces bracelets, vous qui restez chez vous. Je réclame la liberté.» Des centaines d'avocats se joignirent à elle, scandant des appels à la démocratie et affrontant hardiment les griffes de la police.

Cette révolte de tout le pays ne fut écrasée par les fusils et les tanks de l'armée que la deuxième semaine d'octobre, et la répression laissa aux cœurs sindis une cruelle amertume. Huit cents personnes, dit-on, avaient été tuées, des villages entiers rasés et les récoltes brûlées. Les brutalités contre des femmes rappelaient les plus sombres souvenirs des excès de l'armée au Bangladesh douze ans plus tôt. Dans les cendres de la violence, le nationalisme sindi était né, et une tendance à la sécession se propagea aussi dans les autres provinces minoritaires. La fragile fédération pakistanaise risquait de se rompre sous la poigne implacable de Zia et six années de loi martiale.

L'administration Reagan, cependant, défendait ses pions. Je notai dans mon journal le 22 octobre : « *Newsweek* déclare que Washington tient Zia pour une carte maîtresse dans sa stratégie globale. Selon une source occidentale, la CIA a "considérablement" étendu ses opérations au Pakistan. *Newsweek* disait la semaine dernière qu'elle s'occupait de consolider le régime chancelant de Zia. On veut être sûr qu'il ne deviendra pas un autre chah d'Iran. Depuis un an et demi, quantité d'agents secrets américains opérant en Égypte avaient quitté Le Caire pour Islamabad. L'article concluait : "Il est clair que Zia ne cédera le pouvoir que contraint et forcé." » Et je demeurais enfermée au 70, Clifton, pour ce qui était maintenant ma cinquième année de détention.

Ténèbres, grondement dans les oreilles, vagues de ténèbres déferlant l'une après l'autre. Je m'éveillai dans ma chambre, peu après le soulèvement du Sind, pour découvrir le docteur, sa main surveillant mon pouls, et une expression de soulagement sur son visage. J'avais mal réagi à l'anesthésie locale qu'il m'avait faite pour drainer mon oreille, me dit-il, mais il n'avait aucun moyen de demander du secours : le téléphone était coupé. Un mois plus tard, je souffris de vertiges ; j'avais perdu tout sens de l'équilibre et j'étais prise de violentes nausées. Là encore, le docteur manquait de toute aide médicale.

Pendant de longs jours après les traitements de mon oreille, j'étais fiévreuse, en transpiration, et je toussais. À l'audiomètre, le docteur s'aperçut que mon acuité auditive avait baissé de presque quarante décibels. Il écrivit en novembre au ministre de l'Intérieur pour l'informer et demander l'autorisation de poursuivre le traitement à l'hôpital. « Je ne peux prendre la responsabilité de la santé de la patiente s'il faut continuer les soins en détention. À l'approche de l'hiver, la moindre infection du nez ou de la gorge aura de graves conséquences sur son ouïe. À moins d'intervention chirurgicale rapide, on risque des complications telles que la paralysie des nerfs de la face et la perte d'équilibre.» L'autorisation fut accordée pour les soins à l'hôpital et de nouveaux traitements suivirent plus aisément. Restait à me préparer physiquement et psychologiquement à l'éventualité d'une opération chirurgicale à l'étranger.

J'étais captive depuis si longtemps que je me méfiais de tous et de tout. L'idée de remettre ma vie entre des mains étrangères, même celles d'un chirurgien britannique, m'inquiétait. Pour confirmer si j'avais ou non besoin d'une intervention, je fis passer secrètement mon dossier médical au docteur Niazi, à Londres. Il conclut au même diagnostic.

J'étais encore en proie à un grave conflit. Des milliers de prisonniers politiques restaient dans des conditions indescriptibles captifs des geôles de tout le pays, beaucoup risquant la peine de mort. Tant que j'étais détenue moi aussi, il me semblait pouvoir leur apporter stimulation et réconfort. Je partageais leur souffrance, leur chagrin, leur défi. Ils existaient pour moi, et moi pour eux. N'allaient-ils pas se sentir orphelins si je les quittais? Se croiraient-ils abandonnés?

Décembre passait, et j'étais de plus en plus persuadée que le régime me libérerait bientôt. Je n'avais eu aucune nouvelle des autorités pendant la révolte du Sind, et je pensais qu'elles ne me relâcheraient pas au plus fort des troubles, sachant que j'en répandrais les nouvelles à l'étranger. Mais à présent les émeutes étaient calmées. Il n'y avait plus aucune excuse.

J'étais aussi suffisamment forte pour supporter le voyage. Bien que le docteur eût envisagé de me poser un drain dans l'oreille pour me permettre de prendre l'avion, il estimait maintenant que tout irait bien avec des produits «décongestionnants» et du chewing-gum au décollage et à l'atterrissage. L'angoisse et la crainte qui avaient contribué à ma mauvaise réaction lors des premiers traitements s'étaient atténuées avec la décision du régime d'autoriser Sanam à me voir chaque jour. Le docteur avait fait valoir qu'il me serait impossible de recouvrer la santé si l'on continuait à me refuser tout contact humain.

Vers la fin de décembre, les autorités nous demandèrent, à Sanam et à moi, nos passeports, visas et carnets de change. «Occupez-vous des réservations», nous dit-on. Mais quand arriva le jour du départ, personne ne vint nous chercher. Je passai mon temps à régler mes affaires personnelles, à prévoir l'entretien des maisons pendant mon absence, à mettre de l'ordre dans mes impôts. Un autre vol fut manqué à son tour.

Notre prochain départ était prévu pour les premières heures du 10 janvier 1984. Sans prévenir, les autorités arrivèrent au 70, Clifton, à 11 h 30 du soir. «Vous partez ce soir, nous dit-on. Vous avez quelques heures pour faire vos bagages.» J'écoutai cela sans y croire. Je tapai rapidement un dernier message pour le peuple. «Courageux militants du parti, chers concitoyens. Avant d'entreprendre ce voyage pour ma santé, je viens chercher votre congé, vos prières et vos bénédictions...» Je me sentais engourdie en préparant mes affaires, en mettant mon chat dans un panier de voyage. Après tout ce qui m'était arrivé depuis sept ans, même les choses agréables paraissaient irréelles.

Sanam m'attendait dans la cour dans une voiture banalisée. Nous filâmes à l'aéroport par des routes désertes, et l'on nous mit seules dans une pièce à part. Je ne me permis pas la moindre excitation. Je venais d'achever la lecture de *L'Homme*, d'Oriana Fallaci. Des avions militaires avaient été envoyés pour ramener le héros à l'aéroport après le décollage de son appareil.

La police nous conduisit jusqu'à l'avion de la Swissair. En montant les marches de la passerelle, je surpris un sourire sur le visage de l'hôtesse. Je ne l'oublierai jamais. Ce n'était pas le sourire d'un policier de la loi martiale ni d'un fonctionnaire de prison. C'était un sourire de la vie civile, celui d'un autre être humain. On ferma les portes de l'avion. À 2 h 30 du matin, Sanam et moi partîmes pour la Suisse. Aucun appareil ne nous suivit. Jusqu'au jour où j'en parlai à Peter Galbraith, plus tard, je ne compris pas pourquoi, après sept ans de loi martiale, Zia avait choisi ce moment pour me rendre la liberté.

Peter Galbraith :

« À la fin de décembre, la commission des Affaires étrangères me demanda d'aller en Asie du Sud pour préparer un rapport, en liaison avec l'étude qu'elle menait sur les problèmes régionaux de sécurité. J'emportai une lettre pour Yaqub Khan, signée par Charles Percy, président de la commission, et par le sénateur Pell, lui rappelant les déclarations de son gouvernement au sujet du droit qu'avait Benazir de recevoir ses amis. "M. Galbraith est un ami personnel de Mlle Bhutto depuis leurs études communes à l'université de Harvard", précisait la lettre. Le sénateur demandait pour moi l'autorisation de la voir.

« J'organisai mon voyage au Pakistan de manière que Karachi fût ma dernière étape. L'ambassade américaine se montra cette fois extrêmement serviable. La décision de m'autoriser à voir Benazir dépendait, me dit-on, du général Zia lui-même.

« J'arrivai à Karachi tard dans l'après-midi du 9 janvier. N'ayant pas reçu de réponse à ma demande, j'avais prévu de voir Sanam le lendemain. Très déçu, j'écrivis une fois de plus une longue lettre pour Benazir.

« Le lendemain, de bonne heure, on m'appela du consulat des États-Unis, me priant de venir aussitôt. Quand j'arrivai, le consul général adjoint m'apprit que Benazir avait été conduite à l'aéroport peu après minuit et embarquée sur un avion de la Swissair. Sanam était partie avec elle.

« Je n'arrivais pas à le croire. Une voiture du consulat me mena au 70, Clifton. Les policiers qui montaient sans cesse la garde étaient partis. La maison était entièrement fermée. Benazir était libre. »

La lutte
contre le dictateur

11

LES ANNÉES D'EXIL

«Maman!

– Pinkie! Tu es libre. J'ai tant rêvé de voir ce jour!»

En sortant de l'aéroport de Genève, je regarde, de tous côtés, cet horizon sans limites. Après s'être heurtés pendant trois ans aux murs, il faut à mes yeux le temps de s'accommoder. Je ne peux croire à ma liberté.

Le téléphone sonne déjà quand nous arrivons à l'appartement de ma mère. «Oui, oui, elle est vraiment là, dit-elle au bout du fil à Mir et à Shah. L'annonce de sa libération, à la BBC, était exacte.»

Mir, Shah Nawaz. Les voix de mes frères et la mienne s'interrompent, tant est grande notre émotion. Je crie : «Comment vas-tu?» en pressant l'écouteur contre ma bonne oreille. «Dieu merci, tu es vivante, s'exclame Mir, je viens te voir demain. – Reste une semaine et je viendrai aussi, ajoute Shah. – Oh! Shah, je ne peux pas, lui dis-je. Il faut que j'aille à Londres consulter le docteur.» Nous nous promettons de nous voir le plus tôt possible.

Le téléphone sonnait sans cesse : de Los Angeles, de Londres, de Paris; les amis et les parents de ma mère l'appelaient pour la féliciter de ma libération. Je n'étais pas encore prête à téléphoner à tout le monde, et je ne parlai qu'à Yasmin et au docteur Niazi. Ardeshir Zahedi, un ami de mes parents, ancien ambassadeur d'Iran aux

États-Unis, arriva avec du caviar. Maman, Sunny et moi restâmes à bavarder toute la nuit. Tout cela me semblait incroyable. Hier, j'étais prisonnière. Aujourd'hui, j'étais libre, avec ma mère et ma sœur. Nous étions ensemble. Nous étions tous vivants.

Mir! Avec une petite fille aux cheveux bruns qui me tirait par mon manteau! «Je te présente ta nièce Fathi», me dit Mir chez maman, le second jour de ma liberté. Mon frère était-il réellement là, devant moi? Je voyais bouger ses lèvres, je m'entendais lui répondre. Le bruit de nos retrouvailles a dû être assourdissant, mais je ne me rappelle rien de ce que nous avons dit. À vingt-neuf ans, Mir était si beau, ses yeux sombres étincelant un instant, puis s'adoucissant quand il souleva sa fille de dix-huit mois pour qu'elle me donne un baiser. «Attends de voir Shah», dit-il en riant. La dernière fois que j'avais vu Shah, il avait dix-huit ans. Il en avait maintenant vingt-cinq et portait une moustache dont il rêvait depuis longtemps.

Je regardai le soleil se lever sur les Alpes, je sentais l'air transparent et frais qui baignait mon visage. Je me sentais merveilleusement bien malgré mon oreille bouchée et engourdie. Dehors, la circulation commençait à se réveiller, et je considérai la rue, en bas. Pas de camionnette des Renseignements garée près de l'immeuble, pas d'agents embusqués dans les embrasures. Était-ce bien vrai? Étais-je libre? Je me frottai l'oreille, et mon malaise me rappela pourquoi j'étais venue à l'étranger.

Entre-temps, l'annonce de ma libération s'était répandue dans la communauté des exilés pakistanais dispersés en Europe et parmi les 378 000 Pakistanais qui vivaient en Angleterre. Quand Sunny et moi arrivâmes cet après-midi-là à Londres, une foule de Pakistanais était venue m'accueillir à l'aéroport de Heathrow. À entendre les slogans politiques, je me crus revenue à Karachi.

Yasmin Niazi, aéroport de Heathrow :

« Vous n'imaginez pas le nombre de personnes à l'aéroport, y compris la presse britannique, qui se poussaient et se bousculaient pour apercevoir Benazir. C'était comme si elle était revenue d'entre les morts. Personne n'avait espéré la revoir. "Qui est-ce, une vedette de cinéma ou quoi ?", me demanda un policeman qui s'efforçait avec un autre de canaliser la foule. "C'est notre leader politique, dis-je. – Une politicienne ?" fit l'homme, stupéfait.

« "Êtes-vous en exil ?" demanda la presse quand Benazir put enfin franchir la porte. Sa réponse fut un grand soulagement pour les Pakistanais massés à l'aéroport, comme pour les millions qui l'entendirent plus tard à la radio ou la lurent dans les journaux. "L'exil ? Pourquoi m'exilerais-je ? dit-elle. Je ne suis en Angleterre que pour un traitement médical. Je suis née au Pakistan et je mourrai au Pakistan. Mon grand-père y est enterré. Mon père y repose aussi. Je ne quitterai jamais mon pays."

« Ses paroles apportèrent un grand espoir à tous ses concitoyens, surtout aux pauvres. "Je ne vous abandonne pas, disait son message. Je resterai à vos côtés jusqu'à mon dernier souffle. Les Bhutto tiennent leurs promesses." »

Des paniers de fleurs et de fruits emplissaient le petit appartement de tante Behjat dans le quartier de Knightsbridge, où Sunny et moi partagions la chambre d'amis. Des journalistes et de vieux amis d'Oxford appelaient pour demander à me voir, ainsi que des dirigeants et des partisans du PPP. Londres était un centre d'activité politique pour les membres du parti en exil : mes propres frères y vivaient, et c'était le lieu de ralliement de tous ceux des nôtres qui avaient fui le Pakistan après le coup d'État. Le téléphone sonnait sans cesse pour leurs demandes de rendez-vous. «Je ne vous prendrai que dix minutes», disaient-ils l'un après l'autre en défilant dans l'appartement. D'autres, parmi la grande communauté pakistanaise d'Angleterre, se contentaient de venir à la porte, de sonner et de se rassembler dans la rue. Tante Behjat et son mari, oncle Karim, étaient très bienveillants, mais la situation devenait impossible. Elle se compliqua quand tante Behjat repéra une voiture pleine de Pakistanais qui restait toute la journée garée devant l'immeuble. «Nous sommes dans un pays libre, tu ne peux pas tolérer cela», me dit-elle quand la voiture commença à me suivre partout. Elle téléphona à Scotland Yard, et, comme par enchantement, la voiture disparut. C'était un petit triomphe d'avoir obligé les agents de Zia à me laisser tranquille. Mais mon inquiétude persista.

Bien que libre, j'appréhendais de quitter l'appartement. Chaque fois que je passais la porte, je ressentais une crispation de l'estomac, du cou et des épaules. Je ne pouvais faire deux pas sans me retourner pour vérifier que personne ne me suivait. Après tant d'années de solitude derrière des murs de prison, même les rues populeuses de Londres me faisaient peur. Je n'avais pas l'habitude des gens, des voix, du bruit. Je sautais dans le premier taxi venu plutôt que de prendre le métro pour aller aux rendez-vous du médecin. Quand j'étais arrivée et qu'il me fallait sortir dans la rue, même pour faire quelques pas, mon cœur battait plus fort et je respirais mal. C'était très difficile de se réadapter à la vie de tous les jours.

J'affectais un air d'assurance et cachais à tous mes inquiétudes. Il le fallait. Mes années de détention et le traitement infligé à ma famille par le régime militaire m'avaient conféré aux yeux de beaucoup de Pakistanais un prestige surhumain. Le bruit fait autour de ma libération et de mon séjour en Angleterre m'avait aussi rendue célèbre. Pour quelqu'un qui avait défié la loi martiale, il n'eût été ni convenable ni exaltant de succomber à une crise d'angoisse à l'entrée de Hyde Park. Respire à fond, me disais-je quand il me fallait sortir. Marche d'un pas ferme. Pas d'affolement.

Quelques jours après mon arrivée, je reçus un visiteur inattendu. Peter Galbraith, me dit tante Behjat, revenait de Karachi et voulait déjeuner avec moi. Ignorant tout de son rôle dans ma délivrance, j'étais seulement ravie de voir un vieil ami. Je rassemblai mon courage, quittai l'appartement et pris un taxi jusqu'au Ritz.

Peter Galbraith :

« Je n'étais pas très à l'aise en lui téléphonant. C'était une situation bizarre : quelqu'un que vous n'avez pas vu depuis sept ans et qui, surtout, a vécu des expériences si différentes des vôtres… Je l'attendais non sans inquiétude dans le hall du Ritz où les gens viennent prendre le thé.

« Elle semblait étonnamment à l'aise quand elle entra et que nous nous mîmes à table. Je ne m'étais fait aucune idée préconçue mais, à coup sûr, elle avait changé. Je lui trouvai une nouvelle assurance, plus détendue que lors de notre dernière rencontre à Oxford, en 1977.

« Elle avait toujours été séduisante, mais maintenant elle s'imposait. Elle était très présente et saisissait à demi-mot. Rien du genre : "Je ne peux pas croire ce qui m'arrive !" Je la mis au courant de ce qui s'était passé à Washington et des efforts du sénateur Pell et d'autres en sa faveur. Je lui donnai aussi des nouvelles de certains de nos amis communs et lui montrai des photos de mon fils.

« En revenant chez sa tante après déjeuner, je la pressai amicalement de renoncer à cette vie politique dangereuse. "Au Pakistan, tu risques la prison et même l'assassinat, lui dis-je. Pourquoi ne pas venir aux États-Unis et y faire ta vie ? Peut-être obtiendrais-tu un poste à Harvard, au Centre des affaires internationales.

« — Je pourrais y lire des livres sur l'époque Bhutto et les années de la loi martiale, pour y voir comment les autres interprètent tout cela, répondit-elle. Mais mon premier devoir concerne le parti. Politiquement, il est plus important pour moi d'être ici, où la communauté pakistanaise est plus nombreuse et moins dispersée. »

« Elle parut cependant vivement intéressée à l'idée d'un voyage d'étude en Amérique. Elle savait que l'influence étrangère et une large information pouvaient être décisives pour assurer la libération des prisonniers politiques au Pakistan. Le seul problème, tandis que nous bavardions en marchant, c'est que j'avais oublié de quelle oreille elle était sourde, et que je lui parlais toujours du mauvais côté. »

La dernière semaine de janvier, mon opération de microchirurgie dura cinq heures. Quand je repris connaissance après l'anesthésie à l'hôpital universitaire, mon chirurgien, M. Graham, était là. « Souriez », me dit-il. Croyant qu'il voulait me réconforter, j'obéis, plutôt groggy. Il me donna ensuite une gorgée de jus de fruits. « Quel goût cela a-t-il ? – Délicieux », répondis-je. Il nota quelque chose sur la feuille près de mon lit. « Vous vous en êtes très bien tirée, conclut-il. Le nerf facial du côté gauche est intact et vous n'avez pas perdu le sens du goût. »

Je me remis lentement, avec ma mère, dans un appartement provisoire qu'elle avait loué à Collingham Gardens, un joli endroit bordé d'arbres. Je gardai le lit pendant des semaines, incapable de rester assise plus de dix minutes sans éprouver maux de tête, nausées et vertiges. Lorsque je me levai enfin, il m'était difficile de pencher la tête pour lire ou écrire sans avoir mal de nouveau. Il me semblait souvent qu'elle allait éclater. «C'est normal», me disait M. Graham lors de mes visites régulières pour faire examiner mon oreille et les progrès de l'ouïe.

J'eus un choc, pourtant, quand il m'annonça, lors du bilan de mes six semaines : «Il est possible qu'une autre opération soit nécessaire dans un délai de neuf mois à un an.» Je n'avais pas l'intention de rester à Londres si longtemps. Je caressais déjà l'idée de rentrer au Pakistan, malgré ma mère, tante Behjat, Sunny et Yasmin qui, toutes, me suppliaient de rester en Europe.

«Mets-toi en congé de la politique, disait ma mère, et demeure un peu près de moi. Sitôt que tu rentreras, Zia te remettra en prison, et tu n'en sortiras pas vivante.

— Même en prison, je peux être un point de ralliement contre le régime.

— Pourquoi ne pas le faire d'ici?» insistaient les autres. Les propos du médecin renforçaient leur position. Mais je n'étais pas convaincue. Neuf longs mois. Comment passer utilement mon temps?

Me sentant mieux, je décidai d'organiser une campagne internationale pour faire connaître les mauvais traitements que subissaient les 40 000 prisonniers politiques encore détenus au Pakistan. Malgré l'aide financière que recevait le pays de l'Europe occidentale et des États-Unis, les nations démocratiques accordaient peu ou pas d'attention aux violations des droits de l'homme commises par Zia. En tant que détenue politique de marque, récemment libérée et vivant en exil, j'étais bien placée pour révéler les détails de ce qui se passait là-bas. Peut-être alors les démocraties useraient-elles de leur influence auprès de Zia afin qu'il renonce aux arrestations arbitraires, aux années de captivité sans inculpation ni audiences, aux condamnations à mort de tant d'innocents pour leur seule opposition politique.

Dix-huit prisonniers politiques allaient être jugés par un tribunal militaire à Rawalpindi, pour conspiration contre le gouvernement. Cinquante-quatre autres étaient à la prison de Kot Lakhpat, à Lahore, accusés de complot criminel, de sédition, de complicité supposée avec Al-Zulfikar. Le dirigeant ouvrier du PPP aux aciéries de Karachi, Nasser Baloach, était jugé avec quatre autres sur des accusations mensongères de complicité dans le détournement – accusations qui pouvaient entraîner une condamnation à mort. Comme il était de règle avec la « justice » militaire de Zia, peu de gens, à l'intérieur ou hors du Pakistan, savaient même qu'il y avait procès et quelles preuves, éventuellement, existaient contre les accusés.

Je n'avais appris l'arrestation de Nasser Baloach qu'en 1981, par le directeur de la prison de Sukkur. Il avait fallu deux ans pour le mener, lui et ses coaccusés, devant une cour militaire. L'ordonnance présidentielle n° 4 considérant un homme comme coupable jusqu'à ce qu'il ait prouvé son innocence, mais interdisant en outre toute information sur la procédure, selon la règle des secrets d'État, je n'eus connaissance de son procès qu'en recevant à la prison centrale de Karachi un mot de Nasser Baloach lui-même, passé clandestinement par un geôlier compréhensif.

« Le tribunal militaire est si prévenu contre nous que nous ne valons pas mieux, dit-on, que des cadavres au cimetière, m'écrivait-il en mai 1983. Pendant les huit heures d'audience, nous ne pouvons ni prendre de notes, ni boire, satisfaire un besoin naturel ou prier. Nos mains et nos pieds sont enchaînés. Quand notre avocat est absent, la séance continue sur cette remarque : "Nous n'avons besoin que de l'accusé et des plaignants." » En février 1984, le procès n'était toujours pas terminé.

Je m'inquiétais aussi d'un autre leader ouvrier, Ayaz Samoo, arrêté en décembre 1983 et impliqué à tort dans le meurtre d'un partisan du général Zia. Son procès devant une cour militaire risquait de passer inaperçu. Comme dans le cas de Baloach, son arrestation était aux yeux du PPP une tentative d'écraser le mouvement ouvrier dans la ville industrielle de Karachi. Là encore, l'accusé risquait la mort. Il nous fallait agir, et vite.

Dès que je pus m'asseoir dans mon lit, j'entrepris de dresser une liste des autres poursuites politiques, à l'aide de mes notes prises en captivité et des informations émanant des sympathisants du Pakistan. Je compris l'intérêt de communiquer de tels documents à Amnesty International en voyant comment cette organisation réussissait à mobiliser l'opinion mondiale. Tel était le cas de Raza Kazim, avocat international arrêté chez lui à Lahore en janvier, et dont on n'avait plus de nouvelles. Un «appel urgent» d'Amnesty en sa faveur avait été repris par la presse occidentale.

«La récente disparition de Raza Kazim, de Lahore, au Pakistan, est un cas inquiétant…», lisait-on en mars dans *The Nation*, à propos des nombreuses atteintes aux droits de l'homme à travers le monde. «Les États-Unis, qui assurent au Pakistan une aide économique et militaire de 525 millions de dollars par an, se sont montrés à cet égard d'une impitoyable indifférence… Le secrétaire d'État semble avoir oublié les termes de la loi américaine qui régit l'assistance aux pays étrangers. Elle précise : "Aucune assistance ne peut être assurée au gouvernement d'un pays qui recourt de façon habituelle à des violations graves des droits de l'homme internationalement reconnus, telles que la torture, la détention prolongée sans inculpation, ou autre négation flagrante du droit à la vie, à la liberté et à la sécurité de l'individu."»

Cet article venait à point. Je fus invitée à Washington pour prendre la parole en mars, à la fondation Carnegie en faveur de la paix internationale. Armées d'une énorme documentation sur les prisonniers politiques, sans oublier mon vieux carnet d'adresses, nous nous envolâmes, Yasmin et moi, vers l'Amérique.

Une fois de plus, je me retrouvai arpentant les longs couloirs du Congrès. Étudiante à Harvard, j'avais profité du système démocratique américain pour venir à Washington manifester contre l'engagement des États-Unis au Viêt Nam. À présent, je venais protester contre la mort de la démocratie dans mon propre pays. La première fois, je n'avais pas élevé la voix, craignant d'être expulsée, en tant qu'étrangère, pour activité politique. Maintenant, je sentais que je n'en dirais jamais assez.

Pendant une semaine, je parlai sans cesse de la nécessité de mettre fin aux violations des droits de l'homme et de rétablir la démocratie au Pakistan. J'en parlai avec le sénateur Edward Kennedy, avec le sénateur Claiborne Pell, que je remerciai de ses efforts pour ma libération, avec tous ceux qui voulaient bien m'écouter. Peter Galbraith m'aida à prendre d'autres rendez-vous au Capitole. Je rencontrai le sénateur Alan Cranston de Californie, le député Stephen Solarz de New York, membres du département d'État et assistants au Conseil national de sécurité. Je parlai à l'ancien procureur général Ramsey Clark, qui était venu au Pakistan suivre le procès de mon père, et au sénateur McGovern qui m'avait soutenue quand j'étais étudiante à Harvard. J'espérais qu'il m'aiderait encore à faire pression pour obtenir le respect des droits de l'homme au Pakistan.

Les législateurs de Washington s'occupaient déjà beaucoup de mon pays. Le contrat d'aide américaine de 3,2 milliards de dollars voté pour le Pakistan en 1981 risquait d'être dénoncé à cause de son programme nucléaire invérifiable. Le Sénat avait autrefois tourné la difficulté en fondant l'aide non sur le fait que le Pakistan ait ou n'ait pas «la bombe», mais sur l'essai qui en serait fait ou non. Pendant ma visite de 1984, cette lacune avait été comblée par les sénateurs John Glenn et Alan Cranston dans un amendement qui excluait l'aide au Pakistan, à moins que le président des États-Unis n'ait la preuve écrite que le Pakistan n'avait pas d'«engin explosif nucléaire» ni ne se procurait le matériel pour en fabriquer ou en essayer un. Le 28 mars, la commission des Affaires étrangères adopta cet amendement à l'unanimité.

Je n'étais pas venue à Washington pour discuter du problème nucléaire. Je fus donc prise au dépourvu au cours d'une réunion avec le sénateur Charles Percy, président de la commission des Affaires étrangères, quand il me demanda si j'étais favorable à la suppression de l'aide à cause de cette question. « Sénateur, répondis-je après un instant d'hésitation, supprimer l'aide ne créera que des mésententes entre nos deux pays. Ils s'en trouveraient mieux tous deux si l'aide était liée à la restauration des droits de l'homme et de la démocratie au Pakistan. » Le sénateur Percy, qui avait connu mon père, sourit en me remerciant de ma réponse. Et je me rendis à ma réunion suivante.

Entre mes rendez-vous, je suivais les longs couloirs jusqu'au bureau de Peter Galbraith, à la commission des Affaires étrangères. « Tu parles trop vite », me dit-il, pour m'aider à tirer le meilleur parti des courtes réunions communes au Capitole. « Parle lentement et mets l'accent sur un point précis. » Je m'efforçai de suivre ses conseils, car, après les années d'isolement, les mots si longtemps refoulés dans le silence se précipitaient en foule. « Benazir Bhutto parle comme s'il lui fallait rattraper le temps perdu », écrivait Caria Hall dans le *Washington Post*, au début d'avril. « … Les phrases jaillissent avec son accent vaguement britannique, bien ordonnées mais à toute allure, accompagnées d'une grande agitation des mains, qui enveloppent son front et ratissent ses cheveux. »

Elle avait raison, je rattrapais le temps perdu. Et j'étais très nerveuse. Ma mémoire, excellente avant mes années de détention, m'abandonnait maintenant. Souvent à la recherche de dates, de noms, je ne les trouvais pas toujours. Et j'étais encore mal à l'aise avec les gens. Je m'obligeais à rencontrer le plus possible de fonctionnaires du gouvernement et de membres de la presse, mais je redoutais les interviews. M'entretenant un jour avec le sénateur Cranston, je me sentis brusquement devenir écarlate. Mon visage était brûlant, et des gouttes de sueur perlaient à mon front. «Vous vous sentez bien? demanda-t-il, inquiet. – Oui, oui, cela va bien», lui dis-je avec tout le sang-froid dont j'étais capable.

Le soir de mon intervention à la fondation Carnegie, j'étais particulièrement inquiète. L'assistance était composée de personnalités du département d'État et de la Défense, de membres du Congrès, d'anciens ambassadeurs et de journalistes. La presse occidentale, maintenant, décrivait régulièrement Zia comme un «dictateur bienveillant», qui avait apporté la «stabilité» au Pakistan. C'était à moi de révéler ses atteintes aux droits de l'homme et de dénoncer les dangers à long terme pour le pays d'une telle «stabilité» fondée sur l'autorité militaire centralisée. Les personnalités influentes de l'auditoire pouvaient faire pression sur Zia pour l'obliger à libérer les prisonniers politiques, à organiser des élections libres et à rétablir la démocratie. Leur soutien était important.

«Du calme, me disais-je en montant sur le podium. Imagine-toi que tu es à l'Union d'Oxford.» Mais impossible, les débats de l'Union n'étaient que des jeux intellectuels. À présent, je ressentais le poids de milliers de vies de prisonniers et tout l'avenir politique de mon pays. «Au Pakistan, nous sommes troublés et déçus du soutien que reçoit le régime illégitime de Zia, dis-je à ce public de choix. Nous comprenons vos préoccupations stratégiques, mais nous vous demandons de ne pas vous détourner du peuple pakistanais.»

Au milieu de mon discours, je levai les yeux sur la salle et perdis le fil. Il y eut un silence tandis que je parcourais désespérément mes papiers. Était-ce possible? J'aurais voulu que la terre s'entrouvre pour m'engloutir. Reprenant comme je pus mon assurance, je retombai sur mes pieds et continuai, en demandant aux membres présents du gouvernement de lier l'assistance américaine au respect des droits de l'homme. Je me sentis mieux quand vint le moment de répondre aux questions et je me rassis finalement sous les applaudissements. Je n'étais pas redevenue moi-même. Mais il fallait continuer.

De Washington, je partis avec Yasmin pour New York. À la consternation de l'ambassade pakistanaise, on m'avait accordé un rendez-vous avec les rédacteurs en chef de *Time* dans l'immeuble de Time-Life. J'étais sans doute le premier leader de l'opposition pakistanaise à recevoir pareille invitation. Mais étant allée à Harvard avec Walter Isaacson, maintenant rédacteur à *Time*, je lui avais téléphoné de Washington pour arranger cette rencontre. Mon arrivée avec Yasmin au building Time-Life fit sensation. Quand nous sortîmes de l'ascenseur, au quarante-septième étage, pour entrer dans la salle à manger privée, les rédacteurs présents nous regardèrent avec stupéfaction. Je ne savais que faire, me demandant si nous nous étions trompées de salle.

«Walter ne vous a pas accueillie dans le hall? demanda enfin quelqu'un dans le silence général. Il vous attend en bas.

— Je ne l'ai pas vu.

— Mais comment avez-vous pu passer devant les gardes de la sécurité?

— Dans le Pakistan de Zia, on apprend à échapper à la sécurité», dis-je en souriant.

Pendant le déjeuner, on me posa tant de questions que je n'eus même pas le temps de manger la salade de fruits et le fromage blanc, les mets préférés de mes années à Harvard. «Beaucoup de Pakistanais considèrent l'assistance américaine à leur pays comme une aide à Zia, leur dis-je. Vous pouvez tous contribuer à dissiper ce malentendu en mettant l'accent sur les droits de l'homme. Pour les prisonniers politiques au Pakistan, l'information du public fait réellement toute la différence entre la vie et la mort.»

Je connus quant à moi une publicité inattendue quand, au terme de nos deux semaines en Amérique, nous nous préparions, Yasmin et moi, à retourner à Londres. Le 3 avril, la commission des Affaires étrangères du Sénat renversa à l'unanimité sa position sur les sévères conditions antinucléaires de l'aide américaine. Elle vota donc un nouvel amendement autorisant la reprise de l'assistance au Pakistan avec l'assurance du président que le Pakistan n'avait pas de bombe nucléaire et que l'aide américaine «réduirait considérablement le risque que le Pakistan veuille acquérir un engin explosif nucléaire». Je me doutais que ce revirement était dû à une forte pression de l'administration Reagan, mais le sénateur Percy tint à m'en attribuer publiquement le mérite.

De retour à Londres, je pris un appartement dans le Barbican, un immeuble aux allures de forteresse près de la cathédrale Saint-Paul. Je m'y sentais en sécurité. Il y avait un interphone dans le hall pour annoncer tous les visiteurs, et mon dixième étage, notai-je avec mon habituelle prudence, était trop haut pour que les agents pakistanais y entrent par effraction ou y installent des micros. Ce building était aussi le domicile d'exil du docteur Niazi et de Yasmin, et nous ne faisions qu'aller et venir toute la journée d'un étage à l'autre.

Très vite, le Barbican devint, *de facto*, un centre du PPP pour l'Angleterre et pour les groupes de l'étranger. L'appartement déborda bientôt de dossiers sur les sections du parti aux États-Unis, en France, au Canada, en Allemagne, en Suisse, au Danemark, en Suède et en Autriche, aussi bien qu'en Australie, en Arabie Saoudite, au Bahrein et à Abu Dhabi. Une équipe dévouée de volontaires pakistanais se mit en place. Sumblina, une jeune fille qui vivait en Angleterre, assurait la dactylographie. Nahid, militant étudiant en exil, répondait au téléphone et aidait Safdar Abbasi, étudiant en droit et fils du docteur Ashraf Abbasi, membre du comité exécutif du PPP, à répondre aux lettres du Pakistan. Bashir Riaz, un journaliste qui avait aidé mes frères à organiser la campagne pour défendre la vie de mon père, était notre porte-parole auprès de la presse et préparait les interviews. Le docteur Niazi, avec un autre exilé, Safdar Hamdani, et l'ancien ministre de l'Information, M. Nasim Ahmad, se chargea d'assurer la diffusion de nos informations auprès des membres du Parlement anglais. Comme toujours, Yasmin faisait tout et n'importe quoi pour aider. Ensemble, nous préparions lettres et rapports sur les violations des droits de l'homme au Pakistan, dans une chambre d'amis transformée en bureau.

Nous envoyâmes des photos des prisonniers politiques, l'histoire de leurs cas et des lettres au secrétaire général des Nations unies, au sous-secrétaire d'État américain pour les Droits de l'homme, Elliott Abrams, aux ministres étrangers, aux syndicats de juristes et aux organisations professionnelles internationales. Nous eûmes des rencontres avec des membres du Parlement britannique, avec Amnesty International et des représentants des dirigeants du monde entier grâce à leurs ambassades. La vie de Nasser Baloach était en grand danger, comme celle de beaucoup d'autres. Mais nous étions pris de court.

En dépit des protestations des associations du barreau dans tout le Pakistan, trois jeunes gens injustement accusés d'avoir tué un policier furent pendus en août, après un procès secret devant un tribunal militaire d'exception. «Le meurtre récent de ces trois jeunes gens, qui étaient détenus, enchaînés, depuis trois ans, aurait pu être évité si les milieux politiques et les médias en Europe et en Amérique du Nord s'étaient intéressés à leur sort ou à ceux des milliers de prisonniers toujours détenus», écrivis-je à nos correspondants de plus en plus nombreux parmi les membres des gouvernements et de la presse. «Les nations occidentales doivent user de leur influence et élever la voix pour sauver la vie des prisonniers politiques menacés du gibet…

Soyez assez bons, s'il vous plaît, pour agir d'urgence et efficacement en réponse à ce pressant appel. »

Tony Benn, membre travailliste du Parlement, adressa une lettre de protestation à l'ambassade du Pakistan de Londres. Il m'envoya une copie de cette lettre et de la réponse du porte-parole du régime, le ministre de l'Information Qutubuddin Aziz. « Mlle Bhutto affirme qu'il y a plus de 40 000 prisonniers dans les geôles pakistanaises et qu'ils y sont détenus dans des conditions lamentables. Ces allégations sont sans rapport avec les faits, écrivait Qutubuddin. Il y a sans doute des détenus dans les prisons du Pakistan comme dans celles de n'importe quel pays, mais ces prisonniers sont des criminels soit coupables, soit suspects. Les conditions de détention ne sont certainement pas pires que celles de la plupart des autres pays en voie de développement… Bien que le gouvernement du Pakistan traite sévèrement les coupables d'actes de terrorisme et de meurtre, il observe dans tous les cas la procédure conforme à la loi. » Le porte-parole du régime ne faisait pas mention des incessantes protestations des associations pakistanaises du barreau au sujet du mépris des procédures légales.

Quand nous prévoyions ou devions faire face à une autre série de condamnations à mort devant l'un des tribunaux militaires de Zia, tout le monde faisait des heures supplémentaires. Enveloppes, timbres et lettres débordaient du bureau jusque dans le living, et nous passions jours et nuits à coller des étiquettes, timbrer, expédier. Aux volontaires réguliers s'en joignaient d'autres, notamment un ancien commandant de l'armée pakistanaise et un commissaire de police maintenant en exil. Nous buvions sans fin des tasses de thé et de café pour nous aider à tenir. Zia voulait cacher au monde ses cruautés en continuant tout simplement à tenir à l'écart les observateurs extérieurs. Nous faisions de notre mieux afin de démasquer et alerter la conscience mondiale pour sauver les prisonniers.

Il était indispensable d'avoir des informations et des documents précis sur les circonstances de l'arrestation de chaque prisonnier politique et sur les conditions dans lesquelles il avait été détenu et jugé. Au Pakistan, où le taux d'alphabétisation était bas et la censure extrêmement sévère, il était souvent difficile de se procurer ce genre de renseignements. Les seules personnes qui connaissaient les détails exacts et vraiment à jour étaient surtout les prisonniers eux-mêmes.

On organisa à grand-peine un réseau clandestin de gens qui envoyaient régulièrement, de l'intérieur des prisons, des rapports, des questionnaires remplis par les détenus et nous les faisaient parvenir secrètement à Londres. Nous avions recours à des geôliers compréhensifs, des adresses sûres, des parents d'exilés qui faisaient des aller et retour au Pakistan, au personnel complice des lignes aériennes et à des dépôts clandestins à Abu Dhabi et en Arabie Saoudite, où nos lettres étaient postées avec des timbres différents pour échapper aux censeurs du régime. Et l'information commençait à affluer. La réponse manuscrite de Saifullah Khalid, à la prison centrale de Karachi, un étudiant de vingt-trois ans originaire de Larkana et l'un des coaccusés de Nasser Baloach, nous apprit qu'il avait été arrêté en 1981 pour ses «idées politiques» et interrogé «sauvagement» afin qu'il compromette «la direction du Parti du peuple pakistanais» dans le détournement. Comme tous les prisonniers politiques, il avait été transféré de prison en prison et tenu au secret pendant des mois.

«J'ai été détenu deux jours au fort d'Arazwali, une semaine dans trois lieux inconnus, quatre jours au fort Balahisar, dix jours au cantonnement de Warsak, une journée à la prison centrale de Peshawar, puis six jours au centre de la FIA (Agence fédérale d'investigation) à Karachi, un mois à la CIA (Agence centrale de renseignements) de Karachi, un mois dans la cellule de torture de Baldia, à Karachi», répondait l'étudiant en sciences politiques qui, trois ans après son arrestation, était toujours en prison et craignait d'être condamné à mort. Détenu à présent à la prison centrale de Karachi, il écrivait : « On m'a gardé dans le quartier de haute sécurité pendant dix jours, en me battant trois fois par jour. Pendant les interrogatoires, les ampoules de fort voltage ont affaibli ma vue, entraînant de perpétuels maux de tête et d'yeux. J'étais entravé par des chaînes de fer qui me causaient de vives douleurs aux testicules. Le médecin de la prison proposa qu'on me transporte à l'hôpital civil pour m'y faire soigner. Trois mois plus tard, j'y suis pour l'opération d'une hernie. »

Saifullah Khalid, ainsi que tant d'autres, était à la merci du régime. « Ma vie et celle de mes coaccusés sont en danger, car l'accusation réclame la peine de mort, ajoutait-il en post-scriptum. Je supplie Amnesty d'intervenir pour nous sauver. »

Nottingham. Glasgow. Manchester. Bradford. Je faisais le tour de l'Angleterre en m'adressant aux communautés pakistanaises et trouvais de nouveaux partisans pour soutenir notre campagne. L'Allemagne, le Danemark, la Suisse une fois par mois pour aller voir ma mère. J'emportais partout la liste des prisonniers ; je rencontrai au Danemark l'ancien Premier ministre Ankur Jorgensen, qui avait connu mon père ; je vis les gaullistes en France, le parti des Verts en Allemagne. Le cœur lourd, j'écrivis « martyr » à côté des noms des trois jeunes gens pendus en août.

J'appréhendais chacun de mes retours en Angleterre, craignant d'être refoulée par les autorités d'immigration. À cette époque, les visas pour les Pakistanais étaient délivrés à l'aéroport par les services britanniques de l'immigration et n'étaient valables que pour une seule entrée. Quand j'étais arrivée la première fois, les fonctionnaires m'avaient interrogée pendant quarante-cinq minutes sur mon lieu de séjour et ce que j'allais faire. « Je ne suis qu'une touriste », avais-je assuré, et, à chacun de mes retours, c'était avec un soupir de soulagement que je voyais enfin tamponner mon passeport. Mais j'eus bientôt tant de visas qu'il n'y avait plus de place. Je savais que Zia ne m'en donnerait pas d'autre. Je priais, lors de chaque interrogatoire des services de l'immigration, quand ils cherchaient mon nom dans leur gros registre noir, pour qu'ils ne devinent pas combien battait mon cœur. Nous faisions trop de progrès dans notre campagne d'information au secours des prisonniers pour envisager un pareil contretemps.

«J'ai l'intention de solliciter chaque parlementaire et de mettre à profit toute autre occasion afin que le gouvernement britannique se décide à réclamer au gouvernement pakistanais l'arrêt de sa campagne meurtrière contre l'opposition politique et particulièrement celle du Parti du peuple pakistanais», m'écrivit en novembre Max Madden, membre de la Chambre des communes. Je reçus aussi une réponse d'Elliott Abrams, sous-secrétaire d'État américain aux Droits de l'homme, à qui j'avais écrit au sujet de Nasser Baloach et de Saifullah Khalid. «Je partage votre inquiétude sur l'injustice fondamentale des tribunaux militaires jugeant à huis clos des civils et, dans ce cas, sur l'allégation alarmante que les aveux sont obtenus sous la torture… Soyez assurée que nos diplomates au Pakistan continueront à suivre de près ces procès.»

Au Barbican, j'étais debout chaque matin à 7 heures pour faire le ménage, le lavage et mettre en train les repas de la journée, simples plats de lentilles que je laissais mijoter. Bashir Riaz apportait la viande *halal* et les poulets tués selon les rites musulmans dans les quartiers pakistanais de Londres. Ensuite, au travail. Les frais de poste étaient lourds. J'essayais d'équilibrer mon budget : deux tiers de l'argent pour le loyer, le reste pour le téléphone, les expéditions et les fournitures. Ma mère m'avait donné de quoi décorer l'appartement. J'achetai un tapis d'occasion, quelques ustensiles de cuisine et des lampes sans abat-jour. Il valait mieux dépenser l'argent pour le travail politique qui se faisait au bureau.

Nous lançâmes notre propre revue en ourdou, *Amal*, Action, avec quelques pages en anglais, que nous distribuions chaque mois aux organisations internationales, ambassades étrangères et communautés d'exilés pour les tenir au courant de ce qui se passait au Pakistan. *Amal* était réalisée à peu de frais avec Bashir Riaz, à la fois rédacteur et agent de publicité, et Nahid, qui accrochait tous ceux qui lui tombaient sous la main pour leur vendre des abonnements. Nous faisions passer *Amal* clandestinement au Pakistan, où des militants en photocopiaient des pages et les distribuaient aux partisans. Des exemplaires parvenaient jusque dans les prisons, et les détenus politiques savaient ainsi qu'on ne les oubliait pas. *Amal* était sans prix pour remonter le moral. Les prisonniers l'aimaient. Mais le régime, non.

« Je ne viens pas travailler aujourd'hui, dit brusquement au téléphone notre calligraphe à Bashir. – Pourquoi ? » demanda celui-ci, consterné. *Amal* ne pouvait pas se passer de calligraphe ; les imprimés en ourdou sont toujours faits à l'ancienne mode, à partir du texte écrit à la main sur du papier sulfurisé. « L'ambassade m'a offert davantage si je ne travaille pas pour vous », avoua l'homme. Quand l'imprimeur appela, disant qu'il avait reçu du régime les mêmes propositions, nous crûmes que la revue était condamnée. Mais il s'avéra que cet imprimeur était un sympathisant du parti, qui non seulement refusa les offres du régime, mais accepta de travailler la nuit pour nous. Bashir persuada aussi les calligraphes employés à Londres par les journaux pakistanais de faire notre travail au noir. Chaque fois que le régime nous en prenait un, Bashir tenait bon et en trouvait un autre. Ainsi *Amal* continuait.

Au Pakistan, Zia se mit à durcir sa loi martiale, pour rappeler au peuple qu'il le tenait en main. Tandis que nous sortions des articles sur le traitement injuste et cruel de Nasser Baloach, nous reçûmes de là-bas des rapports inquiétants, selon lesquels lui et ses coaccusés allaient être condamnés à mort. Nos pires craintes se confirmèrent ce matin de froid et de vent du 5 novembre 1984, où le tribunal militaire de Karachi rendit son verdict. Nasser Baloach et les autres étaient condamnés «à être pendus jusqu'à la mort».

Au Barbican, nous reprîmes tous la procédure d'urgence, lançant appel sur appel à la communauté internationale. Notre indignation grandit quand un sympathisant du Pakistan réussit à nous faire parvenir secrètement des documents sur une éventuelle intervention de Zia dans cette condamnation. Il apparaissait que le tribunal n'avait d'abord condamné que Nasser Baloach et que l'administrateur de la loi martiale dans le Sind, informé, n'avait rien trouvé à redire. Mais, changeant brusquement d'avis, il avait ordonné à la cour de «se réunir de nouveau et de reconsidérer» son jugement. Zia seul, son supérieur direct, pouvait l'avoir décidé.

Bien plus, nous vîmes la signature de Zia sur le papier à en-tête de l'administrateur en chef de la loi martiale, confirmant les quatre sentences de mort le 26 octobre, soit dix jours avant que son tribunal fantoche n'ait rendu public le verdict. La seule chance pour les condamnés d'avoir la vie sauve était une requête à Zia en tant que président. Quelle dérision! Faire appel à celui qui avait déjà confirmé leur condamnation.

Beaucoup de nos volontaires avaient les larmes aux yeux en voyant ce document, mais j'étais surtout en colère. Pour la première fois, nous tenions la preuve de ce que nous avions toujours entendu dire: les verdicts militaires dans les procès politiques venaient de Zia en personne. Nous nous mîmes au travail pour préparer les éléments du dossier et les faire imprimer le plus rapidement possible. Si quelque chose pouvait rallier la communauté internationale et révéler dans les cours militaires de Zia de simples instruments du régime, c'était bien ces documents-là. Lord Avebury, qui s'était déjà montré si efficace avant la libération de ma mère, nous organisa une conférence de presse pour présenter notre dossier au Parlement britannique. Et notre campagne prit de l'ampleur.

De nouveau, les gens lucides répondirent, des organismes des droits de l'homme aux travaillistes. «Tandis que dans ce pays, nous prenons de plus en plus conscience de ce qui menace nos droits syndicaux, nous devons être également informés des combats que livrent nos frères et nos sœurs dans les autres pays», écrivait Laurence Platt, le dirigeant syndical de Nottingham, au rédacteur de *T & G Record*, une importante revue syndicale. «Il est encore temps de sauver la vie du dirigeant ouvrier Nasser Baloach et de ses trois coaccusés, qui attendent leur exécution. Et des protestations doivent être adressées au gouvernement du Pakistan et à son ambassade ici.»

Les avocats se mobilisèrent partout. «Ces quatre hommes ont été jugés et condamnés par un tribunal militaire d'exception soumis aux règles de la loi martiale au Pakistan», lisait-on dans une déclaration signée par un groupe de juristes britanniques éminents. «Ces cours sont présidées par des officiers de l'armée sans formation juridique, et les procès se déroulent à huis clos. La charge de la preuve incombe aux accusés, et c'est à eux de démontrer leur innocence. Qui plus est, ils ne peuvent pas voir normalement les avocats pour la conduite de leur procès.

«Nous demandons au gouvernement du Pakistan de mettre fin à de tels procès et exécutions. Nous faisons tout spécialement appel au général Zia ul-Haq pour qu'il ne confirme pas les verdicts de mort de ces quatre hommes et qu'il épargne leurs vies. Nous demandons aussi au gouvernement britannique, qui assure au régime de Zia une aide économique et militaire, d'user de son influence sur le gouvernement du Pakistan pour empêcher l'exécution de ces hommes et de nouveaux procès du même genre.»

Nous ne pensions qu'à sauver les vies des prisonniers politiques. Mais pendant notre combat contre la mort au Pakistan, d'autres dirigeants du PPP en exil se souciaient davantage de faire progresser leurs intérêts particuliers. Le téléphone sonnait sans cesse au Barbican, réclamant des rendez-vous avec moi pour ces dirigeants, surtout d'anciens ministres du gouvernement de mon père. Heureusement, le Barbican n'autorisait que quinze visiteurs par jour, bien que je m'arrange quelquefois pour en faire passer davantage, en recevant des groupes de cinq ou six à la fois. Je m'impatientais et ne tenais plus en place avec tous ces rendez-vous, alors qu'il y avait tant à faire.

Le PPP avait toujours été un parti «multiclasse», une coalition de groupes socio-économiques différents : marxistes, propriétaires féodaux, hommes d'affaires, minorités religieuses, femmes, pauvres. Avant la mort de mon père, les conflits d'intérêts entre ces différents groupes avaient été contenus par sa forte personnalité et le mouvement populaire. Mais à Londres, avec l'épreuve de l'exil et les craintes de certains leaders politiques d'être oubliés dans leur pays, les intérêts personnels prenaient le pas sur les objectifs communs. En premier lieu, il y avait une lutte sourde pour la direction du parti. La vieille garde se rendait compte que si elle me suivait une fois, il faudrait m'accepter pour toujours. «Ce n'est pas mon destin de suivre le père, puis la mère et maintenant la fille», avait dit l'un d'eux, paraît-il, quand j'étais arrivée à Londres.

«Il faut choisir votre camp», m'avaient déclaré d'un ton doctoral les différents leaders, chaque tendance faisant pression pour étendre son influence dans le PPP, en prévision probablement d'une éventuelle prise de pouvoir.

«Je ne suis du camp de personne, avais-je affirmé. Si le parti faisait front commun au lieu de se disperser en clans qui se déprécient les uns les autres, nous serions plus efficaces.» J'avais essayé de paraître aussi calme et raisonnable que possible, soucieuse de ne pas m'aliéner les vieux «oncles» et d'ailleurs consciente de la précarité de ma position politique, bien que le comité exécutif du parti eût réaffirmé mon rôle de présidente par intérim quand j'étais arrivée en Angleterre. Ces hommes étaient des vétérans de la politique. Moi, j'étais une jeune femme, j'avais l'âge de leurs filles. Ils dirigeaient le PPP à Londres depuis le coup d'État, et j'étais revenue tout récemment du Pakistan. Ils avaient mis des années à assurer les bases de leur propre pouvoir. Je croyais possible de concilier les anciennes divergences en équilibrant les influences personnelles dans l'intérêt du parti. Quand je rentrai de mon voyage en Amérique, les marxistes, qui parlaient le plus haut, m'attaquèrent.

« Vous n'auriez jamais dû aller en Amérique », me reprocha leur leader, qui n'avait pourtant rien dit avant mon départ. « Les Américains sont des amis de Zia. Il faut nous allier aux Russes pour en finir avec lui.

— Qu'est-ce qui vous fait croire que les Américains ou les Russes sont amis de qui que ce soit ? répondis-je. Les Américains aident Zia pour des raisons stratégiques. Les Soviétiques peuvent vouloir nous aider aujourd'hui, mais demain, si leurs intérêts stratégiques changent, ils nous lâcheront. Nous ne devons pas entrer dans les rivalités des superpuissances, mais lutter pour nos intérêts nationaux. Nous ne pouvons pas nous permettre d'affronter la politique mondiale. »

Les régionalistes, bientôt, entrèrent dans l'arène. « Vous êtes sindie. Vous devrez prendre fait et cause pour le Sind, sinon il ne vous le pardonnera jamais.

— Pourquoi faire le jeu du régime de la loi martiale, qui brandit la menace de la division pour promouvoir l'armée comme la seule force capable d'unifier le pays ? répliquai-je. Il y a dans les quatre provinces des gens qui croient à la démocratie. La tyrannie ignore les frontières provinciales. Ne ferions-nous pas mieux de mettre notre énergie à combattre l'ennemi commun plutôt qu'à nous opposer les uns aux autres ? »

Les phallocrates, les chauvins, les tenants de l'ordre établi, qui avaient manœuvré, traité et cherché des compromis avec Zia, ajoutèrent les revendications de leurs intérêts particuliers. Ma déception grandissait au fur et à mesure des discussions. Les volontaires, dans la pièce à côté, travaillaient au problème de fond du parti : sauver les vies de nos partisans au Pakistan. Et les politiciens de la vieille garde me prenaient tout mon temps, en faisant passer leurs propres affaires avant celles du peuple.

Je finis par me mettre en colère quand l'un de ces vieux « oncles » en exil arriva au Barbican, s'assit tranquillement sur le canapé, et me pria de le nommer président du PPP du Penjab, avec une équipe triée sur le volet. « Je ne peux pas vous désigner comme ça », dis-je, indignée, à cet homme qui n'était même pas populaire chez lui parmi les hommes politiques du Penjab et qui, depuis le coup d'État, avait vécu en sécurité à Londres. « Ce serait irriter le parti et saper notre politique de décision objective prise collectivement.

— Vous n'avez pas vraiment le choix, me dit-il, condescendant. Les marxistes sont montés contre vous, les régionalistes ont créé leur propre organisation. Vous ne pouvez pas vous passer de moi.

— Mais c'est contraire aux principes du parti, bégayai-je, encore interloquée d'une pareille demande.

— Les principes, c'est très joli, mais que cherchent les gens dans la politique sinon le pouvoir ? Si vous ne me nommez pas président avec mon équipe, à mon grand regret, je chercherai d'autres solutions. Je peux même lancer mon propre parti et je serai votre pire adversaire. »

Ma colère montait, après toutes ces heures perdues à écouter les démêlés des groupes de pression. Et celui-là maintenant, qui plaçait plus haut la barre. C'était bien le style des vieux politiciens pakistanais : chacun pour soi, faites votre trou et accaparez tous les postes que vous pourrez. Par le chantage, les menaces. J'en avais assez du passé. Et de lui. «Oncle, lui dis-je en respirant à fond et en me penchant au bord de ma chaise, si vous quittez le parti, vous savez, vous ne pourrez même pas obtenir un siège au Parlement.

– Comment? Comment?» fit-il en branlant la tête de surprise devant ma réponse énergique. Puis il sortit à grands pas de la pièce – et finalement du parti. Je réfléchis un moment là-dessus avant de le chasser de mon esprit. Qu'on quitte le parti ne me faisait jamais plaisir, mais je me rendais compte à présent qu'en politique rien ne dure. Les gens s'en vont, d'autres viennent ou reviennent. L'important, c'est qu'un parti politique exprime l'état d'esprit d'une génération. Notre travail à Londres remontait le moral du peuple et stimulait le parti au Pakistan. Cela seul comptait. Et particulièrement en décembre 1984, quand il devint évident que le PPP avait besoin de toutes ses ressources d'énergie.

Sous la pression des États-Unis, Zia décida d'organiser des élections en mars 1985. Mais d'abord, annonçait-on, il proposait un référendum national le 20 décembre. Les termes du référendum islamique, comme on l'appela, auraient pu prêter à rire s'ils n'avaient été très habiles : «Le peuple pakistanais approuve-t-il ou non le processus engagé par le général Mohammed Zia ul-Haq, président du Pakistan, pour assurer la conformité des lois pakistanaises avec les commandements de l'islam tels qu'ils sont établis dans le Saint Coran et la Sunna du Saint Prophète (la paix soit sur Lui). » Dans un pays musulman à 95 %, comment quiconque aurait-il pu voter non? Répondre par la négative eût été voter contre l'islam. Un scrutin positif, précisait Zia, assurerait son «élection» à la présidence pour les cinq années suivantes.

Tout cela n'était qu'un écran de fumée pour lui fournir le mandat dont il avait absolument besoin. Aucun dictateur militaire dans l'histoire du sous-continent n'avait régné si longtemps sans mandat. Et Zia ne laissait rien au hasard : faire campagne pour le «non», déclarait-il pour plus de sûreté, serait un crime puni de trois années de prison et une amende de 35 000 dollars. En outre, le dépouillement serait assuré par l'armée, secrètement, et les résultats ne pourraient être contestés devant les tribunaux civils. Croyait-il vraiment faire passer ce vote pour loyal et objectif?

«Boycott», ce fut notre consigne pressante dans *Amal*, au cours des interviews, des prises de parole et dans les communiqués aux journaux. «Boycott», répétaient de même les membres du MRD au Pakistan, où deux partis religieux eux-mêmes dénoncèrent le référendum comme «une imposture politique au nom de l'islam». «Votez! Vous n'avez même pas besoin de carte d'identité», ripostaient les haut-parleurs installés par le régime au coin des rues de Karachi, tandis que ses agents bousculaient les réfugiés afghans pour les embarquer dans des bus vers les bureaux de vote du Baloutchistan, et transportaient des villages entiers jusqu'à d'autres bureaux.

Comme on pouvait s'y attendre, la presse pakistanaise contrôlée par le régime fit état d'une participation électorale de 64 %, soit plus de vingt millions de personnes, dont 96 % auraient voté «oui». Mais l'envoyé du *Guardian* à Islamabad l'évalua à 10 %, et l'agence Reuters également. Nos consignes de boycott avaient été suivies. «Si le général Zia s'était loyalement et courageusement soumis à l'expérience sans le masque de la "religion", il aurait perdu, selon toute probabilité», estimait le 12 décembre un éditorial du *Times* de Londres. «C'est sans doute pourquoi il ne l'a pas fait.»

J'avais attendu le moment opportun pour rentrer au Pakistan avec les dirigeants exilés du PPP. Peut-être était-il venu. «Il est temps à présent de lancer une manifestation contre Zia ul-Haq», reconnut un des barons du parti lors d'une réunion chez un ancien ministre PPP, au nord de Londres. «Le référendum a révélé au monde entier l'impopularité de Zia.» Les autres n'étaient pas d'accord : «Le pays peut ne pas réagir. Le peuple est réduit au silence depuis trop longtemps. Nous risquerions l'épreuve de force.» La discussion s'en-lisa jusqu'au moment où l'un des «oncles» se tourna vers moi. «Je connais la réponse, dit-il. Renvoyons là-bas Mlle Benazir Bhutto. Cela stimulera tout le monde.

– D'accord, dis-je. Mais si, politiquement, mon départ se jus-tifie, nous devrions prévoir notre départ à tous. Pourquoi ne pas échelonner nos arrivées, une par jour pendant dix jours par exemple, pour atteindre un crescendo?»

Le silence se fit dans la pièce. «Rentrer? Je ne peux pas rentrer», protestèrent-ils l'un après l'autre, énumérant les accusations, les peines de prison et les sentences de mort qui attendaient chacun au Pakistan. J'étais stupéfaite. Ils étaient tout à fait disposés à m'expé-dier, mais beaucoup moins prêts à organiser une offensive commune. «Ou nous le faisons vraiment ou nous ne faisons rien du tout», dis-je. Silence.

Nous étions tous d'accord pourtant dans notre satisfaction du référendum raté de Zia. Des manifestations de victoire furent orga-nisées par le PPP un peu partout dans le monde pour le Jour de la Démocratie, le 5 janvier 1985, anniversaire de mon père. Parlant en sindi, en ourdou et en anglais, je dirigeai le meeting de Londres, pour lequel nous avions préparé un colloque et une *mushaira,* ou séance de poésie. L'ambiance était électrique, et la foule se pressait dans la salle que nous avions louée. Je conclus mes commentaires par les vers d'un poète révolutionnaire. Agitant leurs drapeaux du PPP, les par-ticipants reprirent tous en chœur le refrain de chaque strophe : «Je suis un rebelle. Je suis un rebelle. Faites ce que vous voudrez de moi.»

Au milieu du colloque, ma mère m'appela au téléphone. Sanam venait d'avoir un bébé. «À Simla, on disait "c'est une fille" pour annoncer les mauvaises nouvelles, dis-je gaiement aux partisans assemblés. Aujourd'hui, c'est parce que ma sœur a eu son enfant pour l'anniversaire de Shaheed Bhutto. Ma nouvelle nièce s'appelle

Azadeh, ce qui en persan signifie liberté. » Ce fut un tonnerre d'acclamations. Le colloque fut filmé en vidéo, et des douzaines de cassettes parvinrent secrètement au Pakistan.

Trois jours plus tard, j'étais avec ma mère et Sanam quand Zia annonça les élections nationales et provinciales pour la fin de février. Les boycotter ou non posait plus de problèmes que n'en avait soulevés le référendum. La loi martiale était toujours en vigueur et les partis politiques interdits. Nos candidats auraient à se présenter individuellement et non en représentants du parti pour siéger à la nouvelle Assemblée nationale. Mais c'était le premier scrutin national organisé par Zia depuis le coup d'État de 1977. Fallait-il y participer ?

Avant même l'annonce de Zia, les membres du PPP à Londres comme au Pakistan avaient opté pour le boycott. J'étais perplexe. Ne laisse jamais vide un terrain électoral, m'avait répété mon père. Je ne savais que faire, ni ce que décideraient au Pakistan les membres du MRD. Il était tellement irritant de rester en Europe alors qu'il y avait tant de travail chez nous. Zia, comme d'habitude, ne faisait que changer les règles. Le 12 janvier, dans une émission de radio pour tout le pays, il déclara que les dirigeants du PPP et du MRD seraient écartés du scrutin, leur interdisant de ce fait toute candidature. Changeant d'avis trois jours plus tard, il annonça que presque tous pourraient participer. Pour moi, c'en était trop.

« Je crois que je devrais rentrer, dis-je à ma mère, tandis que le bébé de Sunny criait à côté. Il faut que je voie le comité exécutif à propos des élections. Nous devons décider s'il y a, politiquement, plus à gagner à rester en dehors ou à nous engager. »

Je m'attendais à ce qu'elle discute ce départ. Qui savait ce que Zia me réservait ? Mais, ayant réfléchi une minute, elle fut de mon avis : « Tu as raison. C'est le moment d'en débattre avec les chefs du parti. » Nous relayant elle et moi, nous essayâmes de joindre au Pakistan le délégué du parti, et cela prit des heures. Impossible de le trouver. Je pus néanmoins parler à ma cousine Fakhri : «Dis au personnel d'ouvrir le 70, Clifton. Je serai là dans trois ou quatre jours.» Je venais juste de m'informer des horaires de vol quand le téléphone sonna. C'était le docteur Niazi.

«Le 70, Clifton, est cerné par la police, et je viens d'apprendre de Karachi que des ordres de détention ont été pris contre vous et votre mère. Les aéroports sont bloqués dans tout le pays, et toute femme venant de Londres et de France avec une *burqa* est fouillée.»

Inutile de rentrer pour être immédiatement jetée en prison, sans pouvoir prendre part aux discussions ni aux élections. Au moins en Europe pouvais-je encore téléphoner. Je continuai à appeler le Pakistan. J'étais persuadée que nous pouvions opposer à Zia une action efficace, lors des élections, et je voulais défendre cette opinion aux réunions avec le MRD.

Quand je réussis enfin à joindre quelqu'un à Abbotabad, une voix stupéfaite me répondit : «Est-ce mademoiselle Benazir Bhutto qui parle?

– Oui, oui, dis-je avec impatience. Le MRD a-t-il pris une décision pour les élections?

– Oui, répondit-on.

– Quelle est-elle? demandai-je, retenant mon souffle.

– Le boycott.»

S'il y avait consensus entre le parti et l'opposition coalisée, alors soit. Je rentrai à Londres et enregistrai en sindi et en ourdou un nouvel appel aux masses pour boycotter le scrutin. Il fut diffusé clandestinement au Pakistan et distribué par milliers dans le Sind, le Penjab et partout ailleurs.

Le 25 février, je ne lâchai pas la télévision, pour y suivre le déroulement du vote pour l'Assemblée nationale et, trois jours plus tard, pour les assemblées provinciales. Au Pakistan, les élections étaient toujours tumultueuses, dans une ambiance de carnaval. Les rues étaient pleines de monde, les petits marchands s'y faufilaient avec leurs voitures à bras pour vendre boissons fraîches, esquimaux, sucreries, samosas et pakoras [1]. Les gens se pressaient en foule devant les bureaux de vote et se bousculaient pour prendre leur tour : les Pakistanais sont incapables de faire méthodiquement la queue. Mais ceux que je voyais à la télévision, sans doute des figurants au service du gouvernement, guidés par les cameramen, restaient au garde-à-vous en files pitoyables, l'un derrière l'autre, et sans petits marchands à l'horizon.

Comment Zia osait-il appeler cela une élection ? «En l'absence des partis politiques, écrivit *Time* dans son édition Asie/Pacifique, il n'y eut ni thèmes de campagne, ni plate-forme électorale, ni débat sur les problèmes nationaux. Les candidats n'étaient pas autorisés à tenir des réunions en plein air, à utiliser haut-parleurs et microphones, ni à parler à la radio ou à la télévision. Tout ce que le régime leur laissait, c'était le porte à porte et, dans ce cas, il ou elle ne devait pas s'adresser à plus de personnes qu'il n'en pouvait tenir à l'aise dans une seule pièce. Quelques optimistes ayant voulu se servir des mosquées comme forums furent rapidement éliminés.

Le régime annonça une participation de 53 %. Nous l'estimions de 10 à 24 % selon les régions. L'appel du MRD au boycott avait encore été suivi, mais moins que pour le référendum. Zia, cette fois, avait pris ses précautions : un arrêté de la loi martiale punissait l'appel au boycott d'une sévère peine de prison. À la fin, il n'y avait même plus de leaders politiques pour cela. «Pendant les derniers jours avant l'élection, rapportait *Time*, le régime ramassa 3 000 opposants politiques, y compris pratiquement toutes les personnalités marquantes du pays, et les garda en prison ou en résidence surveillée jusqu'après la clôture du scrutin.»

Même ainsi, le résultat fut un rejet retentissant de la loi martiale et de la politique d'islamisation de Zia. Six des neuf ministres

1. Petits feuilletés et beignets à la viande ou aux légumes.

de son cabinet qui se présentaient à l'Assemblée nationale furent battus, ainsi que beaucoup de ses autres alliés. Les candidats soutenus par les partis religieux fondamentalistes aux élections provinciales connurent le même sort ; sur soixante et un candidats du *Jamaat-e-Islami*, six seulement obtinrent des sièges. Au contraire, ceux qui, en dépit de notre boycott, s'étaient déclarés d'accord avec le PPP s'en tirèrent remarquablement bien, gagnant cinquante sièges sur cinquante-deux. « Le PPP, qui est mené par Benazir, la fille de Bhutto, trente et un ans, actuellement en exil à Londres, reste le parti le plus puissant du pays, bien qu'il soit interdit depuis près de huit ans », écrivait *Time*, catégorique.

Tout espoir de voir Zia s'orienter réellement vers une démocratie fut anéanti moins d'une semaine après les élections. L'Assemblée nationale nouvellement élue ne s'était pas encore réunie qu'il annonça des modifications de grande envergure dans la Constitution. Ses amendements confirmaient une fois encore sa présidence pour cinq ans, lui octroyant le pouvoir absolu non seulement de nommer son Premier ministre, les chefs des forces armées et les gouverneurs des quatre provinces, mais aussi de dissoudre à son gré les assemblées nationales et provinciales.

Qu'y avait-il de différent dans le nouveau gouvernement ? Rien. Bien que Zia ait créé ostensiblement un gouvernement « civil » sous la pression des Occidentaux, la loi martiale n'en restait pas moins en vigueur. Même sous le titre plus convenable de « président » qu'il se donnait, il était toujours administrateur général de la loi martiale et chef d'état-major de l'armée, pour tenir à coup sûr l'Assemblée nationale sous l'autorité militaire. Dans une interview au *Time*, il prétendit qu'il lèverait la loi martiale « plusieurs mois » après son accession à la présidence, et donnerait en même temps sa démission du poste de chef d'état-major. « Pour prêter serment le 23 mars comme président, je pense paraître en civil », dit-il, comme s'il pouvait abuser le peuple sous un autre costume. Il n'en fut rien. La loi martiale régna une année de plus. Zia resta chef d'état-major, et revêtir de temps en temps une longue tunique au lieu d'un uniforme n'y changerait rien.

Le 1ᵉʳ mars, quatre jours après les élections, Ayaz Samoo fut condamné à mort.

Le 5 mars, Nasser Baloach fut pendu.

Nous apprîmes tous avec une profonde tristesse la mort de Nasser Baloach. Zia avait fait la sourde oreille aux demandes de grâce de neuf des nouveaux membres des assemblées. Plusieurs autres détenus politiques à la prison centrale de Karachi avaient eux-mêmes réussi à faire passer des appels de dernière minute en sa faveur, mais Zia avait répondu en les changeant de prison. Après notre révélation des documents secrets, il s'était vu contraint par la pression internationale de commuer les sentences de mort des trois autres accusés. Mais Nasser Baloach avait reçu l'arrêt fatal. Le leader ouvrier était allé à la potence, écrivait le *Guardian* d'Islamabad, «en criant des slogans antimilitaristes et "Vive Bhutto"».

Je parcourus tristement l'épais dossier de la correspondance échangée pour sa défense, lisant et relisant la lettre qu'il m'avait écrite sur le papier d'un paquet de cigarettes et envoyée clandestinement de sa cellule de condamné à la prison centrale de Karachi : «Que Dieu vous donne santé et longue vie, à vous et à la bégum sahiba, pour que le pauvre peuple pakistanais puisse profiter de vos conseils. Nous vivons nos jours de cellule avec beaucoup de vaillance et de courage comme le président Shaheed (martyr) Bhutto, qui n'a jamais courbé la tête devant la junte militaire. Nous ne demanderons jamais notre grâce à ce régime… Nous préférons l'honneur du parti à nos propres vies. Nous prions pour votre succès. Que Dieu vous garde.»

J'avais prié pour Nasser Baloach pendant des mois. Maintenant, à mon grand chagrin, c'était pour son âme que je priais, en privé et au cours de la cérémonie religieuse qui eut lieu pour lui chez l'un des dirigeants du parti en exil. J'avais l'impression d'avoir perdu un frère. Il vivait à Malir, l'un des quartiers les plus misérables de Karachi, où lui, sa femme et ses enfants partageaient leur petit logement avec ses parents, son frère et la famille de ce dernier. Il était très fier de ses filles et m'en parlait souvent. L'une s'était mariée en 1983, tandis que j'étais détenue au 70, Clifton, et j'avais aidé du mieux que j'avais pu en priant Fakhri de donner de l'argent à la famille pour les frais du mariage. En écrivant aux siens une lettre de condoléances, je ressentais moi-même leur angoisse, et je n'étais pas la seule, m'avait-on dit. Des renforts de police, selon les journaux britanniques, avaient été appelés pour contenir la foule assemblée devant la prison la nuit de son exécution. Quand la famille vint prendre le corps pour les funérailles, il y avait tant de monde que les policiers lancèrent des grenades lacrymogènes pour disperser le cortège funèbre. Le nouveau gouvernement civil de Zia avait déjà les mains souillées de sang. Ayaz Samoo serait-il sa prochaine victime ?

Une lettre signée par le docteur Niazi, au nom du comité des droits de l'homme du Parti du peuple pakistanais, fut envoyée à tous nos correspondants : « Je viens vous demander votre aide pour sauver la vie d'Ayaz Samoo, représentant des travailleurs à l'usine Naya Daur Motors, qui a été condamné à mort le 1er mars 1985 par un tribunal militaire, après un procès à huis clos. » Safdar Hamdani, notre coordinateur en exil, qui correspondait avec les groupes d'outre-mer et vivait à l'YMCA (Association des jeunes chrétiens), écrivait : « Chers membres/directeurs, étant donné les détails importants concernant le cas d'Ayaz Samoo, veuillez redoubler d'efforts pour : *a)* rencontrer votre député local ; *b)* organiser des réunions de délégués pour voir leurs députés ; *c)* réunir des signatures pour une pétition ;

d) prendre contact avec les organisations pour les droits de l'homme, et avec la presse. »

Le procès fabriqué contre Ayaz Samoo devint clair dans tous ses détails quand un sympathisant réussit à nous envoyer secrètement du Pakistan le rapport de police sur l'affaire. Samoo avait été accusé et condamné pour le meurtre d'un certain Zahoor ul-Hasan Bhopali, partisan du régime, dans ses bureaux de Karachi en 1982. L'un des agresseurs avait été tué sur place. Selon le rapport, les témoins avaient décrit l'autre comme un homme de vingt-cinq à trente ans, grand et fort, le teint clair ; saignant abondamment d'une blessure à l'épaule, il s'était échappé en voiture.

Ayaz Samoo ne répondait en rien à ces descriptions : il avait le teint brun, un corps mince, mesurait à peine 1,63 m. Il était âgé de vingt-deux ans et ne souffrait d'aucune blessure quand on l'arrêta. Mais le régime n'en était pas à cela près. Il manifestait une telle hâte de condamner l'assassin de Bhopali que trois cours militaires différentes firent le procès de trois accusés distincts, et les trouvèrent tous coupables du même crime !

Il nous fallait la preuve de l'innocence de Samoo. Une preuve indiscutable. Ce fut un morceau d'étoffe taché de son sang, que son avocat rapporta clandestinement de sa cellule. La police avait fait tout un battage à propos du sang du fugitif blessé, dont la voiture retrouvée portait les traces ; ce sang avait été analysé par un médecin, le docteur Sherwani, et les résultats étaient joints au rapport. On n'avait jamais analysé le sang de Samoo pour savoir s'il était identique à celui de l'agresseur. Nous trouvâmes pour le faire un praticien de Londres, et nous eûmes ainsi la preuve que le sang de Samoo n'était pas du même groupe. Tous nos correspondants en furent informés ; mais la sentence de mort fut maintenue.

« Ma chère sœur, m'écrivit Ayaz Samoo le 23 mars de la prison centrale de Karachi, je suis heureux de pouvoir vous écrire.

Notre résolution est plus ferme que les montagnes et plus fière que l'Himalaya. Les révolutionnaires ne céderont jamais, non jamais, devant les dictateurs. C'est Allah qui donne la vie et non Zia.

« J'aime mieux être pendu que vivre sous la tyrannie. Renoncer n'est pas dans nos principes. La crainte de la loi martiale ne nous fera pas prendre un âne pour un cheval ni le noir pour du blanc. Ma chère sœur, votre frère Ayaz Samoo vous garantit que Zia ul-Haq le terroriste, s'il peut me rompre le cou, ne me fera pas plier... Nous, les martyrs, continuerons à verser notre sang. Un jour, l'aube apportera au peuple la nouvelle de notre supplice, *Insha'allah*... Mais nous vivrons pour toujours. Votre frère. Ayaz Samoo. »

J'emportai partout avec moi le dossier de son procès, quand je retournai en Amérique en avril, invitée à Harvard pour prononcer la conférence de Rama Mehta, puis à prendre la parole à New York devant le conseil des Affaires étrangères, ensuite à Strasbourg, où je m'adressai en juin aux membres du Parlement européen. Je donnai là une conférence de presse : « Ayaz Samoo, dis-je, leader ouvrier et fidèle du service, se morfond actuellement dans une cellule de condamné, accusé d'un crime qu'il n'a pas commis, incertain de son sort, alors que son groupe sanguin est différent de celui du véritable agresseur dans l'affaire où l'on veut l'impliquer. Quand la conscience mondiale s'élève à juste titre contre l'apartheid et les violations en tous lieux des droits de l'homme, peut-elle fermer les yeux sur les crimes des tribunaux militaires dans un pays à qui l'Occident lui-même apporte une assistance substantielle ? »

Juste avant mon départ d'Amérique, au printemps 1985, les cinquante-quatre prisonniers détenus à Lahore pour leur prétendue complicité avec Al-Zulfikar furent condamnés à l'emprisonnement à vie, en même temps que quarante autres par contumace, y compris mes frères, Mir et Shah. Une fois de plus, le régime abusait du mot « terrorisme », à l'ordre du jour, pour servir ses buts politiques.

«Amnesty International s'inquiète depuis des années que l'accusation de complicité avec Al-Zulfikar puisse servir de prétexte pour emprisonner des personnes engagées dans l'opposition politique non violente», lisait-on dans le rapport d'Amnesty de 1985. Plus de soixante-dix prisonniers avaient été exécutés, et plus de cent condamnés à mort.

Parti du peuple pakistanais, 111 Lauderdale Towers
Barbican London EC2.
18 juin.

Sauvez la vie d'Ayaz Samoo.

Cher adhérent, il faut agir vite et faire tout votre possible pour sauver ce Pakistanais innocent de vingt-deux ans... Alertez tous vos correspondants. La demande de grâce d'Ayaz Samoo doit être remise aujourd'hui. Faites vite, car le temps est compté.

Des lettres furent adressées à Zia, des télégrammes. Il y eut des démarches diplomatiques, des pressions de l'étranger. Ayaz Samoo fut pendu le 26 juin 1985.

Bang! Que se passait-il? Quelqu'un avait dû laisser la fenêtre ouverte, pensai-je, en allant dans ma cuisine au Barbican pour ramasser les objets sans doute abattus par le vent. Mais tout était à sa place.

Serait-ce l'esprit d'Ayaz Samoo? Je dis une prière pour son âme.

Le lendemain matin, je me remis au travail avec Nahid, Bashir Riaz, Safdar, Sumblina, Yasmin et Mme Niazi, pour écrire à tous ceux qui s'étaient intéressés au procès, et répondre aux condoléances d'origines aussi diverses que Lord Avebury, de la Chambre des lords, Elliott Abrams, des États-Unis, et Karel Van Miert, de Bruxelles qui, avec le groupe socialiste au Parlement européen, présentait une motion pour faire annuler le contrat de coopération économique sur le point d'être signé avec le Pakistan.

«J'ai été très triste d'apprendre l'exécution de M. Ayaz Samoo, mais nullement surpris, écrivait Lord Avebury. C'est la preuve que Zia est absolument fermé aux requêtes humanitaires. Je crains qu'il sache que quoi qu'il fasse, les largesses des États-Unis n'en seront pas compromises, pas plus que la résolution de l'administration Reagan de considérer le Pakistan comme une partie du "monde libre".»

Nous travaillions calmement malgré notre chagrin, quand un bruit sourd se produisit dans l'entrée, où nous gardions les réserves de papier, les dossiers et les enveloppes de papier brun. Nous nous regardâmes, inquiets.

«Un des dossiers a dû tomber de la table, dit Bashir, se levant pour aller voir.

— Rien n'est tombé, dis-je, me rappelant la nuit précédente.

— Tu as raison, répondit Bashir en revenant.

— Pensez-vous que ce soit l'âme d'Ayaz Samoo? demandai-je.

— Oh! que Dieu le bénisse! s'écria Mme Niazi, qui est profondément croyante. Nous allons faire un *Quran Khani* pour lui dans l'appartement. Ainsi son esprit trouvera le repos.»

Nahid organisa aussitôt un groupe de Pakistanaises qui vinrent cet après-midi-là. Tous ensemble, nous lûmes à haute voix les versets du Saint Coran, pendant des heures, jusqu'à ce que nous ayons répété plusieurs fois la lecture complète du livre sacré. L'âme d'Ayaz Samoo ne se manifesta plus jamais.

Je devais rejoindre le midi de la France le 1er juillet pour y prendre des vacances avec ma mère et le reste de la famille. Mais il y eut une série d'empêchements; des réunions politiques, des visites de dirigeants du PPP revenant du Pakistan qui ne pouvaient pas changer de date, etc.

Ma mère me téléphona pour me dire combien Shah Nawaz regrettait que je manque le barbecue qu'il avait préparé pour moi. Nous nous étions rarement vus depuis ma libération. Je me réjouissais beaucoup de les retrouver tous : Mir, Shah, leurs petites filles Fathi et Sassi, leurs femmes afghanes Fauzia et Rehana. Mais je dus attendre le milieu du mois pour pouvoir les rejoindre.

Le matin du 17 juillet, je jetai mes vêtements dans une valise et me précipitai à l'aéroport. J'avais devant moi deux semaines de repos bien mérité après les efforts et les drames du mois précédent. Je n'en pouvais plus. J'en avais assez de la mort !

La mort de mon frère

Où étaient-ils ? Avaient-ils oublié de venir me chercher ? Quittant le bureau de l'immigration, je parcourais des yeux l'aéroport de Nice en pleine activité.

« Surprise ! » a dit Shah Nawaz apparaissant derrière une colonne. Il m'embrassa, les yeux brillants de malice.

« Il voulait absolument se cacher », expliqua maman en souriant. Shah prit ma valise et la reposa aussitôt avec une grimace.

« Hou ! Qu'est-ce que tu as là-dedans ? De l'or ? » Nous sortîmes en riant de l'aéroport. Les palmiers de la Riviera française balançaient doucement leurs feuilles dans la brise. Après la tension des mois précédents, je trouvais délicieux de revoir la famille, mon frère cadet toujours enjoué et de belle humeur. C'était mon préféré, nous étions complices, lui le plus jeune et moi l'aînée. Je hochai la tête, amusée de surprendre les regards féminins et les gens qui se retournaient sur son passage. Il était svelte, bien bâti, et je ne pouvais jamais me promener avec lui sans remarquer qu'on l'admirait.

En voiture, il monta devant avec ma mère, moi derrière, et nous partîmes à toute allure pour Cannes. Shah parlait sans arrêt, me regardant dans le rétroviseur aussi souvent qu'il observait la route, les yeux pétillants sous les cils longs et épais, les cheveux pleins de reflets dorés à cause du ski nautique. Vêtu d'une chemise empesée et d'un pantalon blanc, il n'avait jamais été si beau et si impeccable.

J'étais rassurée de le voir en pareille forme. Il m'avait semblé très maigre lors de nos brèves rencontres pendant mes dix-huit mois en Angleterre. J'observai pour la première fois qu'il prenait comme moi un peu plus de poids. Il n'avait plus le souci de mes détentions au Pakistan, de même que je ne m'inquiétais plus pour Mir ou pour lui. On ne parlait plus depuis longtemps d'actions commises ou revendiquées par Al-Zulfikar, et je ne redoutais pas de danger immédiat pour les miens. Zia était loin des plages ensoleillées de Cannes, où Shah vivait à présent avec sa femme Rehana, et nous ne parlions pas en voiture de politique mais de mangues.

«Quelle variété de mangues nous apportes-tu? On les attend depuis deux semaines.

– Des Sindhris, bien que je préfère les Chaucers. Elles sont plus petites et plus sucrées.

– Une Sindi qui ne préfère pas les Sindhris? dit Shah avec une horreur comique. Êtes-vous sûre que vous êtes du Sind, madame? Avouez-vous souvent de telles trahisons?»

Je me mis à rire. Il me faisait toujours rire, comme nous tous d'ailleurs. Les décalages horaires et la fatigue générale accumulés s'effaçaient. La santé de Shah et son goût de la vie étaient contagieux. Comment avait-il fait? Il était si jeune quand le monde de la politique nous avait submergés. À sa naissance, papa venait d'être nommé Premier ministre. Ma mère l'accompagnait partout, et mes grands-parents étaient morts. Personne n'était là pour le gâter comme nous l'avions été tous trois, aussi s'était-il particulièrement attaché à moi. Il m'écrivait à Harvard beaucoup de lettres, de son griffonnage enfantin. Quand il grandit, nous jouions au squash l'été. Il préférait de beaucoup le sport aux études. C'était le meilleur joueur de son équipe de basket à l'école, et à la maison il faisait de l'haltérophilie pour sa musculature. Mais les sports, aux yeux de mon père, ne remplaçaient pas les études.

On expédia Shah dans une école militaire, Hassan Abdal, où il apprendrait un peu la «discipline». À la surprise des autres étudiants, pour qui un fils privilégié de Premier ministre devait être un mou, il se fit remarquer par ses aptitudes physiques et dans les «opérations survie». Mais il n'était pas heureux à Hassan Abdal, et il cajola maman pour qu'elle persuade papa de le rappeler à la résidence du Premier ministre et au collège international d'Islamabad.

Shah Nawaz signifie en ourdou : le roi de bonté. Il était si généreux qu'il vous surprenait toujours. À Paris, l'année précédente, en attendant dans un café, il avait fait deux fois de la monnaie pour acheter le *Herald Tribune* et s'était retrouvé deux fois les mains vides, ayant distribué l'argent aux pauvres qui mendiaient dans la rue. Il aurait donné sa chemise. «Prenez, prenez», disait-il quand quelqu'un admirait ce qu'il portait ; il avait ainsi fait cadeau du blazer neuf que ma mère venait de lui acheter. Il fut, dès l'enfance, très ouvert aux défavorisés ; au 70, Clifton, il avait construit dans le jardin une cabane de paille, où il dormit pendant des semaines pour connaître les mêmes privations qu'eux.

Seul de nous tous à n'avoir pas fréquenté Harvard, il étudia au collège américain de Leysin, en Suisse. Il y tomba amoureux d'une belle Turque et se fit beaucoup d'amis. Mais il ratait ses examens et mon père était consterné. Très souvent, il filait à Paris avec ses amis pour une soirée chez Régine. En 1984, il tint à nous emmener, Yasmin et moi, dans cette célèbre boîte de nuit. Sept ans avaient passé, et il n'en fut pas moins reconnu et reçu avec plaisir.

J'ai toujours pensé qu'il était le plus brillant de nous tous. Il était le plus entraîné politiquement, car mon père l'emmenait quand il faisait campagne. Il donna sa première conférence de presse à douze ans. Il avait un sens aigu de la politique et savait d'instinct ce que pensaient les gens, ce qu'ils éprouvaient dans leur cœur, ce qui leur donnait la fièvre. Certains sont doués dès la naissance pour la musique, la danse, l'art. Il l'était pour la politique. Papa me disait souvent : «Shah me rappelle ce que j'étais dans ma jeunesse.»

C'était notre seconde réunion familiale à Cannes. «Faites ce que vous voudrez le reste de l'année mais, pour le mois de juillet, je vous veux tous autour de moi», nous avait dit ma mère. L'année précédente, ces vacances à Cannes chez tante Behjat n'avaient pas été un succès. Nos emplois du temps ne coïncidaient pas, et nous avions passé très peu de temps ensemble. Mir et moi n'avions fait que discuter de nos points de vue opposés quant à la manière de renverser Zia.

«Il fait régner au Pakistan la terreur par les armes, insistait-il. Seule la violence peut répondre à la violence.

— Mais elle engendre à son tour la violence, répliquais-je. Cette sorte de combat ne peut rien apporter de durable au peuple. Toute amélioration durable doit se faire dans la paix et l'action politique des élections, soutenue par le mandat populaire.

— Les élections? Quelles élections? Zia ne renoncera jamais. Il faudra le mettre dehors par la force.

— L'armée aura toujours plus de matériel que les forces de la guérilla, disais-je. Un État dispose d'autres moyens que n'importe quel groupe de dissidents. La lutte armée n'est pas seulement irréaliste, elle va à l'encontre du but recherché.»

Les arguments se heurtaient, nous haussions le ton, jusqu'à ce que Shah s'éclipse pour aller nager, ou au café, ou ailleurs, là où nous n'étions pas. «Je ne peux pas supporter que des gens bien comme vous se disputent à ce point-là», me disait-il. Cette année, à son grand soulagement, Mir et moi, d'accord sur nos désaccords, nous renonçâmes complètement à parler politique.

L'intérêt de Shah pour la politique avait dépassé le Pakistan. Ayant dû vivre dans différentes régions du Moyen-Orient depuis qu'il avait quitté le pays, il avait observé les situations complexes du Liban, de la Libye, de la Syrie. «Tu as un faible pour Mme Thatcher, dit-il un jour pour me taquiner. – Ce n'est pas vrai, Shah. Elle est de droite et moi pas.» Je protestai, citant, entre autres choses, les chiffres élevés du chômage en Grande-Bretagne. Il secoua la tête, me menaçant du doigt : «Si, j'ai raison. Tu l'excuses parce que c'est une femme.»

Non par choix, mais par la force des choses, il s'était trouvé mêlé au monde dangereux et sombre d'Al-Zulfikar. À Kaboul, il avait eu pour tâche d'entraîner les volontaires du mouvement. Comme tout ce qu'il faisait, Shah avait entrepris sa tâche avec enthousiasme et espièglerie, se glissant une fois à minuit dans les rues de Kaboul, pendant le couvre-feu imposé par les Soviétiques, sous prétexte de rejoindre ses «troupes» pour le petit déjeuner. Mir s'était affolé en découvrant dans la matinée l'absence de son frère. Quand il l'avait retrouvé, Shah avait souri de sa colère : «Comment veux-tu, autrement, que j'enseigne aux hommes les tactiques d'évasion?»

Comme nous tous, il avait vu son avenir bouleversé par le coup d'État et la mort de notre père. Ses longues fiançailles avec la jeune Turque furent rompues par la famille quand on apprit son engagement avec Al-Zulfikar. Il remit aussi à plus tard son rêve d'entrer dans les affaires, bien qu'il eût parlé récemment de chercher des fonds pour construire en France des immeubles. «Toi et Mir, vous pouvez faire de la politique. Je gagnerai de l'argent pour la famille», avait-il dit pendant une de nos réunions.

Il s'intéressait aussi aux techniques du renseignement, et il avait tout lu sur la question. «Quand toi et Mir vous serez retournés au Pakistan faire de la politique, souvenez-vous que vous avez un petit frère qui peut vous aider si vous lui confiez de hautes fonctions dans les services secrets, nous disait-il. Les chefs, quoi qu'ils fassent, ne peuvent communiquer avec tous les éléments de la société. Le monde moderne est trop étendu et trop complexe. Il vous faut quelqu'un sur qui compter pour vous expliquer les tendances, les humeurs, ce qui se passe à la base. Souvenez-vous, vous deux, quand ce sera le moment, que je suis là. »

« Tu restes combien de temps à Cannes ? me demanda Shah dans la voiture.

— Jusqu'au 30 juillet,

— Non, non, non ! Il faut rester plus longtemps. Mir part le 30, et je ne vais pas te laisser partir aussi. Tu dois rester avec moi une semaine au moins.

— Je dois aller en Australie, dis-je.

— Tu ne dois aller nulle part. Tu restes avec moi.

— D'accord, d'accord », soupirai-je, vaincue.

Je savais que je ne pourrais pas rester, mais je ne voulais pas décevoir son enthousiasme. De toute la famille, c'était Shah qui avait fait le plus gros effort pour me voir, en débarquant même à Paris sans se faire annoncer, au printemps 1984, alors que j'étais en plein travail. La réception de mon hôtel me transmettait message sur message : « Le rédacteur de *L'Étoile rouge* veut nous interviewer. » Je n'avais jamais entendu parler de cette *Étoile rouge*, mais, à l'époque, j'étais souvent sollicitée par des gens et des organismes inconnus. Au troisième appel du rédacteur de *L'Étoile rouge*, je répondis. C'était Shah, qui me dit en riant : « Les chefs d'État sont plus faciles à joindre que toi. On a plus de chances de toucher Walid Jumblatt à l'état-major druze de Beyrouth que Mlle Benazir Bhutto. »

Tous les matins à 6 heures, il m'appelait à mon hôtel. « Tu dors ? disait-il, feignant l'étonnement. Debout ! On prend le petit déjeuner ensemble. » Les dîners politiques ne lui posaient pas non plus de problème. «À quelle heure tu le vois?» me demanda-t-il le premier soir à Paris, alors que j'avais rendez-vous avec M. Nasim Ahmad, ancien ministre de l'Information. À l'heure dite, je perçus un remous dans la salle à manger et je vis un grand et bel homme approcher avec élégance. Mon compagnon de table blêmit. Shah était non seulement le fils de l'ancien Premier ministre, mais un terroriste, disait-on. Allumant un cigare, il eut bientôt déridé Nasim Ahmad avec ses histoires. Plus tard, Yasmin, Shah et moi parcourions les rues pavées dans la douceur printanière, bavardant et buvant des cafés jusqu'à 3 heures du matin.

«Je vous prendrai ce soir à 7 heures», nous disait-il maintenant, en nous déposant, ma mère et moi devant le deux pièces qu'elle avait loué pour un mois sur la Croisette. «Vous viendrez d'abord voir mon nouvel appartement, puis nous ferons un barbecue sur la plage. J'ai tout préparé. Vous n'aurez plus qu'à vous amuser.

— Rehana sera là? demandai-je.

— Oui.» Son expression ne laissait rien deviner de ses rapports conjugaux, et il nous quitta pour mettre la dernière main aux détails du pique-nique.

Sanam, son mari Nasser, leur petite Azadeh et moi vivions tous chez ma mère, ainsi qu'une cousine de quinze ans qui venait de Los Angeles. Les familles orientales aiment vivre entassées, et le manque de place ne posait pas de problème. Mir, qui logeait chez Shah avec sa famille, nous rejoignit en compagnie de Fathi. J'avais apporté pour elle un petit cadeau de découpages en plastique et quelques livres que je lui lus l'après-midi. Il faisait très chaud dans l'appartement non climatisé et la famille se rassembla sur le petit balcon. Nous passâmes ensemble ce bel après-midi d'été, attendant le soir avec impatience. Je connaissais à peine les sœurs afghanes que mes frères avaient épousées quatre ans plus tôt à Kaboul.

Mir semblait très heureux avec Fauzia, mais il n'en était pas de même de Shah et de Rehana.

«Si je te dis quelque chose, tu me promets de ne pas me critiquer? m'avait demandé Shah pendant notre premier séjour à Paris.

– J'essaierai, avais-je répondu.

– Je vais divorcer.»

Je cessai de sourire. «Ne dis pas de bêtises, Gogi, m'écriai-je, lui donnant son surnom familier. Tu ne peux pas faire ça. Il n'y a jamais eu de divorce dans notre famille. Vous n'avez pas fait un mariage arrangé, et tu n'as pas d'excuse pour prétendre qu'il ne marche pas. Tu as choisi d'épouser Rehana, tu dois vivre avec elle.

– Tu t'inquiètes plus du divorce que de moi, dit-il avec raison.

– Qu'est-ce qui ne va pas?» demandai-je, espérant pouvoir suggérer une solution. Mais ce qu'il me dit de ses difficultés grandissantes me parut irréparable.

Rehana avait complètement changé après leur mariage, me confia-t-il. Alors qu'elle était d'abord attentive et tendre, lui préparant plats chauds et boissons fraîches quand il rentrait épuisé de son travail avec ses troupes, elle avait brusquement refusé de lui apporter même une tasse de thé. Il la trouvait souvent en train de se maquiller, puis elle partait, le laissant seul.

«Je me sentais abandonné, sans foyer ni famille. Tout ce que je demandais, c'était quelqu'un à qui parler, avec qui regarder la télévision. Mais elle était rarement là. Je pensais qu'avec un enfant, nous aurions une vie plus heureuse, mais ce fut pire.»

Shah et Rehana s'étaient séparés deux fois. Il s'était réconcilié avec elle à cause de leur fille Sassi, et parce qu'il espérait qu'elle redeviendrait elle-même. Mais il m'avoua, à Paris, qu'il voulait en finir une fois pour toutes. Et, bêtement, j'essayai de l'en dissuader.

«Peut-être qu'elle se sent seule et s'ennuie. Depuis votre mariage, vous n'avez fait que passer d'un pays arabe à l'autre. Elle n'y avait ni amis ni parents, ne comprenait ni la langue ni la télévision, il n'y avait ni magasins, ni films, ni théâtre. Ce n'était pas une vie pour elle. Ajoute à cela les effets affectifs d'une maternité précoce. »

Shah suivit avec intérêt mon analyse des problèmes de Rehana. « Elle voudrait, dit-il, que je travaille en Amérique, et prétend même qu'elle peut me faire rayer des listes noires américaines. Mais la vie d'un immigrant aux États-Unis n'est pas faite pour moi.

– Et pourquoi ne pas vivre en Europe avant de retourner au Pakistan ? Si vous habitiez tous deux l'Europe, la France par exemple, même si tu n'étais pas tout le temps là, Rehana pourrait au moins aller au cinéma ou voir des amis. Ce n'est pas un État conservateur où les femmes sont censées garder la maison et ne jamais se montrer en public. Avec Mir, qui est en Suisse maintenant, elle ne serait pas loin de sa sœur. Si tu l'installes dans de bonnes conditions, peut-être sortira-t-elle de sa dépression et redeviendra-t-elle l'épouse qu'elle était. Si tu veux, je parlerai à des amis pour te trouver une résidence en France. »

Shah semblait vraiment intéressé. « La France est très dangereuse, dit-il. Si je vis ici, il me faut un permis de port d'arme.

– Je n'y connais rien, dis-je. Mais je pourrais essayer. »

Il devint beaucoup plus optimiste après notre conversation, mais moi je m'inquiétai quand il m'emmena acheter un gilet pare-balles. « Il m'en faut un en Europe », me dit-il, et il en prit un pour lui et un moins ajusté pour moi, dans un magasin spécialisé. « On ne sait jamais si Zia ne va pas me repérer. »

Je tâchai de le calmer, car j'étais moi-même une obsédée de sécurité. Mais il insista : « J'ai appris qu'il cherchait à me tuer.

– Mais, Gogi, Al-Zulfikar a quitté Kaboul et ne se manifeste plus depuis des années. » Il sourit. « J'ai mes informations », dit-il tranquillement.

Quand j'étais prisonnière à Sukkur, j'avais eu peur pour la vie de mes frères. On les recherchait, et je craignais sans cesse qu'il leur arrive malheur. Dans l'existence qu'ils menaient, la menace de la mort était toujours présente ; ils avaient pris ce chemin sans l'avoir choisi. Mais j'étais leur sœur et je m'en inquiétais. Ayant perdu mon père, je ne me souciais que davantage des proches qui me restaient et m'étaient si chers. Or, mes frères couraient un réel danger.

Plus tard, lors d'une visite à Mir et à Shah, j'appris que, à Kaboul, un des serviteurs de leurs beaux-parents avait essayé de les empoisonner. Heureusement pour mes frères, mais malheureusement pour l'animal, leur chien avait goûté le plat le premier et en était mort. Le domestique avait avoué son crime, tombant à genoux et suppliant qu'on lui pardonne : « Les moudjahidins m'ont payé. Ils voulaient faire plaisir à Zia. » Mes frères l'épargnèrent sur l'intervention de Fauzia, qui leur demanda sa grâce.

Ils avaient échappé de peu à un autre attentat alors qu'ils étaient à l'avant d'une voiture. Shah avait fait tomber quelque chose et ils se penchèrent ensemble pour le ramasser, au moment même où une balle traversait l'auto, là où leurs têtes se dressaient un instant plus tôt.

La cible était peut-être Shah et non Mir. Quand ils étaient tous deux à Kaboul, un homme d'une tribu pathane était venu du Pakistan voir Mir. « C'est la tête de Shah Nawaz que veut Zia, avant tout, avait-il dit. L'ordre est de tuer Shah, puis Murtaza. » C'était très probablement vrai, m'expliqua Mir. « Je suis plus politisé, mais c'est Shah qui passe son temps avec les gars de la guérilla pour les entraîner ; il a l'expérience militaire et représente une menace plus directe.

— Dieu veuille que tu ne survoles jamais le Pakistan, dis-je à Shah. Si l'avion était détourné, Zia te tiendrait. » Il avait ri. « On n'échappe pas à la mort. Elle t'attend quoi que tu fasses et tu n'y peux rien. Mais Zia ne nous tiendra jamais, pas plus que les noms qu'il veut nous arracher. Nous avons toujours sur nous des ampoules de poison. Je boirai la mienne s'il m'attrape. Il agit en une seconde. Je préfère la mort au déshonneur ou à la trahison. »

Cette soirée à Cannes fut très agréable ; elle commença par la visite du nouvel appartement de Shah, au bout d'une longue route à flanc de colline, dans l'élégante Californie où lui et Rehana avaient emménagé près de six mois auparavant. Il avait été ravi quand j'avais réussi à lui procurer un permis de séjour. Le couple était réconcilié, et ils avaient parcouru la France, envisageant de s'installer à Monte-Carlo avant de choisir Cannes. Très fier, il me fit visiter l'appartement, me montra la chambre de Sassi, ses marionnettes au mur et les animaux en peluche débordant de la bibliothèque, la salle à manger et le living qui donnait sur une terrasse, avec au loin le scintillement de la Méditerranée. C'était un endroit ravissant, un vrai décor de film.

Je saluai Rehana avec chaleur, espérant cette fois rompre sa réserve et nouer avec elle quelque relation de familiarité. Elle était comme d'habitude vêtue à la dernière mode, mais plutôt pour un restaurant que pour la plage. Chez nous, on avait toujours préféré le confort des vêtements simples. Tandis que Shah offrait des boissons fraîches, j'essayai en vain de parler à Rehana. Était-ce de sa part timidité ou indifférence, je ne sais, mais elle se retira bientôt pour rejoindre sa sœur à l'autre bout de la pièce. Elles étaient toutes deux très belles, mais je n'avais aucune idée de qui elles étaient vraiment.

J'offris mes cadeaux à la petite Sassi et jouai un moment avec elle. Shah partit à la cuisine préparer le panier du pique-nique. Tante Behjat et oncle Karim nous rejoignirent. Je m'assis au bureau de Shah pendant que ma famille tourbillonnait dans le living. Il y avait sur la table des photos de nous tous et de Sassi, un classeur de cuir rouge rangé avec soin. Un vase de fleurs fraîches était posé sur le verre de la table à café. J'étais contente de voir la vie de Shah maintenant si bien organisée. «Pour la première fois, me dit-il en s'asseyant un instant au bord du bureau, je suis comblé. Tout va très bien pour moi.»

«Attrape-moi, *Wadi*, attrape-moi!» criaient mes deux petites nièces sur la plage, allant et venant du sable à l'eau. Je courais après elles en feignant de ne pouvoir les rejoindre. Shah alluma enfin le charbon de bois, et nous avions grand faim quand le poulet fut cuit. «À toi le premier morceau, dit-il, en m'apportant ce qui me parut un demi-poulet. – Oh! Gogi, je ne peux pas. – Si si, il faut tout manger.»

Je regardais autour de moi ma famille qui bavardait et riait. Combien d'années s'étaient écoulées depuis nos pique-niques sur la plage près de Karachi, quand nous essayions de finir le repas avant que les oiseaux de proie ne descendent en piqué pour nous le voler? Qui eût pu prévoir que nous n'en ferions plus ensemble que sur la Riviera française? Mais tout se passait bien. Il y avait entre nous beaucoup moins de tension que l'été précédent. Je cherchai mes belles-sœurs: Rehana et Fauzia s'étaient assises à part, toutes seules. Mir vivant en Suisse et Shah en France, les deux sœurs ne s'étaient pas vues souvent et avaient, comme nous, beaucoup de souvenirs à se rappeler.

«Allons au casino», proposa oncle Karim.

Je me sentais lasse, mais Shah se tourna vers moi avec un sourire: «Nous pouvons *gup shup* (bavarder) toute la nuit. Il faut venir, Pinkie.

– D'accord, je viens, dis-je, incapable de le lui refuser.

– Super. Et n'oublie pas demain», ajouta-t-il, car nous devions aller choisir des bagages pour le cadeau d'anniversaire que ma mère me destinait. «Je suis le spécialiste de Louis Vuitton. Demain, quand nous serons réveillés, je viens te prendre pour faire les courses à Nice.»

Projets. Que de beaux projets! Shah et Rehana quittèrent la plage pour rentrer chez eux déposer le panier du pique-nique. Sanam et Nasser furent reconduits par tante Behjat et oncle Karim. Mir et Fauzia emmenèrent ma mère, ma cousine et moi à notre appartement avant de retourner chez Shah mettre Fathi au lit. «Je reviens avec Shah te prendre dans une demi-heure», me cria Mir en partant.

Il revint seul.

Au lieu du Shah joyeux que nous avions quitté sur la plage, Mir avait retrouvé à l'appartement son frère en colère : «Je lui demandai ce qui se passait, mais avant qu'il puisse répondre, Rehana se mit à hurler : "Dehors! Dehors! Je suis chez moi ici!" Elle était en pleine hystérie. "Ne pars pas", me dit Gogi, mais je ne voulais pas rester entre eux, et je pensais qu'elle se calmerait peut-être si Fauzia et moi partions en emportant nos affaires.

— Alors, où est Fauzia? demanda ma mère.

— En bas dans la voiture. Elle est bouleversée et veut rentrer tout de suite à Genève. On est en pleine nuit, lui ai-je dit, et ma sœur vient seulement d'arriver. Elle demande qu'on habite à l'hôtel, mais j'ai dit non. Je ne vois pas souvent ma famille et je tiens à rester avec vous tous. Ne gâchons pas toute la soirée et sortons comme on l'avait prévu.

— Allez-y, dis-je à Sanam, Nasser et Mir. Moi, j'ai eu une longue journée.»

«Lis-moi, *Wadi*, lis-moi», me harcelait Fathi le lendemain. Sanam, Nasser et Mir n'étaient rentrés qu'à 6 heures du matin, et nous avions tous dormi tard. Je traînais encore dans mes vêtements de nuit quand, à 1 heure de l'après-midi, j'entendis sonner.

«*Wadi* va s'habiller pour aller faire des courses», dis-je à Fathi, croyant que Shah venait me chercher pour m'emmener à Nice.

Ce fut Sanam qui surgit dans la chambre. «Vite! Il faut partir tout de suite!» dit-elle, me tendant sa fille, alors que j'étais là, debout, à moitié vêtue.

«Qu'y a-t-il? demandai-je.

– Rehana dit que Gogi a pris quelque chose», fit Sanam en se retournant pour sortir. Mes jambes se mirent à trembler, et je respirai profondément pour reprendre des forces.

«Il est malade? C'est grave? criai-je derrière elle.

– On ne sait pas. On va voir», me lança-t-elle avant de disparaître.

Je restai seule avec Fathi et le bébé.

La police. Appeler la police. Tenant comme je pouvais le bébé sur ma hanche, je cherchai sur le téléphone le numéro des urgences. J'obtins un message enregistré en français. Je saisissais l'annuaire pour appeler les hôpitaux, quand ma mère et Sanam revinrent. Mir et Nasser étaient partis en avant avec Rehana chez Shah. Ne trouvant pas de taxi dans les rues, maman et Sanam revenaient en appeler un.

«Maman, tu sais plus de français que moi. Si nous ne pouvons pas joindre la police, appelons un hôpital.

– Pourquoi ne pas rester ici en attendant de savoir s'il va bien?

– Non, maman, il vaut mieux être sûres. Rappelle-toi Toni», dis-je, faisant allusion au cas d'une jeune fille que nous connaissions. Elle avait pris une dose massive de pilules, et on l'avait transportée à l'hôpital trop tard pour pouvoir la sauver. J'avais eu moi-même une leçon du même genre quand la police avait investi le 70, Clifton. Ce n'était plus le moment de se demander pourquoi elle était là : brûler les papiers d'abord. Demander après.

Ma mère prit l'annuaire et essaya un hôpital qui nous pria d'en appeler un autre. On nous en indiqua un troisième, qu'elle appelait quand Mir entra.

Il semblait brisé, abattu. Je lus sur ses lèvres ce qu'il ne parvenait pas à dire à haute voix : «Il est mort.

– Non! criai-je. Non!»

Le téléphone tomba des mains de ma mère.

«C'est vrai, maman, murmura Mir au désespoir. J'ai déjà vu des morts. Le corps de Shah est froid.»

Maman se mit à gémir.

«Appelez une ambulance, dis-je. Pour l'amour de Dieu, téléphonez à l'hôpital. Il peut être encore vivant. On peut le ressusciter!» Je ne savais que faire avec le bébé dans les bras. Fathi se cramponnait à ma jambe, sans me quitter des yeux.

Ma mère ramassa le téléphone, le troisième hôpital était encore en ligne. «Donnez-nous seulement l'adresse», dit la standardiste qui avait entendu nos cris. Nous courûmes à la porte.

Shah Nawaz était couché sur le tapis, dans le living, près de la table à café. Il portait le même pantalon blanc que la veille au soir. Sa main, sa belle main brune, était ouverte. Il avait l'air d'un Adonis endormi. «Gogi!» m'écriai-je pour tenter de le réveiller. Mais je remarquai son nez. Il était blanc comme de la craie, contrastant avec son teint brun.

«Donnez-lui de l'oxygène! criai-je à l'ambulancier qui prenait son pouls. Massez-lui le cœur!

– Il est mort, dit calmement l'un des infirmiers.

– Non! Essayez! répétai-je.

– Pinkie, il est froid, dit Mir. Il est mort depuis des heures.»

Je regardai autour de moi. La table à café était de travers. Une soucoupe pleine de liquide brunâtre restait sur une desserte. Le coussin pendait à moitié hors du canapé et le vase de fleurs était tombé par terre. Je levai les yeux sur le bureau : plus de classeur rouge. Me tournant vers la terrasse, j'y vis ses papiers, et le classeur ouvert.

Il y avait dans tout cela quelque chose d'inquiétant. Son corps était froid. Dieu sait depuis quand Shah était resté là, mourant. Mais personne n'avait été prévenu. Et quelqu'un avait pris le temps de fouiller ses papiers.

Je regardai Rehana. Elle n'avait pas l'air d'une femme qui vient de perdre son mari ou de se précipiter à son secours : tenue impeccable, jaquette blanche sans un pli, cheveux bien coiffés sans une mèche qui dépasse. Combien d'heures avait-elle passées à sa toilette tandis que mon frère gisait mort sur le plancher ? Elle tourna vers moi des yeux sans larmes.

Ses lèvres remuaient, mais je n'entendais pas ce qu'elle disait.

«Du poison, dit pour elle sa sœur Fauzia. Il a pris du poison.»

Je ne la croyais pas. Personne ne la croyait parmi nous. Pourquoi Shah aurait-il pris du poison ? Je l'avais vu la veille plus heureux qu'il n'avait jamais été. Il était enchanté de ses projets d'avenir, y compris un retour en Afghanistan au mois d'août. Était-ce cela ? Zia ayant eu vent de cette intention aurait-il pris les devants ? Ou la CIA l'avait-elle assassiné en témoignage d'amitié pour son dictateur favori ?

«Pour l'amour de Dieu, couvrez au moins le corps de Shah», dit Sanam. Quelqu'un apporta du plastique blanc.

«*Wadi, Wadi*, qu'est-ce qu'il y a ? demandait la petite Fathi en tirant sur mon chemisier. — Rien du tout, ma chérie», répondais-je machinalement pour apaiser ses trois ans. Sassi, inquiète et déconcertée, traversait le living pour s'asseoir près du corps de son père. «Emmène les enfants», dit ma mère. Je les conduisis dans la chambre de Sassi et les laissai avec un livre.

Quand la police vint enlever le corps, Mir me fit entrer à la cuisine. «Tu n'as pas besoin de voir cela», me dit-il. Je regardai une tomate entamée et des œufs dans la poêle restée sur la cuisinière. Qui les avait fait cuire et pour qui ? Une bouteille de lait était posée à côté et comme il faisait chaud, le lait avait tourné. Pourquoi l'avoir laissée hors du réfrigérateur ? «Ils ont emmené Shah, dit Mir, venant me rejoindre. La police dit que cela ressemble à une crise cardiaque.»

Il se détourna pour essuyer ses larmes, puis il jeta le mouchoir en papier dans la poubelle de la cuisine, où il vit quelque chose briller. C'était l'ampoule de poison vide.

Les autorités françaises gardèrent le corps de Shah pendant des semaines. L'attente était désespérante pour nous, entassés dans l'appartement de ma mère. Comme tous les musulmans, nous enterrions nos morts dans les vingt-quatre heures, mais le cadavre de Shah subissait toute une série d'examens. Nous ne savions que faire de nous, tantôt pleurant, tantôt immobiles, le regard fixe. Personne ne songeait à manger, boire ou faire quoi que ce soit. Nous avions le bébé de Sanam, la fille de Mir et souvent Sassi, que Fauzia nous amenait chaque fois que Rehana était convoquée par la police pendant l'enquête. «Emmène-nous aux *jhoolas*», me demandaient les petites, et je les conduisais aux balançoires d'un square voisin. Mir nous accompagnait quelquefois. Pendant que les enfants jouaient, nous nous asseyions, lui et moi, sur un banc, regardant la mer sans rien dire.

Je souffrais pour Sassi. Elle était très proche de son père. C'était lui qui l'éveillait le matin, préparait son petit déjeuner, la mettait sur le pot. Avec l'intuition de ses trois ans, elle savait qu'elle l'avait perdu. «Mon papa», répétait-elle quand Mir venait chercher Fathi, et lorsque la voiture dépassait La Napoule, la plage de notre barbecue, elle criait : «Papa Shah, papa Shah!» La police avait découpé la partie du tapis sur laquelle on avait trouvé le corps de Shah. Quand Rehana l'eut remplacé, la petite fille montrait du doigt l'endroit où elle avait vu son père. «Papa Shah, papa Shah», répétait-elle. Elle se cramponnait à nous quand Mir et moi la reconduisions chez Fauzia; elle refusait d'entrer dans la maison et nouait ses bras autour de nos cous. «Allons, mon petit», murmurais-je tandis que Fauzia la tirait, mais elle tenait ferme, et il fallait détacher ses mains l'une après l'autre pour lui faire lâcher prise.

C'était terrible de rester à Cannes en attendant qu'on nous rende le corps de Shah. Tout me le rappelait. Je le voyais partout, assis au Carlton, marchant sur la Croisette. Le chagrin de sa perte s'alourdissait des perpétuelles calomnies de la presse pakistanaise. Les journaux contrôlés par le régime prétendaient que Shah était un neurasthénique, un joueur et un suicidaire. Il était ivre, disaient-ils, la nuit de sa mort. Les rapports des laboratoires établissaient le contraire, mais nos mises au point trouvaient peu d'écho dans la presse du Pakistan. Maintenant que Shah avait perdu la vie, nos ennemis faisaient tout pour détruire son honneur. Et notre attente devenait interminable.

« Je vais remmener Shah au Pakistan pour l'y enterrer », dis-je à la famille un après-midi.

Ma mère se mit dans tous ses états : « Oh ! Pinkie, cria-t-elle, tu ne peux pas repartir. J'ai perdu mon fils, je ne veux pas perdre ma fille.

— Shah faisait tout pour moi, mais il ne m'a jamais rien demandé pour lui. Il avait tant envie de retourner à Larkana. Il me demandait souvent où papa était enterré pour bien se le représenter. Je dois le ramener chez lui.

— Mir, dis-lui qu'elle ne peut pas repartir », supplia ma mère. Mais qu'y pouvait mon frère ?

« Si tu repars, je repars aussi », dit-il pour essayer de me faire peur, car nous savions tous que Zia le tuerait.

« Vous ne pouvez pas y aller, mais moi j'irai, dit tante Behjat.

— J'irai, dit Sanam.

— J'irai, dit Nasser.

— Parfait. Nous irons ensemble, mais je partirai, dis-je. Je ne veux pas que Shah ait des funérailles modestes et clandestines. Je veux pour lui tout le respect et l'honneur qu'il mérite. »

Tandis que l'autopsie se prolongeait, je retournai quelques jours à Londres pour m'occuper du Barbican. Des centaines de gens vinrent au bureau du parti me présenter leurs condoléances. Le regret de Shah était réel et partagé par la communauté pakistanaise, comme aussi le soupçon que Zia n'était pas étranger à sa mort. Le chagrin était même plus sensible au Pakistan, me dirent des amis. Des réunions de prière étaient organisées pour son âme dans tout le pays, tandis qu'on venait par milliers se recueillir au 70, Clifton. Les journaux qui avaient rapporté des accusations mensongères, attribuant la mort de Shah à l'alcool et à la drogue, furent incendiés. Dans le Sind, la plupart des commerces étaient fermés en signe de respect. Malgré la chaleur, les gens affluèrent à Larkana pendant deux semaines. Tous les hôtels étaient combles et on campait sur les quais des gares.

Quand je revins à Cannes, il me fallut maîtriser ma propre angoisse pour organiser, en liaison avec Londres et Karachi, notre départ après la fin de l'autopsie, car beaucoup de Pakistanais voulaient accompagner la famille lors du dernier voyage de Shah. Pour dissiper la confusion qu'entretenait la presse pakistanaise sous contrôle au sujet de la restitution du corps de Shah et de la date de notre retour, j'avais prévu l'envoi de bulletins réguliers qui tiendraient informés nos partisans.

Notre chagrin ne trouvait aucun apaisement. Sans raison apparente, on força la voiture de ma mère, dans la rue où beaucoup d'autres étaient garées, et l'on prit sur le siège arrière le courrier que j'y avais momentanément laissé. Nos craintes grandissaient, nous nous sentions en danger. Il était très possible, sinon probable, que Shah ait été tué par des agents du régime. Comment être sûr qu'ils avaient quitté Cannes ? Nous fîmes part de notre souci et de notre besoin de protection au gouvernement français, qui y répondit positivement.

Quand on nous rendit enfin le corps de Shah, nous allâmes prier devant lui. Je m'attendais à voir mon petit frère comme dans mon souvenir, bronzé par le soleil, svelte et beau dans le costume blanc que nous avions remis aux pompes funèbres – il aimait tant le blanc. Mais le cadavre couché dans le cercueil semblait celui d'un étranger. Le visage était gonflé et poudré. Il avait fallu recouvrir de craie les multiples incisions de l'autopsie. Un spectacle à vous briser le cœur.

Mon pauvre Gogi, que t'ont-ils fait ? La pièce s'emplit de gémissements. Je me mis sans m'en rendre compte à me frapper le visage, secouée de grands sanglots silencieux qui venaient du fond de ma poitrine. Il fallut évacuer la salle, et nous réussîmes à reprendre assez de sang-froid pour regagner la voiture, devant les photographes qui attendaient.

Je ramenai Shah chez nous au Pakistan le 21 août 1985. Le régime avait autorisé à regret des funérailles à Larkana, influencé peut-être par le peuple indigné que, contrairement à la tradition musulmane, ni ma mère ni moi n'aient été admises à celles de mon père. Encore essaya-t-on une fois de plus de garder secrètes les obsèques d'un autre Bhutto.

Redoutant une importante manifestation d'émotion populaire, les autorités de la loi martiale avaient prévu d'envoyer le corps directement par hélicoptère de Karachi à Moenjodaro, puis à notre cimetière familial, où l'on avait déjà aménagé une plate-forme d'atterrissage. L'enterrement devait être rapide et discret, pour échapper aux regards et à l'attention de tous.

Je refusai. Shah avait désiré pendant huit ans ce retour à son pays natal. J'étais décidée à donner à ce dernier voyage toute sa signification, pour lui comme pour nous, à lui rendre les demeures qui l'avaient abrité : le 70, Clifton, à Karachi, Al-Murtaza, à Larkana. Je voulais qu'il retrouve les terres qu'il avait parcourues avec papa et Mir, nos champs et nos étangs, le peuple qu'il avait voulu défendre à sa manière. Ce peuple avait aussi le droit d'honorer le courageux fils du Pakistan avant qu'il repose près de son père à Garhi Khuda Bakhsh.

« Dites aux autorités de la loi martiale qu'elles peuvent me traiter comme elles voudront, mais que je ne permettrai pas qu'on refuse à mon frère le droit de tout musulman de rentrer chez lui pour y recevoir son dernier bain dans sa propre famille, parmi les membres de sa maison », dis-je au docteur Ashraf Abbasi, qui se chargeait des préparatifs en accord avec l'administration locale de Larkana. On était arrivé à un compromis. Nous ne pourrions pas mener Shah au 70, Clifton, mais nous irions à Al-Murtaza. Notre maison de Larkana était si loin de tout et si difficile à atteindre, estimaient les responsables locaux, qu'il y aurait peu de monde, surtout avec la chaleur infernale du mois d'août.

Pour plus de sûreté, l'armée établit des barrages sur toutes les routes qui menaient dans le Sind. Autobus, camions, trains et voitures étaient arrêtés et fouillés. L'armée était en état d'alerte dans la province et les leaders du PPP étaient placés en résidence surveillée. L'aéroport de Karachi était interdit, et des camions remplis de soldats et d'armes automatiques barraient les principaux accès de la ville. Précaution supplémentaire contre une éventuelle réaction, le régime essaya d'apaiser le peuple en fixant enfin une date pour la levée de la loi martiale. La veille de mon départ de Zurich vers le Pakistan avec le corps de mon frère, le Premier ministre désigné par Zia, Mohammed Khan Junejo, annonça que la loi martiale serait supprimée en décembre.

Noir. Brassards noirs. *Shalwar khameez* et *dupattas* noirs. Après un bref arrêt à Karachi, nous quittâmes les Singapore Airlines pour rejoindre Moenjodaro dans un petit charter Fokker. Quand le cercueil, recouvert du drapeau interdit du PPP, fut transféré sur un chariot, plusieurs de nos domestiques venus du 70, Clifton, se jetèrent sur lui en pleurant. Il y eut beaucoup de larmes aussi parmi les parents qui nous retrouvèrent à Karachi, ainsi que Paree, Samiya et sa sœur. Et nous partîmes vers les funérailles les plus tumultueuses que le Pakistan ait jamais connues.

«*Allons, allons, allons tous à Larkana. Savez-vous qu'on y mène Shah Nawaz aujourd'hui? Shah Nawaz, le fils de Zulfikar Ali Bhutto, Shah Nawaz le guerrier, Shah Nawaz qui a donné sa vie pour vous et moi. Venez, venez. Allons ensemble accueillir aujourd'hui un héros.*» Cette belle chanson écrite pour mon frère, on la chanta dans tout le pays. Malgré les menaces du régime, les gens étaient en route pour Larkana depuis des semaines, campant en plein champ, dormant dans les sentiers.

Noir. Toujours plus de noir. Lorsque le Fokker atterrit à Moenjodaro peu après 10 heures du matin, une couronne noire se forma autour de l'aéroport, bordant les routes sur des kilomètres. Les barrages du régime ne purent arrêter le cortège funèbre qui s'acheminait sous la chaleur accablante pour exprimer son chagrin de cette mort d'un enfant du pays. Même en cas d'inimitié, les musulmans se doivent de manifester la tristesse devant la mort et de prendre part au chagrin. Mais personne n'avait prévu une telle foule. La presse l'évalua à plus d'un million de personnes.

«*Allahu Akbar!* Dieu est grand!» cria le peuple quand le cercueil fut placé dans une ambulance réfrigérée comme je l'avais demandé. Après tant d'examens et d'autopsies, je ne voulais plus qu'il arrive rien au corps de mon frère. «*Inna li Allah, wa inna ilayhi raji'un* : À Dieu nous appartenons et à Lui nous retournerons», psalmodiait le peuple sur le passage de l'ambulance, les bras levés, paumes ouvertes vers le ciel, en récitant la prière funèbre des musulmans.

Je ne crois pas que beaucoup d'hommes d'État aient reçu, comme Shah à vingt-sept ans, des adieux aussi respectueux et aussi magnifiques. Deux mille véhicules de toute espèce, autos, motos, camions, charrettes attelées, tous drapés de noir, suivirent son cercueil, en un cortège long de plus de quinze kilomètres. Sur les vingt-huit kilomètres depuis l'aéroport jusqu'à Larkana, la voiture qui portait son corps fut couverte de pétales de roses, en un geste d'amour et d'adieu. Sur son passage, beaucoup d'hommes saluaient, dans la foule, de leur tête coiffée de calottes brodées ou de turbans des différentes tribus.

Des portraits de Shah bordés de noir. Shah Nawaz *Shaheed*, Shah Nawaz le martyr. Il y avait des portraits de moi, de ma mère, et un de Shah, inoubliable, se profilant sur celui de papa, avec comme légende : *Shaheed ka beta Shaheed*, Le fils du martyr a été martyrisé. Le chagrin que ces gens n'avaient pu exprimer pour mon père éclatait maintenant pour leur propre douleur et la nôtre. Gémissant et se frappant la poitrine, la foule se précipitait vers nous, heurtant les voitures dans leur impatience de toucher pour un dernier adieu celle qui portait le corps de Shah.

Le soleil était haut dans le ciel, et il y avait encore beaucoup à faire avant les prières de l'après-midi : la toilette rituelle du corps, la présentation du visage à la famille, les prières funèbres dites chez elles par les femmes qui n'accompagnaient pas le mort au cimetière, le service religieux des hommes, organisé sur un terrain de football proche. Shah devait être enterré avant le coucher du soleil. Nous avions encore, Sanam et moi, à désigner le lieu de sa sépulture. Nous n'avions pas pu le faire pour mon père. Je tenais cette fois à choisir l'endroit, à une distance suffisante de mon père afin qu'on puisse plus tard édifier pour tous deux des mausolées. Aux abords d'Al-Murtaza, entre-temps, la foule formait une muraille ininterrompue.

«Allez directement à Garhi», dis-je au chauffeur de notre voiture. Il réussit, je ne sais comment, à nous sortir de la cohue au moment où l'ambulance entrait dans la cour d'Al-Murtaza. Les gens étaient à peine moins nombreux à notre cimetière familial, quinze miles plus loin, mais ils restèrent au-dehors. Sanam et moi choisîmes ensemble un endroit, dans l'angle gauche, à distance de mon père, qui reposait derrière mon grand-père. Après une courte prière sur la tombe de papa, nous repartîmes en hâte vers Al-Murtaza.

Cris, gémissements. Dans l'excès de son chagrin, le peuple avait fait céder les murs et se répandait non seulement dans la cour, mais à l'intérieur de la maison. S'y ajoutaient nos parentes, les épouses des militants du parti et tout le personnel. Le cercueil de Shah était dans le salon, encore fermé à cause de la bousculade. «Laissez-nous un peu de place», implorai-je, les mains tendues. Toute discipline avait été balayée.

Je voulais montrer aux parents le visage de Shah, mais quand le personnel entreprit de porter le cercueil jusqu'à la chambre de mon grand-père, où le *maulvi* attendait pour la toilette, l'excitation fut à son comble. Les femmes, y compris les domestiques, accablées de chagrin, se frappaient la tête contre le bois de la bière. Le sang coulait des têtes, des hommes comme des femmes. «Pour l'amour de Dieu, m'écriai-je, mettez-les tous dehors avant qu'ils ne se blessent sérieusement. Et transportez vite Shah dans la chambre de grand-père.»

Enfin, paisiblement, tendrement, Shah fut baigné par notre *maulvi* et le personnel, fut enveloppé dans un *kaffan*, le linceul sans couture des musulmans. La chaleur était étouffante, plus de 40 degrés, et j'étais de plus en plus inquiète pour la suite des funérailles. «Oh! Baba, il avait des entailles sur tout le corps, me dit un domestique bouleversé en revenant de la toilette. — Ne me dites rien», répondis-je. Mais impossible de l'arrêter. «Son nez était coupé, son menton, son… — Assez! criai-je. Assez. Il est chez lui maintenant, revenu à sa place.» Mon beau-frère Nasser Hussein s'approcha. «Il se fait tard, dit-il. Dépêchons-nous.» Avec une pareille foule,

411

nous décidâmes qu'il valait mieux porter Shah au cimetière dans le solide cercueil de bois, plutôt que dans le seul *kaffan*.

Je priai les domestiques de ramener le corps dans le salon, où les parents pourraient prier. Puis, brusquement, il fallut le replacer dans l'ambulance à travers la foule. Nasser Hussein courait derrière et, dans l'affolement, je faillis moi-même manquer le départ. Au son des prières, je suivis jusqu'à la porte.

Adieu Shah Nawaz, adieu. Ce départ était si brutal, si douloureux. Quand l'ambulance démarra, j'aurais voulu l'arrêter, ramener Shah. Je ne voulais pas laisser partir mon petit frère. Oh! Gogi, reste avec moi. Une plainte unique montait des cinq cents femmes en prière dans le jardin, tandis que la voiture passait les grilles et disparaissait. Mon frère était parti pour toujours.

Dans chaque génération, selon les musulmans chi'ites, il y a un Karbala, une reconstitution de la tragédie qui survint dans la famille du prophète Mahomet après sa mort, en 640 après Jésus-Christ.

Nombreux sont au Pakistan ceux qui croient voir dans la persécution de la famille Bhutto et de nos partisans le Karbala de notre génération. Le père ne fut pas épargné. La mère, les frères, la fille ne furent pas épargnés. Les fidèles ne furent pas épargnés. Pourtant, comme les fidèles du petit-fils du Prophète, nous gardions intacte notre détermination.

Debout sur le seuil d'Al-Murtaza, j'entendis s'élever, dominant les lamentations de la cour, une voix de femme qui faisait revivre le drame de Karbala. «Voyez, voyez Benazir», scandait-elle selon la cadence propre au sous-continent. «Elle est venue avec le corps de son frère. Qu'il est jeune! Qu'il est beau! Qu'il est innocent! Il est tombé sous la main du tyran. Voyez le chagrin de sa sœur. Rappelez-vous Zeinab à la cour de Yazid. Rappelez-vous Zeinab quand elle vit Yazid jouer avec la tête de son frère.

«Pensez au cœur de la bégum Bhutto, comme il débordait quand elle vit l'enfant à qui elle avait donné le jour, avec qui elle jouait quand il était petit. Il grandissait sous ses yeux. Nusrat le vit faire ses premiers pas. Cette mère qui l'a élevé avec tant d'amour. Pensez à elle.

«Pensez à Murtaza. Il a perdu sa main droite. Il a perdu la moitié de lui-même. Il ne sera jamais le même...»

Les murs d'Al-Murtaza renvoyaient l'écho des cris de femmes qui gémissaient en se frappant la poitrine. «A-i-ie-e-e!» C'était un cri d'adieu, énorme, accablant. Je rentrai lentement dans la maison.

Mon frère avait été enterré dans le cimetière de nos ancêtres. Je ne pouvais rien de plus.

Nasser Hussein, Garhi Khuda Bakhsh :

«Quand nous sommes arrivés au cimetière de la famille Bhutto pour le service religieux, la foule était impénétrable. On sortit le cercueil de l'ambulance, et je pris un des coins sur mon épaule. Je n'avais aucune idée de ceux qui étaient derrière ou de ce qui leur arrivait. Je m'accrochais seulement à ma position tandis que les gens poussaient pour essayer de porter le cercueil, ne fût-ce qu'un moment, soulager notre charge et prendre part à la tâche.

«Il n'y avait personne pour nous guider vers le lieu de la sépulture, et nous ne pouvions voir où nous allions. Notre fardeau semblait deux fois plus lourd parce qu'il nous était impossible de coordonner nos mouvements. Il tanguait sur nos épaules comme un vaisseau à la dérive dans cette mer de corps qui poussaient et se bousculaient. Nous avancions pied à pied, et notre progression était si zigzagante qu'il nous fallut quarante-cinq minutes, peut-être davantage, pour franchir en aveugles les dix ou vingt pas qui séparaient l'ambulance de l'entrée du cimetière.

« Soudain, une main levée sortit de la cohue, devant moi. J'aperçus le fils d'un domestique d'Al-Murtaza, et je suivis sa main tandis qu'il reculait vers la sépulture. La foule aida en poussant le cercueil dans la même direction. Je m'exhortais intérieurement à résister à la chaleur et au délire. Pourtant, miraculeusement, personne dans cette bousculade ne trébucha sur les autres tombes des Bhutto.

« En arrivant à celle de Shah, je m'effondrai, les jambes dans la fosse. Quelqu'un du village m'apporta de l'eau dans un gobelet rouillé et je l'avalai d'un trait. Nous n'avions pas la place de sortir le corps du cercueil ; il fallut l'incliner pour le faire glisser dans la tombe. Les gens voulaient qu'on leur montre une dernière fois le visage de Shah, mais Benazir m'avait demandé de n'en rien faire. La dernière prière fut dite en hâte, et le cortège funèbre accomplit le *Fateha*, l'élévation des mains, symbole de prière et de soumission. Les aînés arrivaient pour la longue récitation des vingt-quatre prières au moment où je partais. Mon triste devoir était terminé. Nous avions conduit Shah Nawaz au lieu de son dernier repos. »

Le régime de la loi martiale me fit arrêter cinq jours plus tard à Karachi. Je n'en fus pas surprise. Zia avait assuré à la presse que je ne serais pas arrêtée lors de mon retour avec le corps de Shah, et le chef du gouvernement provincial du Sind avait aussi déclaré que je serais libre d'aller et venir. Mais les foules en deuil, en forçant les barrages de l'armée à Larkana pour affirmer leur solidarité avec la famille, avaient sérieusement ébranlé le régime. Et comme elles restaient assemblées dans les champs en face d'Al-Murtaza et dans les rues devant la maison pour les autres rites religieux qui accompagnent la mort, les autorités craignaient sans doute une émeute.

Bien que la mort de mon frère les eût contraintes à fixer une date pour la fin de la loi martiale, ni cette mort ni les souffrances de milliers d'autres n'en étaient vengées pour autant. «Nous devrions faire quelque chose maintenant, alors que le sentiment général est si favorable au renversement de Zia», proposèrent plusieurs dirigeants du PPP un soir de réunion après les funérailles de Shah. Les autres répliquèrent que ce serait fournir au régime un prétexte pour maintenir la loi martiale. Même dans la peine, semblait-il, la politique ne pouvait pas être oubliée. «La loi martiale est le fléau de ce pays, et nous devons faire en sorte qu'elle soit levée, dis-je, optant avec lassitude pour la prudence. Shah a donné sa vie pour cela. Si nous suscitons des troubles, Zia pourra toujours prétendre qu'il voulait la lever mais qu'il a été obligé de la maintenir. Il ne faut pas négliger cet aspect.»

Néanmoins, je pris mes précautions contre d'éventuelles réactions du régime. La cérémonie de *soyem* pour les morts se fait le troisième jour après les funérailles et le *chehlum* quarante jours plus tard. Je n'étais pas sûre d'être libre dans quarante jours, si bien qu'après une grande discussion avec les chefs religieux, nous décidâmes de compter les quarante jours à partir de la mort de Shah en France, au mois de juillet, au lieu des obsèques du mois d'août. Ainsi, *soyem* et *chehlum* coïncidaient presque.

Une autre tombe Bhutto, un autre monticule de terre fraîche. J'emportai des fleurs avec moi pour les ajouter à toutes celles qui s'y accumulaient déjà. «Au nom de Dieu, très clément et miséricordieux», priai-je avec les centaines de personnes qui se pressaient dans ce cimetière étouffant. Cela déchirait le cœur de voir cette terre fraîche. Shah Nawaz.

Sanam devait quitter Karachi le soir après le *soyem*. Et Fakhri aussi. Ne voulant pas rester seule à Al-Murtaza dans mon chagrin, je décidai de partir avec elles. C'était une sorte de consolation que d'être ensemble, Sanam et moi, un peu de la famille. Mais une fois encore, la politique l'emporta sur nos peines personnelles.

Des milliers de personnes nous accueillirent à l'aéroport de Karachi. Nous avions peine à fendre la foule pour atteindre la voiture. Les membres du parti réussirent enfin à nous frayer un chemin, puis il nous fallut plusieurs heures pour arriver au 70, Clifton. Quelques-uns nous accompagnèrent en Jeeps et en motos, faisant le signe de la victoire, mais sans crier de slogans politiques, car tout le monde était en deuil de Shah.

Le jardin était plein lui aussi. J'allai remercier tous ceux qui prenaient ainsi part à notre douleur et nous témoignaient leur solidarité. Beaucoup de visages m'étaient familiers : hommes et femmes emprisonnés plusieurs fois pour leurs convictions politiques. «Que nous soyons ou non d'accord avec les méthodes de mon frère, c'était un homme qui luttait contre la tyrannie, leur dis-je. Sa conscience ne lui permettait pas de garder le silence alors que le Pakistan souffrait.»

Nasser Baloach. Ayaz Samoo. Deux autres hommes jeunes, victimes de la terreur militaire, avaient donné leur vie pour la cause de la démocratie. Eux aussi avaient été mes frères, se réunissant autour de moi, me protégeant, me considérant comme leur sœur. Le lendemain, je pris contact avec leurs familles. De même que tant de gens défilaient à la maison pour nous offrir leurs condoléances, je voulais porter les miennes chez eux, pour partager le chagrin des autres mères et des sœurs qui avaient perdu leurs frères. Je ne le pus pas.

La police investit le 70, Clifton, aux premières heures du 27 août. La maison était une fois de plus déclarée lieu de «détention au domicile», gardée par la police et des unités de soldats armés de grenades lacrymogènes. Je reçus un ordre de détention de quatre-vingt-dix jours, le régime proclamant que j'avais négligé ses avertissements d'éviter les «terroristes» des «quartiers sensibles». Je n'avais reçu aucun avertissement de ce genre. Les quartiers jugés «sensibles» par le régime étaient Malir et Lyari, les plus misérables de Karachi, dont les habitants, entre autres les familles de Nasser Baloach et Ayaz Samoo, avaient le plus souffert sous Zia. Rien d'étonnant qu'il les trouve «sensibles». Et il était mal fondé à parler de terrorisme. Car si l'on appelle terrorisme l'usage de la force par une minorité pour imposer ses vues à la majorité, Zia et son armée répondaient à la définition.

À Washington, l'administration Reagan exprima sa «consternation» à propos de ma détention. «Le Pakistan a fait des progrès encourageants vers la restauration du gouvernement constitutionnel..., mettre Mlle Bhutto en résidence surveillée peut paraître illogique dans une telle démarche», avait dit, paraît-il, un porte-parole du département d'État. La réaction des députés britanniques fut plus énergique, et deux d'entre eux, Max Madden et Lord Avebury, intervinrent en ma faveur auprès de Zia. Mais je restai enfermée, toujours sans téléphone ni aucun contact avec l'extérieur. Sanam et Nasser étaient près de moi les premiers jours, ainsi que ma cousine Laleh qui, étant restée une nuit, était tombée par mégarde dans les filets du régime. Mais, le 2 septembre, on avait obligé ma famille à partir, et je restai au 70, Clifton, absolument seule dans mon chagrin.

Les jours devenaient semaines, et j'essayais de m'accoutumer à la mort de Shah. Je lisais et relisais toutes les vieilles revues de la maison, j'écrivais mon journal et j'écoutais toutes les nouvelles de la BBC. Il était irritant d'être de nouveau paralysée. Malgré le poids de mon chagrin, j'aurais voulu mettre à profit ce temps que je passais au Pakistan. Dans la perspective d'une levée de la loi martiale dans moins de trois mois, il fallait organiser et mettre en place l'opposition à Zia. J'avais prévu avant mon arrestation des réunions avec les dirigeants du parti des quatre provinces. À présent, elles avaient toutes été annulées.

Bien qu'un grand battage ait été fait dans la presse contrôlée par le régime à propos de la suppression de la loi martiale annoncée maintenant pour le 31 décembre, le pouvoir de Zia restait aussi insensible et répressif que jamais. Les meetings programmés à Lahore pour demander ma libération furent interdits. Les leaders du MRD qui se rendaient à une réunion à Karachi le 21 octobre furent ou expulsés ou interdits de séjour dans la ville. La veille, on en mit plusieurs en prison. Zia n'en prétendait pas moins représenter le peuple du Pakistan.

Politique. Politique. Politique. Ma responsabilité de dirigeante pesait lourd dans ma détention. Que de fois la politique m'avait séparée des miens, surtout de Shah Nawaz, qui maintenant reposait sous la poussière de Larkana. «Trouve un moment pour me voir. Tu ne peux pas trouver le temps?» me téléphonait-il à Londres, puis singeant aussitôt mon inévitable réponse: «Oh! Gogi, il faut que j'aille en Amérique, au Danemark. J'ai des réunions importantes à Bradford, à Birmingham, à Glasgow…» Si seulement je m'étais un peu arrêtée pour lui consacrer plus de temps, me disais-je. Mais on ne change pas sa destinée. La sienne était écrite. C'était dur pourtant d'accepter sa disparition.

Sa chambre, dans l'annexe de l'autre côté de la cour, était telle qu'il l'avait laissée huit ans plus tôt, l'annuaire de son lycée d'Islamabad était toujours sur une étagère près des romans d'aventures qu'il aimait et du Saint Coran offert par papa. La chambre de Mir n'avait pas changé non plus, avec au mur son poster de Che Guevara et l'annuaire de Harvard dans le tiroir du bureau. Les chambres de mes frères étaient fermées à clé, comme celles de ma sœur, de mon père et de ma mère. Pendant les quelques heures d'électricité accordées par le régime, la seule lumière de la maison brillait dans la mienne: une pièce isolée dans toute la grande demeure.

J'avais envie de voir Sassi, de montrer à la fille de Shah sa maison familiale, de lui transmettre son patrimoine. Elle n'oublierait jamais son père mais devait apprendre ce qu'il représentait et ce qu'il avait fait pour son pays. Elle possédait un héritage prestigieux, mutilé par le drame. Peut-être était-ce prédéterminé. «Pourquoi Shah veut-il l'appeler Sassi?» me demanda le docteur Abbasi un jour que nous allions ensemble à Hyderabad. «C'est un nom si triste. Vous vous rappelez la légende de Sassi qui tomba amoureuse de Pannu, mais en fut séparée. Elle courait déserts et montagnes à sa recherche. Elle entendit Pannu l'appeler dans le désert : "Sassi! Sassi" Et quand elle voulut le rejoindre, la terre s'ouvrit et l'engloutit.» Mais Shah aimait ce nom autant que sa fille et il lui resta.

Saurions-nous jamais la vérité sur l'assassinat? Enfermée au 70, Clifton, je me répétais ce que m'avait raconté Samiya dans l'avion qui ramenait le corps de Shah à Moenjodaro. Un homme s'était présenté dans les bureaux de plusieurs journaux de Karachi, un mois avant le meurtre, pour demander des photos récentes de Shah. Quelqu'un cherchait-il à pouvoir l'identifier tel qu'il était à vingt-sept ans?

J'écoutais la première émission matinale de la BBC le 22 octobre et je restai stupéfaite en apprenant que la police avait arrêté Rehana à Cannes et l'avait inculpée selon la législation française pour «non-assistance à personne en danger». On ne donnait aucun détail.

Quelques jours après, je lus dans un journal local que, convoquée pour assister à l'enquête sur la mort de Shah, j'avais répondu que je ne voulais pas y aller. Quelle convocation? Je n'en avais jamais reçu. «Il n'est pas exact que je ne veux pas assister à l'enquête, écrivis-je au ministère de l'Intérieur. Je souhaite y assister, mais cela dépend de vous, pas de moi. Veuillez informer la justice française que je veux m'y rendre mais que vous m'en empêchez.»

Je fus libérée le 3 novembre. «J'entreprends aujourd'hui un voyage difficile, un triste voyage jusqu'aux tribunaux d'un pays étranger pour enquêter sur la mort de mon frère bien-aimé, Shah Nawaz», écrivis-je à nos partisans. Je dus me servir d'une machine à écrire ancienne, car cette fois le régime avait complètement coupé l'électricité, dans la maison et dans l'annexe. «Je suis décidée à rentrer le plus tôt possible, concluais-je. Si Dieu le veut, j'espère être là dans trois mois…, quoi qu'il arrive.»

L'air était léger en France quand j'arrivai pour ma déposition, mais j'avais le cœur lourd. Ce fut pire quand j'appris les détails de la mort de Shah et de l'arrestation de Rehana.

Rehana était allée le 22 octobre au commissariat chercher son passeport que la police française lui avait confisqué peu après la mort de Shah. Au bout de plusieurs mois d'interrogatoires infructueux, au cours desquels elle avait répété ses déclarations à Interpol et à la police française – elle n'avait rien vu ni entendu pendant l'agonie de mon frère –, son avocat venait d'obtenir qu'on lui rende son passeport. Ayant tout préparé pour quitter la France, elle passa au commissariat et y tint des propos qui firent l'effet d'une bombe.

Revenant sur ses premières déclarations, elle confirmait ce que la police savait déjà d'après le rapport d'autopsie : Shah n'était pas mort tout de suite. On l'interrogea davantage, on l'inculpa de non-assistance à personne en danger, et elle fut envoyée devant un juge. Au lieu de son passeport, elle reçut un mandat d'arrêt et se retrouva à la prison centrale de Nice.

La famille fut bouleversée par ces révélations sur la mort de Shah. Le poison que mes frères portaient sur eux agissait, m'avait-il dit, instantanément. Les polices française et suisse ayant examiné l'ampoule de Mir avaient confirmé l'affirmation de Shah : non dilué, le poison était foudroyant. Cette mort rapide et sans douleur nous apportait à tous une sorte de réconfort. Mais apprendre maintenant que l'agonie avait été longue ne fit qu'approfondir notre chagrin.

Je fis des cauchemars pendant une semaine. «Au secours!» me criait Shah. Ou bien il grelottait et j'essayais de lui apporter des couvertures. Pendant la journée, je courais à la salle de bains pour vomir. Les questions sans réponse autour de sa mort cruelle nous tourmentaient. Pourquoi Rehana n'avait-elle pas cherché du secours? Pourquoi continuait-elle à prétendre que Shah s'était suicidé, accusation particulièrement grave pour des musulmans, qui croient que Dieu seul doit donner et reprendre la vie? Nous connaissions sa vigueur et sa joie de vivre. Il ne se serait jamais suicidé. Et personne n'aurait choisi délibérément la mort longue et douloureuse qu'il semblait avoir endurée.

Persuadés qu'on l'avait tué, nous déposâmes une plainte contre X, pour meurtre. Au Carlton, je rencontrai en privé un des policiers qui enquêtaient sur l'affaire. La police était aussi dans l'impasse. «Pourriez-vous en savoir plus sur le poison? me demanda-t-il. Il n'en restait pas trace dans le corps.» Je repris toutes les pistes que je pouvais avoir et j'obtins enfin des détails confidentiels. Ils me hantent encore.

«Le poison non dilué agit instantanément, précisait le rapport. Dilué, ses effets changent complètement de nature. Au bout de trente minutes, la victime perd l'équilibre, souffre de maux de tête, d'épuisement et de soif intense. Dans l'heure, le corps est pris de tremblements incontrôlables accompagnés de douleurs dans la région du cœur et de l'estomac, puis de crampes partout. La rigidité cadavérique s'installe avant la mort, laissant la victime consciente au début de la paralysie. Des mucosités remplissent la gorge, rendant la respiration difficile et la parole embarrassée. Encore consciente, la personne se sent glacée. La mort survient dans un délai variable, de quatre à seize heures.»

Le choc provoqué par cette mort gagna toute la famille et se poursuivit avec la rupture du mariage de Mir et de Fauzia. Sassi, elle aussi, était perdue pour nous. Quand j'arrivai à Nice pour témoigner, Rehana était en prison et Sassi avec Fauzia qui refusait de nous laisser la voir. Notre épreuve semblait interminable. Sassi était de notre sang, de notre chair. Elle ressemblait à Shah de façon frappante – surtout les yeux –, elle était tout ce qui nous restait de lui. Et nous la perdions.

Nous avions tenté de conclure avec Rehana un accord juridique quant à la garde de l'enfant : Sassi vivrait chez elle neuf mois de l'année et trois mois chez nous, tandis que nous prendrions à notre charge tous les frais de son entretien et de son instruction. Rehana ne voulut rien savoir. Il fallut avoir recours au tribunal, mais la procédure légale ne fit rien pour remédier à notre sentiment d'abandon.

En février 1988, la justice accorda à ma mère le droit de voir Sassi pendant les week-ends, mais la décision resta sans effet : Rehana avait envoyé Sassi en Californie chez ses grands-parents. Qui sait où elle est à présent et ce qu'elle devient ? Je souffre physiquement dans mon cœur en pensant à elle. Si j'étais sûre au moins qu'elle va bien, qu'elle se trouve en bonne santé et heureuse. Mais nous sommes sans nouvelles. Je m'accroche en attendant à l'espoir qu'elle nous reviendra un jour. Comme son homonyme, elle franchira déserts et montagnes pour retrouver la famille qui l'aime. Nous l'attendrons toujours.

En juin 1988, après plus de deux ans de procès, la justice française décida que Rehana devrait comparaître pour non-assistance à personne en danger, inculpation entraînant une peine de un à cinq ans de prison. À notre vive déception, le tribunal conclut aussi que les preuves manquaient pour appuyer notre plainte pour meurtre. Du moins le soupçon du suicide était-il épargné à la mémoire de Shah. Peu après la décision de la cour, la BBC rapporta les propos de l'avocat de Rehana : elle admettait maintenant, disait-il, que Shah avait été assassiné.

Sassi, comme nous tous, ignorera peut-être toujours la vérité sur la mort de son père. En juillet 1988, nous apprîmes que Rehana avait quitté la France pour rejoindre en Amérique sa famille et Sassi. Les autorités françaises lui avaient rendu son passeport pour «raisons humanitaires». Elle n'eut, selon nos avocats, aucun mal à obtenir à Marseille un visa du consulat américain. Son procès, nous dirent-ils, ne serait pas instruit avant 1989, s'il l'était jamais. Ils doutaient, de toute façon, qu'elle revienne un jour en France pour y être jugée [1].

Un autre Bhutto mort pour ses convictions politiques. Un autre militant réduit au silence. Nous continuons, naturellement. Le chagrin ne nous détournera pas du terrain politique ni de notre recherche de la démocratie.

Nous avons foi en Dieu et nous lui laissons le soin de la justice.

---

1. Le 5 décembre 1988, le tribunal français de Grasse a condamné Rehana Bhutto, veuve de Shah Nawaz, frère de l'ancien Premier ministre du Pakistan, à deux ans de prison pour non-assistance à personne en danger. Comme on s'y attendait, Mme Bhutto n'assistait pas au procès et a été condamnée par contumace. Un mandat d'arrêt a été émis contre elle. (N.d.E.)

13

RETOUR À LAHORE
ET MASSACRE D'AOÛT 1986

LA LOI MARTIALE fut levée le 30 décembre 1985. J'étais encore en Europe et je lus la nouvelle sur le téléscripteur d'un hôtel. Mais au lieu d'être un moment de grand soulagement, la fin de la loi martiale ne fut rien de plus qu'une astuce publicitaire à l'usage de l'Occident. Il n'y eut pas de retour à un vrai gouvernement civil, car Zia occupait toujours à la fois les fonctions de chef d'état-major et de président; on ne pouvait donc prétendre que l'armée avait abandonné tout rôle politique. Celui que pouvaient assumer les partis politiques dans les élections restait à définir, ce qui soulignait la crainte du régime de rendre le Pakistan à une véritable démocratie.

Le nouveau «gouvernement civil» de Zia n'était qu'une farce. Peu avant la levée de la loi martiale, le Parlement fantoche de Zia avait entériné le scandaleux huitième amendement, qui cautionnait les membres du régime non seulement pour les mesures prises dans le passé sous la loi martiale, mais aussi dans les trois mois qui restaient à courir. Ainsi assurées qu'aucune révision judiciaire ne viendrait remettre en question la validité de leurs décisions, les cours militaires s'étaient hâtées de condamner des centaines de personnes à de longues peines de prison, de manière que le plus possible de dissidents se trouvent derrière les barreaux – et y restent – quand la loi martiale serait levée.

Son héritage ne fut pas liquidé pour autant. Depuis 1977, Zia avait détruit systématiquement les institutions établies par le gouvernement de mon père – justice indépendante, économie structurée, gouvernement parlementaire, liberté de la presse, liberté religieuse, garantie des droits civils pour tous dans le cadre de la Constitution de 1973. L'absence d'un ordre légal et le sentiment général d'insécurité avaient fait de la vie au Pakistan une mêlée générale.

La corruption et le crime étaient devenus des industries à l'échelle du pays. Sous la loi martiale, les emplois recherchés par les jeunes gens les plus brillants se trouvaient dans les douanes parce que les pots-de-vin y étaient les plus élevés. Une nouvelle classe d'«entrepreneurs» se glissait partout – elle y est encore –, des climatiseurs à la vidéo, échappant aux douanes et revendant au marché noir. Un rapport récent de la banque d'État révèle que près d'un sixième de la croissance de l'économie pakistanaise vient de la contrebande. Or le pays ne touche pas d'impôts sur les trafics clandestins.

L'intervention soviétique en Afghanistan avait jeté une ombre plus durable et plus menaçante encore. Les armes américaines destinées aux moudjahidins se retrouvaient sur les nouveaux et prospères marchés d'armes pakistanais. Des Kalachnikov soviétiques passaient aux mains d'ouvriers pakistanais qui les copiaient puis les revendaient quarante dollars au marché noir. On disait même qu'à Karachi on pouvait en louer à l'heure. Dans certaines régions du Sind, on ne voyageait plus après la nuit tombée, car les routes étaient occupées par des bandes équipées d'armes automatiques et de lance-roquettes. Dans tout le Pakistan, les gros propriétaires terriens et les industriels commençaient à entretenir des troupes privées pour se protéger et attaquer parfois leurs concurrents. De temps en temps, le régime mobilisait ces troupes, procurant armes, uniformes et salaire aux «soldats» recrutés par les seigneurs tribaux. En retour, elles menaçaient les partisans du PPP, dévastant à l'occasion des villages entiers. Les mosquées même, où les habitants cherchaient refuge, n'étaient pas épargnées.

Le trafic de drogue était aussi une conséquence de l'invasion de l'Afghanistan. Là où la drogue était absente avant l'afflux des réfugiés afghans, on comptait maintenant plus d'un million de Pakistanais toxicomanes, tandis que des millions, sinon des milliards de dollars d'héroïne et d'opium déferlaient sur les routes, depuis les camps de réfugiés du Nord jusqu'au Sud où on les embarquait à Karachi. Vers 1983, le Pakistan était devenu le premier fournisseur d'héroïne pour le reste du monde. On vit s'élever à Karachi, Lahore et dans les territoires tribaux de grandes demeures tapageuses payées avec l'argent de la drogue. Le régime fermait les yeux ou prélevait sa part. Une partie importante des cargaisons était, disait-on, acheminée jusqu'à Karachi dans les camions militaires qui avaient franchi la passe de Khyber pleins d'armes pour les moudjahidins.

Des parents de hauts fonctionnaires du régime, entre autres le fils d'un ministre d'un cabinet militaire, furent arrêtés pour trafic de drogue par Interpol en Amérique et dans d'autres pays occidentaux. Mais au Pakistan, personne ne fut inquiété parmi les personnalités gouvernementales. Bien qu'il l'ait nié, le bruit courut que la cheville ouvrière du trafic était le gouverneur militaire de la province de la Frontière du Nord-Ouest, qui restait à son poste depuis plus de sept ans, alors que Zia avait destitué et remplacé à son gré les autres gouverneurs militaires. Presque aussi connu était le cas d'Abdullah Bhatti, l'un des deux caïds de la drogue arrêtés par le régime en huit ans de loi martiale. Après sa condamnation par un tribunal militaire, Bhatti s'était «évadé». Plusieurs années après, quand le mauvais temps eut obligé son avion à se poser à Karachi, il fut arrêté de nouveau. Le général Zia usa de sa grâce présidentielle pour le relâcher, ce qu'il n'avait jamais fait pour aucun prisonnier politique.

La politique d'«islamisation» de Zia avait aussi divisé et démoralisé le pays. À la tolérance religieuse du temps de mon père avait succédé la persécution de toutes les minorités. La plupart des Pakistanais suivaient l'école Hanafi de l'islam sunnite, interprétation modérée de nos croyances religieuses. Notre pays avait été fondé sur les principes islamiques de l'unité, de l'entraide et de la tolérance pour nos minorités religieuses : les ahmadis, qui avaient leur propre chef religieux en Angleterre, les hindous, les chrétiens et une population réduite mais unie de parsis, zoroastriens adorateurs du feu. Le jour où il fut élu président de l'Assemblée constituante du Pakistan, en 1947, notre fondateur Mohammed Ali Jinnah avait déclaré : «Vous êtes libres de fréquenter vos temples, vos mosquées ou tout autre lieu de culte dans l'État du Pakistan. Vous pouvez appartenir à toute religion, caste ou credo – cela n'a rien à voir avec les affaires de l'État.»

Zia, cependant, soutenait les wahabbiths, secte proche des réformistes d'Arabie Saoudite qui formaient les groupes de droite comme le *Jamaat-e-Islami*, et croyaient en une interprétation beaucoup plus sévère et moins tolérante de l'islam. Dès le coup d'État de 1977, le régime avait prêché l'islamisation tandis que les fondamentalistes essayaient d'imposer au reste du pays les vues de leur minorité fanatique. Les chrétiens, les hindous et les parsis trouvaient à leur réveil des lettres ronéotypées glissées sous leurs portes «Allez-vous-en. On n'a pas besoin de vous ici.» Très discrètement, beaucoup de minorités avaient vendu leurs biens et quitté le pays qui avait été leur foyer depuis des générations. Ceux qui étaient restés tâchaient de se faire oublier ; les femmes parsis qui, du temps de mon père, portaient souvent des jeans, avaient adopté le *shalwar khameez* pour ne pas s'attirer les foudres des mollahs fondamentalistes.

Avec Zia, les mollahs devinrent le glaive de l'islamisation. Ils faisaient accepter le pouvoir répressif sous le masque de l'islam et, en retour, il institua un impôt islamique – 2,5 % de tous les revenus –

qu'il leur distribua. L'impôt de Zia allait beaucoup plus dans les poches des mollahs que dans les mains des nécessiteux à qui on prétendait le destiner.

La *fatwa*, ou jugement prononcé par les mollahs dans les mosquées, au cours de leurs sermons du vendredi, sur ce qui était bien ou mal, prit un sens redoutable. En 1984, une *fatwa* presque comique fut portée contre les acteurs d'un film de télévision qui étaient mariés dans la vie réelle. À l'écran, l'acteur répudiait sa femme en lui disant par trois fois « je divorce ». Les mollahs en conclurent que le couple réel non seulement était vraiment divorcé, mais que l'épouse était passible de *rajm*, lapidation à mort pour adultère. Des gens vinrent en pleine nuit attaquer les époux chez eux. Et le public était tellement aveuglé par les idées injustifiées et incontestées des fondamentalistes sur l'islam que l'incident passa pratiquement inaperçu.

Zia avait invariablement recours à la rhétorique islamique pour justifier ses mesures répressives et terroriser certains éléments de la société. Deux semaines après le retour de Khomeiny en Iran en 1979, les tribunaux islamiques de Zia avaient rendu publiques les infâmes ordonnances *Hudood*, qui punissaient les crimes tels que vol, adultère et viol selon l'interprétation la plus stricte de la charia, la loi établie dans le Saint Coran et le Hadith ou paroles du Prophète. Selon ces ordonnances, il fallait le témoignage de quatre hommes musulmans pour justifier une accusation féminine de viol. Sans ces témoignages, presque impossibles à réunir, évidemment, la plaignante pouvait être accusée d'adultère. Le procès de Safia Bibi, servante aveugle enceinte après avoir été violée par son patron et le fils de celui-ci, devint un exemple classique d'injustice fondamentaliste. Parce que aucun des deux hommes n'avoua et qu'elle ne put trouver quatre témoins oculaires de l'agression – un viol a rarement lieu en public –, le père et le fils repartirent libres tandis que la jeune femme, accusée d'adultère, fut condamnée à être fouettée en public et emprisonnée pour trois ans.

Safia Bibi fut sauvée par la campagne de femmes indignées qui donnèrent à l'incident une publicité internationale. Le régime, embarrassé, se hâta d'acquitter la victime. Une fille de treize ans, enceinte après avoir été violée par son oncle, n'eut pas autant de chance. Incapable de fournir au tribunal la preuve du viol, elle fut aussi condamnée à trois ans de prison et dix coups de fouet. La cour suspendit l'exécution du jugement jusqu'à ce que l'enfant nouveau-né eût deux ans.

La Constitution de 1973, élaborée par mon père, interdisait formellement toute discrimination contre les femmes : «... il n'y aura aucune discrimination sur le seul critère du sexe», déclarait l'article 25-2. La politique d'islamisation de Zia n'approuvait pas seulement la discrimination, elle l'encourageait. À l'université de Karachi, où la mosquée avait été convertie en dépôt d'armes pour l'aile étudiante du *Jamaat-e-Islami*, les étudiants fondamentalistes commencèrent à manifester pour des campus séparés selon le sexe. «Les femmes ne sont pas en sécurité avec des hommes», insistaient-ils, et ils se mirent à harceler les étudiantes qui ne portaient pas la *burqa*. Ils en aspergèrent plusieurs d'un acide qui les brûla à travers leurs vêtements. Et les coupables ne furent pas punis.

Les femmes étaient tenues à part à tous les niveaux de la société. Dans certaines réceptions officielles, on commença à séparer par sexe les invités, les personnalités féminines les plus importantes étant elles-mêmes isolées de leurs collègues masculins. À la télévision, les présentatrices furent priées de couvrir leur tête de *dupattas*, et celles qui refusèrent furent congédiées. Les athlètes des excellentes équipes féminines de hockey pakistanaises durent se couvrir les jambes sur le terrain, ce qui les empêcha du même coup de participer aux compétitions internationales. Le zèle islamique du régime allait parfois jusqu'à l'absurde. «Cette photographie montre une femme jambes nues», reprochait un censeur du régime au rédacteur en chef d'un journal, désignant l'illustration d'un article sur la coupe du monde de tennis. «Ce n'est pas une femme, répliqua le journaliste, c'est Björn Borg.»

Les femmes réagirent aux autres ordonnances du régime qui réduisaient systématiquement leur autorité et leur importance. Quand les tribunaux islamiques déclarèrent en février 1983 que le témoignage d'une femme ne vaudrait que la moitié de celui d'un homme, un groupe de femmes de professions libérales manifesta à Lahore. La police chargea la foule de professeurs d'université, de femmes d'affaires et d'avocates, au bâton et au gaz lacrymogène, en entraînant par les cheveux soixante-dix ou quatre-vingts jusqu'à la prison. Comme si ce n'était pas assez, les mollahs fondamentalistes déclarèrent dissous tous les mariages des manifestantes, ces femmes agressives ne répondant pas aux critères de l'islam. Les femmes pouvaient négliger les mollahs mais non le régime. En dépit des protestations, le Parlement de Zia vota la «Législation du témoignage» en 1984. En 1988, elle est toujours en vigueur.

On attend une loi qui récuse le témoignage des femmes dans les affaires criminelles, et une autre qui réduise l'indemnité due aux parents d'une femme assassinée. Si l'on part du principe qu'une femme vaut moitié moins qu'un homme, la famille devrait toucher moitié moins que pour le meurtre d'un homme.

Malgré tous les discours sur la levée de la loi martiale, le Pakistan de Zia restait celui de l'oppression et de la division. Les pauvres étaient désespérés. Les femmes aussi. Au lieu d'associer dans la paix leurs différences, ou simplement de vivre avec elles, les groupes rivaux se livraient dans tout le pays à des enlèvements et des fusillades. La violence était particulièrement déchaînée dans les provinces minoritaires du Sind, du Baloutchistan et de la Frontière, où la méthode de Zia – diviser pour régner – avait conduit à une polarisation ethnique en accentuant les rumeurs de sécession.

Depuis le début, l'interdiction des partis politiques était allée de pair avec la protection des leaders séparatistes. En les laissant s'exprimer largement dans la presse, Zia les avait habitués à encourager la méfiance entre les provinces minoritaires et le Penjab, perpétuant le mythe de l'autorité militaire indispensable à l'unité du pays. Les élections sans partis organisées par le régime ne pouvaient que favoriser la division. Interdire les partis politiques, c'était obliger les candidats à faire campagne non sur une plate-forme d'idéaux politiques qui auraient transcendé les ethnies et les frontières régionales, mais sur des critères individuels. «Votez pour moi, je suis chi'ite comme vous», disaient les candidats à leurs électeurs. «Votez pour moi, je suis un Penjabi.»

Le Pakistan en payait les conséquences. Des émeutes raciales entre Pathans et *muhajirs*, émigrants de l'Inde, éclatèrent pour la première fois à Karachi en 1985. Un bus conduit par un Pathan écrasa accidentellement une fille *muhajir*. Plus de cinquante personnes furent tuées et plus de cent blessées dans la bagarre qui s'ensuivit. Une foule en colère brûla des centaines de voitures, de scooters et d'autobus. L'agitation s'étendit si rapidement que, dans de nombreux quartiers, le régime dut imposer le couvre-feu pendant un mois, ce qui supprima les effets du problème sans rien faire pour combattre sa cause. Pendant les trois années suivantes, les blessures, le nombre des morts et les biens détruits dans les batailles d'ethnies se multiplièrent. De nouveaux partis fondés exclusivement sur des affiliations ethniques acquirent une certaine popularité et les intolérances fanatiques s'aggravèrent. L'unité du Pakistan menaçait de s'effondrer.

«Je songe à rentrer», dis-je aux militants du PPP réunis au Barbican en janvier 1986, quand je revins de France. Ils me regardèrent, dans l'expectative, ne sachant ce que je voulais dire. «J'atterrirai probablement à Lahore ou à Peshawar», continuai-je, et leurs visages s'éclairèrent. «Rentrer» ne signifiait donc pas retourner au 70, Clifton, mais retrouver le Pakistan tout entier. L'assaut du parti contre Zia allait commencer.

«Je vais avec vous», dirent Nahid et Safdar Abbasi. «Je pars aussi», ajouta Bashir Riaz. «Ne prenez pas de décisions hâtives.» Je les mis en garde, car je savais que Nahid et Bashir avaient tous deux des procès en attente contre eux au Pakistan. Mais notre petite équipe de volontaires était décidée. Nous rentrerions ensemble.

Le moment semblait opportun. Avec la levée, tant vantée par Zia, de la loi martiale, nous pourrions forcer la main au régime et mettre à l'épreuve ses prétentions de liberté. Si Zia m'arrêtait dès mon retour, sa prétendue démocratie serait percée à jour. Sinon, je pourrais apporter librement le message du PPP au peuple pakistanais, pour la première fois depuis neuf ans. Psychologiquement, le moment paraissait aussi favorable. Deux dictateurs étaient tombés récemment : Ferdinand Marcos aux Philippines et «Papa Doc» Duvalier en Haïti. C'était le tour du troisième.

La décision était importante. Mais était-ce la bonne? Après mes années de détention et d'exil, j'étais incapable d'évaluer directement la température politique au Pakistan. Je réunis donc le comité exécutif du PPP à Londres. «Je pense qu'il est temps de repartir, dis-je. Mais cela dépend de vous. Il est très possible qu'il m'arrive quelque chose ou que je sois arrêtée. Que pourra faire le PPP dans ce cas? Le moment est-il favorable pour manifester et pousser Zia vers une véritable démocratie, ou dois-je retarder mon retour? C'est à vous tous de décider.

– Vous devez rentrer tout de suite, et nous resterons près de vous, déclarèrent les leaders à l'unanimité. Si Zia prend des mesures contre vous, ce sera contre nous tous.» Je fus très heureuse de voir certains d'entre nous s'asseoir autour de ma petite table de salle à manger du Barbican pour établir les itinéraires possibles de mes tournées au Penjab, dans la province de la Frontière du Nord-Ouest et le Sind. Comme toujours, notre stratégie était politique et non violente : travailler le système de l'intérieur pour le miner, et non donner au régime quelque prétexte pour nous arrêter. En organisant de grandes manifestations politiques dans tout le Pakistan, nous espérions l'obliger à annoncer les élections, si possible à l'automne de 1986.

Je ne cessais d'ajouter des villes sur l'itinéraire. Plutôt que de programmer des réunions simultanées dans les villes principales, je demandais au PPP d'échelonner les manifestations sur un certain temps dans beaucoup de villes différentes. L'assurance du peuple ferait boule de neige et viendrait à bout de la crainte que Zia avait inculquée au pays avec sa politique de pendaisons et de coups de fouet.

« Pouvez-vous en faire tant ? demandèrent les dirigeants. – Je le peux », répondis-je pendant le dîner que j'avais cuisiné : poulet et *dhal*. Nous décidâmes que Lahore serait notre point de chute au Pakistan ; la capitale du Penjab, la province d'où venait l'armée. C'était aussi un bastion des partisans du parti.

Après avoir planifié le reste de l'itinéraire, les autres dirigeants du PPP repartirent au Pakistan pour tout organiser, bien que la date définitive de mon propre retour soit restée secrète. À ce moment-là, nous avions appris à ne pas laisser à Zia le temps de se préparer. Nous eûmes un avantage inattendu, car cet élément de mystère travailla pour nous. Dans tout le pays, on en faisait un jeu : « Elle va venir le 23 mars, pour le jour du Pakistan », prévoyait une rumeur populaire. « Non, elle viendra le 4 avril, pour l'anniversaire de la mort de son père », soutenaient les autres. La presse elle-même se faisait l'écho des dernières spéculations.

Les menaces commencèrent. Un partisan du PPP au Pakistan me fit suivre le message d'un officier du Sind : « Dites-lui de ne pas venir. Ils ont décidé de la tuer. » D'autres venaient du Penjab, de la Frontière, de tout le pays. « Une femme en politique est plus vulnérable que vous ne pensez. Ne rentrez pas.» Mon téléphone personnel se mit à sonner à des heures bizarres, tôt le matin ou tard le soir. Quand je décrochais, il n'y avait personne. Un ami m'appela pour me dire qu'un commandant pakistanais qui portait sur lui ma photographie avait été intercepté à l'aéroport de Heathrow et refoulé.

Je ne sais pas si ces menaces étaient sérieuses ou si le régime essayait seulement de me faire peur pour m'empêcher de rentrer. Mais il se produisit un fait très inquiétant. Noor Mohammed, le vieux et fidèle serviteur de mon père, fut sauvagement assassiné, en janvier, à Karachi. J'avais reçu avant sa mort une lettre de sa jeune nièce et pupille, Shahnaz, disant qu'il était très impatient de me parler et me demandant de lui téléphoner. Le régime le poursuivait, disait-elle, car il «savait quelque chose». Je l'avais appelé immédiatement de Londres, mais il était trop tard. Non seulement Noor Mohammed, mais aussi Shahnaz, âgée de onze ans, étaient morts, tués à coups de couteau. Je reçus peu après une lettre de lui, postée avant sa mort. C'était encore une demande pressante pour que je l'appelle. Que pouvait-il bien avoir à me dire?

Je pris l'avion pour Washington, souhaitant attirer l'attention sur le test que nous projetions quant aux intentions démocratiques du régime. Le peuple pakistanais attendait depuis neuf ans des élections et le rétablissement d'un gouvernement démocratique. Qui sait ce que mon retour déclencherait là-bas et quelle serait la réponse du régime? Le Premier ministre de Zia, Mohammed Khan Junejo, avait déclaré publiquement que je ne serais pas arrêtée. Mais qui pouvait prévoir ce que ferait Zia?

À Washington, j'eus des entrevues avec le sénateur Pell, le sénateur Kennedy et Stephen Solarz, le député énergique et brillant qui avait contrôlé les récentes élections aux Philippines, installé démocratiquement dans ses fonctions Corazón Aquino, et qui était devenu pour moi un ami personnel. Ils furent très positifs quant à mon retour au Pakistan. Ils insistèrent aussi pour des élections libres et la restauration des droits de l'homme, et promirent de surveiller la situation en suivant de près mon retour. Mark Siegel, un conseiller politique que j'avais rencontré lors de ma visite à Washington en 1984, se montra très efficace ; il décida les fonctionnaires élus et d'autres personnes influentes à écrire aux responsables pakistanais, pour les prévenir des conséquences sérieuses que pourraient entraîner de mauvais traitements à mon égard. Précaution supplémentaire : il m'offrit un gilet pare-balles.

Dans la presse américaine, on rapprochait avec intérêt mon combat imminent contre Zia et celui de Corazón Aquino contre Ferdinand Marcos aux Philippines. Ce goût des ressemblances n'allait pas sans exagération. Issues toutes deux de familles connues de propriétaires terriens, nous avions, c'est vrai, fait nos études aux États-Unis ; nous devions aux dictateurs la perte d'êtres chers – le mari de Mme Aquino, mon père et mon frère. Elle avait combattu Marcos en s'appuyant sur la force du peuple pour orchestrer une révolution pacifique, comme j'espérais le faire au Pakistan. Mais là s'arrêtait le parallèle.

Aux Philippines, son mouvement avait bénéficié du soutien de l'armée et de l'Église pour renverser le régime de Marcos. Je n'avais rien de tel au Pakistan. Les généraux m'étaient hostiles parce que je menaçais le système corrompu qui leur assurait des terres à bon marché, des voitures gratuites et des franchises douanières. Si une partie des milieux religieux était avec moi, les mollahs fondamentalistes soutenaient la dictature de Zia.

Mais surtout, les Américains avaient donné son congé à Marcos et même assuré son départ des Philippines pour lui, sa famille et son entourage. L'administration Reagan, elle, restait derrière Zia. En instance devant le Congrès, une aide militaire et économique de 4,2 milliards de dollars par an était offerte au Pakistan avec tout l'appui de la Maison-Blanche. Je n'avais pas grand-chose à attendre de l'Amérique, à part les bons vœux et le soutien moral de divers membres du gouvernement et de la presse.

« Nous serons avec vous », m'écrivaient plusieurs correspondants. « La presse étrangère est la garantie la plus sûre. » Je les remerciai, m'efforçant d'oublier que la presse accompagnait aussi le leader de l'opposition Benigno Aquino, de retour aux Philippines, quand on l'avait abattu à l'aéroport avant qu'il ait pu mettre pied à terre. Au Barbican, quelqu'un avait glissé un mot sous ma porte : « Souvenez-vous d'Aquino. »

J'ignorais ce qui m'attendait à mon retour au pays : la vie ou la mort, mais je ne voulais pas trop y penser. Quel que soit le sort que Dieu me réserve, je n'y échapperais pas, quoi que je fasse et où que j'aille. Je voulais néanmoins remplir la promesse faite à mon père d'accomplir en son nom l'*Umrah*, le saint pèlerinage. Presque aussitôt après mon retour de Washington, je partis pour La Mecque avec quelques amis. Tout musulman doit, s'il le peut, faire une fois dans sa vie le voyage de La Mecque pendant le mois de *Hadj*. L'*Umrah*, qui ne dure que quelques heures au lieu de quatre jours, peut être fait à n'importe quel moment de l'année.

Je voulais m'en acquitter pour mon père depuis 1978. Le régime prétendu islamique de Zia m'en avait par deux fois refusé l'autorisation. Ne sachant ce qui m'attendait, je saisis cette dernière occasion.

À La Mecque, mes amis et moi revêtîmes les robes blanches, sans couture, des pèlerins et commençâmes le rituel. Nous dîmes ensemble les prières en arabe à la porte de la Paix, l'entrée de l'immense cour de marbre blanc de la sainte mosquée : « Allah, tu es la paix et de toi procède toute paix. Ô Seigneur, accueille-nous dans la paix. » Nous fîmes sept fois le tour de la Kaaba, le sombre édifice de quinze mètres de haut sur douze de large qui pour les musulmans marque le lieu où Abraham édifia le premier temple dédié au Dieu unique. «*Allahu akbar*, Dieu est grand», disions-nous chaque fois en passant devant la Pierre noire, à l'angle sud-est de la Kaaba. Le Prophète, la paix soit sur lui, avait baisé cette petite pierre en aidant à la poser dans la Kaaba, au VIIᵉ siècle.

Je sentais mon fardeau s'alléger en accomplissant les rites de l'*Umrah*. À chaque pause, je priais pour mon père et pour les autres victimes du régime, pour mon frère, pour les hommes et les femmes restés en prison. Je me sentais soutenue par la pratique religieuse et je restai un jour de plus afin de refaire l'*Umrah* pour moi-même. Purifiée spirituellement, je retournai au monde de la politique et partis pour l'Union soviétique, où un groupe de femmes m'avait invitée. J'espérais ainsi répondre aux critiques qui, au sein du PPP, m'accusaient d'être trop pro-américaine. Il me fallait le soutien le plus large possible.

Le 25 mars, nous annonçâmes mon retour pour le 10 avril. La presse internationale accourut à Londres par avance. Bien que nous croyions notre cause politiquement juste et bien fondée, la presse mettait plus volontiers l'accent sur la confrontation poignante d'une jeune femme et d'un dictateur militaire, version moderne et féministe de David et Goliath. «60 minutes» me filma pour CBS en Amérique. *Vanity Fair* envoya Lord Snowdon me photographier. Je parus à la télévision à Londres, à l'heure du petit déjeuner et à New York par satellite. La BBC enregistra des interviews en anglais pour ses émissions mondiales, et en ourdou pour ses bulletins d'information locaux. Je fus encore interviewée par Associated Press, UPI, la quatrième chaîne et la presse britannique dans l'appartement de tante Behjat. Petula Clark habitait le même immeuble et, pour la première fois, remarqua sèchement ma tante, un autre appartement était plus fréquenté que le sien.

On attendait beaucoup dans la presse internationale d'un assaut réussi du PPP contre Zia. Mais je ne savais à quoi m'attendre au

Pakistan. Les années de répression avaient pu miner les résistances. Dans *Prisonnier sans nom, cellule sans numéro*, Jacobo Timerman avait observé les phases par lesquelles passaient les populations opprimées : la colère, la peur, l'inertie. Le peuple répondrait-il à l'appel du PPP, ou avait-il été réduit au silence, seule garantie de survie ? Toute une génération de Pakistanais avait grandi dans l'ombre de la loi martiale. Un enfant de dix ans en juillet 1977 était devenu un jeune homme ou une jeune fille de dix-neuf ans, qui ne savait rien de ses droits les plus élémentaires. Voudraient-ils conquérir ce qu'ils n'avaient jamais connu ?

Nous nous étions engagés en annonçant notre intention de retour. Le monde entier nous regardait. «Combien de gens pensez-vous réunir à Lahore ?» demandai-je à Jehangir Badir, président du PPP au Penjab, qui était rentré avant nous.

« 500 000, dit-il.

– C'est beaucoup !

– Mais ils seront au moins 500 000, insista-t-il. Vous n'avez même pas quitté Londres et on dit qu'il y a déjà foule à Lahore.

– Nous ne pouvons pas en être sûrs. Si la presse vous interroge, dites que nous en attendons 100 000, pas 500 000. Si par la suite, l'affluence est estimée à 470 000, personne ne pourra dire que c'était moins que prévu. »

Il n'y avait pas de vol depuis l'Europe jusqu'à Lahore, si bien que le 9 avril je pris l'avion pour Dhahran, en Arabie Saoudite, avec Bashir Riaz, Nahid, Safdar, ma compagne d'école Humaira et beaucoup d'autres, avant de rejoindre Lahore par un vol de la PIA. L'équipage de la Pakistan Airlines fut très coopératif et permit à nos partisans de décorer l'avion de fanions, de drapeaux et d'autocollants du PPP, ce qui nous était interdit depuis neuf ans. Je ne sais ce que les autres passagers en pensèrent. Il y avait à bord une trentaine de membres du parti avec des journalistes, et cela ressemblait plutôt à un charter particulier.

L'ambiance de fête qui régnait parmi nous était contagieuse, bien qu'il s'y mêlât toujours le sentiment du danger. Pendant notre halte à Dhahran, les autorités saoudiennes m'installèrent dans une maison à part, isolant les autres dans une salle d'attente. J'appris plus tard que l'ambassadeur pakistanais avait atterri au même moment et que les Saoudiens étaient inquiets pour notre sécurité. Les menaces grandissaient, venant du Pakistan. Nahid, Bashir et un autre du parti furent avertis à Dhahran qu'ils figuraient sur une liste du régime pour arrestation immédiate. Les messages qui me suppliaient de ne pas rentrer se multipliaient.

Je tâchai d'oublier le danger en préparant mon allocution tandis qu'à l'aube nous approchions de Lahore. Le régime avait, paraît-il, empêché les autobus bourrés de partisans du PPP de passer les frontières du Baloutchistan, du Sind et de la province de la Frontière du Nord-Ouest. Aucun de nous ne savait ce qui nous attendait au pays.

Lahore, le 9 avril, Amina Piracha :

« La veille de l'arrivée de Benazir, Lahore n'était qu'une immense fête ou un carnaval. Mme Niazi, mon mari Salim et moi-même, venus d'Islamabad pour la recevoir, n'avions jamais rien vu de pareil. On donnait à boire et à manger dans les rues, et des éventaires étaient aussi installés au bord de la route vers l'aéroport. Toute la ville était aux mains du peuple. Des étudiants la sillonnaient en camionnettes Suzuki, chantant des chansons sur les Bhutto, dont une charmante en penjabi : *"Aaj te ho gai* Bhutto, Bhutto. Aujourd'hui, il n'y a que Bhutto, Bhutto." Les gens ne cessaient d'arriver en voitures, en bus, en chars à bœufs, en camions, à pied. Une caravane d'autobus arborait des drapeaux : "Ce bus vient de Badin, ce bus vient de Sanghar." Après ces longues années de répression, d'horreur et de découragement, c'était l'exaltation pour la première fois.

«Personne ne dormit de toute la nuit. Nous parcourions la ville et la route de l'aéroport aller et retour avec les autres. Un vieil homme nous accompagna un moment les larmes aux yeux. Une vieille dame se joignit à nous, tantôt pleurant, tantôt souriant. On n'avait pas pu pleurer M. Bhutto, il n'y avait pas eu alors de deuil officiel. Le peuple pouvait à présent exprimer son chagrin, aussi bien que sa joie du retour de Benazir. Cette nuit à Lahore reste l'un des plus beaux souvenirs de ma vie.»

Docteur Ashraf Abbasi :

«C'était comme un Aïd. On distribuait gratuitement de la viande, du riz et des fruits. On chantait et on dansait partout au son des tambours et des battements de mains. Les lecteurs de cassettes diffusaient des chansons sur M. Bhutto, le PPP, Benazir. Les paroles étaient faciles, sur des airs connus, si bien que tout le monde les retenait aussitôt. Des drapeaux du PPP apparurent brusquement aux balcons et sur les réverbères. Les gens s'étaient procuré des bouts de tissu verts, rouges et noirs pour les fabriquer en secret avant le retour de Benazir. Nos adversaires fondamentalistes du *Jamaat-e-Islami* eux-mêmes vendaient dans la rue drapeaux et photos de Benazir, profitant de l'occasion pour se faire de l'argent.»

Mme Niazi :

«J'aurais voulu que mon mari et ma fille Yasmin puissent voir Lahore, mais le régime maintenant contre eux de graves accusations à Islamabad, ils ne purent quitter Londres. Cette fête était vraiment une revanche sur les souffrances du peuple. Je me rappelais toujours la dame qui, pendant l'horrible époque de la persécution, me prédisait la fin du parti ; on n'entendrait plus jamais, disait-elle, prononcer en public le nom de M. Bhutto. Non, lui avais-je répondu, le PPP ne finira jamais parce qu'il est le peuple même. Un jour viendra où vous verrez librement reproduit le nom de M. Bhutto. Maintenant ce jour était venu, et tous donnaient libre cours à leurs sentiments. »

Samiya :

« Les autorités installaient encore de lourdes barrières métalliques et des barricades de barbelés à l'aéroport pour retenir la foule au moment de l'arrivée de Benazir. On avait même réaménagé les routes qui desservaient l'aéroport à l'entrée et à la sortie. À 4 heures, nous nous retrouvâmes à un rendez-vous convenu. L'administration n'autorisait que deux cents entrées dans l'aéroport, et l'on nous donna des laissez-passer. On nous introduisit discrètement par une autre entrée. J'avais la gorge serrée. Nous étions tous si heureux que nous nous demandions ce qui nous arrivait. »

Docteur Abbasi :

« Mais notre joie était mêlée de crainte. Nous étions tellement inquiets pour la sécurité de Benazir que nous nous pressions autour d'elle comme un bouclier vivant. Il y avait tant de monde, tant et tant, réuni à Lahore. Comment savoir qui pouvait s'y cacher ? »

Juste avant 7 heures, on entendit grésiller les haut-parleurs de l'avion. « Nous amorçons notre descente sur Lahore, dit le pilote, et nous saluons le retour au Pakistan de Mlle Benazir Bhutto. » Une hôtesse s'approcha de moi pour m'annoncer : « Le pilote vient de recevoir un message de l'aéroport : un million de personnes vous attendent. »

Un million de personnes. Je regardai par le hublot sans voir autre chose que le vert vibrant des champs du Penjab. « Levez-vous et voyez vous-même dans le cockpit », dit-elle. J'écarquillai les yeux à l'avant de l'appareil, mais je n'apercevais au loin que la piste qui se rapprochait, avec de minuscules silhouettes tout autour et au sommet des bâtiments de l'aéroport.

Je vis, pendant l'atterrissage, que c'étaient les forces de sécurité. Les précautions étaient si sévères qu'aucun autre vol n'avait le droit d'atterrir.

« Nahir, Bashir, Dara, restez près de moi », dis-je à ceux qui risquaient, disait-on, d'être arrêtés. Ironie : mes partisans se pressaient autour de moi pour me protéger, et je les retenais à mes côtés pour les défendre. « Nous sommes votre sécurité », disaient les journalistes. Mais ce fut la cohue à l'extérieur de l'aéroport qui servit notre sécurité. Les responsables de l'immigration étaient si pressés de nous faire sortir qu'ils expédièrent les formalités dans l'avion et tamponnèrent tous nos passeports.

Chez moi. J'étais chez moi. En débarquant sur le sol pakistanais, je m'arrêtai pour sentir la terre sous mes pieds, respirer l'air qui m'entourait. J'avais atterri maintes fois à Lahore, et j'y avais passé beaucoup d'heureux moments. Mais c'était aussi la ville où mon père avait été condamné à mort. À présent, je revenais défier son assassin, le général coupable de haute trahison pour avoir renversé la Constitution.

Samiya ! Amina ! Docteur Abbasi ! « Je me demande comment nous allons sortir d'ici avec tout ce monde », dit Samiya dans l'aérogare, en passant des guirlandes de roses autour de mon cou. «Nous irons en camion», répondit Jahangir, me conduisant vers un de ces véhicules typiques, peint de couleurs éclatantes et luisant de toutes ses décorations de fer-blanc.

Je ne lâchai pas les notes pour mon allocution en regardant les marches branlantes qui menaient à la plate-forme édifiée au sommet du camion. J'avais déjà fait des cauchemars à propos d'escaliers que je ne voulais pas monter bien que j'y sois obligée. Brusquement, ces marches mêmes étaient devant moi, et des centaines de regards curieux attendaient que je les monte. Que faire ? Nous nous étions mis d'accord à Londres sur ce mode de transport qui devait me conduire au Minar-i-Pakistan, le monument édifié par mon père pour commémorer la déclaration d'où devait naître le Pakistan. Je ne pouvais plus rien changer. Ils étaient un million à attendre dehors. En respirant à fond, je posai le pied sur la première marche. «*Bismillah*, me dis-je. Au nom de Dieu, allons-y.»

Il est des moments dans la vie qui sont indescriptibles. Mon retour à Lahore en fut un. Une mer humaine, ou plutôt un océan, bordait les routes, s'entassait sur les balcons et les toits, se perchait dans les arbres et sur les lampadaires, accompagnait le camion et se répandait à travers champs. Il faut habituellement un quart d'heure pour aller de l'aéroport au Minar-i-Pakistan, dans Iqbal Park. En cet incroyable 10 avril 1986, il nous fallut dix heures. Entre-temps, le million de gens avait doublé, puis triplé.

Des centaines de ballons de couleur montèrent dans le ciel quand on ouvrit les portes de l'aéroport. Des pétales de roses, au lieu de gaz lacrymogène, pleuvaient sur le camion jusqu'à me couvrir les chevilles. On jetait des guirlandes de fleurs et, voyant une jeune fille dont le frère avait été pendu, je lui en lançai une. Il en tombait beaucoup sur le camion, ainsi que des *dupattas* et des châles faits à la main.

J'entassai les unes sur ma tête et jetai les autres sur mon épaule. Quand je reconnaissais en passant d'anciens prisonniers politiques, je leur jetais des fleurs et des tissus brodés ainsi qu'aux familles de ceux qui avaient été pendus ou torturés, et aux jeunes et très vieilles femmes qui étaient sur notre chemin.

Le noir, le vert et le rouge, couleurs du PPP, semblaient les seules à Lahore ce jour-là. Les drapeaux et fanions du parti ondulaient dans la brise sèche et chaude jusqu'à former presque une voûte sans fin. Les vestes, les *dupattas*, les *shalwar khameez*, les chapeaux étaient tous rouges, verts et noirs. Les ânes et les buffles d'eau portaient des rubans du PPP tressés dans leurs crinières et leurs queues. Les mêmes couleurs encadraient les photographies et posters de mon père, de ma mère, de mes frères et de moi.

«*Jeevay, jeevay* Bhutto! Vive, vive Bhutto!» criait la foule en penjabi, ce qui trois mois plus tôt leur aurait valu le fouet et la prison. «*Munjhe bhen, thunje bhen*, Benazir. Ma sœur, votre sœur, Benazir», disaient d'autres en sindi. On entendait des slogans en ourdou, en pachtou, dans les dialectes de toutes les régions du pays. «Benazir *ay gi, inqilab ly gi*. Benazir viendra, la révolution viendra», avaient dit nos partisans avant mon retour. Ils clamaient bien haut maintenant : «Benazir *ay hai, inqilab ly hai*. Benazir est venue, la révolution est venue.» Quand je saluais de la main, la foule saluait, quand je battais des mains au-dessus de ma tête comme faisait mon père, la foule battait des mains, et les bras levés ondulaient comme un grand champ de blé sous le vent.

Quand j'étais détenue à Islamabad dans cette maison presque vide, j'entendais quelquefois en m'éveillant le matin le grondement d'une foule. Mon esprit embrumé s'efforçait de comprendre. Qui appelaient-ils, ces gens? Et sur quel ton? Hurlaient-ils leur colère contre Zia? Ou criaient-ils leur joie en voyant s'ouvrir les portes de la prison de Rawalpindi et mon père en sortir? Ce n'était pas possible. Mais je continuais à entendre la rumeur à la prison de Sukkur, à la prison centrale de Karachi, en détention à Al-Murtaza et au 70, Clifton. Je cherchais à identifier le son, mais il m'échappait toujours. En avançant dans le tunnel de bruit des rues de Lahore le 10 avril, je me rendis compte brusquement que c'était la même rumeur que j'avais entendue chaque fois.

Je restai debout sur le camion pendant les dix heures qu'il nous fallut pour atteindre le Minar, au-delà des appartements du Premier ministre dans la maison du gouverneur, où notre famille avait séjourné quelquefois ; mais après le meurtre de mon père, le général Zia avait, dit-on, pendant ses insomnies, arpenté les couloirs une lampe à la main comme Lady Macbeth. Nous passâmes devant le dais qui avait abrité la statue de la reine Victoria, seule effigie qui restât d'elle depuis les interdictions fondamentalistes de tout élément figuratif en art. Puis nous dépassâmes le Zamzama, le canon de Kim, immortalisé par Kipling. Je me sentais de plus en plus légère, certaine que les martyrs qui avaient donné leur vie pour la démocratie marchaient joyeusement ensemble dans la foule. Telle était l'atmosphère de victoire, de triomphe, de justification de nos épreuves et de nos souffrances. « Zia ul-Haq, nous n'avons pas voulu de toi, criait la foule. Nous n'avons pas voulu de tes assemblées sur mesure. Nous ne voulons pas de ta constitution bidon. Nous ne voulons pas de ta dictature. Nous sommes plus forts que tous tes gaz lacrymogènes, tes balles et les chevalets de tes supplices. Nous voulons des élections. »

Bien qu'exposée sans protection sur le camion, je ne craignais aucun danger. Seul aurait pu me faire du mal celui qui aurait décidé d'être mis en pièces par la foule. Pas de menace non plus de la police ni de l'armée. Débordés par les masses, certains de nos anciens ennemis restaient derrière les portes verrouillées de leurs casernes tandis que beaucoup d'autres sortaient pour se joindre à la fête. Mon plus gros souci était ma voix, rauque depuis une grippe récente. Le long du chemin, je soignais ma gorge à l'eau chaude et au Disprin, en buvant aussi une solution de glucose qu'Urs, le valet de mon père, m'avait apportée de Karachi.

Le soleil commençait à se coucher sur le Minar-i-Pakistan quand nous arrivâmes. Il n'y avait pas un pouce libre pour les centaines ou les milliers de personnes qui nous avaient suivis jusque-là. Nous pouvions à peine atteindre l'estrade nous-mêmes. Je n'avais pas de gardes de sécurité, comme j'en eus plus tard pour me frayer un chemin dans la foule. Nous n'avions pas non plus imaginé encore de mener le camion jusqu'à l'estrade pour que je n'aie plus qu'à passer directement de l'un à l'autre. Au Minar, je descendis avec seulement quatre ou cinq amis pour affronter la cohue.

Les gens n'avaient pas de mauvaises intentions, mais leur excitation touchait à la frénésie. Poussant et se bousculant, ils essayaient de rompre le cercle qui m'entourait. Je crus que nous allions périr sur place, étouffés ou piétinés. Beaucoup semblaient avoir perdu la raison, tel ce dirigeant local du parti, qui se précipita contre l'héroïque barrage de mes amis, et que je dus repousser rudement. Dieu sait comment nous parvînmes sur cette estrade, où le président du PPP au Penjab s'effondra d'épuisement. «Peut-être faudrait-il discuter de sécurité», dis-je en l'évitant de justesse.

Quel point de vue de là-haut sur Iqbal Park! En face, le grès rouge de la mosquée Badshahi, une des plus grandes du monde, comme incendiée par les derniers rayons du soleil. À droite, sortant de l'ombre, le fort de Lahore, la forteresse moghole et ses cachots où nos partisans avaient été torturés, mis à mort. Et partout, de tous les côtés, le peuple qui m'acclamait. «Certains m'ont conseillé d'abandonner la politique, dis-je en ourdou. Ils m'ont avertie que je pouvais connaître le même sort que mon père et mon frère. Que l'arène politique au Pakistan n'était pas pour les femmes. À tous ceux-là, j'ai répondu que les militants de mon parti me protégeraient du danger.

J'ai pris volontairement le chemin plein d'épines et je me suis engagée dans la vallée de la mort.»

La sonorisation était mauvaise et n'était certes pas faite pour une audience dix fois supérieure à celle que nous attendions. Mais, comme par télépathie, les gens firent silence sur un geste de ma main. «Ici et maintenant, je fais le serment de tout sacrifier pour assurer les droits du peuple. Voulez-vous la liberté? Voulez-vous la démocratie? Voulez-vous la révolution? – Oui!» hurlèrent chaque fois trois millions de voix à l'unisson. «Je suis revenue pour servir le peuple, et non pour me venger. J'ai renoncé à la vengeance, je n'ai au cœur aucun sentiment de ce genre. Je veux reconstruire le Pakistan. Mais d'abord, je vous propose un référendum : Voulez-vous garder Zia? – Non! – Voulez-vous qu'il parte? – Oui!» Le grondement s'amplifiait. «Alors la décision est Zia *jahve!* criai-je. Zia dehors. – *Jahve! Jahve! Jahve!*» reprirent les millions de voix dans le ciel qui s'assombrissait.

Il n'y eut pas, de toute la journée, un seul mouvement de violence. Rien d'autre qu'un défi pacifique au régime. La réaction de la foule était si positive que beaucoup purent croire le régime abattu. D'un seul mot les masses auraient détruit l'Assemblée du Penjab, les demeures des ministres, la Haute Cour de Lahore où le tribunal aux ordres de Zia avait condamné mon père à mort. Mais nous ne voulions pas prendre le pouvoir dans le sang. Nous voulions ramener la démocratie par la paix et les élections régulières. C'était le régime, et pas nous, qui recourait à la violence pour arriver à ses fins. Et, le soir même, il frappait de nouveau.

Je m'endormais pour la première fois depuis quarante-huit heures, quand on frappa des coups répétés à la porte de ma chambre. Pour ma propre sécurité, les responsables locaux du parti m'avaient attribué trois adresses différentes. L'une, la maison appartenant à la famille de Khalid Ahmed, où j'avais reçu plus tôt la presse étrangère, en revenant du Minar-i-Pakistan, venait d'être saccagée par un commandant de l'armée. Quelle façon sinistre de me rappeler que j'étais revenue dans le Pakistan de Zia! Le commandant était à ma recherche.

Azra Khalid :

«Je dormais quand un de nos domestiques m'éveilla. Il était en sang, après l'attaque d'un groupe de l'armée contre le logement du personnel. Quinze ou seize hommes avaient escaladé le mur d'enceinte, frappé les domestiques en demandant Benazir, me dit-il. Notre porte d'entrée était fermée, mais ils l'enfoncèrent et jetèrent des pots de fleurs dans les fenêtres. "Où est Benazir ?" demanda leur chef, un certain commandant Qayyum, en brandissant un pistolet. Un de nos serviteurs, qui avait dormi dehors, se glissa derrière le commandant et le frappa sur la tête avec la batte de cricket de son fils. "Je suis un officier des renseignements, un commando", cria le commandant.

«J'appelai la police, bien que depuis le règne de Zia, on ne sache jamais si ces gens-là sont vos amis ou vos ennemis. Quand la voiture de police arriva, les autres hommes s'enfuirent. On arrêta le commandant Qayyum. Il y avait dans sa voiture une caisse de bière et de whisky qu'il allait déposer chez nous. Et son agenda était plein de numéros de téléphone d'importants généraux et ministres du régime.

«Le commandant Qayyum se conduisait comme un fou. Le régime prétendait qu'il l'était en effet et avait agi de sa propre initiative. Mais nous savions qu'il n'était pas fou. La réception de Benazir à Lahore ce jour-là avait été si incroyable qu'on n'avait pas osé la toucher. On avait préféré envoyer le commandant la tuer ou la blesser pour arrêter sa tournée. Il resta peu de temps en prison ; de retour à son village, il fut abattu sans raison apparente. Nous pensâmes que le régime l'avait tué pour supprimer un témoin gênant. »

Gujranwala. Faisalabad. Sargodha. Jhelum. Rawalpindi. « L'accueil à Lahore fut unique, déclarèrent nos détracteurs et même certains journaux. Benazir Bhutto n'a pas trouvé autant d'écho dans les autres villes. » Ils se trompaient. Nous quittâmes Lahore pour notre tournée du Penjab à midi, le 12 avril, pensant atteindre Gujranwala pour une réunion à 5 heures de l'après-midi, mais les routes étaient si encombrées de gens qui assaillaient le camion sur des kilomètres que nous n'arrivâmes qu'à 5 heures du matin le lendemain. « Il n'y aura personne au rendez-vous, dis-je. Ils ont dû rentrer se coucher. » En fait, il y avait foule : les gens avaient attendu toute la nuit.

« Il faut essayer d'aller plus vite », demandai-je aux volontaires de notre équipe de sécurité. Mais c'était impossible. Nous trouvâmes tant de monde sur la route entre Gujranwala et Faisalabad que les quatre-vingts kilomètres prirent seize heures. Camions, bus, rickshaws et motos nous accompagnaient, rejetant sur les bas-côtés le reste de la circulation. Des milliers de personnes à pied nous servirent, la nuit durant, de garde d'honneur. Je restai sur le toit du camion pour les saluer tous de la main. « Jetez partout des fleurs et des perles sur les chemins, car Benazir est arrivée, chantaient-ils. Ô Dieu, rendez-nous ce temps où les pauvres gens qui souffrent connaissaient des jours heureux ! » Une expérience qui nous rendait fort modestes, moi et les autres responsables du parti. Nous priions ensemble, avançant au ralenti : « Donnez-nous le courage et la sagesse pour combler les espoirs du peuple. »

Le soleil se levait sur Faisalabad quand nous atteignîmes les faubourgs de la ville industrielle. Une fois encore, nous avions une demi-journée de retard pour la réunion publique sur le terrain de sport où, neuf ans plus tôt, je prononçais avec inquiétude ma première allocution. Je croyais là aussi trouver l'endroit désert. Mais quand le camion franchit les portes, une clameur s'éleva de centaines et de milliers de bouches : « *Qawm ke takdir ?* Benazir, Benazir ! Qui est l'avenir de notre peuple ? Benazir, Benazir ! » L'élan ne retomba pas après notre départ. Les travailleurs n'avaient pas oublié le parti qui leur avait assuré la dignité et la sécurité de l'emploi. Bien que beaucoup d'industriels aient fermé les portes de leurs usines, les ouvriers ne pouvaient s'empêcher d'apporter leur soutien au PPP en sautant le mur pour nous rejoindre.

Jhelum, où l'armée recrutait une grande partie de ses effectifs. Rawalpindi, cité de fonctionnaires. Même dans ces villes où la population était plus disposée à ignorer ou minimiser le défi du PPP contre Zia, les rassemblements furent tumultueux. Les journalistes étrangers et leurs équipes de télévision étaient stupéfaits de l'importance des foules qu'ils enregistraient pour leurs compatriotes. Mes compatriotes à moi ne verraient rien. Bien que la loi martiale fût en principe levée, le régime avait interdit de montrer mon image sur les petits écrans pakistanais. Ni cette tournée ni aucune autre de mes manifestations politiques depuis mon retour n'avait été filmée à la télévision.

Conférences de presse. Condoléances. Réunions du parti. J'ignore d'où venait tant d'énergie. La réaction populaire à mon retour avait été tonique, mais à certains moments, je tombais dans la mélancolie. Je voyais toujours le corps de Shah sur le tapis, à Cannes, et mon père dans sa cellule de condamné. Comme j'aurais aimé qu'ils puissent revenir, ne serait-ce qu'un moment, pour voir ainsi couronner leurs souffrances ! On nous avait dit étant enfants qu'on ne saurait trop faire pour son pays ; mais la contribution de notre famille avait été très lourde.

Pour soulager ma tristesse, je demandai qu'en allant à Rawalpindi on passe par la prison centrale où mon père était mort. Mais nous ne pouvions oublier les drames et les sacrifices des autres. À Gujranwala, je saluai la tombe de Pervez Yaqoub, le premier à s'être immolé pour protester contre la condamnation de mon père. À Rawalpindi, je portai mes condoléances à la famille d'un des trois jeunes gens pendus en août 1984. Tant de vies perdues, tant de tragédies! Ce garçon, comme les autres, n'avait que seize ans quand on l'avait arrêté et dix-neuf lorsqu'il mourut. «Voyez ces foules, me dit sa mère. Il fut un temps où les gens n'osaient même pas nous adresser la parole.»

Nous allâmes à Peshawar, dans la province de la Frontière du Nord-Ouest, le président du PPP au Penjab me remettant à son homologue de la Frontière. La route étant encore totalement bloquée par la foule, nous arrivâmes à la nuit. Le régime avait ordonné le black-out dans les rues afin que personne ne nous voie, mais les gens éclairèrent le camion avec des torches électriques et des projecteurs de vidéo.

Mon responsable de la sécurité était très inquiet de nous voir avancer au pas dans les rues étroites de cette vieille cité commerçante à une heure à l'est de la passe de Khyber et de l'Afghanistan. Il y avait trois millions de réfugiés afghans au Pakistan, soutenus par Zia, et beaucoup vivaient à Peshawar ou à proximité. Le bruit courait que le régime allait envoyer des moudjahidins afghans pour me tuer. Sans que je le sache, le responsable de la sécurité avait demandé aux femmes du camion, y compris la sienne, de rester étroitement groupées autour de moi afin que je ne sois pas une cible trop visible. Mais, seule éclairée dans les rues sombres, je n'en étais pas moins vulnérable. Il n'y eut pourtant pas d'attentat.

«Je salue les courageux Pachtouns, comme disait mon père», commençai-je sous les applaudissements ininterrompus, dans le stade illuminé par notre groupe électrogène. J'avais un petit problème, un de mes assistants ayant perdu mes notes, mais il était important de me présenter de nouveau à cette société très conservatrice dont on pouvait réellement craindre qu'elle ne se sépare du Pakistan pour former une nation indépendante : le Pachtounistan. Il fallait aussi convaincre les communautés pathanes, de tradition patriarcale, qu'une femme pouvait se mettre à leur tête.

« On me croit faible parce que je suis femme, déclarai-je à l'assistance, masculine à 99 %. Ne sait-on pas que je suis musulmane et que les musulmanes peuvent être fières de leur héritage? J'ai la patience de Bibi Khadija, la femme du Prophète la paix soit sur Lui. J'ai la persévérance de Bibi Zeinab, la sœur de l'imam Hussein, et le courage de Bibi Aisha, l'épouse favorite du Prophète, qui, en pleine bataille, montait son propre chameau à la tête des musulmans. Je suis la fille du martyr Zulfikar Ali Bhutto, la sœur du martyr Shah Nawaz Khan Bhutto, et je suis aussi votre sœur. Je défie mes adversaires de m'affronter sur le terrain d'élections démocratiques. » Les applaudissements se changèrent en hourras. *« Zia za! »* criai-je, utilisant le mot pachtou pour « dehors! ». Et la foule répondit : *« Za! Za! »*

Après avoir pris la parole le lendemain devant l'association du barreau de Peshawar, nous retournâmes au Penjab en passant par Lahore, Okara, Pakpattan, Vehari et Multan, où je rendis hommage aux centaines d'ouvriers massacrés huit ans plus tôt dans les filatures. Puis nous revînmes chez moi dans le Sind, à Karachi, où les habitants de ma propre ville firent de leur mieux pour battre les records de Lahore, avant d'aller à Quetta, au Baloutchistan, et de regagner le Sind pour une tournée à Thatta, Badin, Hyderabad et enfin Larkana pendant le jeûne du ramadan. *« Maravee malir jee*, Benazir, Benazir! » hurlait la foule, me donnant le nom d'une héroïne populaire sindie, qui avait refusé de céder aux exigences d'un tyran local. Bien qu'il l'ait enfermée dans une forteresse où il la garda prisonnière, il ne put jamais, dit la légende, briser son courage et son amour pour son peuple.

Il faisait si chaud à Larkana que je glissai sous ma *dupatta* des cubes de glace sur ma tête et mes épaules pendant le trajet de l'aéroport au stade où, dix mois plus tôt, les hommes célébraient en masse la dernière cérémonie religieuse pour mon frère Shah. La foule était si dense que nous dûmes changer d'itinéraire pour arriver au terrain de sport avant le coucher du soleil. Je restai debout tout ce temps, sous une chaleur terrible, d'abord à travers le toit ouvrant de ma Jeep, puis sur un camion, tout en suçant alternativement des citrons et du sel. Le président du PPP de Larkana succomba à la chaleur. «Ne me laissez pas défaillir», priai-je sans cesse, sachant quel plaisir éprouveraient nos ennemis à me voir m'effondrer. Et je réussis à tenir jusqu'au bout du meeting.

Des menaces de mort et de perturbations me précédèrent partout pendant cette tournée des dix-neuf villes; elles se firent particulièrement insistantes au Baloutchistan, où mes gardes repérèrent trois moudjahidins afghans accroupis au premier rang de l'assistance et cachant derrière eux des armes automatiques. Ce n'étaient pas les armes qui étaient inquiétantes; la plupart des hommes dans le pays en portaient ouvertement. Mais ceux-là les cachaient. Les gardes, au lieu de m'en parler, se postèrent en face d'eux pendant que je parlais, s'exposant aux balles à ma place.

Je craignais d'avoir le vertige sur la scène tournante, construite pour la circonstance, et cela sous les yeux de la foule. Mais en regardant tous ces gens, dont beaucoup étaient pauvres et si maigres, j'oubliai mes appréhensions. Le Baloutchistan était, et est encore, une province misérable et tout à fait rétrograde; les chefs de tribu s'opposent à tout progrès qui pourrait menacer leur autorité sur la population. Jusqu'à l'époque de mon père, il n'y avait au Baloutchistan que des pistes, mais pas de routes entretenues, ni électricité, peu d'eau douce et de médiocres récoltes sur le sol ingrat et non irrigué du désert. Pendant des générations, ce peuple n'avait connu qu'épreuves et privations.

J'y étais allée une fois avec ma mère et, cherchant l'ombre sous un arbre, elle s'était retrouvée entourée de femmes et d'enfants. Les gardes voulant les chasser, elle leur avait dit de les laisser approcher. Les femmes étonnées se mirent à toucher les cheveux de ma mère, qui étaient lisses et propres alors que les leurs étaient sales et emmêlés. Elles ne connaissaient pas les peignes. Le gouvernement de mon père avait fait beaucoup pour améliorer le sort du peuple au Baloutchistan, malgré les chefs de tribu qui avaient suscité une révolte contre l'administration du PPP.

«Le Parti du peuple pakistanais croit que le bien de la nation est dans le bien-être du peuple», lançai-je, debout sur la scène qui tournait lentement. «Si l'homme de la rue est sûr d'avoir du travail, de pouvoir s'occuper de sa santé, et que ses enfants s'instruisent et réussissent, alors le pays sera prospère. Ce n'est pas la volonté de Dieu que notre peuple soit pauvre. Le destin de notre nation n'est pas dans les taudis. Si nous avons le pouvoir de le transformer en usant efficacement des ressources du pays, alors nous devons le faire.» Les gens de l'assistance se levèrent pour applaudir, y compris les trois Afghans du premier rang. Mes gardes poussèrent un soupir de soulagement. Le danger était passé.

En fait, il ne l'était pas. Dans le reste du pays, il ne faisait que commencer. Le 30 mai, moins de deux semaines après mon retour à Karachi, la police pénétra dans une auberge de jeunesse de Hyderabad pour y surprendre et tuer Faqir Iqbal Hisbani, président PPP de la Fédération populaire des étudiants du Sind, et notre chef de la sécurité pour toute la province. Son camarade du PPP, Jahangir Pathan, resta paralysé pour toujours, une balle lui ayant brisé la colonne vertébrale.

Je sentis mon sang se glacer quand Dost Mohammed m'éveilla aux premières heures de la matinée pour m'annoncer le meurtre. Encore des brassards noirs, des bandeaux noirs, des *dupattas*, des drapeaux noirs. Encore des funérailles pour un jeune homme à qui j'avais littéralement confié ma vie. D'autres condoléances à une mère qui avait perdu son fils unique. Elle me donna une prière qu'elle avait écrite pour remplacer celle qu'il avait perdue dans la cohue de mon cortège dans Hyderabad. « Prenez-la, me dit-elle, c'est un cadeau de la part d'Iqbal. » Je porte toujours cette prière dans mon sac. Combien d'hommes mourraient-ils encore sous les coups du régime ?

Il y eut dans tout le Pakistan des manifestations pacifiques pour protester contre l'assassinat d'Iqbal Hisbani. Mais le régime ne renonçait pas à la violence. Lors d'un meeting à Kashmor, un membre de l'Assemblée provinciale de Zia tira dans la foule à la Kalachnikov, pour disperser les gens. Il n'y eut heureusement aucune victime, mais c'était le signe de nouvelles et inquiétantes directives du pouvoir : « Soumettez vos territoires par les balles, par les blessures et la mort, mais soumettez-les. »

En quelques semaines, deux autres membres du PPP moururent : Mohammed Khan, militant du parti, et le président du PPP de Dokri furent abattus à Tando. Un autre membre de l'Assemblée provinciale de Zia fut soupçonné du premier crime et, pour le second, un officier de police utilisant une arme automatique inhabituelle dans la police. « Un ministre du cabinet du Sind me l'a donnée pour tuer les chiens du PPP », s'était-il vanté, selon les gens du pays. Le régime armait maintenant des politiciens de second ordre et d'autres subalternes pour faire le sale travail à sa place.

Nous allions à l'affrontement avec les hommes du pouvoir et nous le savions. Ils le savaient aussi. Toutes leurs décisions, toutes leurs énergies étaient centrées sur les mouvements du PPP. Quand leur gouvernement présenta son budget en juin, nous ripostâmes avec le Budget du peuple. S'attendant à nous voir lancer une action dans le Sind après la fin du ramadan, ils décrétèrent l'état d'urgence dans la province, puis ils le levèrent en voyant que nous n'avions pas bougé. Avec ce déséquilibre du régime, il était temps de passer à la seconde phase de notre campagne pour obliger Zia à organiser les élections en automne.

5 juillet 1986. Neuvième anniversaire du coup d'État. Nous l'appelâmes le Jour Noir et nous organisâmes des meetings dans tous les états-majors de district du Pakistan, depuis la passe de Khunjrab vers la Chine jusqu'à la mer d'Arabie. Nul ne savait si la structure politique du PPP serait assez solide pour orchestrer autant de manifestations simultanées. Ce Jour Noir était presque une répétition pour s'assurer que les responsables régionaux du parti étaient vraiment organisés, de façon à diriger les actions de masse prévues à l'automne, qui forceraient le régime à tenir les élections. Il nous fallait pour réussir recruter plus de 100 000 «colombes de la démocratie», sympathisants PPP qui s'exposeraient à l'arrestation en organisant des grèves de la faim et des grèves sur le tas. Il fallait tout prévoir. Comme le 5 juillet approchait, je sillonnai le pays pour aider aux détails de l'organisation. Et le Jour Noir fut un succès : 150 000 partisans du parti se ressemblèrent à Karachi, plus de 200 000 à Lahore.

Le 14 août, anniversaire de l'indépendance du Pakistan, était la seconde date importante de notre calendrier. Piqué au vif par les témoignages enthousiastes recueillis par le PPP lors de ma tournée à travers le Pakistan, le Premier ministre aux ordres de Zia, Mohammed Khan Junejo, annonça que la Ligue musulmane du régime préparait un rassemblement le 14 août au Minar-i-Pakistan de Lahore. Aussitôt nous annonçâmes un meeting du PPP, le jour de l'Indépendance, à Lahore, sachant que nous aurions beaucoup plus de monde qu'eux. Le régime, alors, s'empressa de réserver tous les bus du Penjab pour le transport de ses partisans. «Prenez les bus du régime, et rejoignez-nous à Lahore.» Tel fut notre conseil aux membres du PPP.

Le MRD aussi entra dans l'arène. Depuis mon retour au Pakistan, nous avions eu des entretiens avec les membres du Mouvement pour la restauration de la démocratie, la coalition de partis politiques formée peu après le détournement en 1981, et il avait été décidé d'unir nos forces pour faire pression sur le régime. Le 10 août, les neuf dirigeants du MRD vinrent au 70, Clifton, pour la première fois depuis trois ans, sceller notre accord. L'un d'eux portait la toge blanche du *Hadj*. Le régime l'avait empêché à l'aéroport de partir en pèlerinage.

Zia, d'autre part, avait quitté le pays, en fuite. Devant la menace d'humiliation et de rejet lors des rassemblements du jour de l'Indépendance, il était parti le 7 août pour l'Arabie Saoudite avec toute sa famille. Un sympathisant du PPP nous avait confié qu'il avait embarqué aussi trois conteneurs de mobilier et une Rolls Royce plaquée or offerte par un chef d'État arabe.

Cette fois encore, le moment était critique. À la fin de notre réunion, les chefs du MRD et moi nous entendîmes sur la base de manifestations organisées d'un commun accord, dans un cadre légal, pour obtenir des élections. Le lendemain, le MRD annonçait que le PPP et les autres groupes d'opposition tiendraient des assemblées communes à Karachi et à Lahore le jour de l'Indépendance, et exigeait de Zia qu'il fixe officiellement la date des élections au 20 septembre. Ce fut au tour de Junejo de s'affoler.

J'étais en réunion avec plusieurs journalistes et militants du parti, le 12 août, quand on me prévint qu'il allait faire une déclaration impromptue à la radio et à la télévision. Évoquant d'éventuelles «confrontations» entre partisans de la Ligue musulmane, et partis d'opposition, il annonça qu'il annulait le meeting de la Ligue prévu le jour de l'Indépendance. Il invitait les partis d'opposition à annuler également les leurs. Aucune décision administrative n'était prise pour interdire les réunions publiques.

Je ne fus pas surprise que Junejo essaie de sauver la face, bien que je fusse irritée de le voir nous inciter à la violence. Le régime nous avait constamment poussé dans ce sens lors de nos rassemblements et de nos défilés, alors que nous restions aussi déterminés à obtenir pacifiquement le changement par les moyens politiques. Les volontaires de ma garde ne portaient même pas d'armes. Mais le ministre fantoche de Zia avait besoin de prétextes pour restreindre toute expression politique au Pakistan, plus de huit mois après la suppression de la loi martiale. Il ne pouvait prendre le risque de révéler le vrai visage du régime. Junejo venait de rentrer des États-Unis, où le président Reagan avait félicité le Pakistan de ses «grands pas dans l'évolution vers la démocratie». Il s'était vanté lui-même dans *Time* d'avoir résolu les problèmes du Pakistan en levant la loi martiale et en imposant la démocratie. «Nous l'avons fait, prétendait-il. Que feraient de plus les élections?»

«C'est une grande victoire pour nous», dis-je aux militants du parti réunis dans mon bureau, où nous le regardions à la télévision décommander son propre meeting. «Junejo se proclame Premier ministre démocratique, mais où est son soutien? Il annule son propre meeting parce qu'il sait qu'il serait ridiculisé par le PPP. Le régime se retire de la course.

— Nous n'avons plus besoin de manifester le 14 août, dit quelqu'un. Nous avons déjà gagné.

— Non, proposa un autre. Il faut aller de l'avant. Pourquoi ne pas organiser les réunions le 15?

— C'est le jour de l'Indépendance de l'Inde.

— Le 16, alors.

— Je vais à une assemblée du PPP demain à Islamabad, dis-je. Nous y prendrons une décision.»

De cette réunion impromptue au 70, Clifton, je me rendis directement à une convocation urgente du MRD. L'ambiance était tout à fait différente. Les dirigeants m'en voulaient beaucoup d'avoir seulement suggéré de consulter les autres responsables du PPP pour remettre en question les manifestations. «Vous ne connaissez rien à la politique, disaient-ils. Il faut foncer le jour de l'Indépendance. C'est le moment. Nous ne pouvons pas faire marche arrière.»

Je protestai. Je savais que le PPP n'était pas prêt pour une épreuve de force. Nous venions de réunir les masses pour le Jour Noir, nous n'avions ni le temps ni l'organisation nécessaires à la préparation d'une nouvelle action. Surtout, notre stratégie n'était pas d'attaquer directement le régime, mais d'augmenter la fréquence des manifestations politiques pendant un certain temps pour le miner. Quand le gouvernement se trouvait paralysé par les grèves et les occupations d'usines, les affaires, l'économie, la vie entière du pays en subissaient les conséquences, et le mécontentement grandissait contre le régime. Une confrontation, maintenant, avec le pouvoir irait à l'encontre de nos buts. Nos dirigeants seraient probablement arrêtés, ainsi que beaucoup de sympathisants. Et notre dynamisme en serait entravé.

«Il faut avancer», disaient les leaders du MRD.

J'étais prise dans un dilemme. Ou la coalition MRD-PPP était rompue, ou j'étais obligée d'accepter. Il se dégagea un consensus pour que nous participions aux manifestations. J'étais la seule des neuf à avoir voté contre.

«Bien, alors nous irons, dis-je à regret. Mais pour l'amour de Dieu, n'annoncez rien ce soir. Attendons au moins jusqu'à demain.» Il me fallait du temps, quelques heures si possible, pour prévenir les dirigeants du parti de se mettre à l'abri. Si nous étions tous arrêtés, c'en était fini des projets de l'automne. Mais le MRD diffusa quand même la nouvelle.

13 août 1986.

Je vais à l'aéroport pour me rendre comme prévu au meeting du PPP à Faisalabad. La police m'attend à l'entrée. «Nous avons des ordres pour vous interdire le Penjab, mais si vous voulez partir, vous le pouvez», me dit-on. C'est une nouvelle tactique : on me défie d'enfreindre les ordres, pour me reprocher ensuite d'avoir créé des troubles alors que j'essayais de les empêcher. Je refuse d'entrer dans ce jeu. Je consulte rapidement les membres du parti qui m'accompagnent à l'aéroport. M'attendant à trouver la police à ma porte quand je rentrerai au 70, Clifton, je donne à mes compagnons des instructions de dernière minute, chargeant chacun d'eux d'effectuer la liaison entre les militants des différentes régions du pays dans le cas où je serais arrêtée.

À mon retour chez moi, pas de police ; autre nouveauté. Mais Radio Inde annonce par erreur mon arrestation, et les appels téléphoniques commencent. À Lyari, des émeutes ont éclaté pour protester contre mon arrestation. Les personnes venues m'accueillir à l'aéroport de Faisalabad ont été attaquées aux gaz lacrymogènes et battues par la police. Tels sont les «grands pas... du régime vers la démocratie».

J'attends toujours la police. Personne ne vient. Entre-temps, tous les autres dirigeants du PPP et du MRD sont arrêtés. Pour la première fois, ils sont tous pris et moi pas. Le régime entend paralyser le parti sans m'atteindre, me dis-je, en évitant ainsi le jugement mondial, surtout celui des États-Unis, où le nouveau contrat d'assistance va être voté cet automne. Quant à moi, cela me donne l'occasion de retarder l'épreuve de force avec le régime à un moment que nous choisirons nous-mêmes.

La presse envahit la maison : Ross Munro de *Time*; un cameraman de BBC télévision ; Anne Fadiman de *Life*, une vieille amie de Radcliffe qui est à Karachi avec la photographe Mary Ellen Mark pour préparer un scénario sur mon retour au Pakistan; Mahmood Sham et Hazoor Shah, correspondants chevronnés de *Jang* et de *Dawn*. En fin d'après-midi, près d'un millier de leaders et de militants du PPP et du MRD sont en détention. Mais pas moi.

Un reporter arrive du Press Club de Karachi. Il vient d'apprendre d'un des chefs de l'opposition que le meeting du MRD est toujours prévu pour demain à Karachi et que j'y assisterai. J'en suis interloquée. Personne ne m'a consultée sur ce changement de programme. Mais la nouvelle se répand. Ce soir-là, la BBC annonce trois fois dans la même émission que j'irai au meeting du MRD à Karachi le 14. Je ne veux pas être mise malgré moi en position de défi par le régime ou le MRD. Mais qu'y puis-je? Si je n'y vais pas maintenant, l'opposition va prétendre que j'ai manqué de courage.

J'adresse un message à un ou deux subalternes du parti pour rassembler tous ceux qui ont échappé à la police et les prier de venir dans la matinée au 70, Clifton; nous irons tous au meeting en cortège.

14 août 1986, jour de l'Indépendance du Pakistan.

«*Jiye*, Bhutto! Ma sœur, votre sœur, Benazir!» Je m'éveille le matin au son des slogans politiques qui commencent à monter devant la maison. Il y a là des milliers de partisans, prévenus par d'autres membres du parti et par les émissions de la BBC. Un message arrive, qui explique pourquoi je n'ai pas encore été arrêtée. Ne sachant que faire, le régime avait envoyé un télex à Zia en Arabie Saoudite après l'annonce du MRD, la veille au soir, lui demandant quelle décision prendre à mon sujet. Sa réponse n'arriva qu'à 9 heures du matin. «Arrêtez-la», disait-elle. Mais maintenant la police n'ose pas. «Tous ces partisans du PPP devant la porte… ils m'auraient lynché», me raconta plus tard un policier. On hésitait aussi à tirer sur la foule au risque de jeter le trouble dans le voisinage. Le quartier de Clifton abrite beaucoup de diplomates, et la police ne veut pas de gens en colère qui se vengent en brûlant les ambassades.

Les policiers ont aussi du mal à me trouver. Mon amie Putchie ayant passé la nuit à la maison et l'ayant quittée de bonne heure en voiture, les agents de renseignements se demandent si c'était moi. J'ai pu filer à Faisalabad en dépit de l'interdiction. Ils ne savent même pas où je peux être dans la maison. Ils le découvriront bientôt.

«À quelle heure partez-vous? me demande au téléphone un député MRD. – À 2 heures», lui dis-je. On me prévient peu après que la police vient m'arrêter à 2 heures, bien qu'il n'y ait pas de raison, puisque le ministère de l'Intérieur n'a pas interdit officielle-ment le meeting.

Nous décidons de partir à 1 heure, et les journalistes arrivent. À Harvard, je m'en souviens non sans regret, je lisais de temps en temps dans *Life* la rubrique «*Life* va au cinéma». À présent, *Life* va à la ren-contre de la police pakistanaise et de ma probable arrestation. Je m'in-quiète pour Anne Fadiman. Ross Munro, le chef du bureau de *Time* à New Delhi, a l'habitude de la politique dans le sous-continent. Nul ne peut savoir ce qui se passera quand nous quitterons le 70, Clifton.

Je lis dans le Saint Coran, sur le seuil de la maison: «*Qul Huwwa Allahu Ahad*. Dis: Il est Dieu l'unique». Anne Fadiman, Ross Munro, le cameraman de BBC télévision, quelques membres du PPP et mon amie Putchie montent dans une Jeep Pajero. Je prends la mienne, couverte d'autocollants politiques, avec sa sonorisation, les cassettes de chansons du PPP et ses fanions. Samiya m'accompagne, ainsi que quelques militants et la photographe Mary Ellen Mark. Au moment où s'ouvrent les grilles, je me mets debout sur le siège arrière, à travers le toit ouvrant. «*Marain gai, mar jain gai*, Benazir, *ko lahain gai*. Nous les battrons, nous mourrons, mais nous ramè-nerons Benazir», scande la foule en ourdou, se bousculant autour de la Pajero. Ils sont cinq mille maintenant dans ma garde d'honneur.

Zoum! La police lance ses premières grenades lacrymogènes près de MidEast Hospital, les premières des 3 000 qui partiront ce jour-là à Karachi, dont 300 sur le chemin de Clifton. Le barrage suivant se trouve au rond-point où les policiers venus m'arrêter sont pris dans la foule. Ils essaient de se frayer un chemin à coups de bâton jusqu'à ma Jeep en lancent des gaz lacrymogènes. Quelqu'un dans la voiture me ramène à l'intérieur et referme le toit tandis que nous toussons et suffoquons. Nous nous mettons sur la langue du sel et du citron, nous nous couvrons le visage avec les serviettes mouillées que nous avions emportées. Je me fais du souci pour les responsables du PPP et les journalistes qui sont dans l'autre camionnette.

Anne Fadiman :

« On voyait à peine à travers les vitres tant le nuage de gaz était épais. Nous essayions de fermer le toit de la voiture qui se remplissait de gaz, mais il se bloquait, et les gens compliquaient les choses en glissant leurs mains pour essayer de toucher quelqu'un de l'entourage de Benazir. Et lorsque, enfin, le toit fut fermé, c'était pire : nous étions enfermés avec le gaz qui, nous l'apprîmes le lendemain, était fabriqué en Amérique par Smith & Wesson.

« Ross avait déjà été gazé et savait quoi faire. Nous prîmes de l'eau dans nos paumes pour nous baigner les yeux et nous tînmes des mouchoirs humides sur ceux des autres, mais c'était vraiment terrible. Putchie, qui avait de l'asthme, sortit heureusement de la voiture dès le début et rentra chez elle. Mais nous souffrîmes pendant des semaines. On me fit des piqûres de stéroïdes quand je rentrai à la maison, pour soulager ce que le docteur appela "une inhalation profonde". J'avais eu de la chance. Bashir Riaz, lui, fut malade pendant plusieurs mois. »

Dans la cohue des gens, de la police et des gaz, les conducteurs des Pajero décident de quitter le rond-point par deux routes différentes pour égarer les policiers. Nous prenons donc des chemins détournés pour gagner le meeting du MRD à Lyari, le quartier le plus pauvre de Karachi et la forteresse du PPP. Mais chaque fois que les policiers repèrent notre cortège de bus, de camions et de voitures, ils préviennent en avant par radio, et nous tombons sur un barrage. Nous retrouvons l'autre Pajero et décidons de mettre le cap sur le tombeau de Mohammed Ali Jinnah. Impossible aussi. C'est un jeu de cache-cache à mort avec la police. Nous repartons vers Lyari, quand soudain un pneu crève. Nous n'avons pas le temps de sortir le cric que la foule se précipite pour soulever la voiture tandis qu'on change le pneu. Et nous sommes repartis quand la police arrive.

Ross Munro :

« Une foule d'au moins dix mille personnes se pressait autour de notre cortège motorisé quand il arriva à Chakiwara Chowk, un grand jardin public de Lyari. Benazir remporta au moins une victoire symbolique en réussissant à y prendre la parole quelques minutes. "Vous êtes mes frères et mes sœurs, cria-t-elle en ourdou grâce à sa sonorisation. Zia doit partir." Ironie toute particulière en ce jour de l'Indépendance, dit-elle, les Pakistanais n'ont pas même d'indépendance politique pour manifester librement. La fumée montait d'un autobus incendié à deux cents mètres de là pendant qu'elle parlait. »

Anne Fadiman :

« Je n'ai pas vu un seul acte de violence de la part du PPP. Toute la violence venait des policiers qui frappaient la foule pour la disperser. Les jeunes gens tenaient leurs bras levés en essayant d'éviter les coups de bâton. Quand ils virent la Pajero de Benazir, ils se démenèrent pour venir presser leurs avant-bras sanglants contre les vitres, montrant qu'ils étaient prêts à se sacrifier pour elle. Je vis soudain le correspondant de la BBC à Karachi, Iqbal Jaffery, fendre la foule. "Quelle violence! me cria-t-il. Je viens de voir un garçon de dix ans roué de coups parce qu'il portait un autocollant du PPP." La police intervint à Lyari avec plus encore de gaz lacrymogènes quand elle y vit Benazir.»

«Baissez-vous! Baissez-vous!» crie quelqu'un. On me tire dans la voiture juste au moment où une grenade lacrymogène passe près de ma tête. Exactement comme au stade Qadaffi, lors de l'attentat contre ma mère et moi. La police utilise les grenades comme des armes et non pour disperser la foule. Les voitures de police se multiplient. «Nous ne laisserons pas arrêter le leader du parti dans la rue», hurle l'un des militants du PPP. Un cri s'élève : «Arrêtez la police! Arrêtez la police!»

On monte des barricades. On met le feu à des pneus, à des tas de détritus. Nous filons de nouveau à travers les ruelles de Lyari, les yeux et la gorge brûlés par le gaz. Les gens criblent de pierres les voitures de police qui nous poursuivent. «Par ici! Par ici!» nous crient-ils pour nous éviter les impasses. Comme nous semons un moment la police, je hèle un taxi. Il y a des nuages de fumée – de gaz et de feux de joie. Les gens crient. Les sirènes de police hurlent. Ma Pajero repart, Samiya assise devant, portant ma *dupatta* pour tromper les policiers. Notre chauffeur de taxi est tellement terrifié qu'il démarre, laissant la portière ouverte. «Vous êtes pressé?» lui dis-je.

Il conduit très vite par les rues étroites, mais sans réussir à semer le motard qui nous suit. Je consulte rapidement les dirigeants PPP dans la voiture. Il faut tenir une conférence de presse, mais où?

Divers lieux sont proposés, mais j'insiste finalement pour retourner au 70, Clifton. Même si c'est me jeter dans les bras de la police, je veux parler aux journalistes dans ma propre maison et, si je ne peux l'éviter, y être arrêtée. Mais le motard est toujours derrière nous. «Tournez à droite», dis-je brusquement au chauffeur devant le chemin qui mène à l'hôtel Métropole. Il le prend, contourne l'hôtel et sort de l'autre côté. Nous avons perdu le motard.

Les abords de Clifton sont quadrillés par des barrages et des policiers. Le chauffeur s'affole et tente en vain de faire marche arrière. «Continuez normalement, lui dis-je, sans accélérer. La police ne cherche pas une Toyota jaune.» Le pauvre homme tremble en passant entre les rangées de policiers, mais la *dupatta* de Samiya sur mon visage les empêche de me repérer. Nous faisons halte un instant chez un responsable du parti pour nous laver de tout ce gaz.

Sortant mon portefeuille, je demande au chauffeur combien je lui dois. «Je ne suis pas chauffeur de taxi, c'est ma propre voiture», répond-il, encore tremblant. Je le regarde, incrédule, songeant à tout ce que je lui ai fait faire. «Je ne suis qu'un partisan du PPP», dit-il en refusant l'argent, et il s'en va.

Nous voici au 70, Clifton ; la presse est déjà là. En pleine réunion, on m'annonce l'arrivée de la police. «Faites-les entrer», dis-je. Trois femmes pénètrent, l'air penaud et, sous les yeux des journalistes étrangers, me remettent un ordre de détention pour attroupement séditieux. Je prends mes affaires et ma brosse à dents, et l'on me conduit au poste de police avec une grosse escorte de véhicules de police et au moins autant de voitures du PPP.

Au poste, j'apprends que six personnes ont été tuées au meeting de Lahore et beaucoup d'autres blessées. Une fois de plus, le régime a envoyé ses acolytes faire leur travail impitoyable. Les morts et les blessés ont été les victimes de députés en exercice qui tiraient sur la foule à la Kalachnikov, et ne furent jamais inquiétés. Pas plus que les policiers qui, me racontera plus tard un reporter de *Dawn* à Lahore, prirent d'assaut le service des urgences à l'hôpital, frappèrent les blessés sur leurs brancards et les attachèrent aux lits avec des menottes. Un *maulvi* qui avait lavé dans une mosquée les yeux de partisans atteints par les gaz lacrymogènes ne fut pas épargné lui non plus : la police envahit la mosquée et le battit.

Le bilan fut lourd dans le Sind : seize morts et des centaines de blessés ; des violences policières contre de paisibles manifestants, non seulement à Lyari, mais dans les agglomérations rurales de toute la province. Dans la province de la Frontière du Nord-Ouest aussi, les forces de Zia avaient sévi contre les manifestants. Tout cela pour avoir assisté, quant à nous, aux célébrations pacifiques de la naissance d'un Pakistan indépendant.

Je fus mise en isolement à Landhi Borstal, une prison pour les adolescents dans la banlieue de Karachi. On avait arrêté tant de prisonniers politiques que la prison centrale était pleine. Des protestations s'élevèrent dans tout le pays, entraînant la plus grave agitation depuis le mouvement du MRD en 1983. On incendia des postes de police dans le Sind, des bureaux de l'administration et des gares. À Lyari, les partisans du PPP luttèrent toute une semaine contre les armes et les gaz lacrymogènes de la police. L'armée vint à la rescousse pour en finir avec les manifestants, faisant plus de trente morts. Les films tournés par Mary Ellen Mark pendant l'émeute furent confisqués.

La désapprobation internationale devant cette brutale répression de toute expression politique vint rapidement d'Angleterre et d'Allemagne. Aux États-Unis, les sénateurs Kennedy et Pell manifestèrent leur inquiétude, ainsi que le député Solarz, qui défendit activement ma cause : «Si le gouvernement persiste à détenir les chefs de l'opposition et à interdire les réunions politiques pacifiques, alors les amis du Pakistan pourront difficilement soutenir au Congrès l'assistance supplémentaire... dans les mois qui viennent», déclara Solarz, qui présidait à la Chambre une sous-commission des affaires Asie-Pacifique. Mais l'administration Reagan soutenait Zia et son Premier ministre «civil» Junejo. «Il (Junejo) a eu le courage d'intimider l'opposition et de surmonter la critique étrangère», dit un membre du département d'État.

À son retour de La Mecque vers la fin du mois d'août, Zia s'empressa d'ajouter sa voix, pour apaiser toute critique chez les membres importants du Congrès. «Le problème, ce n'est pas Mlle Bhutto», dit-il le 26 août au correspondant du *New York Times*, Steven Weisman, «mais ses ambitions inutiles et irréalistes et son insupportable goût du pouvoir».

Mon procès vint le 10 septembre devant la Haute Cour du Sind. J'étais détenue sans inculpation. Le meeting du jour de l'Indépendance était légal, je n'avais enfreint aucune loi. Tandis que des milliers de gens étaient en route le 9 septembre, venant du Sind intérieur, pour assister le lendemain à ma comparution devant le tribunal, le régime céda. «J'ai une surprise pour vous : vous êtes libre», me dit le directeur de la prison, en entrant dans ma cellule à 9 h 30 du soir. Mais je ne fus pas surprise. J'avais déjà préparé mes affaires et j'étais prête à partir.

L'émotion était grande à la séance que tint le PPP après ma libération pour décider ce que nous allions faire. Certains, prêts à aller de l'avant, voulaient venger le sang versé par le régime. C'était la première fois, insistaient-ils, que le pouvoir tuait des manifestants au Penjab. L'élan pour renverser Zia n'avait jamais été aussi fort. Il ne fallait pas le briser.

«Nous avons promis un progrès pacifique par des moyens politiques, rappelai-je, réussissant à faire prévaloir la retenue. Mais le régime a eu recours à la violence. Poursuivre maintenant les manifestations serait risquer de nouvelles effusions de sang, le désordre, peut-être le déchaînement des extrémistes. Considérons les événements d'août comme une victoire morale et tenons-nous fermement à notre engagement de paix. » Peu après la réunion, je commençai une nouvelle tournée dans le pays pour porter au peuple nos consignes de progression prudente.

À l'aube de 1987, j'avais confiance en l'avenir. Je pense toujours qu'une nouvelle année sera meilleure que la précédente, et il y avait beaucoup de signes encourageants. J'étais libre au Pakistan pour la première fois depuis six ans. Et après la longue interdiction de nos activités militantes, nous augmentions l'influence du PPP comme organisme politique. Lançant une campagne d'adhésions, nous recrutâmes un million de membres en quatre mois, chiffre remarquable en un pays où le taux d'alphabétisation est si bas. Nous organisâmes des élections du parti dans le Penjab – phénomène inouï pour le sous-continent – lors desquelles plus de quatre cent mille membres votèrent. Nous engageâmes un dialogue avec les adversaires de la Ligue musulmane au Parlement, tout en continuant à dénoncer les violations des droits de l'homme par le régime.

Zia déclarait régulièrement que nous agissions par esprit de vengeance, surtout lorsque, s'adressant à l'armée, il développait ce thème pour susciter la crainte d'un retour du PPP. Notre parti n'était pas inspiré par la vengeance mais par la volonté de reconstruire la nation. Et tout le monde le savait.

Je réclamais pour le Pakistan une armée de métier sans liens avec la politique. Je ne cessais de critiquer la conduite de Zia lors des incidents du glacier de Siachen avec l'Inde, où nous avions perdu plus de trois mille six cents kilomètres carrés de territoire depuis trois ans. Les masses semblaient de plus en plus réceptives. Un jour de décembre où j'étais allée à Lala Moosa porter mes condoléances à la famille d'un militant du PPP tué le jour de l'Indépendance, des membres de l'armée, dans ce fief du recrutement militaire, avaient fait ouvertement le geste de victoire du parti en nous saluant au passage. Une fois encore, c'était là piquer au vif le général Zia.

« On nous a prévenus que le régime trame quelque chose contre vous », me dit un partisan du PPP, ancien général de brigade, quand je me rendis à Larkana pour l'anniversaire de mon père. « Nous allons faire un exercice d'entraînement à Al-Murtaza pour être sûrs de votre sécurité. » Des milliers de personnes participaient à cette fête du 5 janvier, tout se passait bien, et je ne ressentais aucune crainte particulière. « La sécurité est parfaite à Al-Murtaza, affirmai-je. – Il vaut mieux vérifier. – C'est inutile, général », répondis-je sans m'inquiéter.

Un second avertissement vint de Rawalpindi, un autre de Lahore. « Le régime a monté une tentative de meurtre contre vous, me dit un membre compréhensif de l'administration. Le "candidat assassin" est arrivé jusqu'à vous, puis il a rapporté qu'il était facile pour n'importe qui de vous approcher. » J'essayai de ne pas m'en soucier. La mort est toujours possible, mais je me concentrais de mon mieux sur les objectifs politiques.

Les mises en garde se multipliaient, en même temps que les prières des sympathisants pour m'inciter à la prudence. Quelqu'un de la Frontière voulut m'envoyer six hommes armés de Kalachnikov, mais je refusai. Je n'avais jamais aimé ni la notion ni l'étalage des armes, et j'avais ordonné à mes gardes volontaires de n'en pas porter. Je n'allais pas tarder à regretter ma décision.

En une semaine, au mois de janvier 1987, il y eut deux attentats contre mes proches. D'abord, on tira sur un de mes gardes, Munawwar Suharwardy, après avoir obligé sa voiture à entrer dans une impasse à Karachi. Il n'en réchappa que parce que des hommes armés qui l'accompagnaient mirent en fuite les assaillants. Un dirigeant du MRD, Fazil Rahu, eut moins de chance. Le 11 janvier, il fut tué à coups de hache dans son village. Dans le même temps,

Bashir Riaz, mon attaché de presse et ancien rédacteur d'*Amal* à Londres, commença à recevoir des menaces par téléphone en pleine nuit. Étaient-ce des avertissements du régime? «Prenez contact avec les autorités, me conseilla mon avocat. Faites-leur savoir que si la moindre chose vous arrive, elles en porteront la responsabilité. Elles seront prévenues.»

L'attentat se produisit le 30 janvier. J'avais l'intention de retourner à Larkana pour une visite, mais je fus retardée par un rendez-vous de dernière minute. J'y allais habituellement en voiture, dans la Pajero, mais je faisais aussi des réservations sur les lignes aériennes pour avoir une solution de rechange en cas d'imprévu. C'était aussi une bonne précaution que de prévoir plusieurs programmes. Je retenais souvent différents vols que je n'utilisais pas, ou même quelquefois pour des villes où je n'allais pas, ce qui laissait dans le brouillard les agents de renseignements de Zia. Mon propre personnel n'était toujours pas au courant, ce qui évitait les indiscrétions par étourderie.

«Bibi Sahiba, il se fait tard, m'avertit un des employés vers midi. Si vous voulez être à Larkana avant la nuit, il faut que les voitures partent.

—Allez devant, dis-je à Urs. J'ai une réunion et je viendrai plus tard.» Les voitures n'arrivèrent jamais à Larkana.

J'en étais au milieu de la réunion, quand un domestique m'apporta un message urgent. Je ne lus que quelques mots: «coups de feu» et «Pajero». Ironie, je venais de parler à mon garde d'attentats et du meurtre du leader MRD. La coïncidence semblait presque voulue. «Excusez-moi un instant, dis-je à mes hôtes. Ma voiture a été attaquée.» Je donnai des instructions pour qu'on appelle la police et mes avocats puis, reprenant mon sang-froid, je continuai la réunion.

L'affaire se révéla bien pire les jours suivants quand on reconstitua les faits. Les deux voitures approchaient de Manjhand, en pleine lumière, quand un homme posté sur le côté de la route avait soudain fait un signe. Quatre autres apparurent aussitôt et commencèrent à tirer sur la place du passager dans ma Pajero. Urs avait accéléré, et la voiture, qui roulait déjà à 70 km/h, franchit à toute allure la pluie de balles. Les assaillants tiraient toujours et avaient arrêté la seconde voiture, emmenant ses occupants – gardes et personnel – sous la menace des armes.

C'était une tentative d'assassinat préparée de sang-froid, et non le fait de quelconques bandits comme le prétendit le régime. Rien ne confirmait cette hypothèse. L'agression avait eu lieu à plus de soixante kilomètres de la zone fréquentée par les *dacoïts*, pirates et voleurs de grand-route, qui d'ailleurs attaquaient la nuit et non à 3 heures de l'après-midi. Ils arrêtaient les voitures pour dévaliser les occupants, non pour les cribler de balles.

Des troubles éclatèrent de nouveau dans le pays à mesure que se répandait la nouvelle de l'attentat. L'indignation publique était telle que le régime envoya avec beaucoup d'ostentation son propre inspecteur général de la police récupérer les membres kidnappés de mon personnel. Entre-temps, les informations arrivaient peu à peu. Un homme avait été vu sur les lieux avec un poste émetteur-récepteur, à peu près au moment où la Pajero quittait le 70, Clifton. On avait pu prévenir par radio qu'elle était en chemin, supposant que j'étais à l'intérieur de la Jeep, dont les vitres étaient opaques.

Je ne tenais aucun compte des déclarations du régime, selon lesquelles les *dacoïts* auraient attaqué d'eux-mêmes. Ils avaient plutôt l'habitude d'arrêter plusieurs voitures à la fois et non une, et justement une autre automobile était passée avant la Pajero sans être inquiétée; et puis ils considéraient comme déshonorant de s'en prendre à une femme. Non, il ne s'agissait pas de pirates de la route.

On racontait d'autres histoires. La nuit précédente, une voiture, disait-on, se serait rendue au quartier général secret des *dacoïts* pour parler à leur chef. «Demain, nous avons un sale boulot à faire», aurait dit celui-ci aux autres après le départ de la voiture. D'autres bruits couraient sur les menaces dont aurait usé le régime pour les décider à faire le «sale boulot». Quoi qu'il en soit, on ne réclama même pas de rançon pour le personnel du PPP; ce n'était donc pas un enlèvement normal.

Les hommes furent relâchés quelques jours plus tard, aussi soudainement qu'ils avaient été enlevés. Ils étaient indemnes, Dieu merci. Mais ce qu'ils dirent renforça nos soupçons sur la complicité du régime. «Nous faisons partie du personnel de Mlle Benazir», avaient-ils dit à leurs ravisseurs, qui avaient déjà vu ma Jeep caractéristique avec ses autocollants du PPP, ses fanions et ses haut-parleurs sur le toit. «Nous sommes les hommes du général Zia», avaient répondu les autres. Aucun *dacoït* ne fut arrêté pour ce crime.

Autre germe de violence semé par le régime dans un monde de plus en plus brutal. Il avait armé les moudjahidins, les étudiants fondamentalistes, les dissidents et la Ligue musulmane. Pour tâcher de rendre crédible sa position de chef de gouvernement «civil», Zia avait créé des troupes personnelles chargées d'abattre pour lui l'opposition politique. Le premier mois de 1987 n'était pas fini qu'un militant du PPP avait été fouetté, en dépit de la levée de la loi martiale, et plusieurs dissidents politiques tués. Il me devenait de plus en plus difficile d'empêcher les jeunes membres du PPP de recourir eux-mêmes à la violence.

La situation au Pakistan devenait rapidement chaotique, ainsi que le rapportait la revue *South* de Londres dans un éditorial de février 1987 : «Le pouvoir militaire a épuisé son crédit… Le gouvernement semble à présent perdre même sa présence administrative. L'organisme du gouvernement, l'armée, les forces de police, la magistrature et les bureaux de l'administration sont là, mais tournent tous comme des toupies, chacun sur sa propre orbite… Le pays est en proie aux tensions et aux conflits de factions, de clochers et d'ethnies. La loi et l'ordre sont pratiquement en pièces, et c'est la mafia des stupéfiants et des armes qui contrôle la vie du peuple. »

Le Pakistan était au bord de l'anarchie. Quel besoin avait-il d'un ennemi extérieur ? Zia le détruisait du dedans. Les minutes s'écoulaient, d'ici les élections nationales promises pour 1990. Mais de plus en plus rares étaient ceux qui les attendaient libres et régulières.

Les élections locales organisées à l'automne de 1987 furent un triste exemple en l'occurrence. 40 % des candidats opposés à la Ligue musulmane soutenue par le régime, et choisis en secret au niveau de la base pour éviter les exclusions, virent leurs listes de candidature rejetées par les fonctionnaires du gouvernement qui craignaient d'être mis à la retraite. Peu avant d'annoncer les élections, Zia avait fait passer une loi octroyant aux administrations provinciales le pouvoir de mettre à la retraite tout fonctionnaire au bout de dix ans de service, c'est-à-dire depuis le coup d'État. La compétition, si l'on peut dire, pour les 60 % de sièges restants fut encore contrôlée par le régime. Les listes électorales, que nous savions fausses, non seulement ne furent jamais rectifiées, mais on les changea jour après jour jusqu'à la veille des élections. Les circonscriptions électorales furent découpées sur mesure en populations d'électeurs de 600 à 2 600 personnes, de manière à assurer la victoire de la Ligue musulmane. Les règles changeaient constamment. La date limite d'inscription des candidats fut fixée au 19 novembre. Le soir du 19 novembre, le délai fut prolongé jusqu'au 25. Ce qui donna à l'administration six jours de plus pour obliger d'autres candidats à se retirer, et pour déclarer le siège gagné « sans opposition » par la Ligue.

Le scrutin lui-même fut encore plus truqué. Les bureaux de vote avaient toujours été installés sur la place publique dans les villages les plus peuplés et dans les villes. Cette fois, le régime annonça à la dernière minute que les lieux de vote se trouveraient dans les quartiers les moins populeux et même chez les membres de la Ligue où les gens redoutaient d'aller. Le jour même du scrutin, on changea de place certains bureaux de vote sans en informer l'opposition, de sorte que nos partisans ne purent déposer leurs bulletins. Beaucoup, de toute façon, n'eurent pas le moyen de s'y rendre. Deux jours avant, la Commission électorale réquisitionna Jeeps, voitures et autres véhicules des partisans du PPP pour transporter son personnel. Seuls ceux qui appartenaient aux membres de la Ligue musulmane échappèrent à la réquisition.

Malgré le truquage éhonté du vote par le régime, la Ligue musulmane n'obtint pas davantage le résultat souhaité. Dans notre circonscription de Larkana, qui était aussi celle des parents de Junejo, elle avait hâte d'annoncer que les Bhutto ne pouvaient même pas remporter une élection dans leur propre circonscription. Voyant échouer toutes les tentatives d'intimidation et de corruption pour obliger notre candidat à se retirer, on n'hésita pas à supprimer les 600 votes PPP d'une cité que mon père avait fait construire pour les pauvres. Nous gagnâmes le siège quand même.

Le premier tour du scrutin qui élisait les conseillers était suivi d'un second au cours duquel ces conseillers eux-mêmes élisaient les présidents des districts et des municipalités. Ce second tour fut lui aussi manipulé. Quand nous avions la majorité, le régime, grâce à son mécanisme électoral sur mesure, disqualifiait nos conseillers pour donner la majorité à la Ligue. Si les calculs échouaient, on changeait tout de même le résultat, comme ce fut le cas au second tour de scrutin dans le district de Larkana, où le candidat soutenu par le PPP avait été élu président. Après le dépouillement, le commissaire du district, qui faisait office de scrutateur, quitta la salle, et quand il revint, il demanda un nouveau dépouillement. Plusieurs bulletins s'étant mystérieusement trouvés « nuls », la Ligue musulmane fut déclarée gagnante. Admonesté par les conseillers PPP, le commissaire s'excusa, disant qu'il n'y pouvait rien.

À Shahadkot, la tactique fut différente. La veille de l'élection pour la présidence, deux conseillers PPP furent enlevés. Les membres d'un groupe paramilitaire connu sous le nom de «forces Magsi» firent irruption chez les autres conseillers et les menacèrent : «Si vous vous présentez demain contre le candidat de la Ligue, vous serez enlevés aussi et Benazir ne vous retrouvera pas.» Effrayés, ils renoncèrent à leur candidature, et la Ligue triompha.

Le régime se vanta de son énorme succès aux élections locales de 1987, et quand nous l'accusâmes d'avoir truqué le scrutin, il répondit que nous parlions par dépit.

«La réalité change sans cesse», avait dit mon père aux Nations unies en 1971, quand Dacca était sur le point de tomber aux mains de l'armée indienne au Pakistan oriental. Un jour, les troupes nazies étaient arrivées au portes de Moscou, rappelait-il, la France avait subi l'occupation allemande, la Chine celle du Japon, l'Éthiopie la domination des fascistes. Mais au lieu d'accepter ces «réalités», les populations avaient résisté, changeant le cours de l'histoire. Son discours devant le Conseil de sécurité eut une profonde influence sur l'étudiante de dix-huit ans que j'étais alors, et me soutint depuis, pendant ces années de tyrannie et de persécution sous la loi du général Zia. «La réalité change…» J'entendais toujours la voix de mon père.

Les visions peuvent n'être que des rêves. Elles peuvent être aussi prophétiques. Tous ceux qui aiment le Pakistan ne sauraient s'empêcher de rêver un avenir prestigieux et prospère pour notre pays et notre peuple. Mais des mesures radicales doivent être prises pour préserver cette vision. Vers l'année 2000, la population pakistanaise devrait être passée de ses 100 millions actuels à 155 millions. 44 % de la nation, si ce n'est plus, auront alors moins de quinze ans. Après la politique désastreuse du régime, il sera impossible d'assurer même le minimum d'équipements pour la santé, le logement, les transports.

Selon les prévisions les plus pessimistes, la population urbaine sera trois fois ce qu'elle est aujourd'hui. Or actuellement, 85 à 90 % des Pakistanais n'ont pas à leur disposition d'eau pure, non polluée. Il en est autant qui vivent sans installations sanitaires convenables ni égouts, dans les bas quartiers, entassés à l'abri de cabanes ou de baraques temporaires. Le peuple de certaines régions du Baloutchistan et de la province de la Frontière du Nord-Ouest vit encore dans des cavernes. Pourtant, le régime ne consacre au logement que 5 % de son budget annuel.

Au lieu d'instruire le peuple, il l'ignore. Selon certaines normes internationales d'alphabétisation, 90 % des Pakistanais sont illettrés. En fonction d'autres critères, qui mettent au nombre des « instruits » ceux qui savent écrire leur nom, il reste encore 73 % d'analphabètes. 45 % seulement des enfants de cinq à dix ans sont inscrits à l'école, et parmi eux, quatre sur cinq sont obligés, par les impératifs économiques, de la quitter avant l'âge de dix ans. Les statistiques sont non seulement scandaleuses mais écrasantes. Le Pakistan, actuellement, ajoute à sa population 1,5 million d'illettrés par an. Sous le général Zia, le taux d'instruction s'effondre au lieu d'augmenter.

Nos priorités nationales sont tragiquement faussées. Les dépenses militaires ont plus que doublé avec le régime, si bien que la proportion par habitant dépasse celle de tous les pays du Sud asiatique. Cette proportion par habitant, pour l'instruction, le logement et la santé, est au contraire parmi les plus basses. Selon l'Unicef, le Fonds des Nations unies pour l'enfance, près de 600 000 des 4 millions d'enfants nés chaque année au Pakistan pendant les années 80 sont destinés à mourir avant l'âge de un an, et 750 000 avant d'atteindre leurs cinq ans. Pour un nombre égal de naissances en Occident, il meurt chaque année 700 000 enfants de plus au Pakistan. Et le peuple ne peut rien ou presque pour leur destin.

Des élections libres et impartiales. Nous travaillons toujours pour le retour de la démocratie au Pakistan. Mon père y avait consacré sa vie, en donnant, dans le cadre de la Constitution, l'égalité aux riches et aux pauvres, aux hommes et aux femmes, à tous les groupes ethniques et les minorités religieuses. Par l'instruction et le progrès économique, son action avait été bénéfique dans tout le pays, et il avait fait entendre la voix de la démocratie à un peuple qui la réclamait. Enfin, le sacrifice suprême avait été le prix de sa vision de l'avenir.

« La tyrannie, comme l'enfer, n'est pas facile à vaincre ; du moins avons-nous cette consolation que plus dure sera la lutte, plus le triomphe sera glorieux », écrivait Thomas Paine dans *La Crise américaine*, en 1776. Nous avons traversé l'enfer de la loi martiale au Pakistan, et nous sommes prêts à affronter l'oppression qui nous attend peut-être encore. Nous avons connu la souffrance et le sacrifice, nous avons vu mourir les nôtres et compati au chagrin des parents et des enfants d'autres familles. Nous pouvons avoir à le faire encore. Mais, quoi qu'il en soit, nous avons gardé vivante la flamme de la démocratie. Aucune victoire ne sera plus glorieuse que le jour où, le dictateur enfin vaincu, le rêve démocratique redeviendra une réalité au Pakistan.

14

MARIÉE
DANS LA MAISON DE MON PÈRE

Ma vie privée changea de façon spectaculaire le 29 juillet 1987, quand j'acceptai un mariage arrangé à l'instigation de ma famille. Ce fut, sur le plan de mes choix personnels, la conséquence de l'itinéraire politique où je m'étais engagée. Ma notoriété au Pakistan excluait pour moi toute possibilité de rencontrer un homme, d'apprendre à le connaître puis de l'épouser. La liaison la plus discrète aurait alimenté les commérages et les rumeurs que provoquait déjà le moindre de mes faits et gestes.

Pour beaucoup d'Orientaux, le mariage arrangé est la norme plutôt que l'exception. Mais mes parents s'étaient mariés par amour, et j'avais cru en grandissant qu'un jour je tomberais amoureuse et que j'épouserais l'homme de mon choix. Cependant, les démarches à propos de mes projets de mariage et de ma disponibilité avaient commencé pendant mon séjour à Radcliffe. J'appartenais à l'une des plus vieilles et des plus honorables familles du Pakistan, et, à l'époque, j'étais fille du Premier ministre.

Étudiante en Amérique en plein mouvement féministe, j'étais convaincue que mariage et carrière étaient compatibles et que l'un n'excluait pas l'autre. Je croyais, et je crois toujours, qu'une femme peut prétendre à tout et tout obtenir : une vie professionnelle réussie, un bon mariage et des enfants. Je me réjouissais d'épouser un homme qui poursuivrait ses objectifs comme je le ferais des miens.

Le coup d'État militaire changea tout. On me faisait encore des propositions pendant les premières années de la loi martiale, mais je refusais alors jusqu'à l'idée du mariage. Comment aurais-je pu en souhaiter les plaisirs et le bonheur alors que mon père était en prison et sa vie en danger?

Tout cela me devint plus étranger encore après son assassinat. Par tradition, quand un membre âgé ou particulièrement respecté meurt dans la famille Bhutto, personne ne se marie pendant un an. Mais j'étais si bouleversée par la mort de mon père et c'était pour moi un être tellement exceptionnel que, lorsque ma mère me reparla de mariage en 1980, je dis non. Je voulais attendre deux ans, non seulement par respect pour sa mémoire, mais parce que j'avais trop de chagrin pour songer au bonheur.

Beaucoup des histoires qu'il nous racontait quand nous étions enfants tournaient autour de nos futurs mariages. «Je n'ai pas envie que vous vous mariiez, mais vous oui, naturellement, disait-il à Sanam et à moi. J'attendrai que vous reveniez, et s'il y a une larme dans vos yeux ou un frémissement dans votre voix, j'irai battre le mari et je vous ramènerai à la maison.» Il plaisantait, bien sûr, mais le thème du mariage me rappelait mon enfance et me remplissait de tristesse. Je n'en avais pas fini avec ma peine.

Les deux ans passés, j'étais en prison. Plus question de mariage. Après ma libération trois ans plus tard, en 1984, et mon départ pour l'Angleterre, les propositions de mariage reprirent, mais je refusai de nouveau. J'étais trop anxieuse, trop tendue par ces années de cellule pour me sentir à l'aise avec les gens, encore moins avec un mari. Les conversations, même en famille, me causaient souvent des battements de cœur et me laissaient oppressée. Je sursautais au moindre bruit. «Il faut d'abord que je me retrouve avant de penser au mariage, disais-je à ma mère. J'ai besoin d'un certain calme et de temps pour récupérer.»

Lentement mais sûrement, l'année suivante en Angleterre, je commençai à me sentir mieux. Entre-temps, les approches matrimoniales se succédaient : plusieurs membres de ma famille avaient leurs propres candidats et mes amis aussi. Peu avant notre réunion familiale à Cannes en juillet 1985, ma mère et tante Manna me firent part des offres d'une famille de propriétaires terriens, les Zardari, pour leur fils Asif. Tante Manna, je le sus plus tard, avait mené toute une enquête sur l'éventuel fiancé, avant d'en parler à maman. Elle avait interrogé les Zardari sur les études d'Asif (collège militaire Petaro, Centre d'études économiques et politiques de Londres), sa profession (biens fonciers, agriculture et affaire familiale de construction), ses loisirs (nage, squash et son équipe personnelle de polo, le Quatre Zardari) – et même : aimait-il les livres ?

«Eh bien, il ne peut pas rivaliser avec Benazir, mais il lit volontiers», répondit son père, Hakim Ali, ancien membre de l'Assemblée nationale, alors vice-président du Parti national Awami, l'une des composantes du MRD. Tante Manna, qui était une vieille amie de la famille, voulant examiner elle-même le prétendant, on lui présenta chez elle, où évidemment il fit bonne impression, élégant et svelte dans sa tenue de polo. Satisfaite sur tous les chapitres, tante Manna se mit en rapport avec ma mère en Angleterre. Mais, une fois de plus, le drame frappa notre famille.

Un mois plus tard, mon frère Shah Nawaz était assassiné. Bouleversée, comme nous tous, je dis à ma mère et à ma tante que je ne voulais plus entendre parler de mariage avant un an sinon deux. Je n'avais même pas demandé le nom du candidat du clan Zardari.

Ma tante n'en était pas moins décidée à poursuivre. Quand je revins au Pakistan, en avril 1986, elle ne cessa de me harceler pour que je voie le fils Zardari, héritier du chef de la puissante tribu des Zardari. Le clan, originaire du Baloutchistan iranien, s'était établi, plusieurs siècles auparavant, dans le district de Nawabshah, dans Sind, où Asif surveillait maintenant les fermes familiales. « Il est très bien, dans tes âges. Il est d'une famille de propriétaires fonciers, qui fait de la politique. J'ai eu des propositions de familles de Lahore et de Peshawar, dans le milieu des affaires, mais j'ai pensé que cela ne te convenait pas. Il vaut mieux que tu épouses quelqu'un du Sind, qui comprend les usages locaux et les traditions… » Et ainsi de suite. Cela ne m'intéressait pas. Pour la première fois depuis neuf ans, je me sentais bien dans mon propre pays, libre d'aller voir mes amis, de voyager, de travailler. « Laisse-moi profiter un peu de ma liberté », lui répétai-je.

Mais elle ne renonça pas. Sans rien dire, elle s'arrangea pour que ma cousine Fakhri invite Asif à un dîner, en novembre 1986, sept mois après mon retour au Pakistan. Elle lui fit même porter un complet, pour me faire bonne impression, au lieu des vieilles robes baloutches qu'il préférait jusque dans les rues de Londres. Tante Manna attendit pour nous présenter qu'il y eût peu de monde autour de moi. Quand j'entendis le nom d'Asif, rien ne me frappa particulièrement. Je ne savais pas qui il était et je me souviens seulement que nous commençâmes immédiatement à discuter. Tante Manna, craignant que les langues se délient s'il restait trop longtemps près de moi, envoya quelqu'un le chercher, et j'en fus très soulagée, car, après toute une journée de discussion au parti, je n'avais pas envie de passer la soirée à argumenter.

En même temps, je me demandais quel mari tolérerait une vie aussi prenante que la mienne. Quand j'étais chez moi, mes réunions politiques se prolongeaient souvent tard dans la nuit. Et j'étais fréquemment absente, voyageant sans cesse d'un bout à l'autre du Pakistan. Quel époux accepterait que, mon temps ne m'appartenant pas, je ne puisse le lui consacrer ? Existait-il un homme assez libre de préjugés pour admettre que mon premier souci soit toujours le peuple pakistanais et non lui?

Je m'inquiétais aussi de ce qu'éprouverait le peuple si je me mariais. Parce que j'étais jeune, que j'avais vécu beaucoup d'années de prison et beaucoup de drames, les gens, paraît-il, voyaient en moi une sorte de sainte. Les sacrifices de ma famille à un Pakistan démocratique m'ayant laissée seule, sans la protection d'un père, d'une mère ou même de mes frères, la population avait fini par se prendre pour ma famille. Une des forces essentielles du PPP était ce sentiment populaire de protection envers moi. Si je me mariais, penseraient-ils tous que je n'avais plus besoin d'eux?

D'un autre côté, me disais-je, rester célibataire risque de me nuire politiquement à la fois à l'intérieur et à l'extérieur du pays. Dans notre société phallocrate, un homme peut rester célibataire sans que personne y trouve à redire. Mais une célibataire est suspecte. «Pourquoi n'êtes-vous pas mariée?» me disaient souvent les journalistes. Agacée, j'avais envie de leur demander s'ils poseraient la même question à un homme, mais je me retenais. Ils n'avaient pas souvent affaire à des femmes seules dans les sociétés musulmanes traditionnelles, et c'étaient les circonstances exceptionnelles qui leur dictaient cette question inhabituelle.

Cette question, typique de la pensée phallocrate, impliquait qu'une femme célibataire cachait forcément un grave défaut. Qui sait si elle ferait un chef sur qui on puisse compter? Comment réagirait-elle sous la pression? Au lieu d'examiner mes compétences et la plate-forme du parti, les réserves non formulées se résumaient à ceci : une femme célibataire risque d'être trop névrosée pour diriger le pays, ou trop agressive ou trop timorée. C'était surtout vrai dans une société musulmane, où le mariage était considéré comme la pleine réalisation d'une vie d'homme et de femme, et les enfants comme sa conséquence naturelle.

Asif Zardari. Asif Zardari. Asif Zardari. Deux ans après la première démarche de sa famille, ni lui ni les siens n'avaient renoncé. Autrefois, ma tactique vis-à-vis des autres prétendants avait été de faire traîner les choses, de sorte que la personne se lasse, ou qu'elle comprenne que nous n'étions pas intéressés. Mais pas les Zardari. En février 1987, j'allai à Londres participer à un débat télévisé sur l'Afghanistan. La belle-mère d'Asif fit au même moment un voyage imprévu à Londres pour y voir sa vieille amie d'école, ma tante Behjat, qui me rapporta leur conversation : «Asif est si bon, si courtois, si généreux. Décide Benazir à le rencontrer.» Tante Manna fit chorus : «Il t'a vue, tu es pour lui une femme réelle, pas une image. Il veut vraiment t'épouser.»

Ma mère à son tour insistait : «Nous connaissons la famille. Il a trente-quatre ans, comme toi. Il est du Sind, dont il connaît bien les traditions et les manières. Ce n'est pas un de ces êtres sans racines, ces citadins de professions libérales qui peuvent plier bagage et s'en aller ailleurs. C'est un rural, qui a des responsabilités vis-à-vis de sa famille, de son clan, et qui comprendra tes propres responsabilités.»

Ses insistances ne me rendaient que plus sceptique. Je la savais indulgente aux caractères insipides, qui faisaient, disait-elle, des maris attentifs et fidèles, alors que de plus fougueux et charmants attireraient les autres femmes, ce qui jetterait le trouble dans mon ménage. Je savais que je m'ennuierais à mourir avec un homme insignifiant.

Tante Behjat m'invita à prendre le thé avec la belle-mère d'Asif, et je refusai. Même une entrevue pourrait sembler un engagement et, bien que réconciliée avec l'idée du mariage, sa réalité me faisait peur. «Laissez-moi jusqu'au mois de juin, demandai-je à mes proches. Je ne me sens pas prête.»

«Comment se marier avec un parfait étranger? demandai-je à une amie de Lahore quand je revins au Pakistan. – Une fois mariée, tu le verras avec d'autres yeux», me dit-elle. À la même question, une autre répondit : « Même si tu ne l'as jamais rencontré, tu te mets à l'aimer parce qu'il est ton mari. Tu connais le proverbe : "Le mariage vient d'abord et puis vient l'amour." »

Je fis une enquête de mon côté. Quelqu'un m'apprit qu'Asif était tombé de son poney en jouant au polo et qu'il boiterait toute sa vie. C'était faux, mais de toute façon je ne m'en serais guère souciée, car boiter n'est pas un défaut de caractère. Un de ses proches me dit qu'il était généreux à l'excès et dépannait toujours ses amis quand ils avaient des ennuis d'argent. J'aimais la générosité. Un autre ami commun se servit d'un dicton ourdou pour me décrire sa résolution et sa loyauté : « C'est l'ami de l'ami et l'ennemi de l'ennemi. » Cela me rappelait mes frères et c'était séduisant.

Bien que débordée, j'étais seule parfois. Le 70, Clifton est une grande maison, construite pour abriter plusieurs générations de Bhutto. Al-Murtaza aussi était vaste. Le soir, souvent, la seule chambre éclairée était la mienne. J'éprouvais aussi une sorte d'insécurité à propos des maisons. Je n'avais rien à moi. Mir sans doute se remarierait et reviendrait au pays aussitôt que possible. Quelle serait ma vie chez mon frère et de sa seconde femme ? Il me fallait une demeure à moi.

Je voulais aussi ma propre famille. Ma sœur était mariée, elle avait un enfant. Mes frères en avaient aussi. Nous avions été une cellule familiale ; elle avait donné naissance à d'autres. Que devenais-je dans le tourbillon de ces nouvelles familles ? La hantise de la mort aussi m'obsédait. Avant l'assassinat de Shah, il me semblait que nous étions nombreux, mais après, nous n'étions plus que trois, et, avec un seul frère, l'équilibre était rompu. L'idée d'avoir moi-même des enfants m'attirait de plus en plus.

J'avais promis de rencontrer Asif au mois de juin en Angleterre, mais une réunion à Islamabad avec le groupe d'opposition du Parlement retarda mon voyage. Je trouvai en rentrant à Karachi un mot de la belle-mère d'Asif qui demandait à me voir. Je téléphonai à ma cousine : « Fakhri, que dois-je faire ? – Il faut la voir. Si tu veux, je resterai avec toi. D'ailleurs, tu peux l'interroger sur toutes les questions que tu te poses. »

« Ce serait un tel honneur si vous vouliez bien accepter Asif, me dit dans le salon de Clifton cette diplômée de Cambridge impeccablement habillée. Le mariage vous donnerait une nouvelle dimension. » Je me retins de lui dire qu'une femme n'avait pas besoin du mariage pour se donner une nouvelle dimension, et au lieu de cela, je commençai à exposer à la belle-mère d'Asif toutes les raisons pour lesquelles un mariage avec moi ne serait pas un honneur pour un homme mais un cauchemar.

« Ma vie politique n'est pas comme les autres, dis-je. Je n'ai pas le loisir d'attendre paisiblement les élections tous les cinq ans. La politique engage la liberté et le sens de ma vie. Comment un homme accepterait-il que la vie de sa femme ne tourne pas autour de lui ?

– Ma chère, Asif est un jeune homme très décidé. Il sait à quoi il s'engage.

– Je suis obligée de voyager beaucoup et je ne peux pas toujours emmener un mari avec moi.

– Il a son propre travail, ma chère, et ne pourrait pas toujours vous accompagner.

– On m'a dit qu'il aimait sortir et fréquenter les gens. Dans mes rares moments de loisir, je préfère rester chez moi avec quelques amis.

– Ce n'est pas un problème, dit-elle simplement. Quand un homme s'installe, il se plaît à la maison avec sa femme et sa famille. »

Me sentant encouragée, je respirai à fond et m'attaquai au sujet le plus délicat : « En dépit de l'usage, je ne peux pas vivre avec ma belle-famille. Il y a jour et nuit chez moi des permanents et des réunions qui occupent le salon et la salle à manger. Il me faut ma propre maison.

– Je comprends, dit-elle à ma grande surprise, et Asif aussi. Sa mère et ses sœurs ont besoin également d'intimité. »

Quel homme extraordinaire, me dis-je, et je repris mon projet de le rencontrer à Londres, loin des camionnettes des services de renseignement et des espions de Zia.

Grâce au ciel, les rendez-vous politiques m'occupèrent l'esprit, à Londres, toute la journée du 22 juillet 1987. Le soir seulement, l'appréhension commença à me serrer l'estomac quand je me rendis compte que je ne pouvais plus échapper à l'entrevue avec Asif.

Tante Manna buvait son café à petites gorgées quand, avec sa belle-mère, il sonna chez mon cousin Tariq. Dans un fauteuil du salon, je prenais un air naturel, mais mon cœur battait de plus en plus fort tandis qu'Asif approchait. Pour lui aussi ça devait être éprouvant bien qu'il semblât sûr de lui. Nous nous mîmes tous à parler de choses indifférentes, et personne ne souffla mot du mariage.

De toute la soirée, nous n'eûmes pas, lui et moi, de conversation particulière. Il portait des lunettes qui me cachaient son regard. Je ne savais que penser après cela, même lorsque je reçus le lendemain une douzaine de roses. Pourtant, le cageot de mangues que me livra Fortnum et Mason, avec une boîte de marrons glacés, ma friandise préférée, était délicieux. Tout comme le panier de cerises qu'il envoya à Sunny.

« Quelle est ta réponse, Pinkie ? » demandèrent ma mère, tante Behjat et tante Manna ce matin-là, le lendemain et le surlendemain. « Je ne sais pas encore », répondis-je.

J'étais déchirée. Je savais que mes amis d'Occident auraient du mal à comprendre les circonstances culturelles et politiques qui m'amenaient à envisager un mariage de convenance. Le féminisme occidental était très différent de celui de l'Orient, où les obligations religieuses et familiales restaient essentielles. Il y avait aussi l'aspect personnel du problème. Dans ma position de chef du plus grand parti d'opposition pakistanais, je ne pouvais courir le risque d'une rupture ou d'un divorce, sauf dans un cas extrêmement grave. On me demandait d'engager le reste de ma vie avec un homme dont j'avais fait la connaissance trois jours plus tôt, et en présence de nos familles respectives.

Je le présentai à quelques-uns de mes amis d'Oxford, qui l'apprécièrent, puis à une camarade d'école pakistanaise, qui le trouva charmant et me conseilla de l'épouser. Asif nous emmena dîner avec ma famille et je dus m'asseoir près de lui. Je gardai de l'autre côté, pour me protéger, ma nièce Fathi, qui bavarda sans interruption.

Le lendemain, mon cousin Tariq eut avec Asif une conversation entre hommes. « Si vous épousez Benazir, lui dit-il, vous serez observé en permanence. La moindre chose que vous ferez, même de rester tard avec des amis, rejaillira sur elle. » Mais Asif le conquit. « Il comprend la situation, me dit-il ensuite. Il y a des années qu'il a envie de t'épouser, et il sait exactement ce que cela signifie.

« Quelle est la réponse, Pinkie ? » demanda Yasmin. Chaque matin, Sunny et maman se précipitaient à mon chevet et me regardaient d'un air éloquent. « Quel est le problème ? Pourquoi mets-tu tant de temps à te décider ?

– Je ne sais pas encore. »

Le destin se présenta sous la forme d'une abeille. Le quatrième jour de la visite des Zardari, j'emmenai Fathi à Windsor Park, tandis qu'Asif allait à un match de polo. Une abeille me piqua la main. À l'heure du dîner, celle-ci était très gonflée, et plus encore le lendemain matin. « Je vous emmène à l'hôpital », me dit Asif en arrivant à l'appartement. Sans tenir compte de mes protestations, il appela un taxi, prit rendez-vous avec le médecin et acheta le médicament prescrit. « Pour une fois, me dis-je, ce n'est pas moi qui m'occupe de tout.

C'est de moi qu'on s'occupe.» Un sentiment inhabituel et très agréable.

Le destin intervint encore le soir suivant, alors que nous cherchions en vain un restaurant pakistanais. Ma mère, Sanam, Asif et moi nous étions entassés dans une voiture pour aller dîner avec quelques amis pakistanais. Nous nous perdîmes. Mais au lieu de perdre patience et de s'énerver, Asif fit rire tout le monde dans l'auto. Je remarquai qu'il était disponible et plein d'humour autant que prévenant.

«La réponse, Pinkie?» demanda ma mère le matin.

Je respirai profondément. «D'accord, maman», répondis-je, et sept jours après avoir fait la connaissance d'Asif, j'étais fiancée.

«Consciente de mes obligations religieuses et de mon devoir envers ma famille, je suis heureuse d'accepter l'offre de mariage agréée par ma mère, la bégum Nusrat Bhutto, disais-je dans ma déclaration à la presse. Ce mariage n'affectera en aucune façon mon engagement politique... Le peuple pakistanais mérite un avenir meilleur et plus sûr. Je serai avec lui pour le rechercher.»

La réaction au Pakistan fut partagée. En dépit de ma déclaration, les agents du régime se hâtèrent de répandre le bruit que j'abandonnais la politique. Des bandes organisées commencèrent à arrêter les bus sur les routes pour en arracher mes affiches, en disant qu'elles n'avaient plus de sens puisque je me mariais. «Pourquoi gardez-vous les fanions du PPP? disait-on aux militants du parti. Benazir a renoncé et elle vous lâche.» Une fausse interview avec la mère d'Asif, colportée par la presse gouvernementale, vint alimenter les craintes de nos partisans : «Je vais inviter le général Zia au mariage», lui faisait-on dire.

Mais beaucoup dans le pays étaient heureux de me voir mener bientôt une vie plus normale. Les boutiques de sucreries furent dévalisées pendant trois jours tandis que le public fêtait l'événement. «Depuis dix ans que nous sommes en deuil, nous pouvons enfin nous réjouir», disaient les gens. La tribu Zardari se réjouissait aussi, et ils furent quinze mille à se réunir pour accueillir Asif sur ses terres de Nawabshah, chantant, dansant et agitant des drapeaux du PPP.

À mon retour au Pakistan, je parcourus le pays, assurant de nouveau aux habitants que j'étais leur sœur, que je le serais toujours et que mon mariage n'aurait aucun rapport avec ma carrière politique. Asif m'appelait chaque soir, où que je sois, et peu à peu, au téléphone, j'appris à le connaître. Nous avions plus de choses en commun que je ne le pensais. Sa famille avait souffert de la loi martiale : son père Hakim Ali avait été écarté pour sept ans de la politique par un tribunal militaire, et ses 700 hectares de cultures, sur la ferme familiale d'Hyderabad, avaient été détruites par le régime qui avait coupé l'eau. Les pires ennuis vinrent après les fiançailles, quand les banques nationalisées coupèrent les crédits d'Hakim Ali pour ses projets de constructions. «Vous avez commis une erreur, lui dit-on quand nos fiançailles furent annoncées. Votre fils unique épouse Benazir, et vous aurez contre vous toute l'armée et l'administration. – Je m'en moque, répondit-il. Le bonheur de mon fils compte davantage pour moi. »

Asif, je le savais, ne s'intéressait pas à la politique du parti. «Une tête politique suffit dans une famille», avait-il dit en plaisantant à des journalistes de Londres. Mais comme dans beaucoup de familles au passé féodal, il suivait la vie politique locale et avait fait acte de candidature aux élections de 1985. Il les boycotta ensuite à l'appel du MRD. Et il avait aussi senti l'aiguillon du régime.

On était venu l'arrêter chez lui au milieu de la nuit ; l'armée déclarait l'avoir trouvé sur la route, voyageant avec une arme non autorisée. Heureusement pour lui, cette histoire inventée n'avait même pas tenu devant un tribunal militaire. «J'ai passé deux nuits en prison. Cela m'a suffi, dit-il à un de mes amis. Je peux imaginer ce que Benazir a dû souffrir. »

Il m'offrit une bague en forme de cœur ornée de saphirs et de diamants, et il m'envoyait tous les jours des fleurs. Nous parlions sans cesse ensemble. Notre mariage n'était vraiment pas celui d'étrangers, me disait-il. Quand nous étions adolescents, il m'avait regardée entrer, puis sortir du cinéma que possédait son père. Vingt ans après, l'idée de m'épouser était venue de lui, non de ses parents. Déjà cinq ans plus tôt, il disait à son père : « Si tu veux que je me marie, demande Benazir. » Il avait attendu patiemment depuis. À la question d'un journaliste : « Êtes-vous amoureux d'elle ? » il répondit : « Est-ce que tout le monde ne l'est pas ? »

Nous ne nous aimions pas encore vraiment, et ma mère m'assurait que l'amour vient plus tard. Mais il y avait entre nous un engagement intellectuel, la certitude que nous nous acceptions l'un l'autre comme mari et femme, totalement et pour toujours. En un sens, ce lien-là était plus fort que l'amour. Certes, je ne voulais pas – ni ne veux – me faire l'avocat des mariages arrangés, mais je comprenais ce que pouvait être une union fondée sur le consentement mutuel. Nous y entrions sans idées préconçues, sans attendre l'un de l'autre plus que le bon vouloir et le respect. Dans les mariages d'amour, me disais-je, les espoirs étaient si grands qu'ils ne pouvaient qu'être déçus. Il y avait aussi la crainte que l'amour ne meure, et notre couple avec. Le nôtre ne pouvait que grandir.

En décembre 1987, une semaine avant le mariage, la foule se pressait déjà devant le 70, Clifton. On déposait des cadeaux à la porte : un simple *shalwar khameez* du Sind, fait à la main, des *dupattas* brodées du Penjab, des sucreries, des fruits et des poupées de mariage à notre effigie. De temps en temps, les membres de ma famille allaient retrouver dehors les gens qui dansaient joyeusement. Des femmes et des enfants entraient s'asseoir dans le jardin.

Il est de tradition pour la future mariée de vivre retirée pendant une ou deux semaines avant les noces, vêtue de jaune et non maquillée afin de ne pas attirer le mauvais œil. Mais je n'avais pas de temps pour cette vieille coutume qu'on appelait le *mayoon*. Je ne pouvais pas me permettre deux semaines de congé. Nous ne devions pas même avoir de lune de miel.

Nous rompîmes d'ailleurs avec bien d'autres traditions, pour donner l'exemple au reste du pays. La cérémonie serait simple et digne, et non une de ces réceptions somptueuses qui duraient une semaine, auxquelles beaucoup de familles pakistanaises se croyaient obligées et où elles dépensaient les économies d'une vie et même s'endettaient. Au lieu des vingt et une ou cinquante et une tenues raffinées habituellement offertes à la mariée par sa belle-famille, j'en avais fixé le nombre à deux : une pour le mariage et une pour la réception offerte deux jours après par les Zardari. Les robes de mariées étaient généralement ornées de paillettes et brodées de fil d'or, mais je demandai qu'on n'y mît de l'or qu'en haut ou en bas, et non les deux.

Les cadeaux de bijoux faisaient également partie de la tradition. La mariée portait souvent sept parures, depuis le collier entourant le cou jusqu'aux sautoirs qui descendaient jusqu'à la taille. Je priai Asif de m'en donner seulement deux, pour le mariage et la réception. Je ne mène pas une vie à porter des bijoux. Combien de colliers de diamants peut-on mettre au bureau ? « Vous avez toute la vie pour m'en offrir », dis-je pour le consoler, lui qui aurait voulu m'offrir les plus beaux. J'évitai même les bracelets d'or qu'on enfile à chaque bras, du coude au poignet, n'en voulant que quelques-uns d'or pur et le reste en verre. Je voulais que l'on dise : si Benazir porte des bracelets de verre le jour de son mariage, ma fille peut en faire autant. Je choisis aussi de garder mon nom. J'étais Benazir Bhutto depuis trente-quatre ans et je n'avais pas l'intention de changer d'identité.

« Sur le front de ma bien-aimée, brille sa chevelure. Qu'on apporte le henné, le henné qui colorera les mains de ma bien-aimée. » Trois jours avant la cérémonie du henné, le 17 décembre, ma sœur, mes cousins et mes amis se réunirent au 71, Clifton, l'annexe qui servait aux réceptions et aux cérémonies religieuses, pour un concours amical de chant et de danse avec la famille du fiancé au *mehndi*. Samiya, Salma, Putchie et Amina étaient là, ainsi que Yasmin, venue de Londres. D'autres amis arrivaient chaque jour d'Angleterre : Connie Seifert, qui avait su décider Zia à laisser partir ma mère pour raisons de santé, David Soskind, Keith Gregory, et d'autres de mes années d'Oxford, Victoria Schofield, à qui le régime avait refusé le visa jusqu'à la dernière seconde. Anne Fadiman et mon ancienne camarade de chambre Yolanda Kodrzycki, venues des États-Unis, Anne pour faire un reportage de mon mariage, cette fois dans *Life*. « Tu es venue en 1986 recevoir du gaz lacrymogène, il est juste que tu reviennes rire et danser», lui dis-je en plaisantant.

C'était une réunion, miraculeuse en quelque sorte, d'amitiés qui non seulement avaient subi la tyrannie de la loi martiale, mais en étaient sorties plus fortes. Il vint des avocats de mon père et aussi beaucoup d'anciens prisonniers politiques. L'arrivée du docteur Niazi au 70, Clifton fit sensation. Le dentiste de mon père, malgré les accusations graves qui le menaçaient à Islamabad, revenait pour mon mariage après six ans de solitude en exil. Il était relativement en sécurité à Karachi, mais nul ne savait ce qui l'attendait quand il retournerait à Islamabad et tenterait de rouvrir son cabinet dentaire. Ma mère allait et venait au milieu de tout cela, veillant au moindre détail comme toutes les mères de mariées. Elle n'était pas revenue au Pakistan depuis 1982 et avait du mal à dormir, ce qui n'était pas surprenant.

Tandis que les amis et la famille se réunissaient dans la maison, des milliers de personnes se dirigeaient vers Lyari, au centre de la ville. Car il y aurait deux mariages, l'un chez nous en présence de la famille et des amis, l'autre parmi le peuple du quartier le plus pauvre de Karachi, et l'un des bastions du PPP. Nous avions envoyé 15 000 invitations aux partisans détenus pendant les années de la loi martiale et aux familles des martyrs, pour la réception populaire. Elle aurait lieu à Kakri Ground, le grand terrain de sport de Lyari, où mon père avait été le premier homme politique à parler aux défavorisés et à plaider leur cause ; où six personnes avaient été tuées et d'autres battues et attaquées au gaz lacrymogène lors des manifestations du 14 août 1986. Une partie du stade de Kakri était aussi prévue pour le public.

La nuit avant la cérémonie du henné, je me glissai jusqu'à Lyari sous une *burqa* pour surveiller les préparatifs. Des membres de l'Union maritime et d'autres syndicats mettaient la dernière main à la grande estrade de quinze mètres sur douze, solidement construite avec du bois et quatre-vingts tonnes de métal. Des groupes électrogènes de secours avaient été mis en place pour éclairer le terrain si le régime décidait de couper l'électricité, et vingt postes de télévision grand écran retransmettraient la cérémonie. Des tonnelles de jasmin, de soucis et de roses étaient disposées autour des places assises, de chaque côté de la scène couverte de tapis réservée à nos deux familles, avec deux fauteuils au milieu, pour Asif et moi.

Des centaines de guirlandes lumineuses rouges et vertes aux couleurs du PPP, et blanches aussi, étaient accrochées aux immeubles de cinq étages qui entouraient le terrain, et des projecteurs éclairaient un immense portrait de mon père, la main posée sur ma tête pour me bénir. Nous attendions cent mille personnes au stade Kakri. Dix mille au moins campaient déjà sur place, dont certaines étaient venues à pied ou à bicyclette de l'intérieur du Sind. Quant à mes frères et sœurs, ils savaient qu'ils n'avaient pas besoin d'invitations. C'était pour eux un mariage familial.

Le son des tambours et des baguettes de bois. Le chant des femmes. Les acclamations de mes proches. Le cortège nuptial arriva au 70, Clifton le 17 décembre, pour le *mehndi*, les parents d'Asif portant un plateau à henné sculpté en forme de paon, et agrémenté de vraies plumes. Mes parentes passèrent des guirlandes de roses au cou des Zardari. Asif était au milieu du cortège, ses sœurs tenant un châle au-dessus de sa tête. Je fus soulagée de le voir à pied, car il avait menacé de venir monté sur son cheval de polo.

Nous nous assîmes sur une banquette au dossier de miroirs incrusté de nacre, en haut des marches du 71, Clifton. Je regardais à travers mon voile ma famille et mes amis groupés au-dessous de moi d'un côté des marches, et la famille d'Asif de l'autre. Je doute que personne ait jamais entendu des paroles comme celles qu'on se mit à chanter de mon côté. «Asif doit s'occuper des enfants tandis que je mène campagne et ne pas m'empêcher d'aller en prison», chantaient Yasmin, Sanam, Laleh et d'autres amies. «Vous devez accepter que Benazir serve la nation», gazouillaient-elles en ourdou, puis elles répondaient pour Asif : «J'y suis préparé, je servirai la nation en servant ma femme.»

Les invités, deux cents de nos plus proches amis, tapaient des mains et bavardaient sous la tente de couleur installée dans le jardin, avant d'aller aux tables du buffet. Je vis des larmes sur le visage de maman, ne sachant si c'étaient des larmes de bonheur ou de déception à cause des photographes étrangers qui avaient réussi à échapper au service de sécurité et se pressaient autour d'Asif et moi. Le *mehndi*, c'est vrai, devait rester une affaire de famille, mais ces deux jours de cérémonies promettant d'être le mariage du siècle dans le sous-continent avaient attiré les journalistes des États arabes, d'Allemagne, de France, d'Inde, des États-Unis et d'Angleterre, ainsi que les agences de presse et, naturellement, les membres de la presse locale.

J'aurais tant aimé que mon frère Mir soit avec nous quand nous nous réunîmes dans le jardin le soir suivant pour le *nikah*, la cérémonie du mariage. Il n'avait pas pu venir à celui de Sanam, et personne de notre famille n'avait pu assister au sien en Afghanistan. Il avait menacé de s'introduire clandestinement au Pakistan, au risque d'être pris et arrêté par le régime. Mais ma mère le lui avait interdit.

«Ne marche pas si vite, tu n'es pas en retard pour une réunion publique», me murmura Sunny à travers le voile rose qui me couvrait le visage, tandis qu'avec maman elle me conduisait sur l'estrade nuptiale dans le jardin.

«Les mariées marchent posément», ajouta en écho tante Behjat, tenant au-dessus de ma tête le Saint Coran et tâchant de ne pas le lâcher.

J'essayais quant à moi de garder les yeux modestement baissés en m'asseyant sous le dais nuptial. Mon cousin Shad arriva, souriant.

«Pourquoi les hommes mettent-ils tant de temps?» dit-il, se demandant ce qui se passait du côté d'Asif, où le *maulvi* de notre mosquée familiale lisait les serments de mariage.

«*Manzoor ah-hay?* Tu acceptes?» me demanda Shad en sindi. Je crus qu'il me demandait en plaisantant si j'étais prête.

«*Ah-hay*, répondis-je. Oui. Mais où sont-ils?»

Il se contenta de sourire et me reposa deux fois la même question. «*Ah-hay. Ah-hay*», répétai-je. Avant de m'en rendre compte, j'avais dit trois fois le «oui» habituel au témoin, et j'étais une femme mariée.

J'avais autour de moi sept objets commençant par la lettre «S», ainsi que des assiettes de sucreries, des noix argentées et dorées, des bougies argentées dans des candélabres d'argent. Des milliers de lumières blanches pailletaient le jardin, comme la lumière dansante des guirlandes d'argent qui ornaient le dais. Mes parentes tinrent au-dessus de ma tête un châle diaphane vert et or quand Asif me rejoignit. Nous regardâmes ensemble dans le miroir placé devant nous, nous voyant l'un l'autre comme mari et femme pour la première fois. Des acclamations s'élevèrent, tandis que ma mère et mes tantes tenaient des cristaux de sucre au-dessus de nos têtes afin que notre vie commune soit douce, puis elles cognèrent nos têtes l'une contre l'autre pour symboliser notre union.

Karachi était déchaîné pendant cette soirée de fête. On se pressait par milliers devant la maison pour nous apercevoir, Asif et moi, quand nous allâmes un peu plus loin, aux jardins de Clifton, où il y avait une réunion privée. Le service d'ordre du PPP eut grand-peine à ménager un chemin dans la foule pour nos invités qui devaient franchir ces quelque cent mètres. Nous rendant une heure plus tard à la réception populaire de Lyari, nous trouvâmes les rues aussi encombrées de sympathisants et de Jeeps diffusant les chansons de mariage qui couraient tout le Pakistan pour célébrer notre union. Les guirlandes lumineuses du PPP brillaient partout, décorant le centre du rond-point où les gaz lacrymogènes avaient fait tant de victimes l'année précédente, et les immeubles au bord de la route.

Au stade de Kakri, la foule dépassait maintenant deux cent mille personnes et débordait dans les rues. Ce fut pour Asif la première expérience de l'attachement des masses au parti ; il ne vit pas sans inquiétude les efforts des gardes qui devaient ouvrir un passage devant la Pajero. Plus un pouce libre sur le terrain de sport ni sur les balcons des maisons tout autour. Depuis des jours, les femmes du parti enveloppaient des bonbons de mariage dans des boîtes aux couleurs du PPP pour les distribuer à Lyari; il en partit quarante mille en une heure.

Jiye, Bhutto! *Jiye*, Bhutto! La musique populaire inondait la foule qui dansait et poussait des hourras. On lança des ballons miniatures qui laissaient des sillages de feu. Les fusées d'un feu d'artifice montèrent dans le ciel nocturne, tandis que jaillissaient du sol des fontaines d'or et d'argent. Je saluais la foule qui me répondait en agitant les mains. Les espoirs et les rêves restaient les mêmes, que je sois mariée ou pas.

Les agents de Zia, j'en suis sûre, étaient à Lyari parmi les spectateurs, s'attendant à lui rapporter des signes de désaffection du peuple à mon égard. Ils furent déçus. «À présent, Zia n'organisera plus d'élections jusqu'à ce que Benazir attende un enfant», dit Samiya en revenant avec mes parents pour le souper à la maison. Tout le monde se mit à rire. Bien qu'Asif souhaitât une nombreuse famille, nous avions décidé d'attendre. Nous avions besoin de temps pour nous faire l'un à l'autre, à la vie conjugale. Et mes priorités politiques n'avaient pas changé.

«Aujourd'hui, en une circonstance si personnelle et pour moi si importante, je tiens à m'engager de nouveau devant le peuple pakistanais et à répéter mon serment solennel de consacrer ma vie au bien de chaque citoyen et à la liberté de cette grande nation», écrivis-je dans une déclaration diffusée le matin du mariage. «Comme par le passé, je n'hésiterai devant aucun sacrifice, grand ou petit. Je travaillerai coude à coude avec mes frères et sœurs – le peuple du Pakistan – pour créer une société égalitaire, libérée de la tyrannie, de la corruption et des tensions violentes. C'était mon but hier, c'est le rêve que je partage avec vous, et cette volonté commune restera pour toujours notre inébranlable engagement.»

15

UN NOUVEL ESPOIR
POUR LA DÉMOCRATIE

LE 29 MAI 1988, LE GÉNÉRAL ZIA décida brusquement de dissoudre le Parlement, de renvoyer son docile Premier ministre et d'organiser des élections. J'étais en réunion au 70, Clifton avec des membres du parti venant de Larkana quand on m'annonça l'extraordinaire nouvelle. «Vous devez vous tromper, dis-je au militant qui avait envoyé le message. Le général Zia fuit les élections; il ne peut pas en organiser.» Même quand il m'assura que Zia venait de faire cette déclaration à la radio et à la télévision, je ne pus le croire. «Vous avez sans doute confondu avec un autre pays.»

Les coups de téléphone de félicitations qui affluaient et les cris des reporters à la porte confirmèrent le revirement inattendu. Beaucoup furent intrigués par la coïncidence. En effet, quatre jours plus tôt, un journal de Karachi avait annoncé que j'allais être mère. Samiya triomphait : «Je te l'avais bien dit, qu'il ferait les élections quand tu attendrais un bébé. Il pense que tu ne peux plus faire campagne.» J'ignorais s'il y avait un lien, mais la déclaration de Zia suivait la confirmation de ma grossesse. Bien qu'Asif et moi ayons souhaité attendre pour fonder une famille, la nouvelle, inattendue, nous avait enchantés. Avec en plus le coup de théâtre de Zia, 1988 promettait d'être une année pleine de surprises.

Personne n'avait été prévenu des intentions du général, pas même le Premier ministre Junejo, qui, au retour d'un voyage en Extrême-Orient, avait tenu une conférence de presse à 6 heures du soir. Une heure après, un de ses assistants qui avait entendu la radio l'informait de son renvoi. Zia donnait quatre raisons à la chute du gouvernement : l'incapacité de l'administration de Junejo à imposer rapidement la loi islamique ; les maladresses de l'enquête sur l'explosion, en avril, du dépôt de munitions d'Ojri, qui avait projeté missiles et bombes sur la population civile ; la corruption de l'administration ; la dégradation de l'ordre public dans tout le pays.

Bien que j'eusse peu de rapports avec Junejo, j'étais désolée de le voir congédié de manière aussi expéditive. Il avait bien servi Zia, entérinant sa Constitution, justifiant toutes les actions de la loi martiale, le confirmant comme président et chef d'état-major des armées jusqu'en 1990. Mais je m'aperçus bientôt qu'aucune sympathie ne s'exprimait à son égard. « À coucher avec les chiens, on finit par se faire mordre », disaient certains, tandis que d'autres proposaient cette épitaphe pour l'ex-Premier ministre : « Il a trébuché dans l'histoire et l'histoire l'a fait trébucher. »

Partout, l'humeur était à l'exaltation. La Constitution de Zia prévoyant les élections dans les quatre-vingt-dix jours après la dissolution du gouvernement, beaucoup voyaient la victoire proche. « Personne ne peut arrêter le PPP désormais », disaient nos partisans. J'essayais en vain de prêcher la prudence. « Si des élections libres et équitables, fondées sur les partis, ont lieu dans quatre-vingt-dix jours, nous nous en réjouirons », avais-je publiquement déclaré. Mais au fond de moi-même je n'en gardais pas moins de doutes.

Des élections libres et régulières signifiaient le retour du PPP et des Bhutto. Or, Zia avait fait savoir, qu'il « ne rendrait pas le pouvoir à ceux à qui il l'avait enlevé ». S'il avait trouvé difficile de cohabiter avec M. Junejo, qui était pourtant sa créature, comment accepterait-il comme Premier ministre la fille de celui qu'il avait fait exécuter ? «Zia n'a pas renvoyé Junejo pour laisser le PPP conquérir le Parlement», disais-je, tâchant de tempérer l'enthousiasme de nos partisans exaltés. La suite des événements vint confirmer mes soupçons.

Le 15 juin, Zia annonça l'instauration de la charia, ou loi islamique, en tant que loi suprême du pays. Comme, dans son intervention télévisée, il ne précisait pas en quoi elle consistait au juste, personne ne sut vraiment ce qu'il voulait dire. Ferait-il retirer les portraits de Mohammed Ali Jinnah, le fondateur du Pakistan, parce que certains érudits jugeaient la représentation de la figure humaine non conforme à la loi islamique ? Les obligations du gouvernement, qui rapportaient un certain taux d'intérêt seraient-elles déclarées usuraires ? Non rien de tout cela. Tout se ramenait au fait que devant la Haute Cour, tout citoyen pourrait désormais contester une loi comme «non islamique». Si la cour jugeait la loi contraire à l'islam, les juges étaient en droit de l'annuler. Mais pourquoi Zia avait-il attendu 1988 pour imposer la charia ?

Beaucoup pensaient que sa récente exploitation de l'islam était dirigée contre moi. La presse ourdoue se demandait comment il se servirait des interprétations de la loi par les islamiques sectaires pour empêcher une femme de se présenter aux élections. À moins qu'il n'essaie, après le scrutin, de me disqualifier en tant que chef du parti victorieux à l'Assemblée nationale ? Je doutais qu'il y réussisse. La Constitution de 1973, approuvée par les partis religieux du pays, déclarait les femmes éligibles à la tête du gouvernement. Il en était de même dans la Constitution de Zia, en 1985.

Il nous semblait de plus en plus improbable que ces élections fussent honnêtes et impartiales. En dépit de son intention déclarée d'organiser les élections après l'établissement de la loi islamique, Zia n'avait fixé aucune date. Nous ne savions pas davantage si les partis politiques seraient autorisés à présenter des candidats. C'était un de ses vieux trucs pour éviter d'affronter le PPP devant les électeurs. Mais cette fois, nous avions nos propres munitions.

En février, nous avions contesté devant la Cour suprême la clause d'inscription sur les listes électorales de 1985, qui obligeait tout parti politique à se faire enregistrer par le régime. Selon les règles de Zia, ceux qui souhaitaient participer au scrutin devaient soumettre au commissaire électoral, choisi par l'administration, leur comptabilité et la liste de leurs candidats. Muni de ces informations, le commissaire pouvait alors refuser la participation de n'importe quel parti sous le vague prétexte qu'il allait contre l'idéologie de l'islam, bien que celle-ci n'ait pas été définie. Aussi incroyable, le commissaire pouvait encore déclarer les élus inéligibles pour quatorze ans et même leur infliger des peines de sept ans de prison !

Conçue à l'évidence pour interdire au PPP le terrain électoral, la loi violait non seulement le droit fondamental à la liberté d'association, mais donnait nommément à Zia celui de choisir les partis admis ou non aux élections. Heureusement pour nous, M. Yahya Bakhtiar, ancien procureur du Pakistan qui avait dirigé l'équipe de défense de mon père, accepta de plaider l'affaire devant la Cour suprême. Onze juges suivirent les audiences – le tribunal le plus important jamais réuni de toute l'histoire de la justice –, et leur décision unanime, rendue le 20 juin 1988, fut une victoire morale et juridique pour le peuple pakistanais. La clause d'inscription de Zia était condamnée comme « nulle dans sa totalité ».

« Le régime parlementaire est un régime de partis et le régime de partis est un principe vital d'un gouvernement représentatif, écrivait le premier juge dans sa déclaration. Une élection fournit au minimum les moyens légaux pour justifier la revendication du droit de gouverner. C'est un système de partis qui permet de former un gouvernement après une élection législative. » Rejoignant ces conclusions, un autre juge de la Cour suprême observait : « Les personnes élues pour leurs compétences personnelles n'ont presque aucune importance. Elles ne font que s'agiter sur la scène politique sans gouvernail et sans but. C'est seulement lorsqu'elles se groupent en un parti qu'elles deviennent une force susceptible d'influence à travers leurs activités. Seuls les membres d'un parti politique, et non les personnalités individuelles du corps législatif, peuvent atteindre leurs objectifs. »

En condamnant la « clause d'inscription » de Zia, la Cour suprême exprimait clairement son dessein : aucun parti, inscrit ou non, ne pouvait être écarté des élections. Le verdict du tribunal était clair lui aussi : tout citoyen, homme ou femme, avait le droit fondamental de participer aux élections sous la bannière d'un parti politique de son choix. Les élections devaient être organisées en se fondant sur les partis. Il n'existait aucune autre solution constitutionnelle, même dans la Constitution de Zia. Mais Zia, nous le savions tous, n'était pas homme à se sentir tenu par les lois du Pakistan.

Je faisais une tournée dans le pays, venant de Larkana, pour trouver un accueil enthousiaste à Jacobabad, puis à Nawabshah, où d'anciens membres de la Ligue musulmane rejoignirent nos rangs. La dynamique était favorable au PPP, incitant les gens à prendre notre train en marche. Quand je revins à Karachi, d'autres parlementaires de la Ligue se rallièrent à leur tour. Les candidats éventuels recherchaient tous le solide appui que pouvait leur assurer l'emblème du PPP sur le bulletin de vote.

Il devenait de plus en plus évident que la décision imprudente de Zia se retournait contre lui. Jusqu'alors toujours calme et impassible, il perdait son sang-froid. « Le général Zia devient instable et capricieux », estimait un spécialiste de la politique, et un officier en retraite me confia : « Il a toujours pris des risques calculés, mais maintenant, il se conduit en joueur. Il n'y a plus de logique dans ses actes. »

Son sentiment d'insécurité ne put que s'aggraver lorsque, malgré la chaleur accablante et les pluies d'été, les réunions publiques du PPP attirèrent des milliers de personnes dans tout le pays. À Lahore, en juillet, la presse compara mon auditoire à la foule qui m'avait accueillie en 1986 à mon retour d'exil. Les nerfs de Zia le lâchèrent. Lors d'une réception, un fidèle du PPP me rapporta le message d'un proche de Zia : «Le général se dit déprimé, découragé et désorienté. Il se raccroche à n'importe quoi et ne sait quel chemin suivre. Mon interlocuteur me dit qu'il lui a conseillé d'organiser les élections, d'accepter le verdict du peuple et de quitter le pays. Qu'en pensez-vous?»

Cette démarche de Zia, plus tard confirmée par d'autres, était un effort pour traiter avec le PPP. L'information plus détaillée qui suivit bientôt proposait un échange : il organiserait les élections moyennant l'assurance qu'il ne serait entrepris aucune action en justice contre lui et sa famille. Certains pays s'engageaient à assurer sa sécurité.

Je refusai. Non seulement je doutais de la sincérité de son offre, mais je ne saisissais pas son raisonnement. «Zia essaie de me déconsidérer en traitant avec moi, dis-je à l'émissaire. Mais je ne comprends pas de quoi il a peur. S'il organise les élections, qui le menacerait? Et quel besoin aurait-il de garants pour sa sécurité? Le peuple ne se fâchera que s'il refuse les élections.» La discussion s'arrêta là et n'eut pas de suite. Je continuai ma tournée dans le pays.

Grâce à Dieu, je me sentais en forme et pleine d'énergie. «Je ne savais pas que vous attendiez vraiment un bébé, me dit une femme médecin rencontrée en chemin. Nous pensions tous que c'était une astuce pour obliger Zia à faire des élections.» J'appris avec surprise que beaucoup partageaient ce scepticisme. «On me demande tout le temps comment tu peux tenir un rythme pareil si tu es vraiment enceinte», me disait Fakhri avec irritation. Mais l'enjeu était trop important pour qu'on se repose. Si Zia respectait sa propre Constitution, les élections auraient lieu vers la fin d'août.

Le 20 juillet, lors d'un petit déjeuner au 70, Clifton avec l'ambassadeur d'Australie, on me remit un autre billet. Zia venait d'annoncer les élections pour le 16 novembre. Tout en reconnaissant que selon la Constitution, les élections auraient dû se faire dans les quatre-vingt-dix jours après la dissolution de l'Assemblée nationale, il justifiait le nouveau délai par l'approche des moussons, mois de deuil musulman *(muharram)* et celui du pèlerinage, le *Hadj*. L'ambiance surchauffée qui règne pendant le *muharram* rendrait, selon lui, le scrutin impossible. Quatre-vingt-dix mille Pakistanais en pèlerinage seraient privés de leur droit de vote si l'on respectait le délai constitutionnel. Les pluies avaient déjà causé des inondations dans de nombreuses régions. Je pris ses raisons pour des prétextes. Son mobile véritable avait davantage à voir avec mon état. Il ne pouvait se permettre de me laisser faire campagne.

Au moins la date était-elle fixée, et nous en ressentions une sorte de soulagement. Nous n'étions pas sûrs, il est vrai, que tout ne serait pas annulé ou que les partis seraient ou non la base des élections. Certains signes, cependant, trahissaient l'affolement dans le camp de Zia. La Ligue musulmane s'était désagrégée après le brutal renvoi, en mai, de Junejo et de l'Assemblée nationale. Il lui fallait récupérer ces mêmes ministres qu'il avait accusés de corruption et d'incompétence, y compris son Premier ministre, s'il devait rassembler son parti contre le défi du PPP.

Pour essayer de rétablir la situation, il avait déjà repris neuf ministres du cabinet de Junejo dans son gouvernement intérimaire. En fait, sur les dix-sept ministres du nouveau cabinet, plus un ministre d'État, sept étaient des membres congédiés du Sénat, et dix d'ex-députés. Zia s'était même excusé en public d'avoir «froissé l'amour-propre» des anciens législateurs en les accusant d'irrégularités et de corruption.

Ces excuses publiques furent prises pour une concession à Junejo lui-même. Ironie : deux mois après le renvoi de son Premier ministre, il s'apercevait qu'il en avait encore besoin.

Devant la puissance intacte du PPP, le personnel électoral de Zia s'inquiétait. Quand j'envoyai un représentant demander une liste d'électeurs au commissaire électoral de Larkana, on lui dit de revenir le lendemain. On lui fit la même réponse le lendemain, le surlendemain et le jour d'après. «Pourquoi faites-vous traîner les choses?» demanda mon représentant. Le fonctionnaire effrayé répondit : «Nous avons envoyé un télégramme à Islamabad pour avoir l'autorisation, et nous n'avons pas encore la réponse.»

Cette peur du PPP apparut clairement le 21 juillet. Prétendant que les élections fondées sur les partis ne respectaient pas l'esprit de l'islam (bien qu'il les ait prévues dans sa Constitution de 1985), Zia annonça un scrutin sans partis, où les candidats n'auraient pas le droit de faire figurer les emblèmes des partis politiques sur les bulletin de vote. Une fois de plus, la grande majorité de la population serait incapable d'identifier ceux pour qui elle souhaiterait voter. Le système de Zia, au contraire, favoriserait les gens influents, aux dépens des cadres politiques consciencieux qui ne pourraient gagner qu'avec le support d'un parti.

Il avait encore méprisé la Constitution, ainsi que l'opinion de la plus haute cour du pays. Un article de journal du 31 juillet éclairait sa décision. Peu avant sa dernière déclaration, il avait convoqué à Islamabad les chefs de gouvernement des quatre provinces, ainsi que les autres hauts fonctionnaires pour discuter des élections. À cause de la défection de la Ligue musulmane, écrivait le journaliste, les dirigeants du Baloutchistan, du Sind, du Penjab et de la province de la Frontière du Nord-Ouest estimaient que le PPP n'aurait pas de mal à remporter les élections. L'opposition étant divisée, disait le chef de la province de la Frontière du Nord-Ouest, «Benazir Bhutto gagnera aisément assez de sièges pour que son groupe ait à lui seul la majorité». Trois jours plus tard, Zia annonçait des élections sans partis.

Nous eûmes une fois encore recours aux tribunaux. Nous déposâmes une requête devant la Cour suprême au début d'août, contestant le caractère constitutionnel des élections sans partis. Mais à quoi aurait servi une victoire à la Cour suprême puisque Zia n'avait pas tenu compte du jugement précédent? La dictature lui donnait d'énormes pouvoirs. Même si la Cour suprême tranchait en notre faveur, il pouvait simplement modifier par décret le statut des partis, ou déclarer l'état d'urgence, pour invalider la décision. Il préparait déjà le terrain. Le 4 août, la veille du mois de deuil musulman, un dirigeant chiite fut tué à Peshawar. Nous pensâmes dans l'opposition que le régime, espérant créer un conflit pour justifier l'état d'urgence, avait trempé dans l'affaire. Précaution supplémentaire, de nouvelles lois électorales, disait-on, se préparaient, qui pourraient disqualifier les candidats élus pour avoir bénéficié du soutien de partis politiques. La loi serait promulguée dans la première semaine d'octobre, ce qui ne laisserait pas à l'opposition le temps de la contester devant le tribunal avant le scrutin. Il était clair que le dictateur avait résolu de truquer les résultats du vote, par des élections sans partis, l'intimidation et des lois électorales sur mesure.

À l'approche des élections de novembre, le Pakistan était à la croisée des chemins : démocratie ou dictature. Le peuple réclamait l'autodétermination. Sa voix était celle du Parti du peuple pakistanais et Zia le savait. Après onze ans et demi, il était toujours incapable de tenir des élections libres et régulières, tant il craignait de voir le PPP les remporter.

Devant la probabilité de scrutin sans partis, il nous fallait des candidats sérieux et connus. J'espérais que ma mère rentrerait pour se présenter et qu'on pourrait même persuader ma sœur Sanam de le faire. Quelles que soient ses chances, le PPP était décidé à défier Zia par les moyens démocratiques et pacifiques, dans le cadre légal, colonne vertébrale de tout pays civilisé. À soumettre la population par les armes et les gaz lacrymogènes, on gagnerait sa capitulation et sa résignation, mais non son âme. Zia se savait incapable de s'assurer l'amour et le soutien du peuple. Il avait gouverné par la menace et la terreur.

De même qu'une fleur ne saurait s'épanouir dans le désert, ainsi les partis politiques ne peuvent vivre pleinement sous la dictature. Qu'ils aient réussi à survivre et à se développer pendant onze ans malgré les mesures draconiennes prises contre eux était un hommage à ceux qui avaient donné leur vie pour la démocratie. C'était un hommage au peuple pakistanais car il avait compris que le seul moyen de rétablir et sauvegarder ses droits, c'était de se rassembler en un parti national. Nous étions, et nous demeurons, la conscience du pays, son avenir et son espoir.

16

LA VICTOIRE DU PEUPLE

Il y a dans la vie des moments si étonnants, si inattendus que l'on a peine à y croire. Je venais de mettre le point final à la première édition de ce livre, par lequel je voulais témoigner de la brutalité de la loi martiale imposée par le régime du général Zia ul-Haq, lorsque survint un tel moment.

Le 17 août 1988, le général Zia décéda dans un accident d'avion en rentrant de la base militaire de Bahawalpur, dans l'est du pays. Trente autres personnes périrent avec lui, dont le chef d'état-major interarmées, le chef d'état-major adjoint de l'Armée de Terre, huit officiers généraux de l'armée pakistanaise, l'ambassadeur des États-Unis au Pakistan Arnold Raphel, et un général américain.

Les informations arrivaient au compte-gouttes. En fin d'après-midi, alors que j'étais en réunion avec des cadres de mon parti, ma secrétaire Farida me fit passer une note : «Un journaliste vient d'appeler pour annoncer qu'un avion transportant de très hauts dignitaires de l'État a disparu.

– Qu'est-ce que cela signifie? lui demandai-je. Pourquoi parle-t-on de "V-VIP"?» Ce terme faisait généralement référence au chef de l'État.

«C'est l'avion du général Zia», me chuchota-t-elle à l'oreille, comme si elle-même était trop effarée par la nouvelle pour oser prononcer ces paroles à haute voix.

L'idée que Zia puisse être mort ne me traversa pas même l'esprit. Je pensais plutôt qu'il avait fui, faisant immédiatement le lien avec la proposition qu'il avait faite un mois plus tôt à peine : organiser des élections en échange d'une immunité judiciaire pour lui et sa famille. J'avais du mal à y croire. L'ère Zia venait-elle vraiment de s'achever ?

«Rappelle le journaliste», ordonnai-je à ma secrétaire.

Celui-ci, très nerveux, confirma l'information : «L'avion de Zia a disparu, dit-il. Les contrôleurs ont perdu tout contact radio.

– Comment ça, *disparu*? insistai-je. Est-ce que cela veut dire que l'avion est parti en Iran, en Inde ou en Afghanistan? Ou que Zia est parti de lui-même? ou bien s'agit-il d'un détournement? Que savez-vous de plus?»

Le pauvre homme était si terrifié qu'il s'en tenait scrupuleusement aux informations dont il disposait.

«L'avion n'est pas rentré à Islamabad cet après-midi. Il n'y a plus eu de contact radio depuis qu'il a décollé il y a trois heures.»

J'eus à peine raccroché que je recevais un autre coup de fil, cette fois d'un ancien général qui représentait le PPP dans la province de la Frontière du Nord-Ouest : «Il se passe quelque chose. L'armée se prépare.

– Elle se prépare à quoi? À une action hostile ou à assurer l'ordre?» lui demandai-je, pensant que Zia avait peut-être confié le pouvoir à l'armée avant de prendre la fuite, à moins qu'il ne fût encore dans les parages et ait ordonné à ses généraux de prendre le contrôle du pays.

«Il est encore trop tôt pour le dire», soupira le cadre du parti.

Un autre membre du PPP nous donna le fin mot de l'histoire : «L'avion s'est écrasé, annonça-t-il. Zia est mort, et tous les généraux qui étaient à bord aussi.»

Je me refusais toujours à y croire. Après toutes ces années de terreur et de souffrances, il semblait impossible que Zia ait tout bonnement cessé d'exister. Je n'avais jamais prévu qu'il puisse finir de cette façon, bien qu'en soi, une telle fin fût dans l'ordre des choses : toute la région était en proie à la violence, son propre règne avait commencé dans la violence et il n'y avait donc rien de très surprenant à ce qu'il s'achève dans la violence.

Cela restait néanmoins difficile à admettre. Je pouvais concevoir que Zia ait pris la fuite, et c'était d'ailleurs ainsi que j'imaginais la fin de la dictature. Marcos s'était enfui des Philippines, le Shah avait fui l'Iran, Duvalier avait fui Haïti. J'avais toujours pensé que quand Zia aurait fait son temps, il prendrait tout simplement un avion et quitterait le pays.

« Je viens de parler à un commandant de corps d'armée, m'annonça le correspondant suivant. L'avion s'est écrasé peu après le décollage à Bahawalpur. Il n'y a aucun survivant. »

J'acceptai enfin d'y croire. Tout comme les partisans du PPP, qui affluaient déjà dans le salon du 70, Clifton – des gens qui avaient été emprisonnés ou flagellés, dont des membres de la famille avaient perdu leur travail ou qui avaient enterré leurs morts sans avoir pu les revoir une dernière fois. Je demandai à ma secrétaire de convoquer les membres du parti qui étaient allés au tribunal chercher un complément d'information sur le règlement électoral et de contacter le MRD, notre coalition d'opposition, puis je montai à ma chambre appeler ma sœur à Londres. Sanam était sortie, me dit la bonne. La gorge serrée, je lui demandai de transmettre le message : « Dis-lui que le général Zia est mort. »

En prononçant ces paroles, j'eus l'impression d'être soulagée d'un énorme poids. Après onze années de torture et de harcèlement, nous étions libres. Zia avait disparu du paysage. Il ne pourrait plus jamais nous faire de mal.

Dans un pays où les nouvelles se propagent plus vite que les eaux de crues dans les rues étroites et les bazars, la population fêtait déjà l'événement. Les confiseries et les pâtisseries de Lahore étaient dévalisées. À Karachi, les marchands de *pan* distribuaient gratuitement les feuilles de bétel à chiquer. La nouvelle n'était pas arrivée au 70, Clifton depuis une demi-heure que des centaines de personnes se pressaient devant mon portail, scandant des chants et des slogans politiques. «Mais comment êtes-vous au courant? m'étonnai-je.

– Les marchands de journaux crient à la cantonade "Zia est mort ! Zia est mort !", m'expliqua quelqu'un.

– Les automobilistes ont bloqué leurs klaxons et baissent leur vitre pour crier "Zia est mort !"», renchérit un autre.

Je trouvais quelque peu inconvenant ce climat de liesse populaire. Non seulement parce que je tenais à ce que nous affichions plus de dignité que le régime de Zia, mais aussi parce qu'aucun bon musulman n'est censé se réjouir de la mort de qui que ce soit. Beaucoup d'autres personnes avaient péri dans l'accident et, pour leurs familles, ces réjouissances étaient indécentes. Mes pensées allèrent aussitôt vers l'épouse de l'ambassadeur Raphel, Nancy qui, comme moi, était jeune mariée. Or, elle venait de perdre son mari, que j'avais rencontré plusieurs fois et qui s'était montré très chaleureux et favorable à l'idée de rétablir la démocratie au Pakistan. Je fis envoyer un message à tous les dirigeants PPP du pays pour les exhorter à la retenue. Nous ne devions surtout pas fournir à l'armée le moindre prétexte à prendre le pouvoir et imposer la loi martiale.

La nouvelle était tombée vers six heures du soir. Mais ni la radio ni la télévision n'avaient encore apporté de confirmation officielle. Plus les heures passaient, plus je redoutais un retour à la loi martiale. Les gouverneurs des quatre provinces, tous des fidèles de Zia, voulaient annuler les élections fixées au 16 novembre, ou du moins les retarder. Avec la mort de Zia et le climat d'incertitude qui régnait dans le pays, ils n'auraient sans doute aucun mal à convaincre l'armée d'intervenir.

L'atmosphère était très tendue au 70, Clifton. Le bruit courait que tous les dirigeants d'opposition seraient arrêtés le soir même. Mon mari s'est aussitôt proclamé « chef de la sécurité » et m'a ordonné de ne pas quitter la maison pendant quelques jours. Mais je n'avais aucune intention de rester enfermée chez moi et je dus batailler pour avoir le dernier mot. Le lendemain, Asif, vexé, démissionnerait provisoirement de sa charge.

Ce ne fut que vers huit heures du soir que nous apprîmes avec soulagement que les civils reprenaient le pays en main. Conformément à la procédure constitutionnelle, annonça la radio, le président du Sénat Ghulam Ishaq Khan assurerait l'intérim à la tête de l'État. Nous fûmes encore plus soulagés par l'intervention télévisée d'Ishaq Khan, qui confirmait que le calendrier électoral serait respecté. Tout cela semblait indiquer que l'armée envisageait de rétablir la démocratie dans le pays : Ishaq Khan, ancien bureaucrate et bras droit de Zia, n'aurait pas pu se passer de son soutien pour organiser des élections.

Mes craintes d'une reprise en main par les militaires n'étaient toutefois pas totalement infondées. Peu après la mort de Zia, les gouverneurs provinciaux et les chefs d'état-major des trois armes s'étaient réunis en cellule de crise et auraient, disait-on, vivement engagé l'armée à décréter la loi martiale. Mais, et c'est tout à leur honneur, les officiers avaient apparemment refusé de se laisser instrumentaliser par les politiques. « S'il y a des élections et si Benazir gagne, elle fera pendre tous les officiers supérieurs, leur avaient prédit les gouverneurs.

— Son père n'a jamais pris aucune mesure contre l'armée, pourquoi le ferait-elle ? » avaient rétorqué les officiers.

Contre toute attente, de nombreux secteurs de la société accueillirent la mort de Zia comme une délivrance. On nous appela depuis des régions tenues par l'armée, comme Kharian et Wazirabad, pour nous raconter que les gens parcouraient de longues distances à pied jusqu'au domicile des cadres dirigeants du PPP pour se réjouir avec eux de la fin de l'ère Zia. Je compris alors que même si Zia était le chef des armées et avait toujours parlé des forces armées comme de «son électorat», les militaires ne lui étaient fidèles que parce qu'il était président.

Zia n'avait jamais lésiné sur la propagande anti-PPP pour s'allier les bonnes grâces des militaires, mais notre message de réconciliation avait dû être entendu. «L'armée n'est ni de gauche, ni de droite. Elle n'appartient ni au général Zia ni à Benazir Bhutto, mais au peuple du Pakistan», avais-je martelé au cours d'innombrables meetings.

Mais Zia estimait que l'armée était «sa chose», et il l'avait ni plus ni moins prise en otage. Jamais il n'avait consulté les militaires pour leur demander s'ils soutenaient son action, s'ils acceptaient de s'engager dans la vie politique, quittes à devoir affronter le peuple. Avant la mort du général Zia, je n'avais jamais pris la mesure des tensions qui régnaient dans les rangs de l'armée. En faisant des militaires le bras politique du régime, Zia avait sapé leur professionnalisme et leur orgueil. Un membre du MRD me confia ce soir-là qu'au mess des officiers de Karachi, personne ne semblait vraiment regretter le général dictateur. Après l'assassinat de mon père, en revanche, on avait entendu dire que les soldats de Kharian, Quetta et autres villes de cantonnement avaient éprouvé un tel chagrin qu'ils n'avaient pas mangé pendant trois jours.

Au soir du 17 août, les rumeurs sur les causes possibles du crash aérien se multipliaient. On parla d'abord d'un missile tiré depuis la frontière indienne. La base militaire de Bahawalpur n'était qu'à une quinzaine de kilomètres de la frontière et, depuis quelques mois, les tensions avec l'Inde s'étaient intensifiées. New Delhi accusait entre autres choses Islamabad d'entraîner des extrémistes sikhs au Penjab pour les envoyer de l'autre côté de la frontière et, dans un discours prononcé le 15 août, le Premier ministre indien Rajiv Gandhi avait prévenu que si le Pakistan persistait dans ses méthodes, il serait contraint de nous donner une leçon.

La théorie du missile, si elle était la plus populaire, ne me semblait pas très crédible, car je savais que nos systèmes de défense et de surveillance militaire sur la frontière étaient très au point. L'éventualité d'une « intervention extérieure » n'était pas impossible. L'Union soviétique avait également des comptes à régler avec Zia, et avait menacé de faire payer très cher au Pakistan son soutien actif à la résistance afghane. Les diplomates et les journalistes étrangers se demandaient si l'avion de Zia n'avait pas été abattu par le Khad, les services secrets du gouvernement pro-soviétique de Kaboul. Avec la disparition de Zia, tout le plan pakistano-américain risquait de s'effondrer. Qu'allait-il se passer maintenant ? Si la théorie de « l'intervention extérieure » était exacte, ce tir de missile n'était peut-être qu'un début.

Le pays se trouvait en effet dans une position extrêmement vulnérable : il n'y avait plus de Parlement, pas de Premier ministre, le président était mort et les plus hautes instances militaires avaient été décapitées. Le pays tournait à vide et était mûr pour une subversion venue de l'extérieur – ou de l'intérieur. Certains de nos collègues du MRD ont d'ailleurs laissé entendre ce soir-là que le moment était idéal pour passer à l'action, avant que les hommes de Zia ne retrouvent leur élan. Mais je refusai. Ce n'était pas simplement la démocratie, mais la sécurité même du pays qui était en jeu. Je préférai donc adresser un message confidentiel aux autorités par l'intermédiaire du général Tikka Khan, le secrétaire général du parti, pour leur rappeler que, le PPP étant une formation patriotique, il ne ferait rien pour aggraver l'instabilité intérieure en cas de conspiration contre le pays.

La théorie du tir de missile a rapidement fait place à la thèse du sabotage. Soudain, l'attention du pays se tourna tout entière vers l'armée. Si le crash était bel et bien dû à un sabotage, qui d'autre que l'armée pouvait en être l'auteur? L'accident s'était produit sur un avion militaire qui avait décollé d'un aérodrome militaire sous sécurité militaire. Mis à part l'armée, personne ne savait que Zia se rendait à Bahawalpur. En quelques jours, cette nouvelle rumeur avait fait le tour du pays. Même dans les régions traditionnellement acquises à l'armée, on s'accordait à penser qu'il s'agissait d'un «coup monté de l'intérieur».

Je trouvais ces rumeurs très dangereuses et je ne voulais surtout pas que l'armée se retrouve à nouveau au cœur de la polémique, au moment même où elle se désengageait de la vie politique. Pour la première fois, j'éprouvais un certain malaise en m'adressant à la presse. Les journalistes voulaient m'entendre dire que j'étais ravie que mon ennemi soit mort, et encore plus ravie que ce soit le fait de l'armée. Or rien ne permettait d'avancer une chose pareille.

Jour après jour, la mort de Zia alimenta toutes sortes de conjectures, plus improbables les unes que les autres, depuis le pilote qui se serait sacrifié pour la patrie dans une mission kamikaze, jusqu'aux explosifs cachés dans les caisses de mangues offertes à Zia à Bahawalpur. Comme tout le reste, les mangues avaient bien entendu été passées au peigne fin par les agents de sécurité. Quant au pilote, qui avait déjà fait l'aller à Bahawalpur avec Zia, il n'avait aucune garantie que le dictateur voudrait faire le retour avec lui : Zia avait toujours deux avions à sa disposition.

Il était en revanche plus difficile d'écarter l'hypothèse d'une défaillance technique de l'appareil. Le C-130 était a priori parmi les appareils les plus stables et les plus fiables qui soient, mais plusieurs témoins oculaires assuraient avoir vu l'avion vaciller dans les airs pendant deux bonnes minutes avant de tomber en piqué. Ce qui semblait confirmer l'idée d'une panne mécanique. Un ami d'Asif qui travaillait dans l'armée de l'air l'appela après le crash : «Il y a une chance sur un million, mais c'est pourtant bien ce qui semble être arrivé», lui dit-il. Ce ne fut toutefois jamais prouvé et ni les enquêteurs américains ni leurs homologues pakistanais ne surent déterminer avec certitude la cause de l'accident. À l'instar de la plupart des Pakistanais, je finis par me dire que la mort de Zia relevait sans doute de la volonté divine.

Les enfants musulmans sont élevés dans la croyance de la colère de Dieu, une colère qui peut s'abattre brusquement, sans crier gare. Au Pakistan, nombreux étaient ceux qui virent dans la mort de Zia un châtiment divin – mais cet exemple avait tout de même quelque chose de glaçant.

Les flammes dévorèrent l'appareil pendant cinq heures. Zia avait tellement perverti le nom de l'islam, disaient les gens, qu'Allah n'avait voulu laisser aucune trace de son passage sur Terre. Il n'eut pas même droit aux derniers rites musulmans : on ne put ni faire l'ablution de son corps, ni lui tourner la tête vers la Mecque en lisant la prière des morts. Le cercueil enseveli à la mosquée de Shah Faysal ne contient pas le moindre reste du général dictateur.

Le lendemain de la mort de Zia, lors d'une réunion du comité exécutif du PPP, nos cadres dirigeants s'accordèrent à penser que le PPP devait prendre les déclarations du président Ishaq Khan au pied de la lettre, en espérant que les actes suivraient. Nous soutiendrions le président par intérim s'il respectait les procédures constitutionnelles et permettait au pays d'organiser ses premières élections depuis onze ans.

Mais nous devions bientôt déchanter, car Ishaq Khan choisit de garder dans son gouvernement de transition les fidèles et les séides de Zia. Loin de former un cabinet neutre et objectif, ces hommes incarnaient le système corrompu de Zia, et organiser des élections libres et régulières reviendrait pour eux à perdre leur pouvoir et leurs privilèges. Comme beaucoup d'autres partis, le PPP réclama leur départ, mais en vain.

L'une des premières initiatives de ce gouvernement de transition fut de distribuer aux quatre coins du pays des invitations et des hébergements gratuits pour les funérailles de Zia. Contre toute attente, très peu de chefs d'État vinrent rendre un dernier hommage au général, et, chose plus compréhensible, les Pakistanais boudèrent également l'événement. Personne ou presque ne pleura le dictateur disparu. Quarante jours après le décès, la cérémonie du *chehlum* ne devait guère réunir plus de 3 000 personnes.

Beaucoup se demandaient – surtout dans la presse étrangère – si la disparition de Zia n'entamerait pas ma détermination politique, voire la popularité du PPP. Depuis des années, d'aucuns pensaient que mon engagement contre le régime de Zia n'était pour moi qu'une façon de venger le meurtre de mon père. Ils se trompaient. L'amertume ne fait pas avancer. Elle peut vous ronger de l'intérieur, mais certainement pas vous guider. Ma mission n'avait pas changé et ma motivation était intacte : je voulais ramener la démocratie au Pakistan par le biais d'élections honnêtes et équitables.

Au cours des semaines qui suivirent la mort de Zia, les préparatifs de campagne s'intensifièrent. J'étais en réunion dix heures par jour, je rencontrais la presse, les responsables du parti et les composantes du MRD pour choisir les candidats que nous présenterions aux 207 sièges de l'Assemblée nationale le 16 novembre, et aux 483 sièges des assemblées provinciales le 19 novembre. Nous devions en fait préparer quatre listes. Si la Cour suprême décidait que les élections seraient ouvertes aux partis, nous pourrions sélectionner des candidats moins connus car l'emblème du parti suffirait à leur assurer la victoire. Si en revanche les partis étaient mis hors-jeu, nous aurions besoin de candidats déjà bien implantés dans le paysage politique.

Des aspirants à l'investiture avaient afflué à Karachi pour tenter de se faire inscrire sur les listes du PPP. Il ne restait plus une seule chambre d'hôtel en ville. Entre le scrutin national et les scrutins provinciaux, il n'y avait que 700 sièges à pourvoir mais nous avions reçu près de 18 000 demandes. Afin de casser la machine politique de Zia, le PPP ouvrit ses portes à d'anciens membre de la Ligue musulmane. Beaucoup de nos anciens adhérents qui avaient quitté le parti lors des élections de 1985 revinrent dans notre giron. Le parti me demanda de me présenter dans les trois circonscriptions de Larkana, Lahore et Karachi. Ma mère, qui devait bientôt rentrer au Pakistan pour prendre le relais de ma campagne en attendant que je me remette de mon accouchement, se présenterait pour sa part à Larkana et à Chitral, dans la province de la Frontière du Nord-Ouest.

À la fin août, après une réunion particulièrement longue avec le MRD, j'eus un léger malaise. Je consultai mon gynécologue qui me prescrivit une échographie pour vérifier que le bébé allait bien. Depuis le début de ma grossesse, je le sentais à peine bouger. Je trouvais cela plutôt inquiétant, mais une amie m'avait rassurée : «Ça prouve simplement que c'est un garçon. Les garçons ne bougent pas.» J'avais également fait part de mon étonnement à mon médecin, car plusieurs amies m'avaient dit que leur bébé n'arrêtait pas de gigoter. «Le vôtre aussi bouge, me dit-il. Mais vous êtes tellement prise par votre travail que vous ne le sentez pas.»

L'échographie lui donna tort : j'avais en réalité trop peu de liquide amniotique et le bébé bougeait à peine. J'avais passé tellement de temps assise en réunions, m'expliqua le médecin, que j'avais des problèmes circulatoires, et du coup, mon organisme nourrissait moins bien le bébé. Il m'ordonna de garder le lit quatre jours d'affilée. J'en profitai pour lire à Asif une liste de prénoms possibles pour le bébé, dans l'ordre alphabétique ourdou. Après quoi, je devrais rester allongée au calme une heure tous les matins et tous les soirs, en m'efforçant de sentir les mouvements du bébé. Si je ne sentais rien, je devais me présenter immédiatement à l'hôpital. J'avais rendez-vous à la clinique tous les quatre jours pour effectuer des tests de suivi du fœtus. On m'avait conseillé de préparer ma valise, car je risquais de devoir accoucher par césarienne d'un moment à l'autre. Les médecins me transmirent si bien leur inquiétude que je lançai un appel au secours à ma mère par l'intermédiaire de Sanam. Quinze jours plus tard, maman était à mes côtés.

Ces soucis personnels arrivaient dans une période déjà très tendue. Tous les quatre jours, Asif m'accompagnait à la clinique. Nous choisissions d'y aller de nuit, lorsque c'était plus calme. Je m'habituais peu à peu à cette nouvelle contrainte, et comme les examens ne révélaient jamais rien d'anormal, je rentrais tranquillement chez moi après chaque visite. Pendant trois mois, je n'ai rien changé à mon emploi du temps, et j'ai pu boucler sans encombre les listes électorales du PPP et même déménager dans notre nouvelle maison.

Le 19 septembre, le médecin estima que j'étais à trois ou quatre semaines du terme. Le lendemain soir, je n'avais donc aucune inquiétude en allant passer l'examen de routine. Mais après avoir ausculté le bébé, le Dr Setna m'annonça qu'il ne me laissait pas repartir : la césarienne aurait lieu dès le lendemain matin.

D'un côté, j'étais un peu soulagée que l'attente soit terminée. Mais la décision avait été si soudaine et il était tellement tard que je ne savais pas comment avertir ma famille. Mon amie Putchie qui nous avait accompagnés à la clinique reprit sa voiture et, traversant les rues désertes de Karachi, alla alerter ma mère et chercher ma valise – sans oublier la prière spéciale que m'avait donnée Yasmin pour que l'accouchement se passe bien. Elle ramena également le *Merriam panja* qu'une amie d'Asif m'avait offerte : c'est une fleur séchée que l'on met dans une vasque remplie d'eau avant d'entrer en salle d'opération. Les musulmans disent qu'en se réhydratant et en déployant ses pétales, la fleur apaise la douleur. Asif, rongé par l'inquiétude, passa la nuit à arpenter le couloir de l'hôpital.

Le Dr Setna arriva très tôt le lendemain matin. «Nous devons nous dépêcher, dit-il. Les gens commencent déjà à se masser devant l'hôpital.» Comment pouvaient-ils être déjà au courant? J'avais choisi d'accoucher à l'hôpital Lady Dufferin de Lyari plutôt qu'à celui de Karachi, plus cher et plus luxueux. C'était là qu'exerçait mon médecin attitré et Lyari tenait une place à part dans mon cœur. Nous avions connu tant de joies et de peines dans cette ville ! C'était là que mon père avait prononcé le dernier discours de ses luttes politiques. Là que j'avais été attaquée aux gaz lacrymogènes, et là encore qu'Asif et moi avions organisé la réception de notre mariage. À Lyari, les plus pauvres avaient terriblement souffert sous le régime de Zia. Nous avions partagé beaucoup de choses. Je me disais également que si mon bébé naissait ici, les médecins et le personnel hospitalier inspireraient davantage confiance aux gens de Lyari, qui viendraient plus volontiers se faire soigner à l'hôpital. Mais tout cela ne me disait toujours pas comment ils avaient appris que j'étais ici. Se pouvait-il que les fourgonnettes des services de renseignement qui me suivaient à la trace aient averti les différentes agences gouvernementales? Les infirmières me cachèrent le visage sous un drap et m'emmenèrent au bloc opératoire. Dans la pièce voisine, la mère d'Asif et quelques autres membres de la famille lisaient la sourate de Merriam, les versets traditionnels du Coran censés soulager la douleur.

Asif tenait beaucoup à avoir un fils. Depuis huit mois, presque tout le monde m'assurait que j'attendais un garçon. C'est sans doute parce qu'au Pakistan, un garçon est un bon présage. Mon père avait eu trois petites-filles mais pas encore de petit-fils. Mon enfant serait le premier petit-fils Bhutto de notre branche à voir le jour au

Pakistan. Je m'exaspérais un peu d'entendre porter les garçons aux nues. «Et les filles, ce n'est pas bien?» ripostais-je. Mais tous s'obstinaient à me prédire un garçon.

Quelques mois plus tôt, après une cérémonie de lecture du Coran chez mon cousin Fakhri, j'avais senti quelque chose me tomber sur les cheveux. «Qu'est-ce que c'est que ça? m'étonnai-je en m'essuyant le visage.

– Félicitations ! Tu vas avoir un garçon ! s'écrièrent les femmes.

– Qu'est-ce qui vous fait dire cela?

– Nous t'avons jeté du sel sur la tête et tu as mis la main sur la lèvre, qui symbolise la moustache : c'est donc un garçon. Si ta main s'était posée sur l'œil ou le front, ce serait une fille.»

Le suspense prit fin au matin du 21 septembre. «Nous avons un fils», entendis-je mon mari déclarer avec orgueil et satisfaction tandis que j'émergeais brièvement de l'anesthésie. «Et il me ressemble comme deux gouttes d'eau», ajouta-t-il. Je me rendormis et ce fut un charivari qui me réveilla : dehors, la foule en liesse tirait des coups de feu et scandait des «*Jiye* Bhutto !» par-dessus le roulement des tambours. Le bébé le plus fêté et le plus politiquement controversé de l'histoire du Pakistan venait de voir le jour.

Nous avions délibérément gardé secrète la date prévue de l'accouchement, pensant que Zia s'arrangerait pour programmer les élections au moment où je serais hospitalisée. J'appris par la suite que les services de renseignement du régime avaient tenté de se procurer mon dossier médical. Mais c'était moi qui l'avais. D'après leurs (mauvais) calculs, mon enfant devait naître le 17 novembre. Fort de cette information, Zia fixa le scrutin au 16 novembre.

Mais le bébé prit tout le monde de court. Non seulement Zia s'était trompé d'un mois (le bébé étant à l'origine attendu pour la mi-octobre), mais la Providence nous donna un petit coup de pouce supplémentaire en le faisant venir au monde avec cinq semaines d'avance. Cela me laissait près d'un mois pour reprendre des forces avant la campagne, qui débuterait à la mi-octobre.

L'enfant était plus petit que mes frères et moi ne l'étions à la naissance, mais Dieu merci, il était solide et bien portant. Dès qu'il le vit, Asif lui récita tout bas à l'oreille l'*Asan*, l'appel à la prière. Il était fasciné par notre fils et refusait de quitter sa chambre. J'étais heureuse à l'idée que, comme moi, le bébé grandirait avec l'amour d'un père.

Un déluge de milliers de télégrammes, lettres et cartes de félicitations arriva au 70, Clifton. Les fleuristes et les pâtisseries du quartier furent pris d'assaut. Sur les centaines de gâteaux que l'on nous fit livrer, beaucoup étaient ornés d'un glaçage rouge, vert et noir, aux couleurs du PPP. J'envoyai la plupart des fleurs et des pâtisseries aux prisonniers politiques de la prison de Karachi, au personnel et aux malades de l'hôpital et aux familles des martyrs. Asif en fit également porter une partie aux orphelinats du quartier de l'hippodrome où nous jouions au polo. Les journaux firent du bébé le héros d'articles et de dessins humoristiques – le surnommant « le bébé qui a berné le président ». Je les découpais consciencieusement et les collais dans son album de naissance.

Tout le monde voulait des photos du bébé, jusqu'à la presse étrangère. Asif hésitait, estimant qu'il ne nous restait déjà plus grand-chose de notre vie privée. Voyant que les demandes continuaient d'affluer du monde entier, il finit par céder et nous fîmes faire une photo officielle. Lorsque je repris pour la première fois l'avion pour Larkana après la naissance de mon fils, un passager vint me trouver pour me dire combien ce bébé l'avait bouleversé. Il sortit son portefeuille et me montra une photo… de mon fils !

Notre enfant avait été si pressé d'arriver que nous n'avions pas encore eu le temps de lui choisir un prénom. Beaucoup de lettres que je recevais me suggéraient de lui donner celui de mon père. Mais chez nous, seul le fils aîné a le droit de transmettre le nom de son père à son fils, et je tenais à respecter cette tradition pakistanaise des lignées familiales.

J'avais d'abord pensé l'appeler Shah Nawaz si c'était un garçon. Mais quand quelqu'un me dit «la prochaine fois que je te verrai, Shah Nawaz sera né», j'eus un pincement au cœur. Je revis l'image de mon frère étendu au sol sans vie et je compris que je ne pouvais pas passer mon existence à me remémorer cette scène à chaque fois que j'entendrais prononcer le nom de mon fils. Asif, sa mère et la mienne trouvèrent chacun un prénom. Je ne m'opposais à aucune de ces propositions. «Consultons un théologien, et nous choisirons le plus propice», dis-je. Mais l'érudit ne sut trancher, car les trois prénoms étaient aussi favorables l'un que l'autre.

C'est alors que le nom de mon enfant s'imposa à moi : Bilawal. *Bil Awal* signifie «sans égal» ; dans le Sind, un saint du nom de Makhdoom Bilawal s'était en son temps battu contre l'oppression. C'était aussi le prénom d'un ancêtre d'Asif et il faisait en outre écho à mon propre prénom, qui veut dire «l'exceptionnelle». Je tenais donc un nom lié aussi bien à la mère qu'au père, et à la culture et à l'histoire du pays. Il fit l'unanimité. Notre fils s'appellerait donc Bilawal. Après cinq jours de repos, je repris le travail, mais je devais me faire porter dans une chaise pour monter et descendre les escaliers. Nous commencions toutefois à douter sérieusement que les élections se déroulent au jour prévu, si tant est qu'elles aient lieu.

Le 27 septembre, des inondations avaient dévasté un faubourg de Lahore, emportant en moins de temps qu'il n'avait fallu pour le dire des gens, du bétail et des maisons. Un scandale éclata lorsque l'on apprit que les hommes de Zia qui dirigeaient le gouvernement provincial de transition avaient dynamité délibérément et sans prévenir qui que ce soit une digue qui protégeait des crues une région pauvre densément peuplée, afin d'épargner des quartiers plus riches mais moins peuplés.

La montée des eaux isola Lahore et d'autres villes et villages du Penjab pendant près de deux semaines, emportant au total 200 000 têtes de bétail et ravageant 200 000 hectares de cultures dans quatorze districts différents. L'antenne du PPP au Penjab installa des hébergements d'urgence et fournit de l'eau potable et des vivres aux milliers de gens qui avaient perdu tout ce qu'ils possédaient dans les inondations. Face à une telle incurie des autorités et à la catastrophe proprement dite, il semblait acquis que, dans le meilleur des cas, les élections seraient reportées, et dans le pire des cas, le pouvoir rétablirait la loi martiale. L'armée déçut pourtant les espoirs politiques des barons de Zia en insistant pour que le scrutin se déroule au jour prévu.

La réalité des élections recula à nouveau le 29 septembre : des terroristes venaient de lancer en l'absence de toute provocation une vague d'attentats à Hyderabad et à Karachi. Il s'agissait de toute évidence de saper le processus démocratique. À Hyderabad, trente tireurs encagoulés armés de pistolets mitrailleurs et de fusils d'assaut AK-47 avaient ouvert simultanément le feu sur des civils innocents dans des quartiers majoritairement *muhajirs* de la ville. Ils tirèrent aveuglément dans les rues, abattant indistinctement des *Muhajirs*, des Sindis, des Pachtounes et des Penjabis. Neuf heures plus tard, cette campagne terroriste savamment orchestrée pour raviver les tensions ethniques frappait à Karachi, où les assassins traversèrent les quartiers sindis, tuant tout le monde sur leur passage. À un moment donné, ils montèrent dans un bus et abattirent les passagers sur leurs sièges. Ce carnage fit plus de 240 morts et 300 blessés. Les écoles, les marchés et les centres commerciaux fermèrent et les autorités imposèrent le couvre-feu à Hyderabad et à Karachi.

J'étais révoltée. Qui était derrière ces attaques ? Le Pakistan avait été la cible de nombreuses intrigues télécommandées depuis l'étranger, et l'on ne pouvait écarter l'hypothèse d'une influence extérieure pour déstabiliser le pays par ces massacres, mais on ne pouvait pas non plus exclure des mobiles de pure politique intérieure. Il y avait selon nous de fortes chances pour que le gouvernement provisoire, anticipant sa défaite aux urnes, ait fait appel à des *dacoits* – des bandits de grand chemin – pour semer la panique dans la société afin d'inciter l'armée à intervenir et décréter l'état d'urgence. Mais l'armée fit preuve d'une remarquable retenue, se bornant à quadriller les deux villes pour prévenir toute action de représailles et circonscrire les troubles.

Le 5 octobre, la Cour suprême étudia le recours en inconstitutionnalité que j'avais déposé contre le décret de Zia, qui excluait les partis politiques du jeu électoral. La salle d'audience de Rawalpindi était pleine à craquer lorsque les douze juges rendirent leur verdict à l'unanimité : les partis politiques seraient bel et bien habilités à présenter des candidats et les électeurs pourraient voter pour des emblèmes représentant non des candidats indépendants mais des partis. Les héritiers de Zia s'inclinèrent devant cette décision. Ils n'avaient pas vraiment le choix, car le monde entier avait alors le regard rivé sur le Pakistan. Des manifestations spontanées de joie éclatèrent d'un bout à l'autre du pays.

Au lendemain de la mort de Zia, je m'étais laissée aller à croire que j'étais désormais en sécurité. Cet optimisme ne dura guère : juste après la décision de la Cour suprême, j'étais à nouveau la cible de menaces. On avait intercepté une lettre attribuée au chef des moudjahidins afghans, Gulbuddin Hekmatyar, qui ordonnait à ses partisans d'éliminer Benazir Bhutto. Hekmatyar étant très proche des services de renseignement pakistanais, ceux-ci auraient pu lui souffler l'idée. À moins que la lettre n'ait été écrite par des forces antirebelles qui pensaient pouvoir compromettre la cause moudjahidine en faisant porter le chapeau à Hekmatyar.

D'autres menaces venaient de l'intérieur du pays. On nous avait informés que l'administration intérimaire du Penjab et ses alliés du Sind envisageaient également de m'éliminer. Décidément, la mort de Zia n'avait pas levé tous les risques, au contraire : maintenant que le PPP était à deux doigts de remporter les élections, les ministres de Zia voulaient se débarrasser de moi et de mon parti.

À l'approche de la limite de dépôt des listes, de nouvelles alliances politiques se formaient et se reformaient pratiquement heure par heure. Les dissensions et querelles intestines qui avaient toujours marqué la vie politique pakistanaise avaient aggravé les dissensions au sein de la Ligue musulmane de Zia, notre principal adversaire. Le 13 août, quatre jours avant le crash de l'avion de Zia, son conseil exécutif s'était réuni à Islamabad pour élire ses cadres dirigeants. Mais en lieu et place de scrutin, ce fut un échange d'insultes et de noms d'oiseaux et leur lutte pour le pouvoir dégénéra en bataille rangée.

Deux semaines plus tard, la Ligue musulmane s'était officiellement scindée en deux factions. L'une, pro-Zia, était dirigé par deux héritiers politiques du dictateur : un ancien gouverneur de la province de la Frontière du Nord-Ouest et le gouverneur du Penjab, Nawaz Sharif ; l'autre, anti-Zia, était dirigée par l'ancien Premier ministre de Zia, Mohammed Khan Junejo. Maintenant que notre principal opposant était divisé, nous étions presque assurés de remporter les élections.

Malheureusement, la coalition entre le MRD et le PPP s'avéra tout aussi fragile. À mesure que nous nous efforcions de nous entendre sur la composition des listes d'union, il apparaissait clairement que beaucoup des candidats du MRD ne feraient pas le poids face à leurs adversaires de la Ligue musulmane. Le MRD refusait en outre de s'engager à former un gouvernement de coalition avec nous à l'issue du scrutin, et tenait à se ménager une voie de sortie. Nous nous sommes séparés à regrets de notre allié, tout en lui assurant que, par principe, nous ne présenterions pas de candidats PPP dans les circonscriptions des dirigeants du MRD. Ce principe ne fut hélas pas réciproque.

Face à un PPP uni et fort, les manœuvres politiques s'intensifièrent. La branche pro-Zia de la Ligue musulmane forma avec sept autres partis religieux et politiques une coalition, l'*Islami Jamhoori Ittehad* (Alliance démocratique islamique, IDA), pour présenter une liste unique sous un seul et même emblème électoral. À la onzième heure, la veille du 15 octobre – jour du dépôt des listes –, la faction de Junejo se rallia également à l'IDA. Nous devions désormais affronter une coalition de neuf partis politiques.

Nous trouvions plutôt amusant que ces partis éprouvent le besoin de faire front contre le PPP. En règle générale, on forme une coalition pour faire barrage au parti au pouvoir. Pour la première fois, c'était le parti au pouvoir qui dressait une coalition contre nous, l'opposition, pour récupérer autant de voix que possible.

Mais cela ne leur suffisait pas encore. Pour achever de nous mettre des bâtons dans les roues, le président par intérim publia sans consulter personne et au mépris de la Constitution un décret modifiant la loi électorale, afin de disqualifier nos partisans et de les priver du droit de vote : pour la première fois, tout électeur serait tenu de présenter une carte d'identité nationale pour pouvoir mettre son bulletin dans l'urne. Face à nos protestations, le gouvernement assura que 103 % des électeurs pakistanais avaient déjà leur carte d'identité !

Ce chiffre absurde dissimulait mal la manœuvre grossière : il était de notoriété publique que, parmi les électeurs ruraux qui constituaient une grande partie de la base du PPP, seuls 5 % des femmes et 30 % des hommes avaient une carte d'identité. Or, non seulement il y avait une pénurie de formulaires de demande ou de renouvellement des cartes, mais le responsable de l'état-civil d'une commune rurale nous expliqua que, dans le meilleur des cas, il ne pourrait traiter que 300 demandes par jour. Dans les deux semaines précédant les élections, il ne pourrait donc délivrer que moins de 4 000 cartes – et la plupart seraient d'ailleurs inutilisables, car certains agents électoraux acquis à la cause adverse veillaient à inscrire sur les cartes des partisans du PPP une date de validité ultérieure à la date du scrutin.

En sortant cette nouvelle mesure de son chapeau, le gouvernement de transition nous ôtait tout espoir de participer à un scrutin impartial. Il n'y avait eu besoin de cartes d'identité pour voter ni au référendum de 1984, ni aux élections sans partis de 1985, ni même aux élections locales de 1987. À l'époque, il suffisait d'être inscrit sur les listes électorales de sa province. Le seul objectif de cette clause des cartes d'identité était visiblement d'empêcher le PPP de remporter une majorité écrasante de suffrages. Par le passé, Zia avait fait taire la volonté du peuple en interdisant les partis politiques ; ses héritiers spoliaient désormais la nation en empêchant les citoyens de voter. Du vivant de Zia, c'étaient les candidats politiques que l'on évinçait ; ses barons excluaient les électeurs eux-mêmes du jeu démocratique.

Nous en appelâmes à nouveau à la justice, introduisant un recours pour contester la constitutionnalité de cette exigence. Après quoi, je me consacrai entièrement à ma campagne. Comme mon père, qui avait sillonné le pays en train pour sa campagne du PPP en train, je choisis le *Khyber Mall* pour rallier Karachi à Lahore. La commission électorale nous ayant interdit d'utiliser notre emblème traditionnel de l'épée, que tout le monde reconnaissait au premier coup d'œil, nous avions décidé de mener cette bataille électorale avec une nouvelle arme : la flèche.

Le gouvernement intérimaire avait interdit à tous les candidats d'utiliser les messages radios et les spots télévisés avant les élections. J'allais donc de gare en gare à la rencontre de nos électeurs, pour les inciter à aller voter. Entre deux arrêts, je rencontrais les représentants locaux du PPP qui montaient à une gare pour redescendre à la suivante. «*Zalem o ke dit may teer*, Benazir, Benazir !» (La flèche dans le cœur des tyrans, Benazir, Benazir !), criaient les foules enthousiastes qui couvraient le train de guirlandes de roses et offraient de l'eau et des vivres à nos employés massés dans les wagons. Depuis le début de la campagne, une méchante infection rénale me faisait souffrir et, à chaque arrêt, je prenais mes médicaments avec un thé chaud. Asif, qui n'avait encore jamais voyagé avec moi, me suivit dans cette première étape de la campagne. Nous étions accompagnés de nombreux partisans du PPP qui avaient grimpé sur le toit des wagons et passaient leurs journées à danser et chanter. En roulant, nous voyions leurs ombres mouvantes se découper sur les champs verts du Penjab. Un soir, le mécanicien repartit plus tôt que prévu de la gare de Mian Channu, en pleine région agricole, m'oubliant sur le quai ! J'y serais peut-être encore si les foules n'étaient venues à ma rescousse, en s'allongeant sur les rails pour arrêter le train !

Une semaine plus tard, pendant ma tournée du Sind, nous passâmes à Nawabsha où la quarantaine de membres de notre délégation fut hébergée pour un soir dans la maison familiale d'Asif. Le lendemain, je reçus une excellente nouvelle : le 8 novembre, la Haute Cour de Lahore avait invalidé la clause des cartes d'identité et réaffirmé que, conformément à la Constitution, tout citoyen de plus de 21 ans régulièrement inscrit sur les listes électorales était habilité à voter. Le tribunal releva au passage qu'il y avait à Lahore deux fois plus de cartes d'identité en circulation que d'électeurs inscrits. De plus, les cartes d'identité délivrées aux femmes ne portaient ni photographie ni signature, ce qui multipliait les risques de fraude. La cour estima qu'au vu de ces infractions, l'obligation de présenter une carte d'identité ne pouvait que compromettre la régularité du scrutin. Les hommes de Zia réagirent au quart de tour en faisant appel de cette décision auprès de la Cour suprême.

Cette première victoire judiciaire avait cependant galvanisé les foules. «Ali Baba est peut-être parti, mais les quarante voleurs sont toujours là», rappela ma mère à l'assistance qui l'acclamait lors de son meeting du 10 novembre à Larkana. «Et vous les connaissez. Le 16 novembre, votez pour la flèche!» Le même jour, je prenais la parole à Rawalpindi, où j'enregistrai un record d'affluence depuis mon retour au Pakistan en 1986. Les centaines de milliers de sympathisants qui escortaient notre cortège emplissaient toutes les rues, paralysant presque la circulation. Il nous fallut près de trois heures pour parcourir le dernier kilomètre jusqu'au podium du meeting. «Vous avez à choisir entre ceux qui défendent la dictature et ceux qui soutiennent la démocratie, déclarai-je. Entre les réactionnaires qui veulent museler le peuple et le PPP qui veut briser les chaînes de l'oppression.»

L'ambiance était encore plus survoltée lorsque nous traversâmes le Penjab, dans les derniers jours de notre tournée. Depuis sa création, quarante et un ans plus tôt, le Pakistan n'avait connu que deux élections générales. La première [en 1970] avait porté mon père et le PPP à la tête du Pakistan occidental, et en 1977, son parti avait été réélu au pouvoir. Ce scrutin serait donc le troisième du genre, et le plus difficile.

Les dirigeants de la Ligue musulmane de Zia déclarèrent publiquement que, quel que soit le verdict des urnes le 16 novembre, ils n'accepteraient pas une Bhutto à la tête du gouvernement. Le parti fondamentaliste *Jamaat-e-Islami* clamait haut et fort que la loi musulmane ne permettait pas à une femme de gouverner – alors qu'il n'avait jamais rien trouvé à redire à la Constitution que Zia avait mise en place en 1985 et qui prévoyait exactement le contraire. La Ligue musulmane alla même jusqu'à ressortir de sa manche Ahmed Reza Kasuri, un homme politique de second ordre qui, neuf ans plus tôt, avait comploté avec Zia pour faire exécuter mon père, ainsi que

Ijaz ul-Haq, le fils aîné du général Zia. Celui-ci ne craignit pas d'affirmer à la presse que la campagne du PPP était orchestrée par «une société juive basée à Londres».

Entre-temps, la Cour suprême entamait ses délibérations sur la constitutionnalité de la clause des cartes d'identité, qui menaçait d'exclure du scrutin près de 55 % des électeurs inscrits. L'issue s'annonçait plutôt mal. «Nous avons vu le monde que vous avez drainé à Rawalpindi, confia un juge de la Cour suprême à l'un de nos avocats la veille de l'audience. Nous ne pouvons pas permettre un raz-de-marée électoral en faveur du PPP.» La Cour rendit son arrêt le 12 novembre : les électeurs seraient tenus de présenter leur carte d'identité aux bureaux de vote.

« *Wazir-e-Azam*, Benazir!» (Benazir Premier ministre!) me criaient les gens lors des dernières étapes de ma campagne, dans chacune des quatre provinces. «La famille Bhutto, héros, héros ! Tous les autres zéro, zéro !» scandait le public de ma mère qui, malgré une insolation, boucla triomphalement sa tournée. Nous nous retrouvâmes à Al-Mirtaza pour voter le 16 novembre dans notre circonscription de Larkana. Après avoir déposé mon bulletin dans l'urne, j'allai me recueillir sur la tombe de mon père, seul Premier ministre de l'histoire du Pakistan – jusqu'alors – élu directement par le peuple.

Le 16 novembre, malgré l'éviction de plus de la moitié de l'électorat du pays, le Parti du peuple pakistanais remporta les législatives à la majorité. Il avait raflé la province du Sind, où il ne laissait pas un seul siège à la coalition de l'IDA, et avait dégagé une confortable majorité dans le Penjab. Seul parti à s'imposer par les urnes dans les quatre provinces, le PPP s'était assuré 92 sièges à l'Assemblée nationale – 108 en comptant ses membres élus dans des circonscriptions tribales et aux sièges réservés aux minorités –, contre 54 pour l'IDA.

L'électorat avait désavoué tous les hauts dignitaires liés à l'ancien régime du général Zia ul-Haq, à commencer par Mohammed

Khan Junejo, qui avait pourtant espéré retrouver son fauteuil de Premier ministre. Le président de l'IDA, Ghulam Mustafa Jatoi fut battu, tout comme le chef religieux Pir Pagara. L'homme fort du Penjab, Nawaz Sharif, perdit deux des quatre sièges qu'il briguait. Ma mère et moi avons remporté les cinq sièges pour lesquels nous nous étions présentées dans le Sind, au Penjab et dans la province de la Frontière du Nord-Ouest, dégageant la plus large majorité de l'histoire du Pakistan.

Le 19 novembre, le PPP fut également le grand vainqueur du scrutin provincial, décrochant 184 sièges, contre 145 pour l'IDA. D'un bout à l'autre du Pakistan, les résultats confirmaient la déroute des anciens ministres et parlementaires de Zia.

Puisque mon parti avait gagné les élections à une écrasante majorité, le président était censé m'inviter à former un gouvernement. Mais alors que j'étais submergée de messages de félicitations venus de tout le Pakistan et du monde entier, du côté de la Résidence présidentielle, le silence était assourdissant. Personne ne m'appela pour me féliciter. Et j'attendis vainement l'invitation du président Ghulam Ishaq Khan. Au lieu de quoi, les généraux entreprirent de courtiser les membres de mon parti, leur promettant le poste de Premier ministre s'ils me quittaient et parvenaient à entraîner dix autres membres du PPP à leur suite.

Une partie de poker allait se jouer pendant les deux semaines suivantes. Les enjeux étaient élevés. Ghulam Ishaq Khan s'obstinait à prétendre que rien ne l'obligeait à demander au chef du parti dominant de former un gouvernement. Mais je savais que j'étais majoritaire. Je l'avais encore prouvé lors de l'élection indirecte des femmes parlementaires. Le PPP avait emporté 14 sièges sur vingt. Dans toute autre démocratie, le gouvernement et le pouvoir vont au vainqueur. Mais nous étions au Pakistan, où les règles et les forces en présence étaient différentes.

Au bout de quelques jours, constatant que nous allions droit à la crise constitutionnelle, j'écrivis une lettre à la communauté internationale pour expliquer la situation. Je voulais mettre le président Ghulam Ishaq Khan au pied du mur. Mon ami Mark Siegel remit ma lettre en mains propres aux membres du Congrès américain. Des militants du PPP la distribuèrent à plusieurs parlementaires au Royaume-Uni et en Europe, ainsi qu'aux missions diplomatiques à Islamabad. Je n'accepterais rien moins que le gouvernement. Le monde démocratique réagit. Les États-Unis et d'autres pays exhortèrent le président Ishaq à faire appel au PPP pour former le nouveau gouvernement. Au terme d'un délai scandaleusement long, n'ayant trouvé aucune faille pour contester ma majorité parlementaire, le président Ishaq finit par céder à la volonté du peuple.

17

PREMIER MINISTRE ET AU-DELÀ...

En prêtant serment le 2 décembre 1988, je devenais la première femme élue à la tête du gouvernement d'un pays musulman. Vêtue d'une tenue vert et blanc, aux couleurs du drapeau pakistanais, je foulai le tapis rouge du palais présidentiel sous la lumière vive des lustres. Ce n'était pas mon heure de gloire, mais celle de tous ceux qui avaient consenti des sacrifices pour la démocratie.

Le peuple pakistanais avait tourné le dos au sectarisme et aux préjugés en élisant une femme Premier ministre. C'était un immense honneur, et une responsabilité tout aussi immense. Pour moi, cette prestation de serment fut un moment magique, presque irréel. Je songeai aux forces du destin qui m'avaient menée à ce poste, à cet endroit, à cet instant. Je repensai à tous ceux qui m'avaient précédée, avaient souffert, été tabassés, envoyés en exil, et aux nombreuses vies sacrifiées pour en arriver à ce triomphe de la démocratie. Je pensai notamment à mon père.

Je n'avais pas réclamé ce rôle ; je n'avais pas demandé à endosser cette responsabilité. Mais les forces du destin et les forces de l'histoire m'avaient propulsée sur le devant de la scène et je m'en sentais tout à la fois privilégiée et intimidée. Mon élection eut un grand retentissement dans le monde musulman. Les obscurantistes qui prêchaient que la place de la femme était entre les quatre murs de sa maison venaient d'essuyer un désaveu formel. Le Pakistan et, avec lui, tout le monde musulman, inaugurait un ordre nouveau et audacieux, où le principe d'égalité des sexes devenait une réalité.

Un an plus tôt à peine, le dictateur Zia avait confié à l'un de mes vieux amis que «laisser la vie à Benazir avait été la plus grave erreur de [sa] vie». Lorsque ces paroles me revinrent à l'esprit, je compris que ma fonction et ma carrière étaient indissociables de mon destin. Mon élection réinvestissait toutes les femmes de leur pouvoir, plaidait pour une interprétation modérée de l'islam et donnait au peuple pakistanais l'espoir d'une vie meilleure. Mon succès coïncidait avec le retrait des Soviétiques d'Afghanistan et d'autres mouvements populaires qui, d'un bout à l'autre de la planète, avaient renversé de nombreux dictateurs. Je rencontrai par la suite plusieurs personnalités politiques – issues d'horizons aussi divers que la Thaïlande, la Corée du Sud ou le Maroc – qui me confièrent que mon parcours, dont ils avaient eu vent jusque derrière les murs de leur prison ou pendant des soulèvements, les avait inspirés.

Au Pakistan comme ailleurs, beaucoup ont sous-estimé le pouvoir du peuple et l'énergie volcanique qui avait été étouffée pendant les décennies de dictature. Au moment de mon investiture au poste de Premier ministre, j'étais convaincue que l'État aurait désormais toute latitude pour s'employer à résoudre les problèmes de la population. Je comprendrais très vite combien je me trompais. Ceux qui s'étaient opposés à mon élection, y compris le président, étaient prêts à tout pour me déstabiliser.

Un incident donna le ton. Lors de la cérémonie de prestation de serment, le président commença à lire le serment d'investiture d'une façon très étrange, passant très rapidement sur certains passages, très lentement sur d'autres, sans respecter la ponctuation. On aurait dit qu'il essayait de me faire trébucher, de me mettre dans l'embarras sous les yeux du monde entier. Je perçai son intention et veillai à réciter mon serment avec dignité, fierté et détermination, afin que le peuple de mon pays puisse m'entendre m'engager solennellement à remplir la mission dont il m'avait investie.

En achevant mon serment, je remarquai la mine renfrognée des généraux de l'armée et l'expression effarée des hauts fonctionnaires pris en étau entre l'ancien régime et l'ordre nouveau. Mais je vis également autre chose : dans cette salle somptueuse, je vis le visage de ma mère et celui des cadres et employés du PPP s'éclairer de joie et de fierté. Dès que je fus officiellement investie, une clameur s'éleva sous les lustres du grand hall : « Bhutto est vivant ! Bhutto est vivant ! » Je compris alors que mon père n'avait pas donné sa vie en vain. Le peuple du Pakistan l'avait soutenu en votant pour moi – une femme sans expérience de trente-cinq ans à peine. Cet amour et cette loyauté avaient fait de moi la plus jeune Premier ministre élue du monde.

Ayant étudié la politique comparée, je savais que les premières mesures d'un gouvernement étaient cruciales pour marquer son orientation politique et affirmer sa volonté de changement. Je tenais donc à envoyer un message clair au Pakistan et au monde entier, avec des contenus et des symboles forts. Début 1989, dès ma première semaine au pouvoir, je m'attachai à mettre en pratique ce que j'avais prôné... Je légalisai immédiatement les droits des syndicats mis hors-la-loi par la junte de Zia et levai l'interdit qui pesait sur les syndicats étudiants. J'annulai les conditions restrictives imposées aux ONG, y compris aux associations de défense des droits de l'homme et des droits des femmes. (La réticence des militaires et des services de renseignement à laisser les associations travailler librement me surprit beaucoup. Ils craignaient que certaines ONG ne soient des « espions à la solde de l'Occident ».) Je rétablis la liberté de la presse et des médias électroniques, abrogeant toute forme de censure. Et, pour la première fois de l'histoire du Pakistan, j'assurai à l'opposition politique un accès régulier, fréquent et non censuré aux médias officiels.

J'étais également déterminée à profiter de mon mandat pour laisser un héritage de paix. En décembre 1988, à peine entrée en fonction, j'accueillis à Islamabad mon homologue Indien, Rajiv Gandhi et sa superbe épouse Sonia. L'ISI (*Inter Service Intelligence*, le renseignement pakistanais) répétait à l'envi que j'étais trop «laxiste» envers l'Inde, avec qui nous avions un différend sur le Cachemire. Je refusai d'entrer dans la polémique car j'avais mieux à faire. Je m'attachai à établir une relation de travail solide avec le Premier ministre Gandhi, comme avec les autres dirigeants de l'Association de l'Asie du Sud pour la coopération régionale (SAARC).

Lors du sommet de la SAARC, accueillie dans les magnifiques paysages d'une station d'altitude proche d'Islamabad, je rappelai aux délégués tous les bienfaits que la Communauté économique européenne avait apportés à l'Europe. C'était, leur dis-je, un exemple à suivre et, ensemble, nous devions œuvrer pour faire de la SAARC non plus une simple organisation culturelle mais une véritable organisation économique. C'était ma première conférence de la SAARC et de tous les dirigeants, j'étais la plus jeune et la seule femme. Il en aurait fallu davantage pour m'intimider et je ne craignis pas d'affirmer mes opinions. Ma proposition enthousiasma tous les dirigeants. Pour donner corps à cette coopération économique, je suggérai d'éliminer les visas pour certaines catégories de hauts responsables comme les parlementaires et les magistrats afin de faciliter leurs déplacements entre nos pays. Notre sommet s'acheva sur l'élaboration d'un projet d'Accord d'échanges préférentiel de l'Asie du Sud – que j'aurais l'honneur de ratifier lors de mon second mandat.

Je fis remarquer à Rajiv que sa mère, Indira Gandhi, et mon père seraient heureux. Ils avaient eu le courage et l'audace de signer l'accord de Simla en 1972, un événement auquel j'avais assisté quand que je n'étais encore qu'une adolescente. Rajiv et moi étions tous deux les héritiers de dynasties politiques et nos parents avaient été assassinés. Nous étions de la jeune génération, celle des enfants du sous-continent après la Partition. Asif et moi avons trouvé que le dialogue était facile avec Rajiv et Sonia. Je fus profondément bouleversée lorsque Rajiv fut assassiné et j'allai lui rendre hommage en assistant à ses funérailles.

Après le sommet de la SAARC, Rajiv et moi poursuivîmes nos négociations bilatérales en privé. Je lui rappelai que l'Inde étant le plus grand pays, c'était à lui de se montrer plus magnanime dans la recherche d'un compromis avec le Pakistan. C'était d'ailleurs exactement l'attitude que sa mère avait adoptée lors des accords de Simla, en acceptant un retrait inconditionnel des troupes indiennes des territoires du Pakistan occidental perdus pendant la guerre de 1971. L'esprit de Simla avait tenu. Malgré les tensions et les provocations, ni l'Inde ni le Pakistan n'avaient déclaré la guerre depuis l'accord de 1972.

Pendant les années Zia, le Pakistan avait dû céder le glacier du Siachen à l'Inde. Le général Zia avait essayé de minimiser cette perte territoriale, soulignant que « rien ne pousse sur le Siachen ». Ce revers avait pourtant été très durement ressenti par le peuple, et plus encore par l'armée. Nos soldats, que nous appelons « *jawans* », m'avaient fait le signe de la victoire pendant la campagne électorale, affichant davantage leurs origines sociales que leur attachement au général. Je savais que l'armée et le Pakistan tout entier voulaient une solution honorable et juste aux différends qui nous opposaient à l'Inde. Rajiv était d'accord avec moi pour dire que nous avions besoin de programmes capables de rétablir la confiance mutuelle. Nous avons donc mis en place plusieurs commissions et avons signé le premier accord de non-agression nucléaire d'Asie du Sud, nous engageant à ne pas attaquer les installations nucléaires l'un de l'autre. Nous avons également signé un accord réciproque de réduction et de redéploiement des effectifs militaires, et un autre visant à lever les restrictions imposées aux échanges commerciaux entre nos deux pays. Nous devions également par la suite parvenir à un accord de principe sur un retrait bilatéral de Kargil, sans préjudice de nos revendications sur le glacier du Siachen (hélas, ni l'un ni l'autre ne resterions assez longtemps au pouvoir pour ratifier ce document). Je me dis parfois que l'Asie du Sud, voire le monde entier, seraient très différents si Rajiv avait vécu plus longtemps et si l'on m'avait laissée finir mon mandat. Nous nous comprenions et nous pouvions travailler ensemble.

Parmi mes premières initiatives, j'avais décidé de ramener le Pakistan dans le giron du Commonwealth britannique, car la Grande-Bretagne avait soutenu le Pakistan pendant la guerre d'Afghanistan et contribué au rétablissement de la démocratie. Je prévoyais donc de revoir Rajiv en 1989, à la conférence du Commonwealth dans la ville malaise de Langkawi, pour poursuivre nos pourparlers. Mais entre-temps, il y avait eu des élections anticipées en Inde, puis Rajiv fut tragiquement assassiné. Après sa disparition, les rapports entre l'Inde et le Pakistan se sont dégradés.

J'envoyai un émissaire au nouveau Premier ministre indien, V.P. Singh, pour lui faire part de ma volonté de maintenir de bonnes relations avec New Delhi. Mon homologue réagit vivement à cette ouverture, accusant injustement le Pakistan d'avoir fomenté un soulèvement dans la province du Cachemire sous occupation indienne. (S'il est vrai que les Pakistanais étaient dans l'ensemble favorables à la cause cachemirie, l'insurrection était à ce moment là d'origine purement locale et s'inscrivait dans la lignée des grands bouleversements politiques mondiaux consécutifs à la chute du Mur de Berlin. Un vent de liberté soufflait alors sur le monde et les peuples faisaient entendre leur voix. Si l'idéal d'autodétermination progressait en

Pologne, en Hongrie et en Allemagne de l'Est, il n'y avait rien de surprenant à ce que les Cachemiris le revendiquent également.)

J'assurai le chef du gouvernement indien que le Pakistan n'avait joué aucun rôle dans cette affaire. En 1990, je m'abstins toutefois de lui parler de la proposition que m'avaient faite des Arabes formés en Afghanistan et des organisations militantes pakistanaises : ils m'avaient fait savoir par l'intermédiaire de l'ISI que « cent mille moudjahidins aguerris au combat » (expression que j'entendrai souvent) étaient prêts à entrer au Cachemire pour aider le mouvement de libération du Cachemire, et étaient persuadés de pouvoir faire échec à l'Armée indienne, pourtant largement supérieure en nombre. Sachant que ce type de soutien trans-national ferait plus de mal que de bien aux Cachemiris, je m'étais formellement opposée à ce projet. J'avais en outre ordonné à l'armée et à l'ISI de masser les troupes le long de la Ligne de contrôle avec le Cachemire et exigé qu'elles ne laissent entrer aucun moudjahidin afghan au Cachemire à partir du Pakistan.

Je fis ensuite libérer tous les prisonniers politiques, ce qui eut un impact immédiat et personnel sur ma famille, car j'avais suggéré au président Ghulam Ishaq Khan d'accorder aussi une amnistie générale aux exilés politiques. Cette mesure concernait des milliers d'anciens opposants, parmi lesquels mon frère Mir Murtaza Bhutto. Le président prit prétexte de cette demande pour semer la discorde dans ma famille. Il n'accorda qu'une amnistie partielle, ce qui concrètement signifiait que, sous certaines conditions, mon frère restait passible de poursuites judiciaires. S'il rentrait au pays, il risquait d'être emprisonné sur ordre de Nawaz Sharif, qui contrôlait alors le Penjab et était à la botte des militaires. J'étais en mesure de lui restituer son passeport pakistanais, et je le fis, mais en rentrant au Pakistan il courrait encore beaucoup de risques.

J'annonçai à Murtaza que j'avais évoqué son cas avec le Premier ministre britannique, Margaret Thatcher. Par une belle journée ensoleillée, en me promenant dans les jardins en fleurs de Chequers, la résidence d'été du chef du gouvernement britannique, je demandai à Mme Thatcher si Londres pouvait accueillir Murtaza. Elle eut la gentillesse d'accéder à ma requête. Mais Murtaza n'avait aucune envie de troquer son exil pour un autre. « Je ne sais pas combien de temps les mollahs et l'armée vont te laisser le pouvoir, me dit-il. Il vaut mieux que je reste au Moyen-Orient. » Je continue de penser que si Murtaza avait pu rentrer au pays au début de mon mandat, les tensions internes qui se sont par la suite développées entre les factions du PPP auraient pu être évitées.

Pendant mon mandat, nous avons semé les germes de la démocratie et nous avons cultivé cette démocratie – l'alimentant, la nourrissant et mettant en place des institutions qui, malgré leur fragilité des débuts, devaient déboucher sur un système politique durablement libre et équitable. J'avais appris que dans l'islam, la justice est essentielle au bon fonctionnement d'une société civilisée. J'ordonnai donc la séparation des pouvoirs judiciaire et exécutif, posant les bases d'une justice indépendante.

Nos réalisations dans le domaine économique étaient absolument inédites et révolutionnaires. Pendant mon exil en Angleterre, j'avais constaté que la politique de Margaret Thatcher avait créé une nouvelle classe moyenne. Mon gouvernement devint le premier pays d'Asie et du Moyen-Orient à engager la privatisation de diverses unités du secteur public. Nous avons également déréglementé nos institutions financières. Nous avons décentralisé l'économie et l'avons libérée des lourdeurs administratives. Jusqu'alors, tout prêt supérieur à 5 000 dollars devait être approuvé par le ministre des Finances.

Nous avons financé l'électrification de villages du Pakistan, estimant inacceptable que seules 260 communes soient électrifiées, alors qu'il restait dans le pays quelque 80 000 villages qui n'avaient toujours pas l'électricité. Nous avons également financé la construction de routes et généralisé l'adduction d'eau potable. Les citoyens ordinaires pouvaient attendre jusqu'à vingt ans pour obtenir une ligne téléphonique, et je me demandai comment ils pouvaient faire des affaires sans prêts, sans téléphones et sans électricité. J'ordonnai au ministère de trouver une solution. Nous avons installé un réseau de télécommunication par fibre optique en 1989, introduit les téléphones portables, ouvert la population sur le monde extérieur en lui permettant de capter CNN dans tout le Pakistan, à une époque où, dans d'autres pays, on ne recevait la chaîne que dans les chambres d'hôtel. Je voulais propulser le Pakistan dans l'ère moderne.

Nos réformes ne sont pas passées inaperçues. La Banque mondiale et le Fonds monétaire international ont applaudi nos efforts. Son Altesse Royale le Sheikh Zayyed Bin Sultan al Nahyan, président des Émirats arabes unis, nous a généreusement aidés à construire la raffinerie de pétrole de Multan. Nous avons aussi construit le port de Gwadar au Balouchistan, la route RCD (coopération régionale pour le développement) qui désenclave la côte de Makran, les installations navales d'Ormara, les barrages de Pasni et de Ghazi Barotha, le projet minier or-cuivre de Saindak. Nous avons ouvert le pays au tourisme et privatisé les mines de pierres précieuses pour encourager les exportations.

Nous avons simplifié les règles d'investissement pour attirer les investisseurs au Pakistan. Nous avons légalisé les banques d'affaires privées, les sociétés financières et les compagnies d'assurance. Je suis particulièrement fière d'avoir réussi à accroître considérablement les investissements dans le secteur social, ce qui s'est surtout traduit par la construction de 18 000 écoles primaires et secondaires au cours de mon premier mandat.

Les retombées économiques ont été extraordinaires et relativement rapides. Les investissements étrangers et privés au Pakistan ont explosé. Les exportations d'articles non traditionnels ont enregistré une hausse de 25 %. Nous avons modifié l'accord sur le textile entre le Pakistan et les États-Unis, ce qui a beaucoup contribué à doper les exportations de coton pakistanais.

Ce dont je suis sans doute la plus fière est toutefois ce que nous avons réussi à réaliser pour faire avancer les droits des femmes et des jeunes filles dans une société où elles avaient pendant si longtemps été négligées et souvent ouvertement maltraitées. J'ai nommé plusieurs femmes à mon gouvernement et mis en place un ministère du Développement féminin. Nous avons créé des programmes d'études féminines dans les universités. Nous avons veillé à ce que les femmes détenues aient un meilleur accès aux conseils et à la représentation juridiques.

Nous avons créé une Banque de développement pour les femmes pour accorder des crédits uniquement aux femmes, et exigé des banques normales qu'elles acceptent de prêter aux femmes. Nous avons créé des organismes de formation pour sensibiliser les femmes au planning familial, au conseil diététique, à la protection de l'enfance et à la contraception. Et nous avons légalisé et encouragé la participation des femmes aux manifestations sportives internationales, ce qui avait été interdit pendant les années de la dictature de Zia.

C'était une base très solide dans une société où, pendant dix années difficiles, les conservateurs avaient manipulé l'islam pour réprimer la position des femmes dans la société.

Nous avons réussi à réaliser tout cela malgré d'importants obstacles politiques et logistiques. Le premier jour où je suis entrée dans le bureau du Premier ministre, tous les collaborateurs du cabinet ministériel avaient été congédiés, à l'exception d'un sous-secrétaire d'État. Je dus aussitôt envoyer une équipe à Londres pour étudier les modalités de fonctionnement du bureau du Premier ministre britannique au 10 Downing Street et rendre mon bureau opérationnel. De plus, pendant plusieurs jours, on ne me transmit strictement aucun dossier. Le chef de cabinet avait reçu l'ordre de les envoyer directement à la présidence.

Le dossier le plus sérieux et le plus intimidant que j'eus à traiter lors de mon premier mandat fut la situation en Afghanistan. Depuis que les Soviétiques avaient envahi l'Afghanistan en 1979, le Pakistan s'était allié aux États-Unis pour soutenir les moudjahidins. Pour Washington, cette intervention était un élément stratégique de la guerre froide : l'Afghanistan lui fournissait une occasion d'épuiser les ressources et l'influence de l'Union soviétique, et les Américains tentaient d'exploiter toutes les failles de l'invasion et de l'occupation soviétiques pour en faire la bataille décisive qui mettrait fin à la guerre froide. Par le truchement des Afghans, de l'ISI et de l'armée pakistanaise, l'Amérique a mené en Afghanistan une guerre sanguinaire qu'elle a fini par remporter et qui a très directement contribué à l'implosion de l'Union soviétique en 1990.

Pour le Pakistan, la question afghane était bien plus complexe et épineuse. Un différend frontalier sur la ligne Durand opposait depuis longtemps les deux pays. Une grande majorité des populations pachtounes n'avait jamais accepté la création de l'État du Pakistan à l'époque de la partition du sous-continent, en 1947. Les élites afghanes étaient par ailleurs plus proches des Indiens, et le Pakistan nourrissait une grande défiance vis-à-vis du voisin afghan. Dans les années 1970, le président afghan Mohammed Daoud Khan avait soutenu une insurrection dans nos zones tribales. Nous avions réagi en postant des forces de lutte anti-insurrectionnelle le long de la ligne Durand et depuis, la frontière entre les deux pays restait incertaine.

Lorsqu'en février 1989, les Soviétiques amorcèrent leur retrait d'Afghanistan conformément aux accords de Genève, la résistance afghane s'employa à former un gouvernement intérimaire d'Afghanistan (AIG), sous l'égide du Pakistan. Les généraux pakistanais souhaitaient qu'Islamabad appuie la nomination d'Abdurrahman Sayyaf à la tête de ce gouvernement et insistaient pour maintenir Gulbuddin Hekmatyar au poste de Premier ministre. Cette solution ne me plaisait pas : « Nous devons trouver un compromis, dis-je aux militaires. Mon gouvernement soutiendra un président modéré et nous vous laisserons choisir le Premier ministre. » Les différents groupes afghans acceptèrent ainsi d'élire à la présidence Sibghatulla Mojaddedi, et de placer Sayyaf à la tête de l'AIG.

Ces négociations ne furent pas faciles pour moi. Nous passions des heures en réunion dans le bureau du président pour arracher aux groupes afghans un consensus sur la formation d'une Assemblée populaire. L'appel à la prière interrompait régulièrement nos débats et tous les hommes quittaient alors la pièce, me laissant seule. Ils refusaient qu'une femme aille prier avec eux – ce que je trouvais étrange, puisque à la Mecque comme à la mosquée du prophète à Médine, hommes et femmes avaient de tous temps prié ensemble.

Le chef du service de renseignement saoudien, le prince Turki ben Fayçal, et le ministre iranien des Affaires étrangères venaient souvent suivre l'avancée des pourparlers. À chaque fois que j'essayais de trouver un consensus, mes services de renseignement me disaient soit que les Saoudiens n'en voudraient pas parce que ma solution ferait la part belle aux chiites, soit que les Iraniens n'en voudraient pas parce qu'elle privilégierait trop les sunnites. Mes collaborateurs et moi-même pensions que le roi d'Afghanistan en exil à Rome, par sa neutralité, serait tout indiqué pour ramener la stabilité dans son pays. Mais les Iraniens ne voulaient pas en entendre parler. Je consacrai énormément de temps à ces négociations avec les groupes de la résistance afghane. J'avais souvent l'impression qu'ils étaient sous la coupe des services secrets qui leur interdisaient d'accepter le moindre compromis. Les services de renseignement, quant à eux, juraient leurs grands dieux qu'ils faisaient tout pour convaincre les Afghans, mais en vain. Nous en étions donc tous réduits à continuer à jouer au chat et à la souris. J'étais désolée pour les Afghans. Ils étaient pris en étau entre de puissantes influences extérieures et risquaient leur vie s'ils déviaient du scénario qui leur avait été imposé par leur mentors.

Le ministre soviétique des Affaires étrangères, Edouard Chevardnadze devait venir au Pakistan. Il souhaitait que Moscou et Islamabad définissent ensemble un projet politique pour gérer la situation en Afghanistan après le départ des Soviétiques. Il espérait obtenir que le président Mohammed Najibullah ne quitte le pouvoir qu'au terme d'un délai assez long pour permettre aux Soviétiques de sauver la face. Le Pakistan, qui accueillait trois millions de réfugiés afghans à ses frontières, estimait qu'une transition pacifique permettrait aux réfugiés de rentrer chez eux dans le calme et de retrouver une vie normale. J'étais prête à étudier cette proposition avec le ministre soviétique des Affaires étrangères, mais l'armée et les renseignements ne voulaient pas en entendre parler. «Kaboul tombera en une semaine», m'assura mon chef du renseignement. J'insistai, pensant que si nous réussissions une transition en douceur entre le régime de Najibullah et l'AIG, nous serions en position de force pour exiger la reconnaissance de la ligne. «Nous n'avons aucun besoin d'une reconnaissance de la ligne Durand. Les Afghans sont nos frères musulmans et aucune frontière ne devrait séparer nos deux pays», me répondit-on.

Pour couper court à mes arguments en faveur d'une concertation avec Chevardnadze, mon chef du renseignement décréta : «Madame le Premier ministre, refuseriez-vous à vos hommes et aux moudjahidins afghans le droit de marcher en vainqueurs sur Kaboul et de prier ensemble à la mosquée, après tous les sacrifices qu'ils ont consentis ?» Il avait touché une corde sensible : je pensais à tous ceux qui avaient donné leur vie pour résister à l'occupation soviétique, au prix que tant de femmes et d'enfants avaient payé. Les partis afghans et nos troupes méritaient sans aucun doute de signer leur victoire par une entrée triomphale dans Kaboul – ce qui, m'assura-t-on, se ferait dans les jours suivants, après quoi la ville tomberait rapidement.

Mais Kaboul n'est pas tombée rapidement. Elle n'est pas tombée en une semaine. Ni en plusieurs mois. Les services secrets revinrent bientôt me voir. Ils voulaient que j'autorise les soldats pakistanais à appuyer la coalition de l'AIG pour reprendre Kaboul. Je refusai catégoriquement. «Vous n'auriez jamais dû me dire que Kaboul tomberait en une semaine. Je ne peux pas engager l'armée pakistanaise en Afghanistan. L'Afghanistan se retournera aussitôt contre nous. C'est hors de question.

– Madame le Premier ministre, les Afghans sont prêts à signer un accord de confédération entre le Pakistan et l'Afghanistan. C'est dans ce cadre qu'ils feront appel à nous pour renverser le régime communiste. Il n'y aura plus de frontières entre nos deux pays.»

Je refusais tout aussi farouchement l'idée d'une confédération avec l'Afghanistan. «Cela donnera aux Indiens un prétexte pour intervenir en Afghanistan. Et sans le soutien des Américains, de l'Arabie saoudite et de l'Iran, nous aurons encore plus de problèmes, répliquai-je.

– Mais le gouvernement provisoire de Kaboul tient à cette confédération et le traité peut être signé dès demain, avancèrent mes généraux.

– Je ne peux pas faire cela», répétai-je. Je soulignai que les répercussions seraient énormes pour le Pakistan. Le reste du monde y verrait d'inadmissibles visées expansionnistes et tenterait alors de nous déstabiliser.

L'ambassadeur américain avait prévenu les moudjahidins que Washington cesserait bientôt de leur fournir des armes et des financements et parallèlement, les organisations internationales prévoyaient de mettre fin aux missions humanitaires auprès des réfugiés. Les réfugiés posaient un énorme problème, mais ni l'AIG ni ses alliés des états-majors pakistanais ne voulaient renoncer à leur marche triomphale sur Kaboul. De plus, après l'échec d'un coup d'État contre son régime, Najibullah se cramponnait au pouvoir.

Les chefs militaires pakistanais devaient convaincre aussi bien l'armée que l'opinion publique du bien-fondé de son soutien au gouvernement intérimaire afghan. C'est à ce moment-là que l'idée de « profondeur stratégique » est apparue. S'il était urgent d'installer un gouvernement intérimaire à Kaboul, disaient les généraux, ce n'était plus pour libérer les Afghans du régime prosoviétique en place, mais pour des raisons d'ordre purement stratégique : le Pakistan avait besoin de la profondeur stratégique que lui offrait le territoire afghan.

L'argument était spécieux car de son histoire, jamais le Pakistan n'avait bénéficié de cette profondeur stratégique, pour la simple et bonne raison que l'Afghanistan avait toujours été un État tampon neutre entre le bloc soviétique et l'Occident. Mais les réalités historiques passèrent aux oubliettes et le concept de profondeur stratégique s'imposa.

Tout au long des années 1980, l'Amérique s'était pliée à tous les caprices du général Zia, qui gouvernait le Pakistan d'une main de fer. Tant qu'elle avait besoin de l'appui d'Islamabad (et plus particulièrement du soutien de l'ISI) pour chasser les Soviétiques d'Afghanistan, elle n'avait aucune raison d'exhorter le dictateur à démocratiser son pays. Washington ne commença à s'intéresser à la question qu'en 1988, lorsque la guerre d'Afghanistan semblait près d'être gagnée. Mais entre-temps, la dictature avait fait beaucoup de mal, au Pakistan, bien entendu, mais aussi aux intérêts stratégiques à long terme des États-Unis, au monde musulman et au reste de la communauté internationale.

Le général Zia était très proche du *Maulana* Saiyyed Abou Ala Maudoudi, fondateur et chef spirituel du parti fondamentaliste *Jamaat-e-Islami*, et figure de proue du mouvement international des Frères musulmans. Quand les Soviétiques ont envahi l'Afghanistan, le général Zia s'est tourné vers le *Jamaat-e-Islami* et, à travers lui, vers les Frères musulmans pour leur demander de l'aide. Il introduisit les œuvres du *Maulana* Maudoudi dans le programme de formation de l'armée et limogea tous les modérés des instances militaires et éducatives du pays. Le *Jamaat-e-Islami* bénéficia d'énormes financements pour monter des antennes locales, mettre en place des cabinets de consultants et conseiller le régime sur la création d'écoles fondamentalistes visant à attirer les enfants des camps de réfugiés en leur offrant une éducation. Des souscriptions ont été lancées d'un bout à l'autre du monde musulman et les fidèles donnaient de l'argent pour subvenir aux besoins éducatifs, sanitaires et alimentaires des pauvres et des nécessiteux. Or, cet argent était distribué aux madrasas fondamentalistes qui, tout en prétendant nourrir et faire la classe aux orphelins des camps de réfugiés, propageaient en fait une idéologie de haine et de terrorisme.

Les financements internationaux affluaient également, mais atterrissaient tout droit dans les caisses de l'ISI. Zia avait demandé à ce que son régime puisse disposer librement des fonds versés par la CIA et d'autres organisations et pays, afin de gérer lui-même les moudjahidins. Washington accepta. Ce qui permit au régime militaire pakistanais de sélectionner le groupe fondamentaliste qu'il souhaitait entraîner, financer et armer. Il choisit le plus rigide, le plus fanatique et le plus violent. La manœuvre privait du même coup la CIA d'un renseignement humain indépendant.

Cette décision pouvait certes se défendre au regard des objectifs à court terme. Mais ses conséquences à long terme reviendraient hanter le monde.

Lorsque, en juin 1989, je me rendis en visite officielle aux États-Unis, l'opinion se passionna pour le somptueux dîner que le président Bush et son épouse donnèrent en mon honneur à la Maison-Blanche. Ce fut pour moi (et pour mon pays) une excellente occasion d'être reçue en grande pompe par le Congrès américain au grand complet. Mais il se passa pendant ce voyage autre chose, qui à mes yeux était beaucoup plus important. Lors d'un entretien en tête-à-tête à la Maison-Blanche, je fis part au président George H.W. Bush de mes inquiétudes. Je lui rappelai que pour chasser les Soviétiques d'Afghanistan, nos deux pays avaient pris la décision stratégique – au demeurant très efficace – de donner le pouvoir aux éléments les plus fanatiques de la résistance, qui risquaient par la suite d'échapper à tout contrôle. «Monsieur le Président, je crains que nous n'ayons créé un monstre à la Frankenstein qui pourrait bien revenir nous hanter à l'avenir», lui dis-je tristement.

Cette prédiction devait malheureusement s'avérer exacte. Les États-Unis ont quitté l'Afghanistan dès qu'ils eurent réalisé leur objectif à court terme : faire échec aux Soviétiques. La démocratie aurait pu avoir une chance de percer, mais face aux entreprises de déstabilisation de l'armée, elle ne bénéficiait d'aucun soutien international. Après le retrait soviétique et avec les bouleversements spectaculaires qui balayaient l'Europe au lendemain de la chute du Mur de Berlin, la communauté internationale regardait ailleurs.

Très peu de gens le savaient à l'époque, mais la fin de l'occupation soviétique marqua le début d'une nouvelle guerre : les extrémistes religieux étaient déterminés à s'en prendre à l'Occident, au nom de l'islam. Le PPP modéré et moi-même représentions pour eux une menace à leurs rêves de conquête, fondés sur l'exploitation des sentiments religieux des peuples du monde musulman et de la diaspora musulmane.

Le départ des Soviétiques d'Afghanistan, puis l'effondrement de la superpuissance communiste avaient exalté les extrémistes. Ils étaient convaincus de pouvoir réellement s'attaquer à l'Occident.

Les élites du renseignement occidental étaient plus à l'aise avec les généraux qu'avec moi. J'étais la fille de Zulfikar Ali Bhutto, dont ils n'avaient gardé que l'image du fauteur de troubles socialiste et du père du programme nucléaire pakistanais. À l'époque de l'occupation soviétique, mes frères avaient en outre créé le groupe de résistance Al-Zulfikar en Afghanistan.

« Votre armée l'a emporté contre les Soviétiques, me dit un jour un général pakistanais se présentant comme pro-occidental. Sur un ordre de vous, elle peut vaincre les États-Unis. » Je fis part de mon indignation à l'un de mes ambassadeurs. Celui-ci s'empressa de relayer l'information à l'ambassadeur des États-Unis, qui lui répondit : « Ce ne peut pas être vrai. Ce type boit de l'alcool. » Je compris alors que les Occidentaux pensaient pouvoir évaluer les convictions politico-religieuses de leurs interlocuteurs à partir de critères aussi ridicules que la consommation d'alcool.

J'étais en fonction depuis moins d'une semaine quand, lors d'un déplacement à Lahore, les services de sécurité découvrirent dans un pot de fleurs une bombe qui devait exploser sur mon passage. Mes détracteurs ont tenté à plusieurs reprises de dresser le peuple contre moi en propageant de fausses rumeurs, parfois d'une trivialité consternante. Ils m'accusèrent ainsi d'acheter mes voiles de mousseline de soie à prix d'or à Paris, tandis que le peuple pakistanais vivait dans la misère. En réalité, je me fournissais dans un bazar de Karachi et je suis reconnaissante au peuple pakistanais d'avoir ignoré cette attaque dérisoire et de m'avoir gardé sa confiance tandis que j'essayais de mettre en œuvre des changements dans la société pakistanaise.

Je n'avais pas été élue depuis un mois que le général de brigade Imtiaz, chef du renseignement intérieur à l'ISI, et l'un de ses adjoints, le commandant Aamir, tentaient de convaincre les députés PPP de me désavouer. «Personne ne veut d'elle, claironnaient-ils. Les Américains ne veulent pas d'elle, l'armée ne veut pas d'elle et même son propre mari finira par la quitter dès qu'elle ne sera plus en fonction.»

Dès qu'ils auraient repris la haute main en Afghanistan, ils espéraient miner les valeurs et le pouvoir de l'Occident – ce qu'ils ne pouvaient bien entendu pas faire librement tant que j'étais au pouvoir. L'ISI promit à Nawaz Sharif, le «dauphin politique» de Zia ul-Haq, le poste de Premier ministre. Sharif, qui était déjà gouverneur du Penjab, se jura de tout faire pour m'empêcher de gouverner le pays et circonscrire mon influence à Islamabad.

Le directeur de l'ISI me proposa de créer un nouveau «corps du renseignement militaire» afin d'assurer la «continuité» de ses services, ajoutant que toutes les promotions dans les hautes sphères du pouvoir devraient désormais avoir l'aval de l'ISI. Il s'agissait en réalité d'infiltrer ma base politique pour la saper de l'intérieur. Je refusai cette proposition : «Le général Zia a mené une guerre sur deux fronts avec les Soviétiques et les Indiens, et il n'a jamais eu besoin d'un corps d'armée particulier jusqu'au niveau du village, et je n'en ai pas davantage besoin.» Le chef de l'ISI insista : «Si l'ISI n'étend pas sa juridiction et ne dispose pas des mêmes officiers pour assurer la continuité, il sera difficile de maintenir un contrôle sécuritaire pour défendre les frontières idéologiques du pays.» On me demandait ni plus ni moins d'autoriser et de légitimer la création d'un «État dans l'État» qui tirerait les ficelles de tous les aspects de la vie au Pakistan, à commencer par les prochaines élections. Il n'en était bien entendu pas question. Mais dès que mon gouvernement fut limogé, le Premier ministre par intérim désigné par l'ISI, Ghulam Mustafa Jatoi, s'empressa de mettre ce projet en place.

Si les généraux étaient ouvertement contre moi, je continuais à bénéficier d'un soutien massif dans les rangs de l'armée. Le 23 mars 1989, le général Aslam Beg m'accompagna pour ma première revue militaire. Les familles des soldats m'accueillirent avec tant d'enthousiasme que notre voiture dut ralentir devant la foule. Le général Beg, peu habitué aux témoignages d'affection du public, paniqua : « Mais que se passe-t-il ?

– Ce sont les familles des soldats. Elles sont heureuses de voir le Premier ministre », lui répondit mon conseiller militaire. Cela déplut profondément au général Beg.

Si pendant vingt ans une confrontation entre les généraux et certains éléments de l'armée a déchiré l'institution militaire, il convient de distinguer entre les centaines de milliers d'hommes qui servent leur pays avec dignité et honneur, et la petite poignée d'officiers pervertis par la guerre sainte en Afghanistan qui m'étaient hostiles.

Mes détracteurs tentèrent ensuite de convaincre l'Organisation de la conférence islamique (OCI) d'exclure le Pakistan de ses rangs pour avoir élu une femme Premier ministre. J'obtins toutefois gain de cause. Les théologiens de différents pays musulmans se passionnaient pour la controverse et étaient tout occupés à lancer des fatwas. Malheureusement pour moi, un grand théologien saoudien, l'éminent Shaikh Baz, aveugle, décréta qu'il était contraire à la loi islamique qu'une femme dirige un pays musulman. Fort heureusement, ses confrères du Yémen, de Syrie, d'Égypte et d'Irak – pays où la laïcité était mieux implantée – vinrent à ma rescousse et désamorcèrent le conflit.

En 1989, Oussama ben Laden n'avait pas encore créé Al-Qaïda. J'entendis prononcer son nom pour la première fois lorsqu'il finança une vaste entreprise politicienne pour renverser mon premier gouvernement. Rentré en Arabie saoudite après le retrait des troupes soviétiques d'Afghanistan en février 1989, il fut rappelé au

Pakistan dès le mois de mai suivant, au moment où je décidai d'affirmer mon autorité sur l'ISI. Les services secrets pakistanais, avec lesquels il entretenait depuis longtemps des rapports étroits, lui demandèrent de les aider à destituer le gouvernement démocratique pour installer un régime théocratique au Pakistan. Ben Laden donna la coquette somme de 10 millions de dollars pour acheter mes parlementaires, afin qu'ils votent une motion de censure contre mon gouvernement.

À l'heure où la situation en Afghanistan était en voie de normalisation, l'intervention soudaine de Ben Laden dans la politique intérieure pakistanaise aurait dû nous faire comprendre que son objectif – et celui d'autres partisans de la guerre sainte – était bien plus ambitieux qu'il n'y paraissait : il ne s'agissait pas tant de chasser les occupants soviétiques d'un pays musulman que d'imposer une version déformée d'un califat d'États musulmans allant de l'Europe à l'Asie et à l'Afrique, et placé sous le contrôle des extrémistes religieux.

Parallèlement, les moudjahidins, jadis proches de l'Amérique et de l'Occident, se tournaient à nouveau contre leurs anciens bienfaiteurs. Ils pensaient pouvoir attaquer l'Amérique alors même qu'ils n'arrivaient toujours pas à reprendre Kaboul.

Vers cette époque, je reçus un rapport m'informant qu'un avion saoudien avait atterri au Pakistan avec un chargement de mangues. Le détail éveilla les soupçons car l'Arabie saoudite produit des dates, et non des mangues. Le renseignement civil découvrit qu'en fait de mangues, les caisses contenaient de l'argent. Je pensais avoir le soutien du roi Fahd d'Arabie saoudite. Lorsque je l'avais rencontré, il avait fait l'éloge de mon père et m'avait raconté comment il avait tenté de lui sauver la vie. Il avait qualifié le meurtre de mon père d'«injuste», m'avait assurée qu'il était un frère pour lui et qu'il me considérait comme sa propre fille. J'envoyai donc mon ministre de la Justice à Riyad avec le message suivant : «Sa Majesté aurait-elle une raison d'être en colère contre sa fille et est-ce pour cela qu'Elle envoie de l'argent saoudien au Pakistan pour financer ses opposants ? » Le roi assura mon émissaire que son gouvernement ne savait rien de ce transfert d'argent, ajoutant que « certaines personnes avaient été contaminées par le djihad afghan » et envoyaient de l'argent sur leurs fonds propres. L'un des conseillers du roi identifia le généreux donateur comme étant Oussama ben Laden.

Je me rendis à l'ambassade des États-Unis et appelai le président George Bush sur sa ligne directe. Je lui dis que les officiers de la ligne dure qui avaient soutenu les moudjahidins tentaient de renverser mon gouvernement avec l'aide d'extrémistes et que de l'argent étranger affluait au Pakistan. Je précisai que le conseiller du roi Fahd avait identifié un homme d'affaires saoudien du nom d'Oussama ben Laden.

Le 1er novembre 1989, la motion de censure présentée par l'IDA avec le soutien de l'ISI et de Ben Laden fut rejetée à douze voix près. Mais l'incident annonçait la confrontation et les manœuvres de manipulation orchestrées par une alliance entre l'ISI et des groupes fondamentalistes étrangers, qui empoisonneraient le Pakistan et le monde entier dans les décennies à venir.

Lors d'une visite au quartier général de l'armée, le général Aslam Beg, chef d'état-major interarmes, me briefa sur les questions militaires. Il voulait que le gouvernement autorise l'armée, si elle se sentait menacée, à engager une opération de « défense offensive » – autrement dit, des frappes préventives. Si nous acceptions ce principe, ajouta-t-il, l'armée pourrait s'emparer de Srinagar, la capitale du Cachemire sous occupation indienne. C'est à ce moment-là qu'il me parla des « cent mille moudjahidins aguerris au combat », prêts à nous aider à prendre Srinagar. (Quelques mois plus tard, Oussama ben Laden devait faire la même proposition au roi Fahd d'Arabie quand l'Irak eut envahi le Koweït. Comme moi, le roi Fahd déclina l'offre, ce qui déclencha une confrontation ouverte entre Ben Laden et la maison des Saoud.)

« Sur un ordre de vous, vos troupes prendront Srinagar et c'est à vous que reviendront les lauriers de la victoire et la gloire », me dit le général Beg. Je crus qu'il avait perdu tout sens des réalités.

Le terme de « moudjahidins afghans » recouvrait en fait divers groupes pakistanais, afghans, arabes et d'autres combattants qui avaient lutté aux côtés de la résistance afghane et attendaient maintenant avec impatience d'aller soutenir la rébellion au Cachemire. Il était hors de question que mon gouvernement accepte d'engager des combattants non cachemiris dans l'insurrection du Cachemire.

Je sortis de cette réunion avec le sentiment que les chefs de l'armée subissaient trop l'influence du patron des services secrets, le général Hamid Gul, et d'autres qui s'étaient battus en Afghanistan contre les Soviétiques. Ils nourrissaient une vision grandiose et messianique et n'avaient jamais admis que les missiles Stinger américains, les finances, la diplomatie et la politique internationales aient été plus efficaces que les cris de guerre des djihadistes pour faire échec aux Soviétiques. Je n'étais aucunement disposée à me laisser amadouer par des rêves de gloire qui, à mon sens, ne feraient que jeter l'opprobre sur mon pays, et je m'employai à faire clairement comprendre aux états-majors que mon gouvernement n'était absolument pas favorable à une guerre avec l'Inde.

Le général Beg tenta à nouveau de court-circuiter le pouvoir civil en modifiant les règles d'engagement du pays dans un conflit armé. La réunion avec la Commission ministérielle de Défense fut houleuse. « C'est aux politiques de décider ou non d'une guerre, car ils sont élus par le peuple », rappela sans ménagement mon ministre de l'Intérieur au chef des armées. Un silence embarrassé s'installa dans la salle de réunion. Les fonctionnaires étaient habitués à courber l'échine devant les militaires et les généraux méprisaient ouvertement les politiciens. J'invitai le général Beg à prendre le thé dans mon bureau. Mon discours l'avait mis dans une rage folle et je craignais qu'il ne cherche à se venger de mon gouvernement qui l'avait humilié devant les membres de la Commission ministérielle de Défense. Hélas, je ne me trompais pas.

Les généraux eurent recours à des moyens constitutionnels, institutionnels et politiques pour bloquer les rouages du pouvoir. Ils usèrent notamment du huitième amendement de la Constitution, véritable épée de Damoclès au-dessus de nos têtes, qui permettait au président de destituer un gouvernement. Ils firent également appel à leur allié du Penjab, Nawaz Sharif, pour fomenter une insurrection déclarée. Et ils m'attaquèrent personnellement et de façon pernicieuse, remettant en cause ma capacité même à gouverner.

Leurs attaques ne se limitaient pas à ma conception de l'islam, à mon dévouement envers le Pakistan ou à mon indépendance vis-à-vis de Washington. Ils orchestrèrent une campagne concertée – préparée avant même la victoire électorale du PPP – visant à me dénigrer et à atteindre la réputation de ma famille. Bien avant que la pratique ne devienne un outil politique aux États-Unis et en Europe, l'ISI avait inventé la « politique de destruction personnelle », un plan méthodique et délibéré pour salir mon nom et insinuer que mon gouvernement était corrompu. Mon mari, homme d'affaires, fut une cible privilégiée de cette conspiration – et je ne pense pas que, si un homme avait été à ma place, cette stratégie aurait été utilisée contre son épouse pour le faire tomber.

Cette politique d'attaques personnelles était une arme puissante pour l'aile dure de l'armée. Bien que rien de particulier n'ait jamais été prouvé ni même allégué pendant cette période, ils avaient réussi à semer le doute. Le rapport de la Cour des comptes révéla que des fonds publics avaient été détournés pour mener cette campagne de dénigrement et m'évincer du pouvoir ; et pourtant, je dois encore me justifier sur ces questions.

Malgré des années de harcèlement judiciaire et les chasses aux sorcières engagées par les dictateurs pakistanais successifs pour tenter d'anéantir mon image, au Pakistan comme à l'étranger, pas une seule des accusations portées contre mon mari ou moi-même n'a été prouvée devant un tribunal. Mais à chaque fois qu'un grief était levé, un autre surgissait. Un tribunal m'accordait la liberté sous caution, et un autre cassait aussitôt ce jugement. Mon mari et moi avons fini par consacrer plus de temps et d'énergie à nous défendre contre des accusations fabriquées de toutes pièces devant les tribunaux de tout le pays qu'à nous battre pour rétablir la démocratie dans notre patrie. C'était précisément le but de la manœuvre. Il s'agissait de nous pousser à abandonner la politique, ou de nous éliminer par une manipulation judiciaire, afin de laisser les coudées franches à l'armée pour former un gouvernement – et s'emparer du pouvoir.

En voulant me détruire, les services secrets et leurs alliés fondamentalistes cherchaient aussi et surtout à empêcher la démocratie de prendre racine et de s'épanouir au Pakistan. La démocratie menace leur raison d'être. À l'époque moderne, elle a toujours été l'ennemie numéro un des dictateurs militaires.

Les forces démocratiques du Pakistan redoutaient depuis toujours que les militaires n'invoquent le huitième amendement de la Constitution pour démettre des gouvernements élus. De fait, depuis 1985, tous les Premiers ministres désignés par les urnes – Junejo, Nawaz Sharif et moi-même – avaient été limogés sous le même prétexte, jamais prouvé : «corruption et incompétence». Je n'échappais pas à la règle et, le 6 août 1990, mon gouvernement tombait (dans la plus grande indifférence car le monde avait alors le regard braqué sur le Koweït, que l'Irak avait envahi deux jours plus tôt). Peter Jennings, le présentateur de la chaîne américaine ABC News qualifia très justement l'événement de «coup d'État militaire aux allures constitutionnelles». Pour la deuxième fois en une génération, treize ans à peine après le putsch qui avait renversé mon père, l'armée cernait à nouveau la Résidence du Premier ministre.

La campagne électorale de 1990 fut une mascarade. Des centaines de militants PPP furent arbitrairement jetés en prison. Beaucoup furent torturés, certains disparurent et d'autres furent assassinés. Nous n'avions accès à aucun média. Nawaz Sharif, lui, bénéficia d'une avalanche de millions de roupies pour financer sa campagne. L'ISI paya des sommes énormes aux responsables politiques locaux pour les forcer à déserter le PPP. Le nouveau patron de l'ISI, le général Asad Durrani, devait par la suite reconnaître devant les tribunaux que plus de 60 millions de roupies avaient été distribués pour corrompre mes partisans au cours de cette campagne. Mes meetings drainèrent toutefois des foules immenses dans les quatre provinces et dans tout le pays. Les régions rurales du Penjab réagissaient particulièrement bien à ma campagne. Les sondages étaient encourageants : théoriquement, nous devions faire aussi bien ou mieux que les 92 sièges que nous avions remportés aux législatives de 1988. Vers la fin, la presse internationale prédisait un retour en force du PPP et un bouleversement spectaculaire. Mais bien entendu, tel n'était pas le plan des généraux. Les coups d'État ne sont pas faits pour réinvestir des démocraties. Le jeu avait été faussé avant même le début de la campagne : nous n'avions aucun accès aux médias publics, nos adversaires récupéraient nos partisans à coup de millions puisés dans les caisses de l'État, les listes électorales étaient falsifiées, les cartes d'identité étaient délivrées à la tête du client, les bureaux de vote déplacés et bien entendu, le jour du scrutin, le bourrage des urnes et le décompte des voix firent le reste. Les rapports des observateurs américains soulignèrent essentiellement les fraudes préalables au scrutin. Ceux du Commonwealth et de la SAARC s'intéressèrent davantage au déroulement du vote et au décompte des voix. En tout état de cause, aucun ne valida la légitimité du processus électoral.

Le 24 octobre 1990, nous ne pûmes que constater tristement l'ampleur de la fraude : l'ISI n'avait «permis» au PPP de remporter que 44 sièges à l'Assemblée nationale – un score absurde pour le plus grand parti du Pakistan, et le seul parti national disposant d'une base solide dans les quatre provinces. Les observateurs dénoncèrent vigoureusement la fraude et les statisticiens s'accordèrent à dire que la Ligue musulmane, soutenue par l'ISI, s'était illégalement arrogée 7 % à 13 % des suffrages à l'échelle nationale, soit quelque six millions et demi de voix ! L'armée donna à Nawaz Sharif les moyens de gouverner seul, sans avoir à compromettre ou chercher un terrain d'entente avec les autres formations politiques du pays. Par cette imposture électorale, la PML raflait 106 des 207 sièges à l'assemblée et une majorité qualifiée dans les quatre assemblées provinciales. Je fus élue chef de l'opposition parlementaire.

Je siégeais donc à l'Assemblée nationale, jour après jour, mois après mois, pour contrer les diktats du gouvernement Sharif. Dans la grande tradition parlementaire britannique, en tant que chef de l'opposition, je pouvais poser des questions aux représentants du gouvernement et même au Premier ministre, et débattre avec eux. J'utilisais ce pouvoir pour tenter de préserver les réalisations sociales, économiques et politiques de mon gouvernement. Ce ne fut pas une tâche facile. Mon successeur saborda une grande part des réformes sociales que j'avais instituées. La censure fut rétablie, les syndicats étudiants à nouveau interdits. L'opposition n'avait pas accès aux médias. Le nouveau budget privilégiait, politiquement et financièrement, non plus le secteur social mais des activités étrangères au développement, provoquant des coupes sombres particulièrement douloureuses dans le domaine de l'éducation. L'équipe de Nawaz Sharif démantela par ailleurs beaucoup des réformes que j'avais instituées pour les femmes et les jeunes filles, y compris les dispensaires pour les femmes et les centres de planning familial.

L'ISI poursuivait ses attaques incessantes contre moi et intensifia sa campagne de menaces et d'intimidation. Les patrons du renseignement ne reculaient devant rien : ils allèrent jusqu'à tenter de m'impliquer dans un détournement d'avion ! Leurs services avaient trouvé les pirates de l'air par le biais d'une agence de recrutement de Rawalpindi. Ils leur donnèrent de faux papiers d'identité pour les faire passer pour des membres de l'organisation Al-Zulfikar. Ils espéraient ainsi me compromettre par le biais de mon frère et nous associer tous deux au détournement.

Le 26 mars 1991, les pirates s'emparèrent d'un avion de ligne singapourien sur l'aéroport de Singapour, avec 129 passagers à bord. Le scénario de l'ISI tourna court, car j'étais allée passer la nuit à Larkana. Les services secrets finirent par me localiser et m'envoyèrent le chef de la police locale. Celui-ci insista pour me faire réveiller en pleine nuit, sous prétexte que, sauf ordre contraire de ma part, les pirates de l'air menaçaient de tuer tous les passagers. Il s'agissait de toute évidence de faire croire que j'étais l'instigatrice de ce détournement.

Par chance, mes vigiles refusèrent de me réveiller. Tandis que les responsables du district parlementaient avec eux, les forces de sécurité singapouriennes donnèrent l'assaut et abattirent les pirates de l'air. Après quoi, les autorités de Singapour publièrent leurs photos. Quand les familles vinrent réclamer les corps, les médias comprirent qu'il s'agissait d'un coup monté et qu'Al-Zulfikar n'avait strictement rien à voir dans cette affaire. Tout le monde reconnut la main des services secrets, qui connaissaient les noms des membres de l'organisation, et avaient visiblement fourni les faux passeports et les billets d'avion à leurs hommes de main.

Un an plus tard, ils usèrent de procédés moins subtils : ils tentèrent tout bonnement de m'assassiner. Sur la route qui me ramenait de ma circonscription de Larkana, ma voiture essuya un tir de roquette. Le projectile rata sa cible et toucha hélas le véhicule de police qui m'escortait, tuant six policiers.

Parallèlement à mon rôle de chef de l'opposition parlementaire, j'amorçais une nouvelle carrière : je donnais des conférences dans le monde entier et plus particulièrement aux États-Unis. C'était pour moi une occasion de m'adresser aux faiseurs d'opinion, de les sensibiliser à l'état de la démocratie au Pakistan, de rencontrer la presse écrite et électronique et des élus politiques – députés et sénateurs américains, parlementaires britanniques et européens –, ainsi que des membres de la communauté pakistanaise à l'étranger. Je voulais faire monter la pression en faveur du rétablissement de la démocratie au Pakistan. (À ce jour, je continue de donner de nombreuses conférences en Europe, en Asie et en Amérique du Nord et du Sud.)

À travers mon travail à l'Assemblée nationale, mes interventions et publications à l'étranger, j'ai réussi à alerter l'opinion internationale sur le déclin de la démocratie au Pakistan. La situation de mon pays était d'autant plus grave que, malgré sa confortable majorité parlementaire, Nawaz Sharif lui-même s'est retrouvé de plus en plus isolé et a dû engager un bras de fer avec ses anciens alliés de l'institution militaire. Dans le même temps, les terroristes frappaient sur différents continents.

Je pense que le début de l'ère du terrorisme international a coïncidé avec la manipulation des élections pakistanaises de 1990 et l'arrivée au pouvoir de Nawaz Sharif. Les actes de terrorisme – dont le monde n'a véritablement pris la mesure qu'à partir des attentats du 11 septembre 2001 contre le World Trade Center – ont été le catalyseur d'un mouvement de violence visant à provoquer ce que le chercheur de Harvard Samuel Huntington a appelé un «choc des civilisations» entre le monde musulman et l'Occident. Une catastrophe historique était en marche.

À peine installé au pouvoir, Nawaz Sharif promut le général Imtiaz, qui avait contribué en sous-main à fonder l'Alliance démocratique islamique, directeur du Bureau du renseignement civil intérieur. Le parti au pouvoir régnait déjà sans partage sur l'Assemblée nationale et les quatre assemblées provinciales, mais Nawaz Sharif tenait à consolider encore son pouvoir et surtout, éliminer toute source d'opposition future. Il chargea le général Imtiaz de s'occuper tout particulièrement de deux cibles politiques : le président Ghulam Ishaq Khan et moi-même.

Le conflit avec le président couvait pratiquement depuis l'investiture de Nawaz Sharif. Il éclata publiquement en 1993, lorsqu'il fallut désigner un successeur au général Asif Nawaz, chef d'état-major de l'Armée de Terre décédé brutalement d'une crise cardiaque. Le président et son Premier ministre échangèrent devant les caméras de télévision des invectives et s'entre-accusèrent de sédition. Aussitôt après, Ghulam Ishaq Khan limogea le gouvernement, utilisant une fois de plus l'arme classique des coups d'État constitutionnels. Sharif fut officiellement démis de ses fonctions pour «corruption et malversations».

Des élections anticipées furent convoquées. Durant cette nouvelle campagne, j'affrontais une fois de plus l'hostilité des officiers les plus durs de l'appareil sécuritaire. Ils étaient prêts à user de moyens radicaux pour m'empêcher de revenir aux affaires. L'ISI n'en était plus à financer l'opposition pour m'écarter du pouvoir. Il s'agissait maintenant de me faire disparaître définitivement du paysage politique, de m'éliminer une bonne fois pour toutes – et de renverser du même coup le principal obstacle à leur rêve de califat. C'est ainsi qu'à l'automne 1993, les services secrets de mon pays commanditèrent mon assassinat. Ils confièrent la besogne à un Pakistanais qui avait eu partie liée avec l'ISI à l'époque de la guerre d'Afghanistan. Son nom : Ramzi Yousef.

Comme chacun le sait désormais, Yousef avait participé au premier attentat sur le World Trade Center de New York quelques mois plus tôt, le 26 février 1993. Par cette action, Al-Qaïda espérait déjà que l'une des tours tombe sur la seconde, tuant ainsi des dizaines de milliers d'Américains. Son forfait accompli, Yousef s'était enfui des États-Unis et était rentré au Pakistan. Sept mois plus tard, il recevait son nouvel ordre de mission : liquider Benazir Bhutto. Il fit deux tentatives au cours la campagne électorale de 1993.

En septembre, avec deux complices, il essaya de poser un engin explosif télécommandé juste devant chez moi. Il comptait le déclencher au moment où ma voiture sortirait du garage. Mais il fut surpris dans ses préparatifs par une patrouille de police qui lui demanda ce qu'il faisait là. Il prétendit avoir perdu ses clés dans la rue. Les policiers n'y crurent pas et lui ordonnèrent de quitter immédiatement les lieux. Ce soir-là, il se blessa, probablement en essayant de désamorcer la bombe, et dut être hospitalisé. Les registres de l'hôpital indiquaient qu'il avait perdu un doigt, sans préciser de quelle de façon.

L'expérience ne le découragea pas. Avec sa cellule, Ramzi Yousef travaillait sous les ordres de son oncle, Khalid Sheikh Mohammad, auquel l'ISI avait commandité mon assassinat. Khalid Sheikh devait par la suite devenir le «cerveau» d'Al-Qaïda et on le soupçonne d'avoir décapité lui-même David Pearl, le chef de bureau du *Wall Street Journal*. (Il est actuellement détenu aux États-Unis.) Pour me liquider, ils mirent cette fois-ci au point un complot bien plus compliqué, dont l'objectif politique ultime était de semer la zizanie dans les rangs du PPP.

Al-Qaïda et les services secrets pakistanais prévoyaient de m'assassiner et de faire porter le chapeau à mon frère Murtaza. Je devais intervenir dans un grand meeting électoral au Parc Nishtar de Karachi. Khalid Sheikh avait fait envoyer à Ramzi Yousef une batterie d'armes ultra-modernes d'Al-Qaïda, qui devaient arriver ce jour-là par le train de Peshawar. Mais le train fut retardé à Hyderabad et le temps que les armes arrivent, le meeting était terminé.

Quand Ramzi Yousef fut arrêté au Pakistan en février 1995, il pensait que c'était pour les tentatives d'assassinat à mon encontre et tenta aussitôt de se disculper : «C'est vrai, nous l'avions en ligne de mire, mais les armes ne sont pas arrivées à temps», dit-il aux enquêteurs de la police fédérale. J'ordonnai son extradition vers les États-Unis.

Le PPP remporta avec ses alliés centristes les élections générales d'octobre 1993, et forma une coalition à l'assemblée provinciale du Penjab, que Nawaz Sharif et les extrémistes avaient jadis instrumentalisée pour faire tomber mon premier gouvernement. Trois ans exactement après ce «coup d'État constitutionnel», le PPP revenait au pouvoir. Et je retrouvais mon fauteuil de Premier ministre.

Pour la deuxième fois, le peuple m'offrait l'occasion extraordinaire de gouverner le pays. J'étais déterminée à mettre chaque jour à profit pour améliorer le quotidien des familles et des travailleurs pakistanais, et pour contribuer à désamorcer un climat international explosif.

En prêtant serment pour la deuxième fois, je songeais à tous les défis que le Pakistan devait relever. Mon pays était à deux doigts d'être inscrit sur la liste noire des États terroristes ; une vaste opération sécuritaire était en cours à Karachi ; et le Pakistan était au bord de la faillite. La crise menaçait la nation sur plusieurs fronts.

Une fois de plus, je m'efforçai de travailler aussi vite et aussi efficacement que possible pour moderniser le Pakistan. Dès les premiers mois, nous lançâmes un ambitieux programme d'action sociale axé sur le développement de l'éducation, du logement, de la santé, de l'hygiène publique, des infrastructures et des droits des femmes. La clé de voûte de ce programme était un partenariat public-privé, financé conjointement par l'État, qui engagea des sommes considérables, et des subventions d'organisations internationales de développement, et appuyé par un secteur privé pakistanais en pleine expansion.

En un an à peine, mon gouvernement battait tous les records, attirant 20 milliards de dollars d'investissements étrangers – soit plus que tout ce que le Pakistan a reçu en quarante ans. 80 % de ces investissements étaient destinés à la production d'énergie, ce qui nous permit, comme nous nous y étions engagés, de tourner la page sur l'ère des coupures de courant et de relancer l'économie.

Nous avons modernisé notre législation boursière et informatisé la Banque d'État du Pakistan. Nous avons stabilisé le réseau électrique du pays tout en négociant les taux les plus bas de toute l'Asie pour les investissements dans le secteur énergétique.

Avec les recettes des privatisations, nous avons commencé à rembourser les énormes emprunts et à réduire le service de la dette. Nous étions le premier gouvernement de l'histoire du Pakistan à rembourser le capital, et non plus seulement les intérêts. Nous avons engagé la dénationalisation des secteurs industriel et énergétique pour permettre à nos structures économiques de se développer et d'être concurrentielles dans le monde moderne. Nous avons pris des décisions énergiques pour résorber la dette intérieure. Nous avons réduit les dépenses non liées au développement de 3 milliards de roupies, soit un tiers de notre effort fiscal de l'époque. Ces décisions difficiles ont porté leurs fruits. Le Pakistan était sur la voie de la prospérité.

Le président de la banque EXIM me confia par la suite qu'il n'avait eu aucune hésitation à garantir les investissements au Pakistan à l'époque où j'étais au pouvoir, tant il était impressionné par les courageuses réformes macro-économiques que nous avions entreprises. Un ministre des Finances britannique me demanda comment nous avions réussi à doubler les recettes fiscales.

Nous avions fait bien plus que cela. Durant mon deuxième mandat, le taux de croissance économique a triplé. La croissance agricole, qui avait longtemps stagné, atteignit les 7 %. Les investissements ont stimulé la croissance, qui à son tour a créé des emplois qui faisaient cruellement défaut à la jeunesse pakistanaise. Nous avons encouragé les formations à l'informatique et lancé les premiers pôles de développement informatique. Nous avons été le premier pays de la région à convier un promoteur à construire une ville nouvelle à Islamabad. Quand mon gouvernement a été évincé du pouvoir, les pôles informatiques ont pris du retard, tandis que l'Inde faisait de Bangalore le fer de lance du secteur. Le projet de ville internationale a également été annulé en 1997. Mais voyant qu'en 2000 Dubaï commençait à construire des logements sociaux, le régime d'Islamabad a fini par mettre en œuvre en 2006 les programmes de logements que nous avions définis onze ans plus tôt.

Nous avons également formé quelque 100 000 femmes pour sensibiliser les femmes au planning familial et les engager à mieux s'occuper de leurs enfants. La croissance démographique a ainsi ralenti, tandis que la mortalité infantile diminuait.

À un certain moment, nous avions décidé d'enrichir le sel en iode afin de prévenir les déficiences mentales, les problèmes de thyroïde et les goitres dans la population. Cette mesure devait déboucher sur l'une des expériences les plus étranges de ma vie. Les partis religieux (que les généraux n'hésitaient pas à sortir de leur manche pour nous discréditer), s'empressèrent de faire courir le bruit que le sel iodé rendait les femmes stériles. Notre programme sanitaire tomba à plat. Pourquoi fallait-il que notre pays politise systématiquement jusqu'aux questions les plus simples, même lorsqu'elles concernaient l'alimentation de nos enfants? Cela m'attristait profondément.

Mon gouvernement s'attacha à améliorer la condition féminine, ratifiant tout d'abord la Convention sur l'élimination des discriminations contre les femmes. Puis, pour encourager les femmes de l'ensemble du monde musulman, il organisa à Islamabad les Jeux olympiques des femmes musulmanes et institua sur le modèle de l'Union parlementaire internationale, une Union parlementaire des femmes musulmanes. Nous avons ensuite créé des commissariats réservés aux femmes afin de les inciter à porter plainte lorsqu'elles étaient victimes de violences ou autres délits, et nous avons innové en nommant des femmes juges dans les plus hautes instances judiciaires du pays. Nous avons établi des tribunaux aux affaires familiales dirigés par des magistrates chargées de régler les problèmes de garde d'enfants et autres contentieux familiaux.

Nous avons considérablement intensifié notre programme de construction et de modernisation des écoles, construisant 30 000 écoles publiques, portant ainsi sur mes deux mandats à 48 000 le nombre de nouveaux établissements primaires et secondaires. Convaincus que le meilleur moyen d'assurer l'alphabétisation de la jeunesse était d'alphabétiser les mères, nous avons lancé un programme de formation continue pour les femmes.

Lorsque mon médecin me conseilla de faire vacciner ma fille Aseefa contre la polio, je l'interrogeai sur l'incidence de la maladie au Pakistan. J'appris avec consternation qu'un enfant sur cinq né avec la polio était pakistanais. Mon gouvernement lança donc une vaste campagne de vaccination gratuite pour immuniser tous les enfants du pays. Je dirigeai personnellement cette campagne.

Grâce a cette initiative, la polio a totalement disparu du Pakistan et la mortalité infantile a considérablement diminué. Une médaille d'or de l'Organisation mondiale de la santé devait bientôt couronner les efforts de mon gouvernement en matière de santé publique. Parallèlement, nous avons propulsé le Pakistan dans l'ère des télécommunications en développant à vitesse grand V les technologies dans les entreprises et les établissements scolaires, installant des ordinateurs jusque dans les écoles du fin fond des campagnes. Un rapport du Bureau international du travail (BIT) soulignait que le Pakistan n'avait jamais créé plus d'emplois que quand j'étais au pouvoir.

Notre action était guidée par une farouche volonté d'intégrer le Pakistan au cœur de la nouvelle économie internationale. Et je serai toujours très fière de nos réalisations à cet égard, car sous mon deuxième gouvernement, notre tout jeune marché des capitaux se classait au dixième rang mondial. Lors de mon précédent mandat, j'avais favorisé l'ouverture des transactions bancaires et des liaisons aériennes avec les Républiques d'Asie centrale. J'entreprenais désormais de développer nos relations économiques bilatérales et elles attendaient avec impatience que je crée de nouveaux axes commerciaux.

Parallèlement à ce tourbillon d'activités sur le front intérieur, nous nous employions à regagner la confiance de la communauté internationale. L'image du Pakistan s'était beaucoup dégradée depuis que les États-Unis nous avaient retiré leur aide militaire en raison de notre programme nucléaire et, pour ne rien arranger, en 1992, le Département d'État avait catalogué mon pays parmi les États finançant les réseaux terroristes. Ces stigmates entachaient la réputation du Pakistan dans le monde entier.

En avril 1995, lors d'un voyage officiel à Washington, le président Bill Clinton m'accorda une série d'entretiens privés qui se révélèrent très fructueux. Le président Clinton était jeune, intelligent et avait une mémoire extraordinaire des détails. Il comprit l'importance de ce que je lui avais dit. Je revenais par exemple avec lui sur l'affaire des F-16 que le Pakistan avait achetés et payés, mais les avions de combat avaient été mis sous embargo... et l'argent avec ! Il fallait débloquer cette situation. Clinton appuya par la suite nos revendications, reprenant souvent les termes mêmes de nos conversations. Le Pakistan devait soit être livré, soit se faire rembourser, et il m'assura qu'il interviendrait en ce sens devant les deux chambres du Congrès américain. «Soit les avions, soit l'argent. C'est aussi simple que cela. Aussi équitable que cela», leur dit-il.

En 1994, je mis fin à l'opération policière aussi brutale qu'inutile que mon prédécesseur avait ordonnée pour rétablir l'ordre à Karachi. J'exhortai la population à collaborer avec les autorités pour faire échec aux terroristes.

Cet appel fut entendu. Grâce à des renseignements très précis, les forces de sécurité réussirent à arrêter des terroristes sans avoir à assiéger et quadriller une ville entière. Dans les Zones du nord, le PPP a rendu aux populations leurs droits citoyens en instituant un Conseil populaire élu, chargé de traiter les questions de développement. Nous avons fait construire des routes dans les zones tribales et engagé des pourparlers pour créer un Conseil tribal et mettre en valeur ces régions à travers le développement, les droits de l'homme et la représentation politique.

L'insurrection cachemirie se poursuivait, mais ce n'était encore qu'un conflit dit «de faible intensité» qui, s'il mobilisait des soldats indiens, n'exacerbait pas les tensions entre l'Inde et le Pakistan. Je savais que nous avions besoin de la paix en Asie du Sud pour lutter contre la pauvreté, la maladie et le retard industriel. Le dialogue indo-pakistanais progressait malgré nos différends sur le Cachemire. J'avais rencontré le ministre indien des Affaires étrangères, Jyotindra Nath Dixit, à la Conférence du Commonwealth de Chypre et nous étions convenus que nos deux pays devaient poursuivre les pourparlers sur deux questions importantes : le Cachemire, bien entendu, et les échanges bilatéraux. Mon gouvernement ratifia l'Accord d'échanges préférentiel de la SAARC que j'avais défendu lors de mon premier mandat. Mon ministre du Commerce s'employa activement à développer les relations commerciales avec l'Inde.

Islamabad contribua à établir la Conférence multipartite pour la liberté (APHC), un mouvement fédérant tous les acteurs cachemiris pour leur permettre de parler d'une même voix. Un groupe de contact de l'APCH fut mis en place lors du sommet de l'Organisation de la conférence islamique (OCI) organisé au Maroc en 1994. À ma grande fierté, les dirigeants de l'OCI acceptèrent ma proposition d'accueillir au Pakistan le prochain sommet musulman, prévu pour 1997.

Les extrémistes n'avaient toutefois pas renoncé à leurs desseins. En 1994, ils tentèrent d'incendier la magnifique bâtisse abritant l'Assemblée nationale du Pakistan, enlevèrent un autocar bondé d'écoliers et plastiquèrent l'ambassade d'Égypte. Après l'arrestation et l'interrogatoire de Ramzi Yousef en 1995, nous avons mis au jour un vaste réseau clandestin qui, sous le couvert des madrasas, formait une véritable armée de jeunes terroristes, leur instillant une culture de haine et les entraînant aux techniques de combat des commandos paramilitaires. Nous avons placé ces écoles religieuses sous étroite surveillance, leur imposant des contrôles et des règles strictes et exigeant qu'elles enseignent les mathématiques, les sciences et la littérature. Le gouvernement les a sommées de renoncer à leur programme d'endoctrinement qui incitait les jeunes étudiants à «tuer les hindous, les chrétiens, les juifs et les chiites et tous ceux qui déviaient» de leur conception de la religion. L'université islamique de Peshawar passa outre à mes ordres et fut aussitôt fermée. Cette mesure porta un coup sévère aux extrémistes, qui acceptèrent enfin d'enregistrer officiellement les madrasas. Nous devions bientôt découvrir que leurs «étudiants» venaient de 26 pays différents.

Quand j'étais enfant, la communauté musulmane se montrait très tolérante à l'égard des différentes conceptions de l'islam. Après le putsch de Zia et la guerre d'Afghanistan contre les Soviétiques, un dangereux esprit d'intolérance s'est installé, alimentant les conflits religieux. Le courant de pensée fondamentaliste qui avait eu les faveurs de Zia refuse tout dialogue interne à l'islam et recourt volontiers à la violence pour étouffer le pluralisme théologique. Dans ses prêches, il interdit aux femmes de choisir l'homme qui partagera leur vie – ce qui est absolument contraire à l'islam – et assure aux parents qu'il est de leur devoir de tuer leur fille si elle contrevient à cette règle. Ses imams appellent en outre leurs fidèles à tuer tous ceux qui ne partagent pas leur interprétation de l'islam. Cette école est largement responsable des violences religieuses qui déchirent le Pakistan.

Cet extrémisme musulman gagne du terrain dans certaines écoles coraniques qui ne sont en fait rien d'autre que des foyers de subversion, apparus dans le sillage de l'occupation soviétique de l'Afghanistan. Elles n'ont rien de commun avec les madrasas traditionnelles qui, outre la lecture du Coran, enseignaient les mathématiques, la philosophie, le droit et l'astronomie. Ces nouvelles madrasas fondamentalistes créées par les extrémistes du mouvement moudjahidin et de l'ISI s'attaquent non seulement à l'Occident, mais ciblent également d'autres musulmans. Oussama ben Laden appartient à cette école de pensée particulière, tout comme le mollah Omar et bien d'autres acteurs du terrorisme international. Pour eux et tous ceux qui partagent cette vision du monde, le Parti du peuple pakistanais et d'autres grands mouvements pluralistes du monde musulman constituent une menace.

La conception classique d'un islam tolérant, tel que l'envisageaient Saladin, le souverain musulman qui reprit Jérusalem aux Francs, et les empereurs moghols de l'Inde, est désormais mise à mal par tous ceux qui se réclament de l'islam pour réaliser leurs propres ambitions.

Lors de mes déplacements officiels, je retrouvais souvent ces groupes religieux extrémistes et panislamistes sur mon chemin. À Londres, ils se réunissaient devant l'hôtel Dorchester pour manifester bruyamment contre moi. Ils passèrent une fois la nuit entière à hurler des slogans hostiles sous mes fenêtres. Je ne fermai pas l'œil de la nuit mais l'incident me fit surtout prendre conscience qu'ils étaient très bien représentés en Angleterre. L'influence que pouvaient avoir à l'étranger ces extrémistes qui ne faisaient aucun mystère de leur intention d'attaquer l'Occident ne laissait pas de m'inquiéter. Le lendemain, je fis part de mes craintes à mon homologue britannique, John Major, lui suggérant de surveiller plus étroitement les mosquées dans lesquelles prêchaient ces imams (qui avaient soutenu les moudjahidins d'Afghanistan), ainsi que les Pakistanais britanniques de deuxième génération. John Major ne comprit pas. La menace fondamentaliste était pour moi flagrante au Pakistan, car les terroristes et les extrémistes faisaient partie de mon quotidien. L'Occident n'en avait pas encore pris la mesure. Il y serait hélas bientôt confronté.

Il n'y avait rien d'extraordinaire à ce que les extrémistes me considèrent comme une empêcheuse de tourner en rond : dans la mesure où leur objectif ultime était de contrôler totalement le Pakistan, ils ne pouvaient que m'être hostiles. Ils consacrèrent donc leurs énergies et une grand part de leurs ressources à discréditer mes orientations politiques afin de faire tomber mes deux gouvernements. Ce n'est à mon avis pas tout à fait un hasard si la plupart des attentats terroristes de grande envergure ont eu lieu lorsque les extrémistes n'avaient pas en face d'eux un gouvernement pakistanais démocratique, lorsqu'ils opéraient sans aucun contrôle ni surveillance. Je pense notamment aux attentats de 1993 et de 2001 sur le World Trade Center, aux attentats de Bombay, à l'attaque du Parlement indien, aux opérations menées contre les ambassades américaines en Afrique et l'*USS Cole* au Yémen. Je suis convaincue que si mon gouvernement n'avait pas été déstabilisé au Pakistan en 1996, les talibans n'auraient pas pu laisser Oussama ben Laden établir sa base en Afghanistan, recruter et entraîner ouvertement des jeunes gens des quatre coins du monde musulman et déclarer la guerre à l'Amérique en 1998.

Lors de mon second mandat, l'armée me convia à nouveau à un briefing sur les questions militaires. Mon interlocuteur était le directeur des opérations militaires, le général Pervez Musharraf (qui serait par la suite promu chef d'état-major interarmées et s'emparerait du pouvoir pour devenir président).

Cette réunion m'en rappela une autre, quelques années auparavant, car, en abordant la question du Cachemire, les généraux me firent la même proposition : ils voulaient que je leur donne le feu vert pour que le Pakistan s'empare de Srinagar. Musharraf conclut son raisonnement en m'assurant qu'un cessez-le-feu serait en vigueur et que le Pakistan contrôlerait Srinagar, la capitale du Cachemire sous occupation indienne. «Et après cela?» lui demandai-je. Ma question le prit au dépourvu.

«Eh bien, après cela, nous ferons flotter le drapeau pakistanais sur le Parlement de Srinagar, répondit-il.

— Et après? poursuivis-je.

— Et après vous irez annoncer aux Nations unies que Srinagar est sous contrôle pakistanais.

— Et après?»

Visiblement, le général ne s'attendait pas à ce que je le pousse dans ses derniers retranchements et commençait à s'exaspérer.

«Eh bien, vous leur demanderez de modifier la carte du monde pour prendre en compte les nouvelles réalités géographiques.

— Et vous savez ce que l'on me répondra, à l'ONU?» Je le regardai droit dans les yeux. Le chef de l'armée de terre attendait en silence. Plus rien ni personne ne bronchait dans la pièce. Je repris en détachant bien mes mots :

« Le Conseil de sécurité votera une résolution pour nous condamner et exiger un retrait unilatéral de Srinagar, et tout ce que nous aurons gagné, ce sera une bonne humiliation et l'isolement diplomatique. »

Sur ces paroles, je me levai et mis fin à la réunion.

Entre-temps, les extrémistes ne désarmaient pas : en septembre 1995, ils orchestrèrent une tentative de putsch, dirigée par le général de brigade Muntassir. Ils avaient fait livrer clandestinement des armes à Islamabad et prévoyaient de profiter d'une réunion des généraux pour attaquer le grand quartier général et décapiter l'état-major au grand complet. Après quoi, ils m'attireraient au G.Q.G. au prétexte que les généraux demandaient à me voir, et m'assassineraient à mon tour.

Mais les services de sécurité interceptèrent les armes destinées à l'assaut du G.Q.G avant qu'elles n'arrivent à Islamabad. Le groupe qui les convoyait tenta de se faire passer pour des combattants cachemiris. Mais la police locale, qui était loyale au gouvernement élu, décida de vérifier auprès de l'ISI. Le chef du renseignement intérieur les fit arrêter et ordonna une enquête.

Le général Wahid Kakar était à l'époque chef d'état-major interarmées. Il demanda à me voir et je l'invitai à mon bureau de la Résidence du Premier ministre. Il me révéla les détails du complot et conclut : « Madame le Premier ministre, vous avez beaucoup de chance. »

Je lus à la loupe le « Discours à la nation » préparé par le général de division Zahirul Islam Abbassi, l'un des conjurés. Il ouvrait sur un appel à tous les musulmans à se rallier à la « Révolution islamique » qui venait d'avoir lieu. Dorénavant, déclarait-il, le monde musulman ne connaîtrait plus de frontières, et celles qui séparaient l'Afghanistan et le Pakistan disparaîtraient puisque nous formions une seule nation islamique. Je reconnus la vieille idée de confédération, reformulée en des termes nouveaux. Les partisans de la ligne dure espéraient sans doute passer par l'Afghanistan pour atteindre l'Asie centrale, et par la Turquie et la Tchétchénie pour arriver aux confins de l'Europe et propager l'islam. Leur projet ressemblait étrangement au rêve de «califat» d'Al-Qaïda. Le général Wahid Kakar résolut de faire traduire les conjurés devant une cour martiale pour haute trahison et se jura de les faire pendre. (Pervez Musharraf devait toutefois les libérer quelques années plus tard.)

Ce noyautage de l'armée par les extrémistes m'inquiétait beaucoup. Le général Kakar devait prendre sa retraite quelques mois plus tard, fin 1995. Je lui demandai de rester à la tête des états-majors, mais il refusa.

En 1996, le Mouvement pour l'application de la charia (TNSM), un groupe armé fondé par un ancien officier de l'ISI, le commandant Aamir, fomenta une rébellion armée à Malakand, un district de la province de la Frontière du Nord-Ouest. Les combattants fondamentalistes s'emparèrent de plusieurs commissariats et abattirent un député PPP. Mon gouvernement refusa de céder à leurs tactiques. Nous parvînmes à arrêter les militants et à rétablir l'ordre dans le district de Malakand. L'un des instigateurs de cette rébellion, Maulan Liaqat, a été tué le 30 octobre 2006 lors du raid aérien lancé dans la région tribale de Bajaur, alors qu'un autre de ses compagnons d'armes a réussi à prendre la fuite. Je n'ai jamais hésité à utiliser la force pour combattre le terrorisme, et j'avais le soutien du peuple. À l'intérieur, comme à l'étranger, les actes terroristes ont diminué.

En janvier 1996, je me suis rendue au Balouchistan pour inaugurer le barrage d'Akaura. C'était un engagement que j'avais pris auprès des populations du Balouchistan pour leur assurer un approvisionnement en eau potable. Un journaliste m'informa qu'il avait été convoqué au quartier général de l'armée, où les généraux lui avaient annoncé qu'ils comptaient se débarrasser de moi. Puis, en lui remettant un épais dossier, censé contenir les preuves des affaires de corruption dont ils m'accusaient, ils lui avaient demandé d'écrire des articles sur le sujet.

En mars, un commandant en exercice me fit savoir que les services secrets avaient préparé un programme de déstabilisation à grande échelle pour faire tomber mon gouvernement. Un mois plus tard, un autre officier m'informa que des militaires de haut rang cherchaient à négocier un accord avec la Cour suprême : l'armée promettait au président de la Cour suprême de lui réserver le poste de Premier ministre par intérim s'il acceptait de susciter une crise constitutionnelle, dont la présidence pourrait se prévaloir pour démettre mon gouvernement.

Le général Jehangir Karamat avait succédé au général Kakar à la tête de l'état-major des trois armes. Avec mon équipe gouvernementale, nous lui proposâmes de muter certains hauts responsables militaires, mais il ne put s'y résoudre. Il préféra donner sa démission que prendre des sanctions contre le général Mahmoud Ahmad, que je soupçonnais de mener activement campagne contre moi. Le général Ahmad dirigeait le puissant service de renseignement militaire et serait par la suite l'un des cerveaux du coup d'État de Musharraf qui, en 1999, le nommerait à la tête de l'ISI. Sous la pression internationale, le général Musharraf le mit toutefois à la retraite anticipée au lendemain des attentats du 11 septembre 2001.

La restructuration de l'armée et des agences de renseignement entreprise à la fin 1995 – à l'époque où le général Kakar a pris sa retraite et où le général Javed Ashraf a été muté de l'ISI pour prendre la tête du renseignement militaire – a sonné le glas de mon deuxième gouvernement.

Après le départ à la retraite du général Kakar, les officiers de la ligne dure ont rallié le président à leur cause et ont tout fait pour renverser mon gouvernement. Un proche parent du président m'a informée en août 1996 que le renseignement militaire lui avait demandé de transmettre un message au chef de l'État. C'était en fait un ultimatum, assorti d'une menace : il était sommé de destituer mon gouvernement, faute de quoi l'armée se débarrasserait de moi et de lui.

À la place du président, j'aurais usé de mes pouvoirs constitutionnels pour prendre des mesures disciplinaires à l'encontre des militaires qui complotaient contre le gouvernement légitime. Mais notre président n'était pas d'envergure à faire front aux généraux de l'ISI.

Il avait eu la faiblesse de croire que l'armée le maintiendrait en place pendant une bonne dizaine d'années et il était sans doute trop intimidé par ses propres services secrets. En août 1996, l'ancien patron de l'ISI, Hamid Gul, mit très clairement en garde le chef des armées, le général Jehangir Karamat : « Le président s'apprête à démettre le gouvernement, mais vous soupçonne d'être trop proche du Premier ministre. Si ce n'est pas le cas, vous devriez parler directement avec le président de la destitution du Premier ministre. »

Entre l'ultimatum du général Ahmad et celui du général Gul, je compris qu'un jeu de dupes était en train de se tramer : l'armée menaçait de renverser le président s'il ne se débarrassait pas de mon gouvernement ; et le chef des armées était lui-même menacé d'être démis de ses fonctions par le président (ce qu'autorisait à l'époque la Constitution) s'il m'était trop favorable.

Dans ce climat d'extrême incertitude politique, un nouveau drame vint frapper ma famille. Mon père avait été assassiné par le dictateur Zia ul-Haq, mon frère Shah Nawaz avait été mystérieusement empoisonné en France et, le 20 septembre 1996, mon frère Murtaza fut abattu par la police devant son domicile de Karachi.

J'étais d'autant plus affectée que nous venions de nous réconcilier après plusieurs années de différends politiques et que la famille s'était à nouveau réunie.

Tous les hommes du clan Bhutto étaient maintenant morts. De la famille qu'avait fondée mon père, il ne restait plus que ma mère Nusrat, ma sœur Sanam et moi. Nous prîmes le grand deuil et ma mère, qui présentait déjà les premiers symptômes de la maladie d'Alzheimer, réagit très mal au meurtre de son dernier fils.

L'assassinat de Murtaza n'était peut-être pas étranger aux intrigues qui visaient à déstabiliser mon gouvernement. Quelques semaines plus tard, je devais prendre la parole devant l'Assemblée générale des Nations unies à New York. J'avais amené ma mère, car je ne pouvais pas la laisser seule dans son état. Le voyage fut douloureux et difficile. Entre les rumeurs de ma destitution imminente, le décès tragique de mon frère et la dégradation rapide de la santé mentale de ma mère, je sentais le poids du monde sur mes épaules. Ce qui ne m'empêcha pas de prononcer à l'ONU un puissant discours sur la vision du monde du Pakistan, appelant à la démocratie et au respect des droits de l'homme à l'intérieur du pays comme au Cachemire. Mais au fond de moi-même, je n'avais pas le cœur à faire des discours. J'étais brisée par la douleur.

Peu après notre retour de New York, je découvris que ma ligne téléphonique était personnellement écoutée par le général Gul. J'avais appelé le ministre de la Défense pour lui demander un rapport sur une réunion clandestine qui s'était tenue à Islamabad entre les conseillers du président et les représentants de l'opposition. J'eus à peine raccroché que le ministre de la Défense reçut un appel du général Gul : «Ainsi donc, le Premier ministre veut savoir ce qui s'est passé à la réunion?...»

Le 4 novembre 1996, profitant de la diversion que créait l'élection présidentielle américaine, le président pakistanais invoqua une fois de plus le huitième amendement pour limoger mon gouvernement, accusé de «corruption et malversation». Pour compléter le tableau, il fit ensuite arrêter mon mari pour le meurtre de mon frère, ce qui bien entendu était un odieux mensonge. (En 1997, un tribunal présidé par un juge de la Cour suprême innocenta Asif.)

Les officiers de la ligne dure créèrent ensuite un organisme fantoche, le Bureau de responsabilité nationale, au sein duquel des officiers à la retraite qui combattaient le PPP depuis l'époque de Zia furent chargés de fabriquer de toutes pièces des accusations contre ma famille et mon parti. Un véritable climat de terreur s'installa. Les forces de sécurité organisaient des raids en pleine nuit pour arrêter de hauts responsables de mon gouvernement, entrant chez eux par effraction et terrorisant leur famille.

Les Pakistanais, dans leur grande majorité, n'étaient pas dupes : ils savaient que cet acharnement n'était motivé que par des raisons de politique politicienne. Mais mon mari fut la cible de tant d'accusations – de corruption, d'enlèvement, de meurtre... – qu'il devait passer les huit années suivantes en prison, sans aucune preuve, et sans même avoir été officiellement condamné par les tribunaux ! Je reste intimement convaincue que son unique crime était d'être mon époux.

Plus grave encore, après m'avoir destituée, le président paya son tribut à l'armée pakistanaise en lui conférant très officiellement une part du pouvoir exécutif par le biais d'un «Conseil national de défense et de sécurité». Composé du président, du Premier ministre, le ministres d'État, du chef des armées et des chefs d'état-major des trois armes, ce nouvel organisme donnait aux militaires le rôle politique officiel dont ils rêvaient depuis longtemps et auquel je m'étais toujours opposée.

Mise à part la Ligue musulmane de Nawaz Sharif, toutes les formations politiques du pays s'élevèrent vigoureusement contre ce qui n'était rien d'autre qu'un coup d'État par lequel les militaires mettaient la main sur les institutions pakistanaises. Nawaz Sharif, ostensiblement désigné pour légitimer cet état de fait, fut le seul dirigeant politique à reconnaître ce Conseil créé par et pour les généraux. Cette parodie de démocratie donnait un avant-goût de l'issue annoncée des législatives 1997.

Quelques jours à peine après l'assassinat de Murtaza, alors que ma destitution se préparait en coulisses, un nouveau danger apparut : les talibans marchèrent sur Kaboul. Ils devaient bientôt contrôler entièrement le gouvernement afghan et imposer leur loi tyrannique au peuple afghan. Les officiers de la ligne dure de l'ISI s'empressèrent de réaffirmer leur doctrine de «profondeur stratégique» et, maintenant que je n'étais plus là pour les en empêcher, appuyèrent ouvertement leurs alliés extrémistes en Afghanistan. Cette initiative aurait de terribles conséquences dans les années à venir.

Les fraudes et la corruption firent de la campagne électorale de 1996 une mascarade encore plus grotesque qu'en 1990. Au bout du compte, le PPP n'eut droit qu'à 18 sièges à l'Assemblée nationale, contre 137 pour la Ligue musulmane de Nawaz Sharif. Je poursuivis mon combat depuis les bancs de l'opposition.

Le PPP tint toutefois dignement son rôle, s'attachant à défendre les intérêts du pays au-delà de toute considération partisane. Il apporta ainsi son soutien à Nawaz Sharif lorsque celui-ci fit enfin abroger le fameux huitième amendement – qui, en donnant au président toute latitude pour dissoudre le parlement, fragilisait depuis plus d'une génération la démocratie pakistanaise. Il était évident que Sharif avait surtout pris cette mesure pour préserver son propre pouvoir, mais le PPP voulut d'abord y voir un principe élémentaire de bonne gouvernance.

Politiquement et socialement, en revanche, le programme du gouvernement Sharif était essentiellement réactionnaire. Le Pakistan régressait à vitesse grand V. Nawaz Sharif s'évertuait à conférer une légitimité constitutionnelle à son projet de loi sur «l'islamisation» du pays et ne tarissait pas d'éloges sur la société talibane, qu'il présentait comme un modèle pour le Pakistan. L'opposition l'accusa de vouloir devenir, à l'instar du mollah Omar, un nouvel «*Amir ul Momineen*» – Commandeur des croyants.

Maintenant que le pouvoir avait changé de mains à Islamabad, les talibans refusaient de signer le Traité afghan sur un gouvernement multipartite que nous avions élaboré avec le Représentant spécial des Nations unies. Sa ratification, programmée pour le 7 novembre, fut reportée *sine die*. Avec Nawaz Sharif à la tête du gouvernement pakistanais, les talibans ne craignaient plus de se montrer sous leur véritable jour. Ils assassinèrent des diplomates iraniens et en 1998, laissèrent Ben Laden établir sa base opérationnelle sur leur territoire pour déclarer la guerre à l'Occident. À un gouvernement afghan national, ils substituèrent un régime transnational, faisant de leur pays une plaque tournante du terrorisme international.

En tant que chef de l'opposition parlementaire, j'appelai le gouvernement en place à contraindre les talibans à respecter les règles des relations internationales, faute de quoi, Islamabad devait rompre les relations diplomatiques avec Kaboul. Je soulignai au passage que le principe de «profondeur stratégique» risquait fort de dégénérer en «menace stratégique» pour le Pakistan.

Au Sénat, mon parti fit barrage aux projets de loi de Nawaz Sharif qui visaient à faire du Pakistan un État théocratique en imposant la charia. Entre-temps, je repris mon bâton de pèlerin pour aller faire entendre la voix de la démocratie pakistanaise aux quatre coins de la planète.

En avril 1999, les autorités de mon pays lançaient un mandat d'arrêt contre moi. J'avais la chance de me trouver alors à l'étranger. J'ai choisi l'exil, m'installant avec mes enfants à Dubaï.

«Rien de nouveau sous le soleil» : l'expression résume très bien la vie politique pakistanaise de ces dernières années. Comme dans le roman d'Orwell, *1984*, les alliances, amitiés et antagonismes changent et évoluent au gré des circonstances. Le mariage de raison de Nawaz Sharif avec l'armée pakistanaise et l'ISI n'a pas duré très longtemps. Les relations déjà tendues entre le pouvoir civil et les autorités militaires ont achevé de se détériorer après l'offensive désastreuse de Kargil, en 1999, chacun faisant porter à l'autre la responsabilité de la débâcle.

L'Inde et le Pakistan ont en réalité frôlé la confrontation nucléaire pendant le conflit de Kargil. Situé dans les hauteurs de l'Himalaya, ce poste avancé, surplombe une route stratégique de la vallée du Cachemire, était généralement inhabité en hiver. Les troupes indiennes et pakistanaises reprenaient leurs positions à chaque printemps. Mais en mai 1999, les moudjahidins cachemiris infiltrés (soutenus par l'armée pakistanaise) ont pris les avant-postes indiens au moment où ils étaient inoccupés. Cette offensive a déclenché de violents combats dans la région de Kargil.

Voyant que le conflit risquait de dégénérer en une guerre totale, Nawaz Sharif s'est précipité à Washington pour demander aux Américains de l'aider à désamorcer les tensions. Au lieu de quoi, il a eu droit à un sermon en bonne et due forme du président Clinton, qui a exigé un retrait immédiat des troupes pakistanaises. Le gouvernement Sharif s'est empressé d'obtempérer, mais il n'avait aucun plan pour organiser son retrait. Les affrontements avec les troupes indiennes ont fait des dizaines de victimes dans les rangs de l'armée pakistanaise. Un ami proche des milieux militaires m'a confié que l'armée entreposait les cadavres de ses soldats dans des armoires frigorifiques et ne les rendait aux familles qu'au compte-gouttes, afin de brouiller les pistes sur le terrible bilan humain du conflit.

Le Premier ministre tenta de se dédouaner, prétendant ne pas avoir été consulté sur l'initiative des moudjahidins ; les généraux assuraient pour leur part qu'il avait été tenu au courant heure par heure de l'opération, et l'avait approuvée de bout en bout. Puisqu'il prétendait avoir été tenu à l'écart, Nawaz Sharif fut sommé de sanctionner les éléments de l'armée pakistanaise responsables de l'offensive de Kargil. La rupture entre le Premier ministre et le chef d'état-major, le général Musharraf, était inévitable. Il était clair que leur opposition avait atteint son paroxysme et qu'un seul en sortirait vivant.

Le 12 octobre 1999, Nawaz Sharif démit Musharraf de ses fonctions, alors que celui-ci rentrait d'une visite officielle à l'étranger. Il refusa l'atterrissage à son avion. Or les réservoirs de l'appareil étaient presque vides et l'avion risquait de s'écraser. Fidèles à leur chef d'état-major, les militaires prirent le contrôle de l'aéroport de Karachi. Le général Musharraf décréta aussitôt l'état d'urgence, renversa le gouvernement, fit arrêter le Premier ministre et dissoudre l'Assemblée nationale. Cette fois-ci, l'armée ne s'encombrait plus des oripeaux de la constitutionnalité. C'était un putsch militaire dans la meilleure tradition.

Musharraf, autoproclamé président, s'engagea à rétablir la démocratie, mais il ne tint jamais sa promesse. Tout comme l'avait fait le général Zia en son temps, il convoqua en avril 2002 un référendum pour légitimer son maintien à la présidence pour cinq années supplémentaires. De l'avis unanime des observateurs internationaux, la participation fut très minime. Ce qui n'empêcha pas Musharraf de clamer que 70 % des Pakistanais s'étaient prononcés et que 98 % l'avaient plébiscité. Plutôt qu'une démocratie, nous nous retrouvions avec un politburo, mais la communauté internationale, obnubilée par la montée du terrorisme islamiste, ferma les yeux.

À ce simulacre de référendum succéda un scrutin législatif tout aussi douteux. Plusieurs proches de Musharraf me déconseillèrent vivement de me présenter, mais je ne pouvais abandonner le peuple pakistanais qui m'avait défendue. Face à mon refus obstiné de retirer ma candidature, le pouvoir fit adopter une série de décrets pour me déclarer purement et simplement inéligible. (Dans son autobiographie publiée en 2006, Musharraf admet avoir fait passer en force cette mesure en partie pour empêcher ma probable réélection au poste de Premier ministre.) Je contestai naturellement cette décision, mais plus de cinq ans après les élections d'octobre 2002, les tribunaux pakistanais n'ont toujours pas statué sur mon recours.

Malgré cette machination destinée à m'écarter du pouvoir, le peuple m'a soutenue et le PPP a rallié la majorité de suffrages. Plusieurs parlementaires élus sur des listes PPP devaient toutefois céder aux pressions et se laisser acheter par nos adversaires. Les tribunaux classèrent comme par magie des plaintes pour corruption ; des contrats furent concédés, des portefeuilles ministériels attribués. Mon parti était miné de l'intérieur. Le directeur des services secrets convoqua les parlementaires au siège de l'ISI à Islamabad. Il les reçut derrière un impressionnant bureau, tandis que Zafarullah Khan Jamali, le candidat au poste de Premier ministre désigné par l'ISI, était assis sur une chaise, en retrait. Les élus furent sommés de voter pour Jamali, qui fut dûment « élu » à la tête du gouvernement.

Mon mari, qui a passé six ans en prison sans qu'aucun tribunal ne lui ait jamais signifié la moindre condamnation, a toujours mis un point d'honneur à résister au chantage de ceux qui lui promettaient la liberté s'il m'interdisait de me présenter aux élections. Il a eu beaucoup de mérite et je suis très fière de lui. Sa loyauté lui a valu de rester deux ans de plus dans les geôles de Musharraf et il a bien failli en mourir, mais ensemble, nous étions forts et nous refusions de capituler.

En trente ans, les partis religieux pakistanais n'avaient jamais recueilli plus de 13 % des voix aux élections générales. Or, un an après les attentats terroristes de New York et Washington, le scrutin de 2002 donnait le contrôle des assemblées provinciales de la Frontière du Nord-Ouest et du Balouchistan à une coalition de partis islamistes extrémistes, le Muttahida Majlis-e-Amal (MMA, Conseil d'action unifié). Beaucoup de Pakistanais la surnommaient par dérision la « Mullah-Military Alliance » (Alliance des mollahs et des militaires). Elle regroupait l'Assemblée islamique, l'Assemblée du clergé musulman, l'Assemblée du clergé pakistanais et le Mouvement pour l'islam. Ces formations, jusqu'alors marginalisées, se retrouvaient soudain majoritaires dans deux provinces et obtenaient pas moins de 63 sièges à l'Assemblée nationale.

À mesure que les « résultats » tombaient, je ne pouvais m'empêcher d'ironiser sur la grossièreté de la manœuvre de Musharraf. En interprétant le scrutin comme un soutien massif de la population aux islamistes, il envoyait un signal très clair à l'Occident : il cherchait à convaincre la communauté internationale qu'il était le seul capable de faire échec à la mainmise des fondamentalistes sur un Pakistan nucléarisé. Ce qui n'a pas échappé à Husain Haqqani, grand spécialiste pakistanais des relations internationales, qui écrivit : « Après avoir utilisé pendant dix ans les islamistes pour saper le pouvoir civil, les généraux pakistanais s'en servent aujourd'hui comme d'une menace, pour inciter la communauté internationale, et particulièrement les États-Unis, à aider l'armée pakistanaise à garder la haute main sur le pays. »

Malheureusement, il s'en est encore trouvé plus d'un pour tomber dans le panneau.

Au moment de son arrestation en 1995, Ramzi Yousef était en possession de plans visant à détourner des avions de ligne américains pour les retourner comme armes contre des immeubles. Parallèlement, Al-Qaïda prévoyait de détourner le même jour plusieurs vols commerciaux au-dessus du Pacifique, pour réaliser une attaque terroriste de grande envergure. Nous avions visiblement affaire à une nouvelle génération de terroristes internationaux, qui n'en était plus aux bonnes vieilles méthodes des attentats-suicides dans des bus ou des assassinats ciblés. Ces gens-là étaient des monstres sanguinaires, qui s'étaient donnés pour tactique de perpétrer des meurtres politiques à la plus grande échelle possible.

Le 11 septembre 2001, je fus sidérée et consternée par l'ampleur de l'opération d'Al-Qaïda, mais pas vraiment étonnée. J'étais simplement surprise qu'elle ait réussi.

À ce jour, ce tragique événement reste la pire conséquence de la politisation de la religion. Al-Qaïda et ses alliés s'emploient à détourner l'interprétation de l'islam, de la même manière qu'ils détournent des avions américains et que leurs bombes tuent des civils innocents dans les trains de Londres et de Madrid. Dans les années 1980, la dictature militaire avait récupéré et manipulé la religion à des fins politiques. Au XXIᵉ siècle, cette stratégie est devenue l'apanage d'Al-Qaïda.

Le fait que le Livre saint de l'islam interdise expressément de tuer des innocents ne dissuade en rien ces extrémistes politiques. Ce n'est pas à la théologie mais à la théocratie qu'ils aspirent – au pouvoir politique brut.

Rien n'aurait pu m'être plus pénible que le spectacle des tours jumelles de New York qui brûlaient, où des milliers de gens étaient en train de connaître la mort la plus atroce qui soit. Ayant étudié à Harvard, puis à l'université d'Oxford, les États-Unis et la Grande-Bretagne étaient un peu mes secondes patries. Le 7 juillet 2005, je fus à nouveau bouleversée par le terrible attentat de Londres. Le plus grave, à mon sens, était que les auteurs de ces atrocités agissaient au nom de l'islam, et étaient très souvent directement liés à mon pays, le Pakistan.

Les analystes commençaient à s'interroger sur ce lien avec le Pakistan et cherchaient à comprendre pourquoi la filière pakistanaise revenait systématiquement dans les affaires de terrorisme islamiste.

Cette inquiétante constante, reliant les complots et attentats terroristes contre l'Occident au Pakistan n'est pas le fruit du hasard. À mon sens, elle est même hélas d'une logique implacable : bien que le rapport de cause à effet soit souvent sous-estimé, elle est une conséquence de l'attitude de l'Occident qui laisse depuis des décennies les régimes militaires pakistanais museler les aspirations démocratiques du peuple pakistanais, tant que les dictateurs servent ouvertement ses intérêts politiques.

Or, on ne danse pas impunément avec les dictateurs, et le prix à payer a atteint cette fois-ci une échelle de destruction inimaginable.

À la fin des années 1970 et pendant toutes les années 1980, l'Occident a dorloté le dictateur Zia ul-Haq qui avait complaisamment fait de l'ISI une antenne de la CIA en Afghanistan. Cette alliance entre les services de renseignement pakistanais et américains a non seulement permis de doter les moudjahidins d'armes et de technologies de pointe, mais elle fait de mon pays, jadis pacifique, une société violente où les kalachnikovs, l'héroïne et l'islam radical règnent en maîtres. Le détournement des budgets sociaux au profit de la Défense a par ailleurs eu sur la société pakistanaise des répercussions en chaîne dont les effets continuent de se faire sentir.

À mesure que l'État se désengageait de domaines aussi fondamentaux que l'éducation, la santé, le logement et les services sociaux, la population est allée chercher de l'aide ailleurs. La manifestation la plus évidente de cette tendance fut la multiplication des madrasas politiques, qui se comptent aujourd'hui par dizaines de milliers dans les quatre provinces du Pakistan.

Aujourd'hui, les extrémistes se réclamant de l'islam sont organisés selon trois grands types de structures : les partis religieux constituent la base politique ; les madrasas politiques suscitent un climat de haine et d'intolérance envers les autres religions et les autres courants musulmans ; et les groupes armés comme le Lashkar e Tayyaba et le Harkat ul-Islam se chargent de recruter et de former des combattants. Certains envisagent le djihad comme une «mission» mais pour d'autres, c'est un emploi. (Un chef tribal m'expliquait par exemple que le président afghan Hamid Karzaï paie ses soldats 70 dollars par mois, alors que les talibans assurent à leurs combattants un «salaire» mensuel de 100 dollars.)

Lorsque, après le retrait des troupes soviétiques en 1989, l'Occident s'est désintéressé de la démocratie en Afghanistan et a laissé les islamistes les plus radicaux s'emparer du pouvoir à Kaboul, l'extrémisme politico-religieux a persisté au Pakistan. Ces mouvements sont déterminés à mener une guerre sainte contre l'Occident. Et ils se renforcent sous les dictatures militaires.

C'est avec beaucoup de tristesse que je vois l'Amérique reproduire avec le dictateur militaire Pervez Musharraf les erreurs qu'elle a commises avec Zia. Vingt ans après le coup de force de Zia contre la démocratie au Pakistan, un autre chef des armées a renversé un gouvernement civil.

Prenant exemple sur son prédécesseur, le nouveau dictateur pakistanais courtise l'Occident, offrant un soutien sporadique et calculé, mais jamais innocent, à la guerre mondiale contre le terrorisme. En échange de quoi, l'Amérique et la Grande-Bretagne lui laissent toute latitude politique, tandis que les talibans se massent dans les zones tribales du Pakistan et tuent des soldats de l'OTAN dans l'Afghanistan voisin.

Entre-temps, les cellules terroristes sont intactes. S'il arrive parfois que l'on arrête quelques chefs de réseaux, c'est pour les relâcher dès que la communauté internationale a le dos tourné. Or la dictature militaire continue, à mon avis, à exercer d'inadmissibles pressions sur les dirigeants de l'opposition, à décimer les partis politiques, à bâillonner la presse et à faire régresser la cause des droits de l'homme au Pakistan pour la ramener à au moins vingt ans en arrière.

L'objectif du régime militaire est d'éliminer toute alternative à l'appareil du renseignement pour former des gouvernements, et c'est la raison pour laquelle il fait obstacle au PPP. Les partisans du régime militaire devraient garder à l'esprit les paroles que prononça le président Kennedy lors de son discours d'investiture en 1961 : « Qui chevauche le tigre finit en général par se faire dévorer. »

La première fois que j'ai rencontré le général Musharraf, il faisait office d'interprète pour des militaires turcs en visite à Islamabad. Il avait été pressenti pour devenir mon conseiller militaire, mais je refusai de lui donner le poste car on le soupçonnait – sans que ce fût jamais établi – d'entretenir des liens avec le MQM (Mouvement national muhajir), un parti ethnique qui recourait souvent à la violence. Notre dernière rencontre me marqua beaucoup plus : c'était en 1996, lorsqu'il me présenta son scénario de guerre pour le Cachemire.

La farouche détermination dont fit preuve Musharraf pour décapiter le PPP et m'empêcher d'être réélue s'est soldée par une fragilisation des institutions politiques du pays et le délabrement des infrastructures de la démocratie, tant dans les partis politiques que dans les institutions civiles. Sa politique budgétaire privilégiant les dépenses militaires au détriment du secteur social a par ailleurs aggravé la situation des dizaines de millions de Pakistanais qui vivent sous le seuil de pauvreté.

Le général Musharraf a été visé par plusieurs tentatives d'assassinat. Il faut souhaiter que ces attentats ne se renouvelleront pas, mais la menace est bien là. Comme on le voit, l'incapacité à bâtir une démocratie durable au Pakistan peut avoir de très graves conséquences.

Le régime de Musharraf a renoncé à la souveraineté de l'État sur certaines sections de la frontière pakistanaise, sous prétexte qu'elles sont ingouvernables. Il ne faut donc pas s'étonner que Ben Laden n'ait jamais été capturé. L'idée que ces vastes zones du Pakistan soient ingouvernables est absurde. Pendant mes deux mandats de Premier ministre, mon gouvernement a envoyé des troupes dans ces régions pour y assurer le maintien de l'ordre. Aujourd'hui, Musharraf livre ces zones en pâture aux terroristes. Son régime cohabite avec les extrémistes qui attentent à la vie d'hommes, de femmes et d'enfants innocents dans des avions, des trains et des autobus d'un bout à l'autre de l'Europe, de l'Amérique et du Pakistan. Si une femme Premier ministre avait cédé à de telles compromissions, elle serait accusée de faiblesse et d'impéritie. Mais le général-président le fait en toute impunité. Malgré les percées spectaculaires qu'ont réalisées les femmes, il y a toujours deux poids deux mesures dans la façon dont on juge les hommes et les femmes en politique.

Musharraf fait mine de soutenir la guerre contre le terrorisme, concédant juste assez pour rester dans les bonnes grâces de Washington et de Londres, mais sa politique fait aussi le lit des ennemis de l'Occident. Et les redoutables madrasas politiques, qui prêchent l'intolérance dans le pays et la guerre contre l'Occident à l'étranger, et que j'ai combattues et parfois démantelées quand j'étais au pouvoir, prospèrent et s'épanouissent aujourd'hui sous la dictature militaire d'Islamabad.

Ce sont à mon avis les Zia et les Musharraf de ce monde qui ont alimenté la xénophobie et le sentiment de victimisation des Pakistanais et de la diaspora pakistanaise en Occident. On dit souvent que les élections ont des conséquences. J'ajouterais que les coups d'État aussi ont des conséquences. Le bâillonnement des formes d'expression démocratiques, aggravé par la stimulation et l'exploitation des interprétations les plus extrémistes et les plus inadmissibles de l'islam, ont sans aucun doute eu des répercussions, non seulement au Pakistan, mais dans le monde entier. Je ne suis donc pas vraiment surprise que toutes les pistes terroristes semblent remonter au Pakistan.

Qu'y a-t-il d'étonnant à cela? Depuis des générations, les dirigeants militaires alimentent, autorisent et exploitent l'extrémisme.

En 2007, à l'heure où je m'apprête à rentrer au Pakistan où m'attend un avenir incertain, je sais très bien que les enjeux ne concernent pas uniquement ma personne et mon pays, mais bien le monde entier. Je sais que je risque d'être arrêtée. Je sais que, comme Benigno Aquino à Manille en 1983, je risque de me faire abattre d'une balle sur le tarmac de l'aéroport à ma descente d'avion. Après tout, les séides d'Al-Qaïda ont déjà essayé de m'assassiner plusieurs fois; il n'y a aucune raison pour qu'ils n'essaient pas à nouveau quand je rentrerai d'exil pour me battre pour des élections démocratiques qui leur font horreur. Mais je fais ce que j'ai à faire, et je suis déterminée à rentrer dans mon pays pour tenir la promesse que j'ai faite au peuple pakistanais, et soutenir ses aspirations démocratiques.

Je prends ce risque pour tous les enfants du Pakistan.

Ce n'est pas le pouvoir personnel qui m'intéresse. Il s'agit de la simple considération et du respect du droit d'hommes et de femmes à vivre dans la sécurité, la dignité et la liberté. Mais maintenant, alors que le danger, l'extrémisme et la terreur dictent leur loi, il s'agit aussi d'autre chose : la démocratie au Pakistan n'est pas importante que pour les Pakistanais. Elle l'est pour le monde entier. En cette époque où la religion qui m'est si chère est récupérée à des fins politiques et fait l'objet d'une interprétation extrémiste, nous devons garder à l'esprit que les États démocratiques ne laissent pas le champ libre aux terroristes, ne les protègent pas et ne les accueillent pas. Un Pakistan démocratique, débarrassé du joug de la dictature militaire, cesserait d'être le terreau du terrorisme international.

C'est donc pour mener une nouvelle campagne que je rentre d'exil. Je prie pour que le monde démocratique contraigne le général Musharraf à assurer les conditions d'un scrutin libre et équitable.

Pour qu'il permette aux personnalités politiques et aux partis d'y participer librement, qu'il autorise des observateurs internationaux à surveiller le scrutin et le dépouillement, et surtout, qu'il respecte le verdict des urnes. Je sais que tout cela semble idéaliste – irréaliste, diront certains –, mais après toutes ces années, je continue de croire que le temps, la justice et les forces de l'histoire sont du côté de la démocratie.

Certaines personnes ne comprendront peut-être pas ce qui me pousse à m'engager dans cette voie, incertaine et potentiellement dangereuse. Trop de gens ont trop sacrifié, trop de gens sont morts et trop de gens me considèrent comme leur dernier espoir de liberté pour que j'arrête de me battre maintenant. Je me souviens des paroles de Martin Luther King Jr. : « Notre vie commence à s'arrêter le jour où nous gardons le silence sur les choses graves. » Avec ma foi en Dieu, je remets mon destin entre les mains de mon peuple.

Note de l'éditeur

Nous avions acheté en octobre 2007 les droits du prochain livre de Benazir Bhutto : *Reconciliation: Islam, Democracy and the West*. Ce livre, comme son titre l'indique, est un essai, mais aussi une profession de foi, sur ce qui a toujours été le but ultime de Benazir Bhutto, parvenir à faire cohabiter dans son pays, le Pakistan, l'Islam, la modernité et la démocratie.

Au début du mois de décembre, son agent, Andrew Wylie, nous a proposé de rééditer l'autobiographie de Benazir Bhutto, parue en 1988, augmentée à la lumière des dix-huit dernières années passées, tant au pouvoir qu'en exil. Bien entendu, il nous a paru cohérent d'être également l'éditeur de ce livre-ci. Nous avions pensé le publier à la fin du mois de janvier 2008, après les élections qui auraient, très probablement, vu Benazir Bhutto revenir au pouvoir au Pakistan.

Le destin, son destin, en a décidé autrement.

Nous sommes aujourd'hui fiers et tristes.

Fiers de publier cette autobiographie d'une femme hors du commun à la force et à la volonté sans égal.

Tristes car nous aurions souhaité que cela arrive dans d'autres conditions.

Nous avions prévu de nous rendre au Pakistan au printemps pour la rencontrer.

Cette rencontre n'aura jamais lieu.

Benazir Bhutto a été assassinée le 27 décembre 2007. De notre point de vue, ce drame est aussi dangereux pour l'équilibre du monde que les attentats du 11 septembre 2001 contre le World Trade Center.

Nous tenons à remercier Andrew Wylie et l'assurer de notre affection car plus qu'un auteur, c'est une amie qu'il a perdue.

TABLE DES MATIÈRES